DATE DUE

| | | | |
|---|---|---|---|
| | | | |
| | | | |
| | | | |
| | | | |
| | | | |
| | | | |
| | | | |
| | | | |
| | | | |
| | | | |
| | | | |

Heath's Modern Language Series

# AN ANTHOLOGY OF GERMAN LITERATURE

BY

CALVIN THOMAS, LL. D.

LATE PROFESSOR IN COLUMBIA UNIVERSITY

D. C. HEATH & CO., PUBLISHERS

BOSTON

6 B 6

Printed in U. S. A.

# PREFACE

This book is designed to accompany an introductory study of the history of German literature. It is assumed that the history itself will be learned, so far as necessary, either from lectures or from some other book devoted to the subject. As the selections were made, for the most part, while I was writing my own short history of German literature for the series published under the general editorship of Mr. Edmund Gosse and known as "Literatures of the World," it was natural that the Anthology should take on, to some extent, the character of a companion book to the History. At the same time I did not desire that either book should necessarily involve the use of the other. Hence the absence of cross references; and hence also, in the Anthology, the brief introductory notes, giving important dates and summary characterizations. These are meant to enable the student to read the selections intelligently without constant recourse to some other book.

In preparing Part First, I have had in mind the student who has learned to read the language of Goethe and Schiller with some facility, and would like to know something of the earlier periods, but has not studied, and may not care to study, Old and Middle German. On this account the selections are given in modern German translations. The original texts are omitted because space was very precious, and because the book was intended as an aid to literary rather than linguistic study. In making the selections, my first principle was to give a good deal of the best rather than a little of everything. I wished to make friends for medieval German poetry, and it seemed to me that this could best be done by showing it in its strength and its beauty. So I have ignored much that might have had a historical or linguistic interest for the scholar, and have steadily applied the criterion of literary worth.

My second principle was to give preference to that which is truly German, in contradistinction from that which is Latin, or European, or merely Christian. The Latinists of every epoch are in general disregarded, as not being of German literature in the strict sense; yet I have devoted eight pages to *Waltharius* and three to *Rudlieb*, on the ground that the matter of these poems is essentially German, albeit their form is Latin. On the other hand, Hrotswith is not represented at all, because, while an interesting personage in her way, she belongs to German literature neither by her form nor by her matter. The religious poetry of the twelfth century receives rather scant attention, partly because it is mostly pretty poor stuff — there is not much else like the beautiful Arnstein hymn to the Virgin, No. XIII — and partly because it embodies ideas and feelings that belonged to medieval Christianity everywhere.

For each selection I have given the best translation that I could find, and where nothing satisfactory could be found in print I have made a translation myself. Where nothing is said as to the authorship of a translation, it is to be understood as my own. In this part of my work I have tried to preserve the form and savor of the originals, and at the same time to keep as close to the exact sense as the constraints of rime and meter would allow. In Nos. XI to XVII a somewhat perplexing problem was presented. The originals frequently have assonance instead of rime, and the verse is sometimes crude in other ways. An attempt to imitate the assonances and crudities in modern German would simply have given the effect of bad verse-making. On the other hand, to translate into smooth tetrameters, with perfect rime everywhere, would have given an illusory appearance of regularity and have made the translation *zu schön*. (I fear that No. VII, the selections from Otfried, for the translation of which I am not responsible, is open to this charge.) So I adopted the expedient of a line-for-line prose version, dropping into rime only where the modern equivalent of the Middle German took the form of rime naturally. After regular rime becomes established — with Heinrich von Veldeke — I have employed it in all my translations. For my shortcomings as a German versifier I hope to be regarded with a measure of indulgence. The question of inclusion or exclusion could not be made to turn on the preëxistence of a good translation, because too much that is important and interesting would have had to be omitted. I should have been glad to take the advice of Mephisto,

Associiert euch mit einem Poeten,

but I was unable to effect a partnership of that kind.

Beginning with No. XL, the selections are given in their original form without modernization. While Part Second, no less than Part First, looks to literary rather than linguistic study, it seemed to me very desirable that the selections from writers of the sixteenth and seventeenth centuries should represent the literary language of that time. By modernizing I could have dispensed with many a footnote and have made the texts somewhat easier to read; but that gain would have entailed a very unfortunate loss of savor, and have deprived the selections of all incidental value as *Sprachproben*. On the other hand, I could see no advantage in a scrupulous reproduction of careless punctuation, mere mistakes, or meaningless peculiarities of spelling. As there is no logical stopping-place when an editor once begins to retouch a text, I finally decided to follow, in each selection, either a trustworthy reprint or else a good critical edition, without attempting to harmonize the different editors or to apply any general rules of my own. The reader is thus assured of a fairly authentic text, though he will find inconsistencies of spelling due to the idiosyncrasy of editors. Thus one editor may preserve *vnd* or *vnnd*, while another prints *und;* one may have *itzt*, another *jtzt*, and so on.

Finally, I desire to call attention here to the fact that, while a few selections from Lessing, Goethe, and Schiller are given, by way of illustrating their early work in its relation to the literary renascence, no attempt is made to deal adequately with the classical literature of the eighteenth century. The book extends *to* the classics. I must admit that the limit thus set is a little vague, and from a theoretical point of view not quite satisfactory; but practical considerations decided in favor of it. To have done justice to the classics, on the scale adopted for the rest of the book, would have required an additional hundred pages, devoted to long extracts from works which, for the most part, have been carefully edited for American students, are commonly read in schools and colleges, and could be presumed to be familiar to most users of the Anthology. As the additional matter would thus have been largely useless, it seemed to me that the ideal gain in symmetry would be more than offset by the increased bulk and cost of the book, which was already large enough. I hold of course that anthologies have their use in the study of literary history; but it would be a mistake, in my judgment, for any student to take up a volume of selections without having first read the more important works of Lessing, Goethe, and Schiller.

CALVIN THOMAS.

COLUMBIA UNIVERSITY,

# CONTENTS OF PART FIRST

## CONTENTS OF PART SECOND

# PART I

## FROM THE EARLIEST TIMES TO THE SIXTEENTH CENTURY

### IN MODERN GERMAN TRANSLATIONS

# I. THE LAY OF HILDEBRAND

The only surviving remnant, in the German language, of the ancient heroic poetry cultivated by the Germanic tribes prior to their Christianization. The precious fragment consists of 69 alliterating verses, which are preserved in a Kassel manuscript of the 8th or 9th century. The language shows a mixture of Low and High German, there are gaps in the text, the meaning of several words is doubtful, and the versification is here and there defective. All this, which some account for by supposing that the manuscript was copied from a version which had been written down from memory and not perfectly recalled, makes translation difficult and uncertain. The poetic version here given is that found in Bötticher and Kinzel's *Denkmäler der älteren deutschen Literatur*, 9th edition, 1905, which in the main follows Müllenhoff's text and theories with regard to gaps, transpositions, etc. For a careful prose version by a very competent scholar see Kögel's *Geschichte der deutschen Literatur*, I, 1, 212.

Das hört' ich sagen . . .
Dass zwei Kämpfer allein sich kamen entgegen,
Hildebrand und Hadubrand, zwischen zwei Heeren.
Sohn und Vater besorgten ihre Rüstung,
Bereiteten ihr Schlachtkleid, die Schwerter fest sie gürteten,
Die Recken über die Ringe; [1] dann ritten sie zum Kampfe.
Hildebrand erhob das Wort; er war der hehrere [2] Mann,
In der Welt erfahrener. Zu fragen begann er
Mit wenigen Worten, wer sein Vater wäre
Von den Helden im Volke . . .
. . . "oder welcher Herkunft bist du?
So du mir einen nennst, die andern weiss ich mir,
Kind, im Königreiche: kund sind mir alle Geschlechter."
Hadubrand erhob das Wort, Hildebrands Sohn:
"Das sagten längst mir unsere Leute,
Alte und weise, die früher waren,
Dass Hildebrand hiess mein Vater; ich heisse Hadubrand . . . [3]

[1] 'The rings' of their corselets. — [2] Instead of *ältere*, for the sake of the alliteration. — [3] The translator here assumes (unnecessarily) that there is a gap in the text, with loss of a speech by Hildebrand.

Vorlängst zog er ostwärts, Otakers Zorn floh er,
Hin mit Dietrich und seiner Degen vielen.
Er liess elend im Lande sitzen
Das Weib in der Wohnung, unerwachsen den Knaben,
Des Erbes beraubt, da ostwärts er hinritt.
Dem mächtigen Otaker war er masslos erzürnt,
Der beste der Degen war er bei Dietrich;
Seitdem entbehrte Dietrich den Beistand
— Er war so freundlos [1] — meines Vaters:
Der war dem Volke voran stets; fechten war immer ihm lieb.
Kund war er manchen kühnen Mannen.
Nicht wähne ich mehr, dass er wandelt auf Erden."
Hildebrand erhob das Wort, Heribrands Sohn:
"Das wisse Allvater oben im Himmel,
Dass nimmer du Worte bis heute gewechselt
Mit so nah gesipptem Mann." . . .
Da wand er vom Arme gewundene Ringe,
Aus Kaisermünzen [2] gemacht, wie der König sie ihm gab,
Der Herrscher der Hunnen: "Dass ich um Huld dir's gebe!"
Hadubrand erhob das Wort, Hildebrands Sohn:
"Mit dem Ger soll man Gabe empfahen,[3]
Spitze wider Spitze. Ein Späher bist du,
Alter Hunne, (heimlich) [4] lockst du mich
Mit deinen Worten, willst mit dem Speer mich werfen,
Bist worden so alt nur immer Trug sinnend.
Das sagten mir Leute, die zur See gefahren
Westwärts über den Wendelsee:[5] Hinweg nahm der Krieg ihn,
Tot ist Hildebrand, Heribrands Sohn."
Hildebrand erhob das Wort, Heribrands Sohn: . . .[6]
"Wohl hör' ich's und seh' es an deinem Harnisch,

[1] 'Friendless,' i. e. separated from his kin. Hadubrand is giving reasons for thinking that his father is dead. — [2] 'Imperial gold' from Constantinople. — [3] Hadubrand suspects treachery and poises his spear. — [4] Inserted by the translator for the alliteration's sake. — [5] The earth-encircling sea — *oceanus*; here the Mediterranean. — [6] The supposition is that Hildebrand's speech is missing, and that lines 47–50 form part of a reply by Hadubrand, ending with a taunt so bitter that the old warrior could not brook it even from his own son. He sees that he must fight.

Dass du daheim hast einen Herrn so gut,
Dass unter diesem Fürsten du flüchtig nie wurdest." . . .
"Weh nun, waltender Gott, Wehgeschick erfüllt sich!
Ich wallte der Sommer und Winter sechzig,
Da stets man mich scharte zu der Schiessenden Volk:
Vor keiner der Städte zu sterben doch kam ich;
Nun soll mit dem Schwerte mich schlagen mein Kind,
Mich strecken mit der Mordaxt, oder ich zum Mörder ihm werden!
Magst du nun leichtlich, wenn langt dir die Kraft,
An so altem Recken die Rüstung gewinnen,
Den Raub erbeuten, wenn du Recht dazu hast!
Der wäre der ärgste aller Ostleute,[1]
Der den Kampf dir weigerte, nun dich so wohl lüstet
Handgemeiner Schlacht! Es entscheide das Treffen,
Wer heute sich dürfe der Harnische rühmen
Oder der Brünnen beider walten!"
Da sprengten zuerst mit den Speeren sie an
In scharfen Schauern; dem wehrten die Schilde.
Dann schritten zusammen sie (zum bittern Schwertkampf),[2]
Hieben harmlich die hellen Schilde,
Bis leicht ihnen wurde das Lindenholz,
Zermalmt mit den Waffen. . . .

## II. THE MERSEBURG CHARMS

Two incantations that date back to pagan times, albeit the manuscript, discovered at Merseburg in 1841, is of the 10th century. The dialect is Frankish. No. 1 is for loosening a prisoner's fetters, the other for curing the sprained leg of a horse. The translation is Bötticher's.

I

Einst sassen Idise,[3] sassen nieder hier und dort.
Die hefteten Hafte, die hemmten das Heer,

[1] East Goths. — [2] A guess of the translator; the meaning of the original being quite uncertain. — [3] 'Idise' means 'women'; here battle-maids similar in character to the Northern valkyries.

Die klaubten an den Kniefesseln:[1]
Entspring den Banden, entfleuch den Feinden!

2

Phol[2] und Wodan ritten zu Walde.
Da ward Balders Pferd der Fuss verrenket.
Da besprach ihn Sinthgunt, (dann) Sonne, ihre Schwester;
Da besprach ihn Frija, (dann) Volla, ihre Schwester;
Da besprach ihn Wodan, wie er es wohl konnte,
Sei 's Beinverrenkung, sei's Blutverrenkung,
Sei's Gliedverrenkung:
Bein zu Beine, Blut zu Blute,
Gelenk zu Gelenken, als ob geleimt sie seien!

## III. THE WESSOBRUNN PRAYER

A Christian prayer in prose, preceded by nine defective verses which probably preserve old epic turns of expression. The dialect is Bavarian, the theme that of Psalm xc, 2. The manuscript dates from the year 814. Wessobrunn was the seat of a Bavarian monastery.

Das erfuhr ich unter dem Volke als das vornehmste Wunder,
Dass Erde nicht war, noch Überhimmel,
Noch Baum (noch Stein?) noch Gebirge war;
Dass (Stern?) gar keiner noch Sonne schien,
Noch der Mond leuchtete, noch das Meer so herrlich.
Und als da nichts war von Enden noch Wenden,
Da war der eine allmächtige Gott,
Der Männer mildester, und manche waren mit ihm
Glorreiche Geister. Und Gott der heilige. . . .

Allmächtiger Gott. der du Himmel und Erde geschaffen, und der du den Menschen so vieles Gute verliehen hast, gib mir in deiner Gnade rechten Glauben und guten Willen, Weisheit und Klugheit und Kraft, den Teufeln zu widerstehen und Böses zu vermeiden und deinen Willen zu wirken.

[1] 'Knee-fetters' for the sake of the alliteration; the original means simply 'fetters.'—[2] Phol is probably the same as Balder.

# IV. THE MUSPILLI

A fragment of 103 alliterating verses written in the Bavarian dialect and dating from the 9th century. The beginning and end of the poem are lost. The extant verses describe the fate of the soul after death and the terrors of the final judgment. The title, which means 'destruction of the earth,' was given to the fragment by Schmeller, its first editor (1832). The translation is Bötticher's.

*Lines 31–50: The battle of Elias and Antichrist and the ensuing world-fire.*

So hört' ich künden  Kund'ge des Weltrechts,
Dass der Antichrist wird  mit Elias streiten.[1]
Der Würger ist gewaffnet,  Streit wird erhoben:
Die Streiter so gewaltig,  so wichtig die Sache.
Elias streitet  um das ewige Leben,
Will den Rechtliebenden  das Reich stärken;
Dabei wird ihm helfen,  der des Himmels waltet.
Der Antichrist steht  bei dem Altfeinde,
Steht beim Satan;  er[2] wird ihn[2] versenken:
Auf der Walstatt  wird er wund hinsinken
Und in dem Streite  sieglos werden.
Doch glauben viele  Gottesgelehrte,
Dass Elias auf der Walstatt  Wunden erwerbe.
Wenn Elias' Blut  auf die Erde dann träufelt,
So entbrennen die Berge,  kein Baum mehr stehet,
Nicht einer auf Erden,  all Wasser vertrocknet,
Meer verschlingt sich,  es schwelt in Lohe der Himmel,
Mond fällt,  Mittelgart[3] brennt,
Kein Stein mehr steht.  Fährt Straftag ins Land,
Fährt mit Feuer,  die Frevler zu richten:
Da kann kein Verwandter  vor dem Weltbrand[4] helfen.
Wenn der Erdflur Breite  ganz nun verbrennt,
Und Feuer und Luft  ganz leer gefegt sind,
Wo ist die Mark, wo der Mann  stritt mit den Magen?

[1] The idea that the last judgment would be preceded by a great battle between Elijah and Antichrist rests upon extra-biblical tradition; but see Mal. iv, 5. — [2] Der des Himmels waltet, wird den Satan zum Falle bringen. — [3] The earth; Norse *midgard*. — [4] The original has *muspille*; whence the title.

Die Stätte ist verbrannt, die Seele steht bedrängt,
Nicht weiss sie, wie büssen: so wandert sie zur Pein.

*Lines 73–84: The summons to the last judgment.*

Wenn laut erhallet das himmlische Horn,
Und sich der Richter anschickt zur Reise,
Dann erhebt sich mit ihm gewaltige Heerschar,
Da ist alles so kampflich, kein Mann kann ihm trotzen.
So fährt er zur Richtstatt, wo errichtet der Markstein,
Da ergeht das Gericht, das dorthin man berufen,
Dann fahren die Engel hin über die Marken,
Wecken die Toten, weisen zum Thinge.
Dann wird erstehen vom Staube männiglich,
Sich lösen von Grabes Last; dann wird das Leben ihm kommen,
Dass all seine Sache er sagen müsse,
Und nach seinen Werken ihm werde das Urteil.

## V. THE HELIAND

An Old Saxon Messiad written in the first half of the 9th century (between 814 and 840) for the purpose of familiarizing the lately converted Saxons with the life of Christ. Nothing is known of the author except that he was a learned cleric who had some skill in handling the old alliterative verse, which had now nearly run its course. A few verses are lacking at the end of the poem, which breaks off, with the story nearly all told, at line 5983. The name 'Heliand,' Old Saxon for 'Savior,' was given to the poem by Schmeller, who edited it in 1830. The selections are from Edmund Behringer's *Heleand*, 1898.

*Lines 1189–1202: The calling of Matthew to discipleship.*

Da wanderte des Waltenden Sohn
Mit den vieren vorwärts; sich den fünften dann erkor
Kristus an einer Kaufstätte, eines Königes Jünger,
Einen mutigen, klugen Mann, Mattheus geheissen,
Er war beamteter edler Männer.
Er sollte zu Handen seines Herrn hier annehmen
Zins und Zoll. Treue zeichnete ihn aus,
Den angesehenen Adeligen; alles zusammen verliess er,
Gold und Geld, die Gaben in Menge,

Hochwerte Schätze, und er ward unseres Herrn Dienstmann.
Es erkor sich des Königs Degen Kristus als Herrn,
Der milderen Gemütes gab, als der, dessen Mann er war,
Ihn, der waltet über diese Welt; wonnigere Gaben gewährt dieser,
Lange währende Lebensfreude.

*Lines 2006–2048: The turning of water into wine at Cana.*

Voll Lust waren beisammen die Landessöhne,
Die Helden heiteren Herzens, hin und her eilten Diener,
Schenken mit Schalen trugen schimmernden Wein
In Krügen und Kannen. Gross war der Kühnen Jubel,
Beseliget in dem Saale. Da dort unter sich auf seinen Sitzen
Am fröhlichsten das Volk sein Freudengetön erhob;
Als der Wonne voll sie waren, da gebrach es ihnen an Wein,
Den Landeskindern an Lautertrank,[1] nichts war übrig gelassen
Irgendwo in dem Hause, was vor die Heerschar fürder
Die Schenken trügen, sondern die Schäffer [2] waren
Des Lautertrankes leer. Da war es nicht lange hernach,
Dass dieses sofort erfuhr der Frauen schönste,
Kristi Mutter; sie kam, mit ihrem Kinde zu sprechen,
Mit ihrem Sohne selbst, sie sagte ihm sogleich,
Dass da die Wehrhaften nicht mehr des Weines hätten
Für die Gäste beim Gastmahle; bittend begehrte sie,
Dass hiefür der heilige Krist Hilfe schüfe
Den Wehrhaften zu Willen. Da hatte hinwieder sein Wort bereit
Der mächtige Gottessohn, und zu seiner Mutter sprach er:
" Was liegt dir und mir an dieser Mannen Trank,
An dieses Festvolkes Wein? Warum sprichst du, Frau, hierüber so viel,
Mahnst mich vor dieser Menge? Noch sind meine
Zeiten nicht gekommen! "
Dann hegte doch sicheres Zutraun
In ihres Herzens Tiefe die heilige Jungfrau,
Dass nach diesen Worten des Waltenden Sohn,

[1] M. H. G. *lûtertranc*, a sort of spiced claret. — [2] The ' vessels ' from which wine was poured into the cups.

Der Heilande bester, helfen wollte.
Es trug da auf den Amtleuten der Edelfrauen schönste,
Den Schenken und Schöpfwarten, die dort den Scharen aufwarten sollten,
Nicht von Wort noch Werk irgendwas zu unterlassen,
Was sie der heilige Krist heissen würde
Zu leisten vor den Landessöhnen. Leer standen dort
Der Steinfässer sechse; da gebot so stille
Der mächtige Gottessohn, so es der Männer viele
In Wahrheit nicht wussten, wie er es mit seinen Worten gesprochen;
Er hiess die Schenken da mit schimmerndem Wasser
Füllen die Gefässe und hat dies da mit seinen Fingern dort
Selber gesegnet; mit seinen Händen
Verwandelt' er Wasser in Wein. Er liess aus den weiten Gefässen
Schöpfen mit einer Schale; und zu den Schenken sprach er da,
Hiess sie von den Gästen, die bei dem Gastmahle waren,
Dem Hehrsten in die Hand geben
Ein volles Gefäss, dem, der über das Volk dort
Dem Wirte zunächst gewaltet.

*Lines 2235–2264: The stilling of the storm on the sea of Galilee.*

Da hiess er die anderen Wehrmänner
Weiter wandern; und mit wenigen nur bestieg
Einen Kahn Kristus, der Heiland,
Schlummermüde zu schlafen. Die Segel liessen schwellen
Die wetterweisen Wehrmänner, leiteten den Wind hinein,
Trieben auf dem Meerstrom, bis in die Mitte kam
Der Waltende mit seinen Wehrhaften. Da begann des Wetters Gewalt,
Stürme stiegen auf, die Stromfluten wuchsen,
Her schwang sich Wolkengeschwirr, es schäumte der See,
Es wütete Wind und Wogen; die Wehrmänner bangten,
Das Meer war wildmutig, nicht wähnte der Männer einer
Länger zu leben. Da eilten sie, den Landeswart
Zu wecken mit ihren Worten und wiesen ihm des Wetters Wut,

Baten, dass ihnen hilfreich würde Kristus, der Heiland,
Wider die Wasser, oder " wir werden hier in Weh und Angst
Versinken in diesem See." Selbst erhob sich
Der gute Gottessohn, gnädig sprach er zu seinen Getreuen,
Forderte sie auf bei der Wellen Aufruhr die Angst zu besiegen:
"Warum seid ihr so in Furcht? Noch nicht ist gefestigt euer Herz,
Euer Glaube zu gering; vergehen wird kurze Zeit,
Und stille wird werden die Sturmflut,
Wonnesam der Lüfte Wehen." Da sprach zu dem Winde er
Und zu dem See ebenso und hiess sie sanfter sich
Beide gebaren. Seinem Gebote gehorchten sie,
Dem Worte des Waltenden; die Wellen wurden stille,
Friedlich die Flut. Da fing das Volk unter sich an,
Die Wehrhaften, sich zu wundern; manche fragten mit Worten,
Was das für ein so mächtiger unter den Männern wäre,
Dass ihm so der Wind und die Woge auf sein Wort gehorchten,
Beide seinem Gebote.

*Lines 4858–4931: The smiting of Malchus by Simon Peter.*

Die weisen Männer standen
In tiefem Kummer, Kristi Jünger,
Vor dem Frevel der Frechheit und zu ihrem Fürsten riefen sie:
" Wäre es dein Wille," sagten sie, " waltender Herr,
Dass durch des Speeres Spitze wir sterben sollten,
Wund durch die Waffen, dann wäre für uns nichts so wertvoll,
Als dass wir hier für unsern Herrn hinsinken müssten,
Erbleicht im Kampfbegier." Erbost wurde da
Der schnelle Schwertdegen, Simon Petrus,
Mächtig wallte ihm innen sein Mut, dass er nicht vermochte ein Wort zu sprechen;
So harmvoll war ihm um das Herz, dass man seinen Herrn da
Binden wollte. Erbost schritt er dahin,
Der treugemute Degen, zu treten vor seinen Fürsten,
Hart vor seinen Herrn; nicht war sein Herz in Zweifel,
Nicht blöde in seiner Brust, sondern sein Beil zog er,

Das scharfe, an seiner Seite, schlug es entgegen
Dem vordersten der Feinde mit der Fäuste Kraft.
Da ward Malchus durch des Beiles Macht
An der rechten Seite gerötet durch die Waffe,
Das Gehör ward ihm verhauen, an dem Haupte wurde er wund,
Dass die Todeswunde traf Kinn und Ohr,
Das Bein zerbarst. Blut sprang nach,
Wallend aus der Wunde. Da war schartig an seinen Wangen
Der vorderste der Feinde; da schaffte das Volk Raum,
Des Beiles Biss fürchtend. Da sprach aber der Gottgeborene,
Selber zu Simon Petrus, hiess sein Schwert ihn stecken,
Das scharfe, in die Scheide: "Wenn ich gegen diese Schar," sprach er,
"Gegen dieser Männer Ansturm Kampfweise wollte üben,
Dann mahnte ich den erlauchten, mächtigen Gott,
Den heiligen Vater im Himmelreiche,
Dass er mir zahlreiche Engel von oben sendete,
Kampfeskundige; ihrer Waffen Kraft würden nimmer
Diese Männer ertragen. Keine Macht stünde je, selbstgeeint,
So fest unter den Völkern, dass ihm das Leben gefristet
Werden möchte; aber es hat der waltende Gott,
Der allmächtige Vater, es anders geordnet,
Dass wir mit Milde ertragen alles, was uns diese Männerschar
Bitteres bringet. Nimmer sollen erbost
Wir uns wehren wider den Angriff, weil jeder, der Waffenhass,
Grimmen Gerkampf, gerne üben will,
Oft hinschwindet durch des Schwertes Schärfe,
Blutigen Todes stirbt; durch unsere Taten
Soll nichts verwüstet werden."
Hinschritt er da zu dem wunden Manne,
Fügte mit Vorsicht das Fleisch zusammen,
Die Wunde am Haupte, dass sofort geheilet ward
Des Beiles Biss, und es sprach der Gottgeborene
Zu der wütenden Wehrschar: "Wunder dünket mich mächtig,"
sprach er,
"Wenn ihr meinem Leben was Leides wolltet tun,
Warum ihr mich nicht fasstet, da ich unter eurem Volke stand,

In dem Weihtume innen   und Worte so zahlreich,
Wahrhaftige, sagte.   Da war Sonnenschein,
Trauliches Tageslicht,   da wolltet ihr mir nichts tun
Leides in diesem Lichte,   und nun leitet ihr mir eure Leute zu
In düsterer Nacht,   so man Dieben tuet,
Wenn man sie fahen will,   die Frevler, die da haben
Verwirket ihr Leben."
Das Wehrtum der Juden
Ergriff nun den Gottessohn,   das grimme Volk,
Der Hassenden Haufe,   die Heerschar umdrängte ihn
Der übermütigen Männer,   nicht achteten sie die Missetat,
Hefteten mit eisenharten Banden   seine Hände zusammen,
Seine Arme mit Fesseln.   Nicht war ihm so furchtbare Pein
Zu ertragen Not,   Todesqual
Zu erdulden, solche Marter;   aber für die Menschheit tat er es,
Weil die Erdgeborenen   er wollte erlösen,
Heil entnehmen der Hölle   für das Himmelreich,
Für die weite Welt des Wohlseins;   deshalb widersprach er auch nicht
Dem, was mit trotzigem Willen   sie ihm wollten antun.
Da wurde darüber frech   das übermütige Volk der Juden,
Die Heerschar wurde hochmütig,   weil sie Kristus den Heiligen,
In leidigen Banden   hinleiten konnte,
Führen in Fesseln.   Die Feinde schritten wieder
Von dem Berge zu der Burg,   es ging der Gottgeborene
Unter dem Haufen,   an den Händen gebunden,
Trauernd zu Tale.

## VI. THE OLD SAXON GENESIS

A fragment, or rather several fragments, of a poetic version of Genesis, contemporary with the *Heliand* and possibly by the same author. They were discovered at the Vatican Library in 1894 and comprise in all 337 lines. The translation is by Vetter, *Die neuentdeckte deutsche Bibeldichtung*, 1895.

*Lines 27–79; The punishment of Cain.*

Er wandelte zur Wohnung,   gewirkt war die Sünde,
Die bittre am Bruder;   er liess ihn am Boden liegen

In einem tiefen Tale betäubt im Blute,
Des Lebens ledig; zur Lagerstatt hatte
Den Sand der Geselle. Da sprach Gott selbst jenen an,
Der Waltende, mit seinen Worten — ihm wallte sein Herz
Unmilde dem Mörder — er fragte ihn, wo er den Mann hätte,
Den blutjungen Bruder. Der Böse drauf sprach —
Er hatte mit seinen Händen grosse Harmtat
Frevelnd gewirkt; die Welt war so sehr
Mit Sünden besudelt: — "Zu sorgen nicht brauch' ich,
Zu wachen, wohin er wandle, noch wies mich Gott an,
Dass ich sein hätte irgend zu hüten,
Zu warten in der Welt." Er wähnte fürwahr,
Dass er verhehlen könne seinem Herren
Die Untat und bergen. Ihm gab Antwort unser Herr:
"Ein Werk vollführtest du, des fürder dein Herz
Mag trauern dein Lebtag, das du tatst mit deinen Händen;
Des Bruders Mörder bist du; nun liegt er blutig da,
Von Wunden weggerafft, der doch kein einig Werk dir,
Kein schlechtes, beschloss; aber erschlagen hast du ihn,
Hast getan ihm den Tod; zur Erde trieft sein Blut;
Die Säfte entsickern ihm, die Seele entwandelt,
Der Geist, wehklagend, nach Gottes Willen.
Es schreit das Blut zum Schöpfer und sagt, wer die Schandtat getan,
Das Meinwerk in diesem Mittelkreis; nicht mag ein Mann freveln,
Mehr unter den Menschen in der Männerwelt
Mit bittren Bosheitswerken, als du an deinem Bruder hast
Untat geübt." Da ängstete sich
Kain nach des Herrn Worten; er bekannte wohl zu wissen,
Nie möge vor dem Allmächtigen ein Mann, solang die Welt steht,
Eine Tat vertuschen: "So muss ich darob nun betrübten Sinn
Bergen in meiner Brust, dass ich meinen Bruder schlug
Durch meiner Hände Kraft. Nun weiss ich, dass ich muss unter deinem Hasse leben
Fürder, unter deiner Feindschaft, da ich diesen Frevel getan.
Nun mich meine Schandtat schwerer dünkt,

Die Missetat mächtiger als die Milde deines Herzens:
So bin ich des nicht würdig, allwaltender Gott,
Dass du die schreckliche Schuld mir vergebest,
Von dem Frevel mich befreiest. Der Frommheit und Treue
Vergass mein Herz gegen deine Heiligkeit; nun weiss ich, dass ich keinen Tag mehr leben kann;
Erschlagen wird mich, wer auf meinem Weg mich findet,
Austilgen ob meiner Untat." Da gab ihm Antwort selber
Des Himmels Herrscher: "Hier sollst du fürder
Noch leben in diesem Lande. So leid du allen bist,
So befleckt mit Freveln, doch will ich dir Frieden schaffen,
Ein Zeichen an dir setzen, dass du sicher magst
Weilen in dieser Welt, ob du des auch nicht würdig seist:
Flüchtig doch sollst du friedlos für und für
Leben in diesem Lande, solang du dieses Licht schaust;
Verfluchen sollen dich die Frommen, du sollst nicht fürder vor deines Herrn Antlitz treten,
Noch Worte mit ihm wechseln; wallend wird
Die Strafe für den Bruder dich brennen in der Hölle."

## VII. OTFRIED'S BOOK OF THE GOSPELS

A Messiad written in the dialect of the southern Rhenish Franks and comprising some 15,000 lines in five books. It was completed after years of toil about 870. Its author, a monk of Weissenburg in Alsatia, is the earliest German author whose name is known and the first to employ rime or assonance in place of alliteration. The selections are from the translation in Bötticher and Kinzel's *Denkmäler, II, 3*, in which the crude assonances of the pioneer are replaced by regular modern rimes.

*Book I, section 1, lines 1–34: Otfried tells why he wrote in German.*

Es hat viel Leute schon gegeben, die waren stark in dem Bestreben,
Durch Bücherschreiben zu bereiten sich gut Gerücht für alle Zeiten;
Und darauf auch gerichtet war ihr starkes Sehnen immerdar,
Dass man in Büchern es erzählte, wie ihnen Tatenlust nicht fehlte.
Dazu verlangte ihre Ehre, dass auch ihr Scharfsinn sichtbar wäre,
So wie der Anmut schöne Feinheit in ihres Dichtens klarer Reinheit.

Sie haben alles, wie's sich schickt, sorgsam und kunstvoll ausgedrückt,
Und haben's gut herausgefunden — zwar dunkel scheint's, doch wohl verbunden —
Wodurch es dann auch dazu kam, dass jedermann sie gern vernahm,
Und wer daran Gefallen fand, des Witz sich übte und Verstand.
Wie leicht wohl könnte man dafür gar vieler Leute Namen hier
Aufzählen und besonders nennen, von denen wir die Bücher kennen.
Griechen und Römer, hochberühmt, die machen's, wie es sich geziemt,
Und haben's also hergestellt, wie es dir immer wohlgefällt.
Sie machen's nach dem rechten Mass und schlecht und recht ohn' Unterlass;
So muss es denn ein Ganzes sein, grad' so, als wär's aus Elfenbein.
Wenn man die Taten so erzählt, die Lust zum Leben keinem fehlt.
Und willst du dich zur Dichtung kehren, so wirst du deine Einsicht mehren.
So wohl der Prosa schlichtes Wesen wirst mit Genuss du immer lesen,
Als auch des Metrums feine Zier ist eine reine Freude dir.
Sie machen es mit vieler Süsse und messen gut der Verse Füsse,
Ob kurz, ob lang sie müssen sein, auf dass es würde glatt und fein.
Auch darauf stets ihr Trachten geht, dass jede Silbe sicher steht,
Und dass ein jeder Vers so klingt, wie jeder Versfuss es bedingt.
Sie zählen mit Genauigkeit die Läng' und Kürze jeder Zeit,
Und sichre Grenzen sind gezogen, wonach das Silbenmass gewogen.
Auch säubern sie's mit rechter Reinheit und auch mit ausgesuchter Feinheit,
So wie ein Mann mit Fleiss und Treu' die Körner sondert von der Spreu.
Ja, selbst den heil'gen Büchern geben sie eine Versform rein und eben,
Kein Fehler findet sich darin, so liest du es mit frohem Sinn. —
Nun, da so viele es betreiben, dass sie in eigner Zunge schreiben,
Und da sie eifrig danach streben, sich selber rühmend zu erheben,
Wie sollten da die Franken zagen, auch selber den Versuch zu wagen,

Dass sie's mit Eifer dahin bringen, auf Fränkisch Gottes Lob zu singen?
Zwar ist der Sprache nicht bekannt der Regeln festgefügtes Band,
Doch fehlt der grade Ausdruck nicht, noch auch die Einfalt schön und schlicht.

*I, 1, lines 59–90: The same theme continued; Otfried praises the Franks.*

Sie sind genau so unverzagt, wie man es von den Römern sagt.
Auch darf man nicht zu sagen wagen, dass kühnern Mut die Griechen tragen.
Ganz ebenso ist es bewandt mit ihrem Wissen und Verstand.
Sie sind voll Mut und Tapferkeit an jedem Ort, zu jeder Zeit,
Viel Macht und Ansehn haben sie, und Kühnheit fehlet ihnen nie.
Zum Schwerte greifen sie verwegen, das ist die Art der wackern Degen.
Vollauf versehn und wohl im Stande, so wohnen sie in reichem Lande.
Von alters her ihr Gut sich mehrt, derhalben sind sie hochgeehrt.
Gar schön und fruchtbar ist ihr Land; wem wäre dies nicht wohlbekannt?
Es gibt dort vielerlei Gewinnst — es ist nicht eigenes Verdienst —
Dort kann man Erz und Kupfer haben, das zum Gebrauche wird gegraben.
Und denket nur, wie wunderbar! Eissteine[1] gibt es dort sogar.
Und von Metallen man noch füge dazu das Silber zur Genüge;
Auch lesen sie daselbst im Land Gold, das sie finden in dem Sand.
Es ist ihr Sinnen fest und stet, das immer nur aufs Gute geht,
Und ist zum Nutzen hingewandt, so wie sie's lehret ihr Verstand.
Sie sind zu jeder Zeit bereit, zu schützen sich vor Feindes Neid;
Der mag nichts gegen diese wagen, zu Boden wird er stets geschlagen.
Kein Volk gibt's, das ihr Land berührt, das ihre Gegenwart nicht spürt;
Sie dienen ihnen notgedrungen, von ihrer Tüchtigkeit bezwungen.
Sie haben alles Volk besiegt, wo nicht die See dazwischen liegt.

[1] 'Crystals,' or perhaps 'iron ore.'

Nach Gottes Willen und Gedanken hat jedermann Furcht vor den Franken,
Da nirgendwo ein Volk wohl lebt, das da nach Kampf mit jenen strebt.
Den Feinden haben sie mit Waffen Beweise oft genug geschaffen
Und haben gründlich sie belehrt nicht mit dem Wort, nein, mit dem Schwert,
Mit Speeren scharf und spitz geschliffen, deshalb hat alle Furcht ergriffen.
Kein Volk gibt's, das nicht deutlich wüsste: trägt es nach Frankenkrieg Gelüste,
Dann sinken sie dahin geschwind, wenn's Meder auch und Perser sind!
Ich las dereinst in einem Buch und weiss es drum genau genug:
Ganz eng verwandt sind mit einander das Frankenvolk und Alexander,
Der aller Welt ein Schrecknis war, die er besiegte ganz und gar,
Die er darnieder zwang und band mit seiner allgewalt'gen Hand.

*I, 17, lines 9–62: The Magi and the star of Bethlehem.*

Da kamen Leute in das Land von Osten, denen war bekannt
Der Sonne und der Sterne Lauf; denn all ihr Sinnen ging darauf.
Nun fragten diese nach dem Kind bei der Gelegenheit geschwind
Und kündeten zugleich die Märe, dass dieses Kind der König wäre,
Und forschten eifrig immerfort nach dieses Knaben Heimatort
Mit stetem Bitten und mit Fragen, man möcht' es ihnen doch ja sagen
Und auch die Wegfahrt zeigen an, auf der zum Kind man kommen kann.
Nun sprachen sie auch von dem Zeichen, das seltsam war und ohnegleichen,
Dass hier von einer Jungfrau zart jemals ein Mensch geboren ward,
Und dass ein Zeichen schön und klar im Himmelsraum erschienen war.
Sie sagten, dass sie hoch und fern plötzlich erblickten einen Stern,
Und machten ruchbar laut und frei, dass dies der Stern des Herren sei:

"Sein Stern sich uns gezeiget hat, wenn wir auch irrten[1] in der Stadt,
Wir sind gekommen anzubeten, dass seine Gnade wir anflehten.
So ist uns denn im Osten fern daheim erschienen dieser Stern.
Lebt nun wohl einer hier im Land, dem davon etwas ist bekannt?
So viel wir Sterne auch gezählt, der hat bis jetzt uns stets gefehlt;
Derhalben glauben alle wir, ein neuer König zeigt sich hier.
Das haben Greise uns gelehrt zu Hause, klug und hochgeehrt;
Nun bitten wir euch vorzutragen, was eure Bücher davon sagen."
Als nun zum König selbst sofort die Kunde drang von diesem Wort,
Ward durch die Nachricht er sogleich von Angst erfüllt und schreckensbleich,
Und auch so mancher andre Mann daraus viel Traurigkeit gewann.
Die hörten ungern und mit Schmerzen, was uns mit Freude füllt die Herzen.
Die weisen Schriftgelehrten dort versammelten sich dann sofort
Und forschten, wo auf dieser Erde wohl Christ der Herr geboren werde,
Und wandten sich in diesen Tagen auch an die Priester mit den Fragen.
Doch mocht' er arm sein oder reich, stets lautete die Antwort gleich.
Sie nannten ihm sogleich die Stadt, wie's früher schon bezeuget hat
Vom alten Bunde manch Prophet, so wie es aufgeschrieben steht.
Als es ihm so ward offenbar, wo Christ der Herr geboren war,
Ersann er schnell und fürchterlich nun eine grosse Bosheit sich.
Er liess die Weisen zu sich kommen von denen ihr durch mich vernommen,
Die fing er heimlich an zu fragen und ohne andern es zu sagen
Und forschte dann mit Emsigkeit nach dieses Sternes Ankunftszeit
Und bat sie selber zu ergründen, wo wohl das Kindlein sei zu finden:
"Vergesst nicht, mir zu offenbaren den Weg, den dieser Stern wird fahren,
Und reiset dann an jenen Ort und fraget nach dem Kindlein dort.
Wenn ihr dort angekommen seid, dann forscht nach ihm mit Emsigkeit

[1] They had assumed that the promised king would be born in Jerusalem instead of Bethlehem.

Und tut es schleunig mir zu wissen, der Arbeit seid nur recht beflissen;
Ich bete ihn dann selber an, dazu riet mir gar mancher Mann,
Auf dass ich selber danach strebe, dass ich dem Kind Geschenke gebe."
Wie kläglich jener Mann da log und gegen Recht und Wahrheit trog!
Er wünschte, dass der Heiland stürbe, dass unser Segen so verdürbe!
Als sie gehört des Königs Wort und nach dem Ziele eilten fort,
Da zeigte ihnen sich von fern sogleich der wunderbare Stern!
Wie waren sie da hochentzückt, als sie ihn alsobald erblickt!
Erfreut versäumten sie es nicht, ihn zu behalten im Gesicht,
Er führte sie auch dorthin klar, wo Gottes Kind zu finden war.
Und da, wo ging des Sternes Bogen, sind sie ihm willig nachgezogen;
Da haben sie das Haus gesehn und nicht gezögert hinzugehn.
Da fanden sie denn auch geschwind die Mutter mit dem guten Kind
Und fielen eilig vor ihm nieder, die guten Männer, treu und bieder;
Sie beteten das Kindlein an und baten es um Gnade dann.

*I, 18, lines 1–34: Symbolical meaning of the return of the Magi.*

Daran ermahnt uns diese Reise, dass auch wir selbst in gleicher Weise
Mit Eifer dafür Sorge tragen, das Land der Heimat zu erfragen.
Doch ist dies, glaub' ich, nicht bekannt: das Paradies wird es genannt.
Hoch rühmen ich es kann und muss, doch fehlet mir der Rede Fluss.
Und wenn auch jedes meiner Glieder Rede und Sprache gäbe wieder,
So hätt' ich's niemals unternommen, mit seinem Lob zu End' zu kommen.
Doch siehst du's nicht mit eignen Augen, was können meine Worte taugen?
Und selbst dann wird sehr viel dran fehlen, dass du es könntest her erzählen.
Dort gibt es Leben ohne Tod, Licht ohne Finsternis und Not,

Dazu der Engel schöne Schar und sel'ge Minne immerdar.
Das haben selbst wir aufgegeben, des müssen wir in Trauer leben,
Und innen muss uns heimatwärts sich klagend sehnen unser Herz.
Sind wir doch selbst herausgegangen, in unserm Übermut befangen,
Denn uns verlockte leis' und stille des Herzens eigner böser Wille.
Wir haben Schuld auf uns geladen, das ist jetzt klar zu unserm Schaden.
Nun weinen wir im fremden Land, von Gott verstossen und verbannt.
Ja, unbenutzt liegt und verloren das Erbgut, das für uns erkoren.
Nichts nützt uns dieses grosse Gut, das macht nur unser Übermut.
So wird denn, ach! von uns entbehrt das Schöne, das uns war beschert,
Wir müssen bittre Zeiten dulden von nun an nur durch unsre Schulden.
Viel Leid ist uns und Not bekannt mit Schmerzen hier in diesem Land,
Voll Wunden sind wir und voll Pein um unsre Missetat allein,
Viel Elend und Mühseligkeit, das ist hier stets für uns bereit.
Zur Heimat können wir nicht reisen, wir jammervollen, armen Waisen.
O weh, du fremdes Schreckensland, wie hab' ich dich als hart erkannt!
Ach, wie so schwer ertrag' ich dich, das sage ich dir sicherlich!
Nur Müh' und Not wird dem gegeben, der nicht kann in der Heimat leben.
Ich hab's erfahren ja an mir, nichts Liebes fand ich je an dir.
Ich fand an dir kein ander Gut als Jammer und betrübten Mut,
Ein tief verwundet, wehes Herz und mannigfaches Leid und Schmerz!
Doch kommt uns einmal in den Sinn, dass uns verlangt zur Heimat hin,
Und hat sich unser Herz gewandt voll Sehnsucht nach dem Vaterland,
Dann fahren wir, wie jene Mannen, auf andrer Strasse gleich von dannen,
Auf dem Weg, welcher führt allein in unser Vaterland hinein.

# VIII. THE LAY OF LUDWIG

**A** riming (assonating) song in the dialect of the Rhenish Franks, composed in glorification of a victory won by Ludwig III over the Normans at Saucourt (between Abbeville and Eu). The battle was fought Aug. 3, 881, and the song must have originated soon afterwards; for it speaks of the king as living, and he died in 882. The translation is a literal line-for-line version, the rimes and assonances being disregarded.

Einen König weiss ich, er heisst Herr Ludwig,
Er dient Gott gerne; ich weiss, er lohnt es ihm.
Als Kind ward er vaterlos; dafür ward ihm bald Ersatz:
Der Herr berief ihn, sein Erzieher ward er.
Er gab ihm Tüchtigkeit, herrliche Degenschaft,
Den Thron hier in Franken; so brauch' er ihn lange!
Das teilte er dann sofort mit Karlmann,
Seinem Bruder, die Fülle der Wonnen.
Als das alles geendet ward, wollte Gott ihn prüfen,
Ob er Mühsal so jung dulden könnte.
Er liess heidnische Männer über See kommen,
Das Volk der Franken ihrer Sünden zu mahnen.
Einige wurden bald verloren, einige erkoren.
Züchtigung duldete, wer früher misgelebet.
Wer dann ein Dieb war, und von dannen sich rettete,
Nahm seine Fasten; danach ward er ein guter Mann.
Mancher war Lügner, mancher Raubmörder,
Mancher voll Zuchtlosigkeit, und er befreite sich davon.
Der König war entfernt, das Reich ganz zerrüttet,
Christus war erzürnt: leider, des entgalt es.[1]
Doch Gott erbarmte sich dessen, er wusste all die Not.
Er hiess Ludwig sofort dahin reiten:
"Ludwig, mein König, hilf meinen Leuten!
Die Normannen haben sie hart bedrängt."
Da sprach Ludwig: "Herr, so tue ich,
Wenn mich der Tod nicht hindert, alles, was du gebietest."
Da nahm er Gottes Urlaub, er hob die Kriegsfahne auf.

[1] 'It' (the kingdom) atoned for 'that' (the wrath of Christ).

Er ritt dahin in Frankreich gegen die Normannen.
Gott sagten Dank, die seiner harrten,
Sie sagten alle: "Mein Herr, wie lange harren wir dein!"
Da sprach laut Ludwig der gute:
"Tröstet euch, Gesellen, meine Notgefährten,
Her sandte mich Gott und mir selber gebot,
Ob es euch Rat dünkte, dass ich hier föchte,
Mich selber nicht schonte, bis ich euch rettete.
Nun will ich, dass mir folgen alle Gottes Holden.
Beschert ist das Hiersein, so lange Christus will.
Will er unsere Hinfahrt, deren hat er Gewalt.
Wer hier mit Kraft Gottes Willen tut,
Kommt er gesund davon, ich lohne es ihm;
Bleibt er darin, seinem Geschlechte."
Da nahm er Schild und Speer, kraftvoll ritt er,
Er wollte die Wahrheit darlegen seinen Widersachern;
Da war es nicht sehr lang, er fand die Normannen,
Gott sagte er Lob, er sieht, dessen er begehrte.
Der König ritt kühn, sang ein heilig Lied,
Und alle sangen zusammen: "Kyrie eleison!"[1]
Der Sang war gesungen, der Kampf war begonnen.
Blut schien auf den Wangen, froh kämpften da die Franken.
Da focht der Degen jeglicher, keiner so wie Ludwig,
Hurtig und kühn; das war ihm angeboren.
Manchen durchschlug er, manchen durchstach er.
Er schenkte zu Handen seinen Feinden
Bitteres Trankes; so weh ihnen stets des Lebens!
Gelobt sei Gottes Kraft! Ludwig ward sieghaft.
Und allen Heiligen Dank! Sein ward der Siegkampf.
Heil aber Ludwig, König kampfselig!
So bereit wie er stets war, wo irgend des Not war,
Erhalte ihn der Herr bei seiner Herrlichkeit!

[1] Κύριε ἔλεισον, Lord have mercy.

## IX. WALTHARIUS MANU FORTIS

**A Latin poem in Vergilian hexameters, composed about 930 by Ekkehard, a pupil in the monastic school at St. Gall, and afterwards revised by another monk of the same name. It is based on a lost German poem and preserves, with but little admixture of Christian and Latin elements, a highly interesting saga of the Hunnish-Burgundian cycle. The selections are from the translation by H. Althof, in the *Sammlung Göschen.***

*Lines 215–286: Walter and Hildegund plot to escape from Etzel's court.*

Siehe, da eilte herab von der Burg des Palastes Gesinde,
Freute sich sehr, ihn wiederzusehn, und hielt ihm das Streitross,
Bis der preisliche Held dem hohen Sattel entstiegen,
Richtet die Frage an ihn,[1] ob günstig die Sache verlaufen.
Wenig erzählte er nur, denn müde war er, und trat dann
Ein in die Burg und eilte darauf zum Gemache des Königs.
Aber er fand auf dem Wege die einsam sitzende Hildgund
Und er sagte zu ihr nach süssem Kuss und Umarmung:
“Bringe mir schnell zu trinken, denn müde bin ich und durstig.”
Eilig füllte mit Wein sie drauf den köstlichen Becher,
Reichte dem Helden ihn dar, der fromm ihn bekreuzte und annahm
Und mit der Hand darauf die Rechte der Jungfrau umfasste.
Schweigend stand sie dabei und sah dem Manne ins Antlitz.
Und es reichte ihr Walter sodann das geleerte Gefäss hin;
Wohl war beiden bekannt, dass einst sie verlobt mit einander.
Und er sprach zu der teueren Maid mit folgenden Worten:
“Lange erdulden zusammen wir schon das Los der Verbannung
Und sind dessen bewusst, was einstmals unsere Eltern
Über unser zukünft'ges Geschick mit einander bestimmten.
Was verhehlen wir dies so lange mit schweigendem Munde?”
Aber die Maid, die wähnte, es rede im Scherz der Verlobte,
Schwieg ein Weilchen und sagte darauf als Erwiderung dieses:
“Warum heuchelt die Zunge, was tief in der Brust du verdammest,

[1] Walter of Aquitaine, who is returning from a battle in which he has put down a rebellion for King Etzel. Walter and Hildegund have lived since childhood as hostages at Etzel's court.

Und überredet der Mund zu dem, was im Herzen du abweist?
Gleich als wäre es Schmach, dir solche Verlobte zu freien!"
  Drauf antwortete ihr der verständige Jüngling und sagte:
"Fern sei, was du geredet! O wolle nicht falsch mich verstehen!
Kund ist dir, dass ich nie mit verstelltem Herzen gesprochen;
Glaube mir nur, es steckt nicht Trug noch Falsches dahinter.
Niemand ist in der Näh', wir sind hier beide alleine.
Wenn ich wüsste, du wärst mir geneigt mit ergebenem Herzen,
Und du würdest verschweigen die klug ersonnenen Pläne,
Wollte ich dir entdecken ein jedes Geheimnis des Herzens."
Da nun begann das Mädchen, die Kniee des Jünglings umfassend:
"Alles, wozu du mich rufst, will ich gern, mein Gebieter, erfüllen
Und will nichts in der Welt vorziehn den wilkommnen Befehlen."
Jener darauf: "Mit Verdruss ertrage ich unsre Verbannung
Und gedenke gar oft der verlassenen Marken der Heimat.
Drum begehre ich, bald zu heimlicher Flucht mich zu rüsten.
Lange zuvor schon wäre dazu ich imstande gewesen,
Doch es schmerzte mich tief, dass allein Hildgunde zurückblieb."
Also redete drauf aus innerstem Herzen das Mägdlein:
"Was du begehrst, will ich, das ist mein einzig Verlangen.
Drum befiehl nur, o Herr; ob Glück uns werde, ob Unglück,
Gerne bin ich bereit, es dir zu Liebe zu tragen."
  Walter raunte der Maid in das Ohr nun folgende Worte:
"Siehe, es trug der Herrscher dir auf, der Schätze zu hüten;
Drum behalte es wohl und merke es dir, was ich sage:
Nimm vor allem den Helm und das Eisengewand des Gebieters,
Aus drei Drähten gewirkt, mit dem Zeichen der Schmiede versehen,
Wähle auch zwei von den Schreinen dir aus von mässigem Umfang,
Fülle in diese sodann so viel der pannonischen[1] Spangen,
Dass du einen zur Not bis zum Busen zu heben vermögest.
Dann verfertige mir noch vier Paar Schuhe, wie bräuchlich,
Dir die nämliche Zahl und lege sie auch in die Truhen,
Und so werden dieselben vielleicht bis zum Rande gefüllt sein.
Heimlich bestelle dir auch bei Schmieden gebogene Angeln:
Fische müssen uns Zehrung sein auf dem Wege und Vögel;

[1] Ekkehard conceives the Huns as a tribe of Pannonia.

Vogelsteller und Fischer zu sein, bin ich selber genötigt.
Alles dieses besorge du klug im Verlaufe der Woche.
Nunmehr hast du gehört, was uns auf der Reise vonnöten.
Jetzt verkünde ich dir, wie die Flucht wir mögen bereiten:
Wenn zum siebenten Mal den Kreislauf Phöbus vollendet,
Werd' ich dem König, der Königin auch und den Fürsten und Dienern
Rüsten ein fröhliches Mal mit aussergewöhnlichem Aufwand
Und mich mit Eifer bemühn, durch Getränk sie in Schlaf zu versenken,
Bis nicht einer imstande zu merken, was ferner noch vorgeht.
Du magst aber indes nur mässig des Weines geniessen,
Und nur eben bei Tische den Durst zu vertreiben bestrebt sein.
Stehen die anderen auf,[1] so eile zum Werk, dem bewussten.
Aber sobald des Trankes Gewalt dann alle bezwungen,
Eilen wir beide zugleich, die westlichen Lande zu suchen."

*Lines 315–357: The escape.*

Glühender Rausch führt bald in der ganzen Halle die Herrschaft,
Und es stammelt das breite Geschwätz mit triefendem Munde;
Stämmige Recken konnte man schaun auf wankenden Füssen.
Also verlängert bis spät in die Nacht das Opfer des Bacchus
Walter und zieht zurück, die nach Hause zu gehen begehren,
Bis, von der Macht des Trankes besiegt und vom Schlafe bezwungen,
In den Gängen zerstreut, sie alle zu Boden gesunken.
Hätte er preisgegeben das Haus den verzehrenden Flammen,
Wäre nicht einer den Brand zu entdecken imstande gewesen.
Endlich rief er das Mädchen herbei, das teure, und hiess es,
Eilig herbeizutragen die längst bereiteten Sachen.
Selber zog aus dem Stall er hervor das beste der Rosse,
Welches er " Löwe " genannt um seiner Vorzüglichkeit willen;
Stampfend stand es und nagte voll Mut an den schäumenden Zügeln.
Als er darauf mit dem Schmuck es umhüllt in üblicher Weise,
Hängt er die Schreine, mit Schätzen gefüllt, dem Ross an die Seiten,
Fügt auch Speisen hinzu, nicht viel für die Länge des Weges.
Und die wallenden Zügel vertraut er der Rechten der Jungfrau,

[1] The 'rising' of the men would be the signal for the women to retire that the drinking-bout might begin.

Selber jedoch, von dem Panzer umhüllt nach der Weise der Recken,
Setzt er den Helm sich aufs Haupt, den rot umwallte der Helmbusch,
Schnallt die goldenen Schienen sich drauf um die mächtigen Waden,
Gürtet sodann an die Linke das Schwert mit der doppelten Schneide,
An die Rechte ein zweites dazu nach pannonischer Sitte,
Welches mit einer der Seiten allein die Wunden verursacht,
Rafft sodann mit der Rechten den Speer, mit der Linken den Schild-
rand,
Und entflieht dem verhassten Land, von Sorge befangen.
Aber es führte das Ross, beladen mit Schätzen, die Jungfrau,
Die in den Händen zugleich die haselne Gerte dahertrug,
Der sich der Fischer bedient, die Angel ins Wasser zu tauchen,
Dass der Fisch voll Gier nach dem Köder den Haken verschlinge;
Denn der gewaltige Held war selbst mit gewichtigen Waffen
Rings beschwert und zu jeglicher Zeit des Kampfes gewärtig.
Alle Nächte verfolgten den Weg sie in Eile; doch zeigte
Frühe den Ländern das Licht der rötlich erstrahlende Phöbus,
Suchten sie sich zu verbergen im Wald und erstrebten das Dunkel,
Und es jagte sie Furcht sogar durch die sicheren Orte.
Und es pochte die Angst so sehr in dem Busen der Jungfrau,
Dass sie bei jedem Gesäusel der Luft und des Windes erbebte,
Dass sie vor Vögeln erschrak und dem Knarren bewegten Gezweiges.
Hass der Verbannung erfüllte ihr Herz und Liebe zur Heimat.
Dörfern wichen sie aus und mieden das weite Gefilde;
Folgend auf dichtbewachs'nem Gebirg dem gewundenen Umweg,
Irren mit zagendem Fuss sie durch pfadelose Gebiete.

*Lines 1285–1395: The great fight at the Wasgenstein.*[1]

Als sich massen die drei um die zweite [2] Stunde des Tages,
Wandten sich gegen den einen zugleich die Waffen der beiden.
Hagen bricht den Frieden zuerst; er sammelt die Kräfte
Und versendet alsbald die verderbliche Lanze, doch diese,

[1] A rocky pass in the Vosges Mountains. On his westward flight Walter is attacked by the Burgundians, whom Ekkehard identifies with the Franks. He slays eleven famous champions in succession and then fights King Gunter and Hagen together. — [2] 8 A. M.

Wie sie in sausendem Wirbel entsetzenerregend heranschwirrt,
Lenkt jetzt Alphars[1] Sprosse, der nimmer sie weiss zu ertragen,
Klug beiseit mit der Decke des seitwärts gehaltenen Schildes,
Denn wie den Schild sie berührt, da gleitet sie ab wie von glattem
Marmel, und schwer verletzt sie den Berg, denn bis zu den Nägeln
Bohrt sie sich ein in die Erde. Dann warf mit kühnlichem Herzen
Aber mit mässiger Kraft die eschene Lanze der stolze
Gunter. Sie flog und sass in dem untersten Teile von Walters
Schilde, und wie er alsbald ihn schüttelt, da fiel aus des Holzes
Wunde zur Erde herab das Eisen, das wenig vermochte.
Ob des Zeichens betrübt, ergreifen das Schwert die bestürzten
Franken; in Zorn verwandelt der Schmerz sich, sie stürmen voll Eifer,
Von den Schilden gedeckt, auf den aquitanischen Helden.
Dieser jedoch vertrieb sie entschlossen mit wuchtiger Lanze
Und erschreckte den stürmenden Feind durch Mienen und Waffen.
Gunter, der König, ersann deswegen ein törichtes Wagnis:
Seinen Speer, der vergebens versandt und zur Erde gefallen—
Denn er lag, aus dem Schilde geschüttelt, zu Füssen des Helden,—
Leise heran sich schleichend, in heimlicher Weise zu holen,
Da ja die Kämpfer, versehn mit kürzeren Waffen, mit Schwertern,
Nicht bis nah an den Feind heranzugelangen vermochten;
Denn der schwang zum Stosse die vorgehaltene Lanze.
Darum hiess er durch Augenwink den Vasallen vorangehn,
Dass er, von ihm verteidigt, das Werk zu vollbringen vermöge.
Ohne Verzug geht Hagen voran, den Gegner zu reizen,
Während der Fürst in der Scheide das edelsteinblitzende Schwert birgt
Und die Rechte befreit, um sicher den Streich zu vollführen.
Doch was weiter? Er langte gebückt mit der Hand nach der Lanze
Und schon fasste er sie und zerrte sie heimlich und mählich,
Allzuviel verlangend vom Glück. Doch der herrliche Recke,
Wie er ja stets in dem Kampf der Vorsicht weise gedachte
Und behutsam verfuhr (ein Augenblickchen versah er!),
Wurde gewahr, wie jener sich bückt, und merkte das Treiben.
Aber er duldet es nicht, denn schnell vertreibt er den Hagen,

[1] **Walter is the son of Alp-har (from *Alp*, elf, and *hari*, army).**

Welcher zurück sich zieht vor der hoch erhobenen Waffe,
Springt dann hinzu und presst mit dem Fuss die entrissene Lanze,
Und dem König, ertappt bei dem Raub, schreit so er entgegen,
Dass dem wanken die Kniee, als wär' er durchbohrt von dem Speere.
Und er hätte ihn flugs zum hungrigen Orkus gesendet,
Wäre nicht schnell zur Hilfe geeilt der waffengewalt'ge
Hagen, den Herrn mit dem Schild beschützend und wider des Gegners
Haupt die entblösste Schärfe des schrecklichen Schwertes erhebend.
Während Walter dem Hieb ausweicht, erhebt sich der andre;
Kaum entronnen dem Tod, steht dort er betroffen und zitternd.
Doch nicht Rast noch Verzug; es erneut sich die bittere Fehde.
Bald bestürmen den Mann sie vereinzelt, bald in Gemeinschaft,
Und indes er voll Eifer zum einen sich wendet, der anstürmt,
Springt der andere ihm in die Quere, die Streiche vereitelnd.
So steht, wenn man ihn hetzt, der numidische Bär, von den Hunden
Rings im Kreise umstellt, mit drohend erhobenen Pranken,
Duckt mit Gebrumme das Haupt und zwingt die umbrische Meute,
Wenn sie sich naht, zu klagen und winseln in seiner Umarmung;
Dann umbellen ihn rings aus der Nähe die wilden Molosser,[1]
Und es schreckt sie die Furcht, zu nahen dem grausigen Untier.
Also wogte der Kampf bis zur neunten Stunde des Tages.
Dreifach war die Not, die sie alle zusammen erlitten:
Furcht vor dem Tode, Beschwerde des Kampfs und glühende Sonne.
Aber indessen beschlich ein Gedanke die Seele des Helden,
Welcher im schweigenden Busen jedoch die Worte zurückhielt:
Zeigt nicht andere Wege das Glück, so werden die Gegner
Mich, den Ermüdeten, noch durch eitele Listen berücken.
Also sprach er daher mit erhobener Stimme zu Hagen:
" Hagedorn,[2] grün zwar stehst du im Laub und vermöchtest zu stechen,
Doch du versuchst mich zu täuschen voll List mit possierlichen Sprüngen.
Aber ich gebe dir Raum, dass du näher zu kommen nicht zauderst,
Und dann zeig' die gewaltige Kraft, die so wohl mir bekannt ist;

[1] The medieval *canis molossus* was a mastiff or bull-dog. —[2] A pun on Hagen's name, which means 'thorn-bush.'

Mich verdriesst's, so gewalt'ge Beschwer vergeblich zu tragen."
Sprach's und im Sprunge sich hebend, entsandt' er auf jenen die Lanze,
Welche den Schild durchschlägt, ein wenig vom Panzer mit fortreisst,
Doch den gewaltigen Leib des Gegners nur mässig verwundet,
Denn er strahlte, bewehrt mit auserlesenen Waffen.
Doch als Walter, der Held, die Lanze versendet, da stürmt er
Mit dem gezogenen Schwerte in ungestümerem Andrang
Los auf den König, und als er den Schild ihm zur Seite gedrängt hat,
Trifft er also gewaltig und staunenerregend den Gegner,
Dass er das ganze Bein mit dem Knie bis zum Schenkel ihm abschlägt;
Über den Schildrand stürzt er alsbald zu den Füssen ihm nieder.
Da erblasst der entsetzte Vasall bei dem Fall des Gebieters.
Alphars Sprosse erhebt nun aufs neue die blutige Klinge
Und begehrt, dem Gefall'nen die tödliche Wunde zu spenden.
Hagen, der Recke, jedoch, des eignen Schmerzes vergessend,
Beugt schnell nieder das Haupt und hält es dem Hiebe entgegen,
Und es vermag der Held die geschwungene Faust nicht zu hemmen.
Aber der Helm, geschmiedet mit Fleiss und trefflich bereitet,
Trotzt dem Hieb, und es sprühen alsbald in die Höhe die Funken.
Über die Härte betroffen, zerspringt, o Jammer! die Klinge,
Und in der Luft und im Grase erglänzen die klirrenden Teile.
Aber sobald der Krieger die Stücke des Schwertes erblickte,
Zürnte er sehr und tobte in allzugewaltigem Zorne,
Schleudert, seiner nicht Herr, das Heft, dem entfallen die Klinge,
War es auch ausgezeichnet durch Gold und künstliche Arbeit,
Weit in die Ferne sogleich, die traurigen Trümmer verachtend.
Doch indes er gerade die Hand so weit in die Luft streckt,
Schlägt sie Hagen vom Arm, des gelegenen Hiebes sich freuend.
Mitten im Wurf fiel jetzt zu Boden die tapfere Rechte,
Welche dereinst gefürchtet von vielen Völkern und Fürsten
Und vordem erglänzte durch ungezählte Trophäen.
Aber der herrliche Held, der Weichen im Unglück nicht kannte,
Wusste mit starkem Mute die Schmerzen des Fleisches zu tragen
Und verzweifelte nicht, und keine Miene verzog er,
Schob den verstümmelten Arm sogleich hinein in den Schildrand,

Griff mit dem unverletzten sodann alsbald zu dem Halbschwert,
Das er, wie ich erwähnt, sich rechts an die Seite gegürtet,
Bittere Rache sogleich an dem grimmigen Feinde zu üben.
Hagens rechtes Auge zerstört sein Hieb, und die Schläfe
Schneidet er auf und zugleich die beiden Lippen zerspaltend,
Schmettert er zweimal drei der Zähne dem Feind aus dem Munde.

*Lines 1421–1456: Having perforce made peace and had their wounds dressed by Hildegund, Walter and Hagen banter each other.*

Hagen, der dornige, drauf und der aquitanische Recke,
Unbesieglich an Mut, doch am ganzen Leibe ermattet,
Scherzten nach manchem Getöse des Kampfs und entsetzlichen Schlägen
Mit einander in lustigem Streit bei dem Becher. Der Franke
Sagte zuerst: " Mein Freund, fortan wirst Hirsche du jagen,
Handschuh' dir aus den Fellen in grosser Zahl zu gewinnen.
Fülle, das rate ich dir, den rechten mit feinem Gewölle,
Dass mit dem Bilde der Hand du Fremde zu täuschen vermögest.
Weh, was sagst du dazu, dass die Sitte des Volks du verletzest,
Dass man sieht, wie das Schwert du rechts an der Hüfte befestigst,
Und dein Ehegespons, wird einstens der Wunsch dich beschleichen,
Mit der Linken, wie nett! umfängst in verkehrter Umarmung?
Doch was rede ich mehr? Was immer du künftig auch tun musst,
Wird die Linke verrichten." Darauf entgegnete Walter:
" Dass du so vorlaut bist, das wundert mich, scheeler Sigambrer! [1]
Jage ich Hirsche, so musst den Eberbraten du meiden,
Blinzelnd wirst du hinfort auf deine Bedienten herabschaun
Und mit querem Blicke die Schar der Helden begrüssen.
Aber der alten Treue gedenk, will dies ich dir raten:
Wenn nach Hause du kommst, und dem heimischen Herde genaht bist,
Mache dir Brei aus Mehl und Milch und vergiss auch den Speck nicht;
Das vermag dir zugleich zur Nahrung und Heilung zu dienen."
Also sprachen sie. Drauf erneuten sie wieder das Bündnis,

[1] 'Sigambrian' or 'Sicambrian' was a name applied by the learned to the Franks.

Hoben beide zugleich den König, den Schmerzen verzehrten,
Auf sein Ross; dann trennten sie sich: es zogen die Franken
Wieder gen Worms, und es eilte der Aquitaner zur Heimat.
Freudig ward er allda mit grossen Ehren empfangen,
Feierte, wie es der Brauch, mit Hildgund festliche Hochzeit
Und regierte, nachdem sein Erzeuger von hinnen geschieden,
Allen teuer, das Volk noch dreissig glückliche Jahre.
Welche Kriege er ferner geführt und Triumphe gefeiert,
Das kann nimmer der Griffel, der stumpf mir geworden, beschreiben.
Der du dies liest, verzeihe der zirpenden Grille, erwäge
Nicht, wie rauh die Stimme noch ist, bedenke das Alter,
Da sie, noch nicht entflogen dem Nest, das Hohe erstrebte.
Dies ist das WALTERSLIED. — Euch möge der Heiland behüten!

## X. RUDLIEB

A Latin poem in leonine hexameters, composed about 1030 at Tegernsee, Bavaria. It is imperfectly preserved, but more than 2000 verses are extant and these give interesting pictures of contemporary German life. It is a metrical novel with a knight for hero. The selection is from M. Heyne's *Rudlieb*, 1897, — a translation in iambic pentameter.

*From the 14th fragment: The wedding of Rudlieb's nephew.*

Am Tag der Hochzeit
Erscheint das Fräulein, ihre Anverwandten
Umgeben sie. Nun nahen auch die andern,
Bald ist der Hof von Gästen ganz gefüllt,
Begrüsst von Rudlieb mit dem Wilkommskuss.
Ein Mahl erwartet sie; als es geendet,
Begeben sich zunächst in ihre Zimmer
Die Damen mit dem Fräulein; ein'ge Ritter
Begleiten sie und tragen ihnen Kissen.
Zum Dank wird ihnen Wein gereicht. Der erste
Ergreift den Becher, trinkt und gibt ihn weiter,
Und so die Reihe um, bis dass ihn leer
Der Schenk zurückempfängt. Sie grüssen neigend

Und gehn zurück zu Rudlieb und den Herren.
Nun spricht der Ritter: "Weil euch Gott allhier
Versammelt hat, so hört mich an und helft,
Dass unter schon Verlobten eine Ehe
Geschlossen werde. Das soll heut geschehen,
Ihr aber seid bei dieser Handlung Zeugen.
Es hat sich so gefügt, dass dieser Jüngling,
Mein Neffe, und das Fräulein gegenseitig
In Liebe kamen, als sie Würfel spielten;[1]
Sie wollen nun das Ehebündnis schliessen."
Die Herren sagen: "Alle müssen wir
Dazu verhelfen, dass der junge Mann,
Der so vortrefflich sonst, nicht Schande leide
Und ganz der Buhlerin[1] entrissen werde,
Die da verdient, den Feuertod zu leiden,
Und preisen Gott, dass in der Welt doch Eine
Sich fand, die jener Hexe Macht zerbrach."
Da steht der Jüngling auf, sagt allen Dank
Für ihre Güte und bekennt in Reue,
Wie sehr sein früh'res Leben ihn geschändet:
"Ihr seht, wie nötig eine Frau mir ist;
Und hätten wir auch eine hier gefunden,
So will ich dennoch mich mit diesem Fräulein,
Verloben und verbinden; meine Bitte
Ergeht an euch, uns Zeugen jetzt zu sein,
Wenn wir, wie es der Brauch ist, Ehgeschenke,
Uns geben." "Alle tun hierin dir Beistand,"
Erwidern jene. Und nun sendet Rudlieb
Nach den drei Frauen, die alsbald erscheinen;
Das Fräulein geht voran, gesenkten Hauptes;
Von seinem Sitz erhebt sich jeder höflich.

[1] As Rudlieb is returning to his mother after a long absence he falls in with a nephew who has gone wrong and been 'bewitched' by a lewd woman. Rudlieb rescues him and the two seek shelter for the night at the house of a rich widow with an only daughter. The young man and the girl play dice together and fall in love with each other. The subsequent wedding takes place at the house of Rudlieb's mother.

Nach kurzer Zeit, als alle Platz genommen,
Steht Rudlieb auf und bittet sich Gehör:
Den Freunden und den Stammgenossen kündet
Er das geschloss'ne Bündnis und die Liebe,
Die eins zum andern hat und fragt den Jüngling,
Ob er zur Frau sie wolle. Der bejaht.
Nun fragt man sie, ob sie zum Mann ihn wolle.
Sie lächelt: " Soll ich den zum Manne nehmen,
Den ich im Spiel als Sklaven mir gewann,
Den mir der Würfel brachte, der versprach
Allein mir zu gehören, ob er siege,
Ob er verliere? Mög' er treu mir dienen
Zu jeder Zeit, in jedem Augenblick!
Je treuer, desto lieber ist er mir."
Da lachen alle zu des Fräuleins Worten,
Die so behutsam sind und doch so freundlich.
Und da sie sehen, dass auch die Mutter nicht
Zuwider ist, und dass sich beider Gut
Die Wage hält, so kommt man überein,
Als Gattin ihm das Fräulein zu gewähren.
Der Bräutigam zieht Schwert und wischt's am Hute
Steckt an das Heft den goldnen Ehering
Und beut ihn so zur Braut, indem er spricht:
" Wie dieser Ring den Finger rund umschliesst,
Verpflicht' ich dich zu ewig fester Treue,
Die du mir hältst bei Strafe deines Lebens."
Doch sie versetzt sehr klug und angemessen:
" Ein gleiches Recht für beide. Warum soll ich
Dir bessre Treue wahren als du mir?
Sag', hätte es wohl Adam zugestanden,
Der Eva ungetreu zu sein, da Gott doch
Aus seiner Rippe Eine Eva schuf
Und Adam das verkündete? Liest man,
Dass ihm zwei Even sind erlaubt gewesen?
Du wolltest buhlen und verbeutst das mir?
Nein, es fällt mir nicht bei, auf solchen Pakt

Mich zu verpflichten, geh mir immer hin
Und buhl', um wen du willst, doch ohne mich.
Es gibt noch manchen, den ich freien kann."
So sprechend weist sie Schwert und Ring zurück.
Der Jüngling spricht: "Geliebte, wie du willst,
Geschehe es. Vergehe ich mich jemals,
Will ich das, was ich in die Ehe bringe,
An dich verlieren, und du darfst mich töten."
Sie lächelt hold, sich wieder zu ihm wendend:
"Auf das hin schliessen wir die Eh' in Treuen."
Dann küsst er sie, indem er "Amen" ruft.

## XI. EZZO'S LAY OF THE MIRACLES OF CHRIST

A *Leich* (strophic poem with varying number of verses to the strophe), written, it would seem, in 1064. The dialect is Alemannic. Ezzo was dean of the Bamberg cathedral. The introduction states that Bishop Gunter ordered his clergy to 'make a good song'; that 'Ezzo began to write, will found the way (*i. e.* the meter), and when it was done, all hastened to become monks.' The poem consists of 420 short lines in riming (assonating) couplets.

*Lines 193–262: The life and death of Christ.*

Antiquus dierum,
Er wuchs mit den Jahren:
Der je über der Zeit war,
Vermehrte täglich seinen Wuchs;
So gedieh das edle Kind,
Gottes Geist war in ihm.
Als er dreissig Jahr alt war,
Von dem all diese Welt genas,
Da kam er zum Jordan;
Getauft ward er da,
Er wusch ab unsre Schuld,
Er selbst hat keine.
Den alten Namen legten wir da ab;
Von der Taufe wurden wir Gottes Kinder.
Sodann nach der Taufe
Zeigte sich die Gottheit.
Dies war das erste Zeichen:
Aus dem Wasser macht' er Wein.
Dreien Toten gab er das Leben,
Von dem Blute heilt' er ein Weib,
Die Krummen und die Lahmen,
Die machte er gerade.
Den Blinden gab er das Licht,
Für keine Belohnung sorgte er.
Er erlöste manchen Besessenen,
Den Teufel hiess er von dannen fahren.
Mit fünf Broten speiste er
Fünftausend und mehr,

Dass sie alle genug hatten;
Zwölf Körbe trug man davon.
Zu Fuss ging er über den Fluss,
Zu den Winden rief er "ruhet."
Die gebundenen Zungen,
Die löste er den Stummen.
Ein wahrer Gottes Born,
Die heissen Fieber löschte er.
Krankheit floh von ihm,
Den Siechen hiess er aufstehn,
Mit seinem Bette fortgehn.
Er war Mensch und Gott;
Also süss ist sein Gebot.
Er lehrt' uns Demut und Sitte,
Treue und Wahrheit dazu,
Dass wir uns treu benähmen,
Unsre Not ihm klagten;
Das lehrt' uns der Gottessohn
Mit Worten und mit Werken.
Mit uns wandelte er
Dreiunddreissig Jahr
Undeinhalb, unsrer Not wegen.
Sehr gross ist seine Gewalt.
Seine Worte waren uns das Leben;
Für uns starb er seitdem,
Er ward nach eignem Willen
An das Kreuz gehangen.
Da hielten seine Hände
Die harten Nagelbande,
Galle und Essig war sein Trank;
Also erlöst' uns der Heiland.
Von seiner Seite floss das Blut,
Von dem wir alle geheiligt.
Zwischen zwei Verbrechern
Hingen sie den Sohn Gottes.
Von Holz [1] entstand der Tod,
Von Holz fiel er, gottlob!
Der Teufel schnappte nach dem Fleisch,
Die Angel [2] war die Gottheit;
Nun ist es wohl ergangen,
Daran ward er gefangen.

## XII. HEINRICH VON MELK

An Austrian nobleman of the 12th century who, after bitter experience of the world's ways, retired to the monastery of Melk (a few miles west of Vienna), where he spent his closing years as lay brother. In his *Erinnerung an den Tod*, a satirical poem of 1042 short lines in riming (assonating) couplets, he inveighs against the worldly follies of the knights, and in his *Priesterleben* against the vices of the clergy. The poems date from about 1160.

*From the 'Remembrance of Death,' lines 663–748: The rich youth at the grave of his father.*

Reicher und edler Jüngling,
Gewahre deine ängstliche Lage
Und geh zu deines Vaters Grab;
Nimm den Deckstein davon ab
Und schaue seine Gebeine,
Seufze und weine.
Du magst wohl sagen, wenn du willst, —

[1] The tree of knowledge in the Garden of Eden. — [2] Christ's body is conceived as the 'bait,' his divinity as the 'hook,' by which the devil is caught.

Es kostet deiner Herrlichkeit nicht viel: —
"Lieber Vater und Herr,
Nun sage mir, was dich plagt.
Ich sehe dein Gebein verfaulen,
Das hat die Erde ganz zersetzt;
Es kriechet böser Würmer voll.
Diese stinkende Höhle
Erzeigt meinem Sinne
Einen furchtbaren Geruch darinne.
Auch ist mir schwer zu Mute,
Da du einst so schön warst,
Dass du so schnell verdorben.
Das ist eine jämmerliche Ordnung:
Was einst blühte wie die Lilie,
Das wird wie ein Kleid, das der Meltau
Benagt und zerfrisst.
Der ist unselig, der es vergisst."

So hättest du wohl reden können,
Wenn der Jammer dich bewegt hätte
Aus Liebe zu deinem Vater.
Nun gedenke des Sinnes,
Wie er dir antworten würde,
Wenn es naturgemäss wäre,
Oder wenn Gott es erlaubte.
Ich will die Rede nicht lang machen;
Ich spreche für ihn und mit ihm,
Vernimm du es mit Aufmerksamkeit:
"Ich will dir das, lieber Sohn,
Wonach du fragtest, kund tun.
Meine Sachen stehen in Unordnung;
Von der Strafe Grimmigkeit,
Die ich täglich erleiden muss,
Kann ich mich nicht loswinden.
Ich habe Feuer und Finsternis
Zur Rechten und zur Linken,
Oben und auch unten.
Fände jemand meine Not beschrieben,
Er hätte immer davon zu reden.
Das, lieber Sohn, habe ich zu beklagen,
Doch was bedarfst du langer Rede?
Die Ketten der Rache Gottes
Halten mich fest gebunden;
Ich habe herben Lohn gefunden
Für alles, was ich beging
Und leider ungebüsst liess.
Alles Mass hatte ich vergessen
Im Trinken und im Essen,
Jetzt werde ich bezwungen
Von Durst und von Hunger.
Ehemals brannte mein Fleisch
Im Schweisse der Liederlichkeit;
Nun brennt mich der Fluch Gottes
In dem Feuer, das keiner löschen kann.
Ich leide Schmerz und Ungemach;
Weh, dass ich diese Welt je gesehen!
Begehrlichkeit und Hoffahrt,
Die beiden haben mir verschlossen
Die Tore der inneren Hölle;
Da sind die schwarzen Pechwellen
Mit den heissen Feuerflammen.

Ich höre da Zähneknirschen,
Weinen und Jammern,
Sehr klägliches Rufen
Derer, die keine Hoffnung haben,
Dass sie jemals erlöst werden
Aus dem Abgrunde.
Ach, dass ich je so handelte,
Dass ich ihr Genoss werden musste!
Gern möchte ich es ewig büssen,
Würde die Wohltat mir zu Teil,
Dass ich den Teufel nicht ansähe
Und sein Antlitz vermiede;
Wie sollte mich das erfreuen!
Jetzt mach' ich meine Klage zu spät;
Doch rat' ich dir, mein lieber Sohn,
Dass du an mir ein Beispiel nehmest
Und der Welt nicht so nachhangest,
Dass du meine Not vergessest;
Sonst muss es dir wie mir ergehen."

## XIII. THE ARNSTEIN HYMN TO THE VIRGIN

A *Marienleich* dating from the end of the 12th century, during which the type was much cultivated. The manuscript, from the convent of St. Mary at Arnstein on the Lahn, contains 325 short lines in couplets (beginning and end missing), of which lines 78–261 are given below.

Hätt' ich tausend Munde,
Ich könnte nie berichten
In vollem Mass das Wunder,
Das von dir geschrieben ist.
Alle Zungen vermögen nicht
Zu sagen noch zu singen,
Fraue, deiner Ehren
Noch deines Lobes volles Mass.
Der ganze Himmelshof
Singet dein Lob:
Es preisen dich die Cherubim,
Es ehren dich die Seraphim.
All das grosse Heer
Der heiligen Engel,
Die vor Gottes Antlitz
Stehen seit dem Anfang,
Propheten und Apostel
Und alle Gottes Heilige
Freun sich immer dein,
Königliche Jungfrau.
Wohl müssen sie dich ehren:
Du bist die Mutter ihres Herrn,
Der da Himmel und Erde
Im Anfang werden hiess;
Der mit einem Worte
Die ganze Welt erschuf,
Dem alles ist untertan,
Dem nichts kann widerstehn,
Dem alle Kraft weichet,
Dem nichts gleichet,
Den ehret und fürchtet
All diese Welt.

Es wäre mir lang zu sagen,
Wie hehr du bist im Himmel:
Niemand hat davon Kunde
Als die Seligen, die da sind.

Des einen bin ich von dir gewiss:
Dass, Fraue, du so geehret bist
Wegen deiner grossen Güte,
Wegen deiner Demut
Wegen deiner Reinheit,
Wegen deiner grossen Milde.

Deshalb ruf' ich dich an;
Fraue, nun erhöre mich;
Allerheiligstes Weib,
Vernimm mich sündiges Weib!
All mein Herze
Fleht zu dir ernstlich,
Mir gnädig zu sein,
Bei deinem Sohne zu helfen,
Dass er in seiner Güte
Meine Missetaten
Vergesse gänzlich
Und mir gnädig sei.

Leider, meine Schwachheit
Hat mich oft verleitet,
Dass ich durch meine Schuld
Verwirkte seine Huld.
Fraue, das macht mir bange;
Deswegen fürchte ich,
Dass er seine Gnade
Von mir kehren werde.

Deshalb fleh' ich zu dir.
Nun muss es an dir liegen,
Mir, Jungfrau milde,
Zu seiner Huld zu helfen.
Hilf mir zu wahrer Reue,
Dass ich meine Sünden
Möge beweinen
Mit innigen Tränen.

Hilf mir kräftiglich,
Dass ich die Höllenstrafe
Nimmer erleide;
Dass ich auch vermeide
Hinfort alle Dinge,
Die wider Gottes Huld sind.
Und geruhe mich zu stärken
In allen guten Werken,
Dass ich verbringe mein Leben
Wie die heiligen Weiber,
Die uns aller Tugenden
Ein Vorbild gegeben:
Sara, die demütige,
Anna, die geduldige,
Esther, die milde,
Judith, die verständige,
Und die andern Frauen,
Die in der Furcht Gottes
Sich hier so betrugen,
Dass sie Gott wohl behagten.
Auch ich nach deiner Güte,
Nach deiner Demut,
Möchte mein Leben gestalten:
Dazu hilf mir, heiliges Weib!
In deine Hand begebe ich
Mich und all mein Leben.
Dir überlass' ich all meine Not,
Dass du hilfsbereit seiest,
In was für Drangsalen
Ich dich immer anrufe.

Fraue, deinen Händen
Sei mein Ende befohlen!
Und geruhe mich zu weisen
Und mich zu erlösen
Aus der grossen Not,
Wenn der leide Tod
An mir soll scheiden
Den Leib von der Seele.

In jener grossen Angst
Komm du mir zum Troste!
Und hilf, dass meine Seele
Werde zu Teile
Des lieben Gottes Engeln,
Nicht den leiden Teufeln;
Dass sie mich dahin bringen,
Wo ich soll finden
Die ewige Freude,
Die im Himmel haben
Die hochseligen Gotteskinder,
Die dazu erwählt sind;
Dass ich dort schaue
Unsern lieben Herrn,
Unsern Schöpfer,
Unsern Heiland,
Der uns aus nichts erschuf,
Der uns auch kaufte
Mit seines Sohnes Blut
Von dem ewigen Tode.
Wer soll mir dazu helfen,
Wer soll mich so läutern,
Dass ich es würdig wäre?
Das sollst du, Jesus, mein Herr.
Gib mir, Herr, deinen Geist,
Da du selbst wohl weisst
All meine Krankheit
Und all meine Unwissenheit;
Auf dass ich schauen dürfe
Mit meinen Augen
Dein unverlöschlich Licht:
Das versage du mir nicht!
Es ist das ewige Leben,
Das ich, armes Weib,
Mit deiner Hilfe suche:
Das lass mich, Herre, finden!
Darum sei mein Bote zu dir
Deine eigne Mutter:
O, wie selig bin ich dann,
Nimmt sie sich meiner an!
Maria, Gottes Traute,
Maria, Trost der Armen,
Maria, stella maris,
Zuflucht des Sünders,
Burg des Himmels,
Born des Paradieses!
Der uns die Gnad' entfloss,
Die uns Elenden erschloss
Das rechte Vaterland;
Nun gib uns, Fraue, deine Hand,
Weise uns den Ausweg
Aus jener grossen Tiefe:
Das ist des Teufels Gewalt.
Darein uns hat gebracht
Eva, unsere Mutter;
Jetzt fliehen wir alle zu dir.
Wir weinen und seufzen
Zu deinen lieben Füssen.
Lass dich nun erbarmen
Der Not, die wir Armen
In diesem engen Tale
Mannigfach erdulden!
Stella maris, bist du genannt
Nach dem Stern, der an das Land
Das müde Schiff geleitet,
Wo es die Ruh' erwartet.
Geleite uns an Jesum,
Deinen guten Sohn,
Der uns begnaden soll.
In ihm sollen wir ruhen,
Er soll uns erlösen
Von allen unsern Nöten,
Von allen schweren Sünden:
Das sind des Meeres Wellen,
Die uns nun, ach, umschwellen.
Nun hilf uns, heilige Jungfrau!

## XIV. LAMPRECHT'S LAY OF ALEXANDER

A free translation, made about 1130 by a priest living in the Middle Rhine country, of a French poem by Alberic de Besançon. It consists of 7302 verses in short couplets. Except 105 verses at the beginning the French original is lost. It was itself a versification of a highly fabulous old saga current in Latin prose. As the 105 French verses correspond to 192 verses in the German, it is evident that Lamprecht did not follow Alberic slavishly and that he drew in part upon some other source, perhaps the Latin original. The selections below are from a letter which Alexander writes, toward the end of his career, to his mother Olympias and his teacher Aristotle. In this letter he recounts at length (1670 verses) the wonderful things that he has seen.

*Lines 4928–5037: Alexander's army beset by terrible beasts.*

Nachdem ich Darius besiegt
Und das ganze Land Persien
Und auch das berühmte Indien
Mir untertan gemacht,
Hob ich mich bald von dannen
Mit meinen lieben Mannen
Nach Caspen Porten.[1]
Leid und Furcht wähnte ich
Nicht mehr zu erdulden.
Wir kamen zu einem Wasser,
Da liess ich mein Heer ausruhen;
Wir dachten den Durst zu stillen.
Als wir zu dem Wasser kamen
Und es in den Mund nahmen,
War es bitter wie Galle;
Unerquickt blieben wir alle.
Nun brachen wir vom Lager auf
Und sahen über ein Feld hin,
Wo eine schöne Stadt war,
Die war geheissen Barbaras,
Eine Meile über das Wasser.
Meine Ritter all die Weile
Wollten schwimmen in dem Flusse.
Da näherte sich der Schaden:
Krokodile kamen,
Die meiner Gesellen nahmen
Siebenundzwanzig,
Die verloren das Leben;
Ich kann es wahrhaftig sagen,
Da ich es selbst ansah,
Wie sie sie hinunter frassen;
Ich musste sie fahren lassen.
Da brach mein Heer auf
Nach reiflicher Überlegung
Und kam wieder zu dem Wasser,
Das früher bitter war;
Jetzt war es süss und gut,
Des freute sich unser Mut.
Da schlugen wir unsre Zelte
Auf dem Felde beim Flusse
Und machten ein grosses Feuer.
Die Ruhe ward uns sauer,
Denn aus dem Walde kamen
Manch fürchterliches Tier

[1] In Latin *ad Portas Caspias*, the Caspian Gates.

Und schreckliches Gewürme.
Mit denen mussten wir kämpfen
Beinah die ganze Nacht;
Durst hatte sie dahin gebracht,
Sie wollten sich im Wasser laben.
Skorpionen taten uns viel Schaden,
Die waren breit und lang
Und hatten fürchterlichen Gang,
Teils rote, teils auch weisse;
Sie machten uns grosse Not,
Sie erbissen uns manchen Mann.
Da kamen auch Löwen,
Die waren gross und stark.
Grössere Furcht war nie
Unter einem Heere;
Den Löwen mussten wir uns wehren.
Danach kam zu uns gelaufen
Manch furchtbarer Eber,
Grösser noch als die Löwen.
Mit den Zähnen hieben sie
Alles, was vor ihnen stand;
Dass einer von uns am Leben blieb,
Dafür Gott habe Dank!
Ihre Zähne waren lang,
Eine Klafter oder mehr;
Die taten uns viel weh.
Da kamen auch manche
Elefanten gegangen,
Um vom Fluss zu trinken;
Wir litten Ungemach.
Auch wurden wir heimgesucht
Von masslos langen Schlangen
Mit aufgerichteter Brust;
Wir litten grosse Unlust.
Es kamen auch Menschen,
Die gleich Teufeln waren:
Sie waren wie Affen
Unter den Augen geschaffen,
Sie hatten sechs Hände,
Lang waren ihre Zähne;
Hart plagten sie mein Heer.
Den Leuten mussten wir uns wehren
Mit Speeren und Geschossen;
Sie starben ungesättigt.
Unsre Not war mannigfach;
Da brannten wir den Wald.
Das ward deshalb getan,
Dass wir Frieden haben könnten
Vor den schrecklichen Tieren.
Nicht lange danach
Sah ich das grausamste Tier,
Das früher oder später
Jemand geschaut hat.
Das sah ich mit meinen Augen;
Schrecklicheres Tier gibt es nicht.
Es hatte Geweih wie der Hirsch,
Mit drei starken Stangen,
Die gross und lang waren.
Wär' ich nicht dabei gewesen,
Es hätte das Leben verloren
Ein grosser Teil meines Heers.
Es waren sechsunddreissig derer,
Die es mit den Hörnern erschlug;
Es war fürchterlich genug.
Auch sag' ich euch wahrhaftig,
Dass derer fünfzig waren,
Die es zertrat mit den Füssen.

*Lines 5193–5358: The wonderful girl-flowers*

Der edle herrliche Wald
War wunderbar schön;
Das nahmen wir alles wahr.
Hoch waren die Bäume,
Die Zweige dicht und breit;
In Wahrheit sei es gesagt,
Das war eine grosse Wonne.
Da konnte nie die Sonne
Bis auf die Erde scheinen.
Ich und die Meinen
Liessen unsre Rosse stehen
Und gingen stracks in den Wald,
Nach dem wonniglichen Gesang;
Die Zeit deuchte uns sehr lang,
Bis wir dahin kamen,
Wo wir vernahmen,
Was das Wunder sein mochte.
Manch schönes Mägdelein
Haben wir da gefunden,
Die da in diesen Stunden
Spielten auf dem grünen Klee.
Hunderttausend und mehr,
Spielten sie und sprangen;
Ei, wie schön sie sangen!
So dass wir, klein und gross,
Wegen des süssen Getöses,
Das wir im Walde hörten,
Ich und meine Helden kühn,
Vergassen unser Herzeleid
Und all die grosse Arbeit
Und all das Ungemach,
Und was uns Schweres geschehen war.
Uns allen deuchte es,
Wie es wohl mochte,
Dass wir genug hätten
Für unser ganzes Leben
An Freude und Reichtum.
Da vergass ich Angst und Leid,
Ich und mein Gesinde,
Und was uns von der Kindheit
Je Leides zu teil geworden
Bis auf diesen Tag.
Mir deuchte sofort,
Ich könnte nie krank werden,
Und könnte ich immer da sein,
Würde ich ganz genesen
Von all der Angst und Not
Und nicht mehr fürchten den Tod.

Wollt ihr nun recht verstehen,
Wie es war um die Frauen,
Woher sie kamen,
Und welch Ende sie nahmen,
Das mag euch besonders
Zum grossen Wunder gereichen.
Als der Winter zu Ende war,
Und der Sommer anfing,
Und es begann zu grünen,
Und die edlen Blumen
Im Walde begannen aufzugehn,
Da waren sie sehr lieblich.
Hell war ihr Blumenglanz,
In Rot und auch in Weiss
Erglänzten sie weithin.
Blumen hat es nie gegeben,
Die schöner sein könnten.
Sie waren, wie uns deuchte,
Ganz rund wie ein Ball
Und fest geschlossen überall.
Sie waren wunderbar gross;
Als die Blume sich oben erschloss,
Das merket in eurem Sinne,
So waren darinne
Mägdelein ganz vollkommen;

Ich sag' es, wie ich's vernommen.
Sie gingen und lebten
Und hatten menschlichen Sinn
Und redeten und baten,
Genau als hätten sie
Ein Alter von zwölf Jahren.
Sie waren, das ist wahr,
Schön geschaffen am Leibe;
Nie sah ich an einem Weibe
Ein schöneres Antlitz
Noch Augen so liebsam.
Ihre Hände und ihre Arme
Waren glänzend wie Hermelin,
Auch ihre Füsse und Beine.
Unter ihnen war keine,
Die nicht schöner Hübschheit pflag.
Sie waren züchtig heiter
Und lachten und waren froh
Und sangen auf solche Weise,
Dass niemand früher oder später
Eine so süsse Stimme vernahm.
Wollt ihr es glauben,
So mussten diese Frauen
Immer im Schatten sein,
Sonst könnten sie nicht gedeihn;
Welche die Sonne beschien,
Blieb nicht mehr am Leben.
Das Wunder war mannigfach:
Als der Wald tönend wurde,
Von den süssen Stimmen,
Die darinne sangen,
Die Vögel und die Mägdelein,
Wie konnt' es wonniglicher sein,
Früh oder spät?
All ihre Leibeskleidung
War fest angewachsen
An der Haut und am Körper.
Ihre Farbe war dieselbe,
Die die Blumen hatte,
Rot und auch weiss wie Schnee.
Als wir sie zu uns kommen sahen,
Zog uns der Leib zu ihnen.
Solch begehrenswerte Weiber
Sind der Welt unbekannt.
Nach meinem Heere schickte ich sofort.
Als sie zu mir kamen
Und auch vernahmen
Die herrlichen Stimmen,
Da gingen sie verständnisvoll
Und schlugen ihre Zelte
Im Walde, nicht auf dem Felde.
Da lagen wir nun im Schalle
Und freuten uns alle
Der seltsamen Bräute.
Ich und meine Leute,
Wir wollten da bleiben.
Wir nahmen sie zu Frauen
Und hatten mehr Wonne
Als wir je gewonnen
Seit unserer Geburt.
Weh, dass wir sobald verloren
Das grosse Vergnügen!
Dies Wunder sah ich alles
Selbst mit meinen Augen;
Das möget ihr glauben.
Dies währte, wie ich euch sage,
Drei Monate und zwölf Tage,
Dass ich und meine Helden kühn
In dem grünen Walde waren
Und auf den schönen Auen
Bei den lieben Frauen
Und Wonne mit ihnen hatten
Und mit Freude lebten.
Dann geschah uns grosses Leid,

Das ich nicht genug beklagen kann.
Als die Zeit zu Ende ging,
Da war unsere Freude vorüber,
Die Blumen verwelkten
Und die schönen Frauen starben;
Die Bäume verloren ihr Laub,
Die Brunnen flossen nicht mehr,
Die Vögel hörten auf zu singen.
Dann begann Unfreude
Mein Herz zu bedrücken
Mit mannigfachem Schmerze.
Furchtbar war das Ungemach,
Das ich alle Tage sah
An den schönen Frauen.
O weh, wie bereute ich sie,
Als ich sie sterben sah
Und die Blumen verblühen!
Da schied ich traurig von dannen
Mit allen meinen Mannen.

## XV. KONRAD'S LAY OF ROLAND

A translation, made about 1130 in the dialect of the Rhenish Franks, of the famous *Chanson de Roland*. It consists of 9094 verses. The author, who calls himself 'der Pfaffe Kuonrat,' says that he translated first into Latin, then into German, adding nothing and omitting nothing; but a comparison with the French text as known to us shows many additions, many omissions and a somewhat different spirit. Kaiser Karl and his men fight for the cross, for the glory of Christian martyrdom, not for 'sweet France.'— The situation at the beginning of the poem is this: The Christians have conquered all Spain except Saragossa, whose king, Marsilie, sends envoys to make a treacherous proposal of surrender; the object being to induce the emperor to withdraw the greater part of his army.

*Lines 675–708: Kaiser Karl.*

Die Boten traten vor,
Sehr oft fielen sie nieder,
In seidenem Gewande,
Mit Palmen in der Hand.
Immer wieder aufs neue
Fielen sie zur Erde nieder.
Sie fanden den Kaiser fürwahr
Über dem Schachbrette.
Sein Antlitz war wonniglich.
Es gefiel den Boten sehr,
Dass sie ihn sehen durften.
Es glänzten ja seine Augen
Wie der Morgenstern.
Man erkannte ihn von weitem,
Niemand brauchte zu fragen,
Welcher der Kaiser wäre;
Keiner war ihm ähnlich.
Sein Antlitz war herrlich.
Mit ganz geöffneten Augen
Konnten sie ihn nicht ansehn:
Der Glanz blendete sie
Wie die Sonne zu Mittag.
Den Feinden war er schrecklich,
Den Armen war er vertraut,

Im Unglück war er gnädig,
Gott gegenüber war er treu.
Er war ein gerechter Richter,
Er lehrte uns die Gesetze,
Ein Engel schrieb sie ihm vor;
Er verstand alle Rechte,
Im Kampf ein guter Knecht,
In aller Tugend ausgezeichnet.
Freigebigerer Herr ward nie geboren.

*Lines 2018–2110: The traitor Genelun delivers Karl's message to Marsilie, the Saracen king.*

Der Bote sprach zu Marsilie:
"Der König aller Himmel,
Der uns von der Hölle erlöste
Und die Seinen tröstete,
Der gebe dir Gnade,
Dass du seinen Frieden habest,
Und rette dich vom ewigen Tode.
Der König von Rom entbietet dir,
Dass du Gott ehrest,
Dich zum Christentum bekehrest,
Dich taufen lassest,
An Einen Gott glaubest;
Davon will er Gewissheit haben.
Er lässt dir wahrlich sagen:
Empfängst du das Christengesetz,
Soll dein Land in Frieden bleiben.
Er belehnt dich mit halb Spanien,
Den andern Teil soll Roland haben;
Und wirst du sein Mann,
So behältst du grosse Ehre.
Der Kaiser entbietet dir ferner:
Greifst du etwa zur Gegenwehr,
Sucht er dich mit einem Heere auf;
Er zerstört alle deine Häuser
Und vertreibt dich daraus.
Weder auf Erden noch auf dem Meere
Magst du dich seiner erwehren.
Er lässt dich fangen,
Auf einem Esel führen
Vor seinen Thron zu Achen;
Da nimmt er Rache an dir:
Er lässt dir das Haupt abschlagen.
Das soll ich dir vom Kaiser sagen."
Marsilie blickte umher,
Er wurde sehr bleich,
Er hatte ängstliche Gedanken,
Er konnte kaum sitzen auf der Bank,
Es ward ihm kalt und heiss,
Hart plagte ihn der Schweiss,
Er schüttelte den Kopf,
Er sprang hin und her.
Seinen Stab ergriff er,
Mit Zorn hob er ihn empor,
Nach Genelun schlug er.
Genelun mit List
Wich dem Schlage aus.
Er trat vor dem König zurück,
Das Schwert ergriff er,
Er blickte auf ihn zurück,
Er sagte zu dem Könige:

"Du übst also Gewalt."
Halb zog er das Schwert,
Er sprach: "Karl, meinem Herrn,
Diente ich immer mit Ehren.
In harten Volkskämpfen
Erwirkte ich mit dem Schwert,
Dass ich nie beschimpft ward.
Ich brachte dich mit Ehren hierher,
Ich habe dich lange geführt.
Noch niemals bin ich gefangen.
Und vollbringst du den Schlag,
So ist es dein letzter Tag;
Oder aber ich sende zum Tode
Irgend welchen Heiden,
Dessen Verlust du nie verschmerzest.
Ich wähne, du tobst oder rasest.
Jetzt muss ich bereuen,
Dass ich deinen Ungetreuen
Jemals folgte diesen Weg.
Man hat mich im Stich gelassen,
Ich stehe nun ganz allein.
Was ist aus den Eiden geworden,
Die sie mir schworen,
Als wir fortkamen?"
Die Fürsten sprangen auf,
Sie drangen dazwischen,
Sie verwiesen es dem König.
Sie sagten: "Herr, du tust übel,
Den Kaiser so zu beschimpfen.
Wenn du zu ihm sendest,
Wird deine Botschaft
Ruhmvoll zu Ende geführt.
Sie sprechen uns Treue ab;
Nun müssen wir bereuen,
Dass Friede je gemacht ward.
Du liessest ja seine Mannen köpfen.
Nun gebiete deinem Zorn!
Wir wollen gern vermitteln,
Und das noch mehr,
O Herr, wegen deiner Ehre
Als um seinetwillen.
Stille nun deinen Unmut!"

*Lines 3394–3488: The preparations for the battle. (Deceived by Genelun, Kaiser Karl has returned to Germany, leaving Roland with a small force in Spain.)*

Als die Helden vernahmen,
Dass die Heiden sich sammelten,
Baten sie ihre Priester
Sich fertig zu machen;
Diese griffen ihr Amt an.
Den Leib Gottes empfingen sie,
Sie fielen zum Gebet nieder,
Sie riefen zum Himmel
Viele Stunden hindurch.
Sie beschworen Gott bei den Wunden,
Wodurch er die Seinen erlöste,
Dass er sie tröste,
Dass er ihnen ihre Sünden vergebe
Und selbst ihr Zeuge sei.
Mit Beichte machten sie sich fertig,
Zum Tode rüsteten sie sich,
Und waren jedoch gute Knechte,
Zum Märtyrtum bereit
Um ihrer Seelen willen.
Sie waren Gottes Degen,
Nicht wollten sie entfliehen,
Sie wollten wieder gewinnen

Unsere alte Erbschaft.
Danach strebten die Helden,
Ja führten die edlen Herren
Ein christliches Leben.
Alle hatten Eine Gesinnung,
Ihre Herzen waren mit Gott.
Sie hatten Zucht und Scham,
Reinheit und Gehorsam,
Geduld und Minne;
Sie brannten wahrlich im Innern
Nach der Süsse Gottes.
Sie sollen uns helfen,
Dieses arme Leben zu vergessen;
Denn jetzt besitzen sie Gottes Reich.

Als die Degen Gottes
Mit Psalmen und Segen,
Mit Beichte und Glaube,
Mit tränenden Augen,
Mit grosser Demut,
Mit mancherlei Gutem,
Sich zu Gott gewendet,
Ihre Seelen gelabt
Mit Himmelsbrote,
Mit dem Blute des Herrn,
Zum ewigen Leben,
Da waffneten sie sich;
Gott lobten sie jetzt,
Sie waren allesamt froh,
Wie zu einem Brautlauf.
Sie heissen alle Gottes Kinder,
Die Welt verschmähten sie,
Sie brachten das reine Opfer.
Mit dem Kreuze geschmückt
Eilten sie gern zum Tode;
Sie kauften das Reich Gottes.
Sie waren einander treu;
Was dem einen deuchte gut,
Das war die Meinung aller.
David der Psalmist
Hat von ihnen geschrieben,
Wie Gott, mein Herr, die belohnt,
Die brüderlich zusammenhalten.
Er gibt ihnen selbst seinen Segen;
Sie sollen immer fröhlich leben.
Eine Zuversicht und Eine Minne,
Ein Glaube und Eine Hoffnung,
Eine Treue war in ihnen allen.
Keiner liess den andern im Stiche,
Für alle war Eine Wahrheit;
Des freut sich die Christenheit.

Die verbrecherischen Heiden,
Die Gott nicht fürchteten,
Hoben ihre Abgötter empor,
Mit grosser Hochfahrt kamen sie,
Sie fielen vor Mahmet nieder;
Es war ihr ganzes Gebet,
Dass er ihnen erlaube,
Roland zu enthaupten,
Und, wenn sie ihn erschlagen
Sein Haupt vor sich zu tragen.
Sie versprachen ihn zu ehren,
Sein Lob immer zu mehren
Mit Tanz und Saitenspiel;
Des Übermuts war da viel.
Sie vertrauten ihrer Kraft,
Sie wussten nicht recht,
Dass wer gegen Gott strebt,
Der ohne Gott lebt.
Sie verschmähten ihren Schöpfer,
Unsern wahren Heiland,
Den obersten Priester,
Der keinen ohne Trost lässt,
Wenn er mit Demut
Suchet das Gute,

*Lines 6053–6113: Having fought a great fight and slain many heathen, Roland and his men are about to be overwhelmed by numbers; in desperate straits he blows his horn, and it is heard by the far-away emperor.*

Roland fasste mit beiden Händen
Den guten Olivant
Und setzte ihn an den Mund.
Er begann zu blasen;
Der Schall ward so gross,
Es lärmte so unter den Heiden,
Dass keiner den andern hören konnte.
Sie verstopften selbst die Ohren.
Die Hirnschale barst ihm,
Dem guten Weigande;
Alles änderte sich an ihm,
Er konnte kaum noch sitzen,
Sein Herz zerbrach innen.
Seine bekannte Stimme
Vernahmen sie allesamt,
Der Schall flog ins Land.
Bald kam zu Hof das Märe,
Dass des Kaisers Bläser
Bliesen alle zugleich.
Dann wusste man wahrlich,
Dass die Helden in Not waren.
Da gab es ein grosses Jammern.
Der Kaiser schwitzte vor Angst,
Er verlor zum Teil die Fassung,
Er ward sehr ungeduldig.
Das Haar riss er von der Haut;
Da machte starke Vorstellungen
Genelun der Verräter;
Er sprach: "Dieses Ungestüm
Geziemt nicht einem König.
Du beträgst dich ungebührlich.
Was hast du dir vorzuwerfen?
Den Roland, wie er im Grase schlief,
Hat wohl eine Bremse gebissen,
Oder er jagt wohl einen Hasen;
Dass das Blasen eines Hornes
Dich so ausser Fassung bringt!"
Der Kaiser sprach zu ihm:
"Weh dass ich dich je gesehen,
Oder Kenntnis von dir gewonnen!
Das beklage ich immer vor Gott.
Von dir allein
Muss Frankreich immer weinen.
Wegen des grossen Schatzes,
Den Marsilie dir gab,
Hast du den Mord vollbracht.
Ich räche ihn, wenn ich's vermag.
Was trieb dich dazu?"
Auf sprang der Herzog Naimes,
Er sprach: "Du Teufels Mann,
Du hast schlimmer als Judas getan,
Der unsern Herrn verriet.
Nie verwindest du diesen Tag.
Dies hast du gebraut,
Du sollst es wahrlich trinken."
Er hätte ihn gern erschlagen,
Der Kaiser hiess ihn abstehen;
Er sprach: "Eine andre sei seine Strafe.
Ich will hernach über ihn richten;
Und wenn das Urteil ergeht,
Er stirbt wohl einen schlimmeren Tod."

# XVI. KING ROTHER

A poem of 5302 verses, written about 1150 in a mixture of Middle Frankish and Bavarian. It belongs to the order of *Spielmannspoesie*, or secular minstrelsy; but the author makes frequent reference to what 'the books' say, and evidently meant his work to be read. (The earlier gleemen, so far as known, could not read or write, got their material from oral tradition and composed their poems to be sung or recited to musical accompaniment.) Rother is a king of Italy who sends twelve envoys to Constantinople to win for him the hand of the emperor's daughter. She favors her unknown suitor, but the irate Constantine throws the envoys into a dungeon. Rother takes the name of Dietrich and sails with many retainers to liberate them. By a waiting-maid he presents the princess with a gold and a silver shoe, both made for the same foot, and retains the mates. The princess, already interested in the distinguished stranger, sends for him to put on the impossible shoes.

*Lines 2177–2315: Rother, called Dietrich, woos the willing princess.*

Am Fenster stand die Prinzessin,
Bald kam der junge Held
Über den Hof gegangen.
Da ward er wohl empfangen
Von zweien Rittern ehrlich.
Dann ging der Recke Dietrich,
Wo die Kemenate offen stand;
Darein ging der wohlgestalte Held.
Den hiess die junge Prinzessin
Selber wilkommen sein
Und sagte, was er da bitte,
Das würde sie gerne tun
Nach ihrer beider Ehre.
"Ich habe dich gern, o Herr,
Wegen deiner Tüchtigkeit gesehn;
Aus anderm Grund ist's nicht geschehn.
Diese niedlichen Schuhe,
Die sollst du mir anziehen."
"Sehr gerne," sprach Dietrich,
"Da du es von mir verlangst."
Der Herr setzte sich ihr zu Füssen,
Sehr schön war sein Gebaren.
Auf sein Bein setzte sie den Fuss,
Nie wurde Frau besser geschuht.
Da sprach der listige Mann:
"Nun sage mir, schöne Herrin,
Bescheid auf deine Treue,
Wie du eine Christin bist, —
Es warb um dich mancher Mann, —
Hing' es von deinem Willen ab,
Welcher unter ihnen allen
Hat dir am besten gefallen?"
"Das sag' ich dir," sprach die Dame,
"In allem Ernst und in Treue,
O Herr, auf meine Seele,
Wie ich getaufte Christin bin:
Kämen aus allen Landen
Die teuren Weigande
Mit einander zusammen,
Da wäre kein Mann darunter,

Der dein Genoss sein könnte.
Das nehm' ich auf meine Treue,
Dass nie eine Mutter gebar
Ein Kind so liebenswürdig,
Dass es mit Fug, Dietrich,
Neben dir stehen könnte.
Du bist ein ausgezeichneter Mann.
Sollte ich aber die Wahl haben,
Nähme ich den Helden gut und kühn,
Dessen Boten her ins Land kamen
Und jetzt wahrlich liegen
In meines Vaters Kerker.
Er heisst mit Namen Rother
Und sitzt im Westen übers Meer.
Ich will immer Magd bleiben,
Bekomm' ich nicht den Helden schön."
Als Dietrich das vernahm,
Da sprach der listige Mann:
"Willst du Rother minnen,
Den will ich dir bald bringen.
Es lebt keiner auf Erden,
Der mir mehr Gutes getan hätte;
Des soll er noch geniessen.
Ehe ihn der Hochmut meisterte,
Half er mir oft in der Not;
Wir genossen fröhlich das Land
Und lebten glücklich zusammen.
Der gute Held war mir stets gnädig,
Wie wohl er mich jetzt vertrieben."
"In Treue," sprach die Prinzessin,
"Ich verstehe deine Rede;
Ist der Rother dir so lieb,
Hat er dich nicht vertrieben.
Von wannen du fährst, kühner Held,
Bist du als Bote her gesandt.
Dir sind des Königs Mannen lieb.
Nun verhehle es mit Worten nicht;
Was mir heute gesagt wird,
Das wird immer wohl verschwiegen
Bis an den jüngsten Tag."
Der Herr sprach zu der Dame:
"Jetzt überlass' ich meine Sache
Der Gnade Gottes und der deinen;
Es stehen ja deine Füsse
In König Rothers Schosse."
Die Dame erschrak sehr;
Sie zog den Fuss weg
Und sprach zu Dietrich
Sehr bescheidentlich:
"Nie ward ich so ungezogen;
Mein Übermut hat mich betrogen,
Dass ich meinen Fuss
Setzte auf deinen Schoss.
Und bist du der grosse Rother,
Kannst du, König, nimmermehr
Einen besseren Ruhm gewinnen.
Der ausserordentlichen Dinge
Bist du ein listiger Meister.
Welches Geschlechts du auch seist,
Mein Herz war unglücklich;
Und hätte dich Gott hergesandt,
Das wäre mir inniglich lieb.
Ich mag doch nicht glauben,
Dass du mir Unwahres sprichst.

Und wär's dann aller Welt leid,
Ich räumte sicherlich
Zusammen mit dir das Reich.
So bleibt es aber ungetan.
Doch lebt kein Mann so schön,
Den ich vorziehen würde,
Wärest du der König Rother."
Darauf sprach Dietrich
(Sein Sinn war sehr listig):
"Nun hab' ich keine Freunde
Als die armen Herren,
Die in dem Kerker sind.
Könnten mich diese sehen,
Hättest du an ihnen den Beweis,
Dass ich dir Wahres gesprochen."
"In Treue," sprach die Prinzessin,
"Dir werd' ich beim Vater mein
Irgendwie erwirken,
Dass ich sie herauskriege.
Aber er wird sie keinem geben,
Er hafte denn mit seinem Leben,
Dass niemand entkomme,
Bis alle zurückgebracht
In den Kerker würden,
Wo sie in der Not waren."
Drauf antwortete Dietrich:
"Ich will es auf mich nehmen
Vor Constantin, dem reichen,
Und morgen sicherlich
Werde ich zu Hofe gehn."
Die Jungfrau so schön
Küsste den Herrn.
Da schied er mit Ehren
Aus der Kemenate.

*Lines 2819–2942: Having become friendly with Constantine and won for him a great battle against the heathen invader Ymelot, Rother perpetrates a hoax.*

Dietrich der Weigand
Nahm Ymelot bei der Hand,
Führte ihn zu Constantin,
Und übergab ihn diesem.
Dann sprach der listige Mann:
"Wir sollten einen Boten haben,
Der den Frauen sagte,
Was wir hier vollbracht."
"In Treue," sprach Constantin,
"Der Bote sollst du selbst sein
Um meiner Tochter willen;
Und sage du der Königin
Und den Frauen allesamt,
Dass wir nach Hause reiten
Mit sehr fröhlichen Herzen.
Einen Teil deines Volkes
Lass du mit mir bleiben."
Da sprach der listige Mann,
Dass er gerne täte,
Was der König verlange.
Dietrich ging von dannen
Mit seinen Heimatsmannen,
Die andern schickte er zum König;
Der bat sie grossen Dank haben.
Zu sich nahm er seine Leute,
Die übers Meer mitgefahren,
Und erklärte den Kühnen,
Was er beabsichtige;
Die teuren Weigande
Wollten gern nach Hause.
Dietrich fuhr von dannen.
Ein Märchen, das war herrlich,
Brachte er zu Constantinopel,
Der berühmten Burg:
Er sagte, er sei entflohen

Mit allen seinen Mannen.
Da weinte die Frau Königin:
"Ach weh, wo ist Constantin
Und die Weigande
Aus manchem Lande?
Dietrich, lieber Herr,
Sollen wir sie wiedersehen?"
"Nimmermehr, das weiss Gott!
Erschlagen hat sie Ymelot
Und reitet her mit Heereskraft;
Er will die Stadt zerstören,
Ich kann mich ihm nicht wehren
Und muss fliehen übers Meer.
Die Weiber und die Kinder,
So viel ihrer in der Burg sind,
Denen wird zuteil der Tod:
Es erschlägt sie Ymelot."
Da nahm Constantins Weib
Ihre Tochter, die herrliche,
Und sie baten Dietrich
Beide sehr ernsthaft,
Sie von den Heiden zu retten,
Die mit einem Heere kämen.
Da hiess der listige Mann
Die schönen Zelter
Der Königin fortziehen;
Er führte sie zu den Schiffen.
Da gab es, könnt ihr glauben,
Von manchen schönen Frauen
Weinen und Händeringen;
Sie konnten sich nicht fassen.
Es kam eine grosse Gesellschaft
Zu Dietrich aus der Stadt.
Sie wollten alle aufs Meer,
Um sich vor Ymelot zu retten.
Da tröstete sie der schlaue Mann;
Er hatte es aus List getan.
Dietrich hiess seine Mannen
Sofort in die Schiffe gehen.
Asprian, der gute Held,
Trug den Kammerschatz darein,
Sie eilten alle aufs Meer.
Da hiess König Rother
Die Mutter am Gestade bleiben,
Die Tochter in ein Schiff gehn.
Es gab ein grosses Weinen.
Sie sprach: "Ach, Herr Dietrich,
Wem willst du, tugendhafter Mann,
Uns armen Weiber überlassen?"
So sprach die gute Königin:
"Nun nimm mich mit ins Schiff
Zu meiner schönen Tochter."
Da sprach der listige Mann:
"Ihr sollt Euch wohl gehaben;
Constantin ist nicht geschlagen,
Ymelot haben wir gefangen,
Constantin ist's wohl ergangen.
Er reitet hierher ins Land
Mit guten Nachrichten;
Er kommt über drei Tage.
Ihr könnt ihm wahrlich sagen,
Seine Tochter sei mit Rother
Westwärts gefahren übers Meer.
Nun befehlt mir, herrliche Frau·
Ich heisse ja nicht Dietrich."
"Wohl mir," sprach die Königin,
"Dass ich je ins Leben trat.
Nun lasse Gott, der gute,
In seiner grossen Gnade,
Dich meine Tochter schön
Recht lang in Freude haben!
Es ist wahr, teurer Degen,

Sie wäre dir leichter gegeben,
Als du sie gewonnen hast,
Hätte es in meinem Willen gestanden.
Wie Constantin das Leben
Des jungen Weibes quälte,
Das ist mir das mindeste,
Da du nun Rother bist.
Nun fahre, teurer Degen,
Und Sankt Gilge segne dich!"
Da sprach das schöne Mägdlein:
"Gehabt Euch wohl, Mutter mein!"
Die Frauen so liebsam
Gingen lachend von dannen
Zu Constantins Saal
Und gönnten es dem Rother wohl,
Dass Gott ihn bringe
Mit Ehren ins Heimatland.

## XVII. DUKE ERNST

Another example of the secular minstrelsy brought into vogue by the crusading spirit. The poem originated in the 12th century, but the only complete versions known to us are of the 13th. It contains 6022 verses in the dialect of the Middle or Lower Rhine. The saga is of unusual psychological interest. Ernst is a brave and upright Bavarian whom a base calumny deprives of the favor of the emperor Otto. For a while he maintains himself in a bitter feud with the empire, but finally gives up the hopeless fight and sets out, with a few loyal followers, for Jerusalem. In the Orient he has many wonderful adventures, one of which is related below, and so deports himself that on his return the emperor receives him back into favor.

*Lines 3915–4199: The magnetic rock in the Curdled Sea.*

Die Helden weilten da nicht mehr,
Sie fuhren auf der wilden See
Mit fröhlichem Gemüte.
Jetzt meinten die guten Helden,
Es müsse ihnen wohl gehen.
Da stieg nun ein Schiffsmann
Zu oberst auf den Mastbaum;
Die Meeresströmung trieb sie
Schnell nach jenem Hafen zu.
Und nun erschrak er sehr darüber,
Als er den Berg erkannte;
Es ward ihm leid und bange.
Hinunter in das Schiff
Rief er also zu den Recken:
"Ihr Helden so schmuck,
Nun wendet euch geschwind
Hin zu dem ewigen Wesen!
Es kostet uns das Leben,
Bleiben wir hier stecken.
Der Berg, den wir gesehen,
Der liegt auf dem Lebermeer! [1]
Es sei denn, dass Gott uns rettet,

[1] The Liver Sea, called also *das geronnene Meer*, or the Curdled Sea; in Latin *mare pigrum et concretum*. For the literature of the curious saga see Bartsch, *Herzog Ernst*, Wien, 1869, p. cxlv.

Wir sterben hier allzusammen.
Wir fahren gegen den Stein zu,
Von dem ihr mich reden hörtet.
Jetzt sollt ihr euch hinkehren
Zu Gott in wahrer Reue
Und aus dem Herzen tilgen,
Was ihr wider ihn getan.
Ich will euch, Helden, wissen lassen
Von der Kraft des Felsen
Und von der Herrschaft,
Die er in seiner Art hat:
Treibt ein Schiff ihm entgegen
Innerhalb dreissig Meilen,
So hat er in kurzer Zeit
Es an sich gezogen;
Das ist wahr und nicht erlogen.
Haben sie irgendwelches Eisen,
Das darf niemand weisen;
Sie müssen gegen ihren Willen dran.
Wo ihr die Schiffe liegen seht,
Vor dem dunkeln Berge dort
Gleich an des Steines Kante,
Da müssen wir auch sterben
Und vor Hunger verenden—
Es ist nicht abzuwenden,—
Wie alle anderen getan haben,
Die hierher segelten.
Nun bittet Gott, dass er
Uns helfe und gnädig sei.
Wir sind nahe dem Felsen."

Als der Herzog das vernahm,
Sprach der Fürst lobesam
Zu den Herren sonderlich:
"Jetzt sollt ihr inniglich,
Meine lieben Notgesellen,
Zu unserm Herrn flehen,
Dass er uns gnädiglich
In sein Reich empfange
Wir gehn an diesem Stein zugrunde.
Nun lobt ihn allzusammen
Mit Herzen und mit Zungen.
Es ist uns wohl gelungen,
Sterben wir auf dieser wilden See:
Wir sind geborgen auf immerdar
Bei Gott in seinem Reich.
Nun freut euch allzugleich,
Dass wir ihm so nah gekommen."
Als sie das vernahmen,
Behielten sie es im Herzen.
Nun taten die guten Helden,
Wie der Fürst ihnen geraten:
Ordneten ihre Sachen schnell,
Gaben alles Gott anheim,
Und beherzigten sein Gebot
Mit Beichte und mit Busse
Mit sehr grossem Eifer,
Wie man Gott gegenüber sollte.
Also machten sie sich bereit.

Als die unglücklichen Männer
Ihre Gebete verrichteten
Und ihre Sachen ordneten,
Gab es ein jämmerlich Rufen,
Das sie zu Gott erhoben.
Ihren Schöpfer sie baten,
Dass er ihre Seelen bewahre.
Jetzt waren die Helden gefahren
So nahe dem Felsen,
Dass sie deutlich sehen konnten
Die Schiffe mit hohen Masten.
Der Fels zog die Helden
So geschwinde zu sich,

Seine Kraft brachte das Schiff
So kräftiglich heran,
Dass die andern Schiffe
Diesem entweichen mussten.
Es kam so gewaltsam
Dem Steine zugefahren,
Dass die Schiffe allesamt
Auf einander stiessen.
Auch gaben die Mastbäume
Sich manchen harten Stoss.
Die Stösse waren so stark,
Dass manches Schiff zerbrach.
So ward mancher Gast empfangen,
Der seitdem verendete
Und niemals wiederkehrte.
Es ist auch wirklich ein Wunder,
Dass diese nicht erschlagen wurden
Durch die hohen Mastbäume,
Die, alt und morsch geworden,
Von andern Schiffen fielen
Auf ihr Schiff mit Gewalt.
Als diese herabstürzten,
Konnte nichts mehr bestehn,
Was um das Schiff lag.
Dass das Schiff sich erhielt,
War ein grosses Wunder;
Es musste alles und jedes
Fallen in das Meer.
Der Herzog und seine Männer
Mussten unerhörte Not leiden,
Da sie einen schrecklichen Tod
Öfters vor sich sahen.
Doch kamen die kühnen Männer
Mit dem Leben davon;
Gottes Hilfe erschien ihnen.
Als das Schiff stehen blieb,
Taten sie, wie Leute noch tun,
Die lange in einer Stätte gelegen
Und etwas Neues sehen mögen:
Die zieren Helden sprangen
Schnell aus dem Schiffe
Und gingen allesamt,
Um das mannigfache Wunder
In den Schiffen zu besehen.
Sie standen dicht wie ein Wald
Um den Berg auf dem Meer.
Weder früher noch später
Sah jemand so grossen Reichtum,
Als die mutigen Helden
In den Schiffen fanden,
So dass sie in langen Stunden
Ihn nicht überschauen konnten.
Sie sahen den grössten Schatz,
Den jemand haben könnte.
Nie hat der weise Mann gelebt
Der ihn je in Acht nehmen
Oder vollauf beschreiben könnte.
Silber, Gold und Edelsteine,
Purpur, Sammet, glänzende Seide,
Lag dort so mannigfaltig,
Dass niemand es beachten könnte.
Als sie das Wunder beschaut,
Begannen sie weiter zu gehen.
Der Herzog und seine Männer
Stiegen auf den Felsen,
Ob sie irgendwo Land sähen.
Kein Auge konnte erspähen,
Dass sie zu Lande kämen;
Das war den Recken leid.
Der Berg lag im weiten Meer;
Da mussten die Helden hilflos
Höchst jämmerlich ersterben

Und am Hunger zugrunde gehen;
Den Recken war schwer zu Mute.
Da mussten die Helden
Vor dem Steine Angst erleiden.
Sie sagten allesamt,
Sie würden es gütlich erdulden,
Da ihnen der mächtige Gott
Das harte Geschick verhängt,
Wie auch den andern allen,
Die vor ihnen gekommen waren
Und das Leben verloren hatten.
Da sie die Not nicht meiden wollten,
Würden sie gerne den Tod
Um seine Huld erleiden,
Und würden die grosse Not
Als Sündenbusse betrachten.
Der Herzog und seine Männer
Hatten Trost beim Kinde der Maid.
Nun schwebte das Gesinde
So lange Zeit auf dem Meer,
Dass früher oder später im Leben
Sie nie solches Weh ertrugen,
Da es ihnen an Speise gebrach
Und an der guten Nahrung,
Die sie mitgebracht hatten
Von dem Lande Grippia,
Woselbst die Weigande
Dieselbe tapfer erworben.
Am Hunger starben sie,
Die auf dem Schiffe waren,
So dass keiner am Leben blieb
Von der ganzen Mannschaft
Ausser dem Herzog allein
Und sieben Mann mit ihm.
Die andern trug ein Greif fort,
Wie sie nacheinander starben.
Die Lebenden handelten so:
Wen jeweilig der Tod nahm,
Den trugen die Helden lobesam
Bald aus dem Schiffsraume;
Ihn legten die zieren Degen
Oben aufs Verdeck.
Das habt ihr nun öfters
Als Wahrheit sagen hören:
Die Greife kamen geflogen
Und trugen sie ins Nest.
Auf diese Weise ward zuletzt
Dem Herzog und seinen Männern
Von den Greifen geholfen;
Also retteten sie sich.
Die andern wurden zu Aase
Den Greifen und ihren Jungen.
Diesen war es schon gelungen,
Menschen in grosser Anzahl
Von dannen in ihre Neste
Nach Gewohnheit zu tragen;
Davon die mutigen Helden,
Der Herzog und seine Mannen,
Wieder ans Land kamen.
Der Fürst litt Ungemach,
Als er seine Gefährten sah
Vor Hunger verbleichen
Und so jämmerlich sterben,
Und er ihnen nicht helfen konnte.
Darum musst' er manche Stunde
Erleiden Jammersnot,
Indem sie der Tod
Vor seinen Augen hinwegnahm,
Bis der Recke lobesam
Nur sieben Mann übrig hatte.
Auch diese behielten das Leben
Kaum vor Hungersnot:

Sie hatten nur ein halbes Brot,
Das teilten die Helden unter sich.
Es war jämmerlich genug,
Da sie nichts mehr hatten.
Da ergaben sie sich dem Herrn,
Mit Leib und Seele Gottes Händen;
Dann fielen die tapfern Helden
Zum Gebet nieder und baten
Vor allem inniglich den Herrn,
Dass er ihnen gnädig sei
Und helfe aus der grossen Not;
Sie fürchteten sehr den Tod.
Als diese Unglücklichen
Ihr Gebet verrichtet hatten,
Was später ihnen zu statten kam,
Sprach der Graf Wetzel also:
"Ich habe in diesen Stunden
Uns eine List erfunden,
Wie sie nicht besser sein könnte.
Sollen wir je gerettet werden,
Muss es gewiss davon kommen,
Dass wir suchen und spähen
Und gar nicht aufhören.
Bis wir in den Schiffen finden
Irgendwelche Art Häute;
Dann schlüpfen wir armen Leute
In unsre gute Rüstung.
Hat man uns dann eingenäht
In die Häute," sprach der Degen,
"So wollen wir uns legen
Oben auf das Schiffsverdeck.
So nehmen uns da die Greife
Und tragen uns von dannen.
Sie können uns nichts anhaben,
Die Greife, wegen der Rüstung,
Die uns oft beschirmt hat;
Die mag uns noch einmal helfen.
Und haben wir uns versichert,
Dass die alten auf Beute fort sind,
So schneiden wir uns aus
Und steigen zur Erde nieder.
Soll es aber anders werden,
Will es Gott, dass wir nicht entkommen,
So mag es uns doch lieber sein,
Dass wir dort redlich tot liegen,
Als dass wir hier diese starke Not
So jämmerlich erleiden."

## XVIII. THE LAY OF THE NIBELUNGS

The most important poetic production of medieval Germany. It embodies legends that date back, in part, to the 5th century and were handed down from age to age by oral tradition. The different versions known to us point back to a lost original which probably took shape toward the end of the 12th century and was the work of an Austrian poet of whom nothing is known. The form is a four-line strophe, with masculine rimes paired in the order *aa bb*. Each line is divided into two parts by a cesura, which regularly falls after an unstressed syllable. The first seven half-lines usually have three accents each, the eighth four.

Reasoning from incongruities in the text, the famous scholar Lachmann concluded that the poem consists of twenty old songs, or ballads, pieced together with new matter in the shape of introductions, transitions, and amplifications. This theory gave rise to a great controversy which still divides scholarship to some extent, with opinion tending more and more to the confirmation of Lachmann's general view, but to the rejection of his specific conclusions. That is to say: The poem is a working-over of old songs; but just how many of these there were, where the dividing lines come, and how much merit of originality may rightly be claimed for the nameless 12th century poet, cannot be definitely settled.

The most popular modernization is that of Simrock, 56th edition, 1902, from which the selections below are taken. It has its defects, but none of the many attempts to improve upon it has met with a generally recognized success.

*From Adventure 1:*[1] *Kriemhild and her dream.*

Es wuchs in Burgunden solch edel Mägdelein,
Dass in allen Landen nichts Schön'res mochte sein.
Kriemhild war sie geheissen und ward ein schönes Weib,
Um die viel Degen mussten verlieren Leben und Leib.

Es pflegten sie drei Könige, edel und reich,
Gunter und Gernot, die Recken ohnegleich,
Und Geiselher der junge, ein auserwählter Degen;
Sie war ihre Schwester, die Fürsten hatten sie zu pflegen.

Die Herren waren milde, dazu von hohem Stamm,
Unmassen kühn von Kräften, die Recken lobesam.
Nach den Burgunden war ihr Land genannt:
Sie schufen starke Wunder noch seitdem in Etzels Land.

Zu Worms am Rheine wohnten die Herren in ihrer Kraft.
Von ihren Landen diente viel stolze Ritterschaft
Mit rühmlichen Ehren all ihres Lebens Zeit,
Bis jämmerlich sie starben durch zweier edeln Frauen Streit.

In ihren hohen Ehren träumte Kriemhilden,
Sie zög' einen Falken, stark-, schön- und wilden,

[1] Some of the manuscripts divide the poem into sections, each one of which is called an *aventiure*, or 'adventure.'

Den griffen ihr zwei Aare, dass sie es mochte sehn;
Ihr konnt' auf dieser Erde grösser Leid nicht geschehn.

Sie sagt' ihrer Mutter den Traum, Frau Uten;
Die wusst' ihn nicht zu deuten als so der guten:
" Der Falke, den du ziehest, das ist ein edler Mann;
Ihn wolle Gott behüten, sonst ist es bald um ihn getan."

"Was sagt Ihr mir vom Manne, vielliebe Mutter mein?
Ohne Reckenminne will ich immer sein;
So schön will ich verbleiben bis an meinen Tod,
Dass ich von Mannesminne nie gewinnen möge Not."

"Verred' es nicht so völlig," die Mutter sprach da so,
"Sollst du je auf Erden von Herzen werden froh,
Das geschieht von Mannesminne; du wirst ein schönes Weib
Will Gott dir noch vergönnen eines guten Ritters Leib."[1]

"Die Rede lasst bleiben, vielliebe Mutter mein.
Es hat an manchen Weiben[2] gelehrt der Augenschein,
Wie Liebe mit Leide am Ende gerne lohnt;
Ich will sie meiden beide, so bleib' ich sicher verschont."

Kriemhild in ihrem Mute hielt sich von Minne frei.
So lief noch der guten manch lieber Tag vorbei,
Dass sie niemand wusste, der ihr gefiel zum Mann,
Bis sie doch mit Ehren einen werten Recken gewann.

Das war derselbe Falke, den jener Traum ihr bot,
Den ihr beschied die Mutter. Ob seinem frühen Tod
Den nächsten Anverwandten wie gab sie blut'gen Lohn!
Durch dieses Einen Sterben starb noch mancher Mutter Sohn.

[1] M. H. G. *lîp*, modern *Leib*, meant 'body,' 'person,' 'self.' With a genitive it is often pleonastic and untranslatable. *Eines guten Ritters Leib* = *einen guten Ritter*. — [2] Archaic for *Weibern* for the sake of the medial rime with *bleiben*. Now and then a stanza has medial as well as final rimes.

*From Adventure 5: Having lived a whole year at Worms as the guest-friend of King Gunter, Siegfried at last sees the maid he came to woo.*

Da liess der reiche König mit seiner Schwester gehn
Hundert seiner Recken, zu ihrem Dienst ersehn
Und dem ihrer Mutter, die Schwerter in der Hand:
Das war das Hofgesinde in der Burgunden Land.

Ute die reiche sah man mit ihr kommen,
Die hatte schöner Frauen sich zum Geleit genommen
Hundert oder drüber, geschmückt mit reichem Kleid;
Auch folgte Kriemhilden manche waidliche[1] Maid.

Aus einer Kemenate sah man sie alle gehn.
Da musste heftig Drängen von Helden bald geschehn,
Die alle harrend standen, ob es möchte sein,
Dass sie da fröhlich sähen dieses edle Mägdelein.

Da kam die Minnigliche, wie das Morgenrot
Tritt aus trüben Wolken. Da schied von mancher Not,
Der sie im Herzen hegte, was lange war geschehn.
Er sah die Minnigliche nun gar herrlich vor sich stehn.

Von ihrem Kleide leuchtete gar mancher edle Stein,
Ihre rosenrote Farbe gab minniglichen Schein.
Was jemand wünschen mochte, er musste doch gestehn,
Dass er hier auf Erden noch nichts so Schönes gesehn.

Wie der lichte Vollmond vor den Sternen schwebt,
Des Schein so hell und lauter sich aus den Wolken hebt,
So glänzte sie in Wahrheit vor andern Frauen gut;
Das mochte wohl erhöhen den zieren Helden den Mut.

Die reichen Kämmerlinge schritten vor ihr her,
Die hochgemuten Degen liessen es nicht mehr:

[1] M. H. G. *wætlîch*, 'beautiful.'

Sie drängten, dass sie sähen die minnigliche Maid;
Siegfried dem Degen war es lieb und wieder leid.

Er sann in seinem Sinne: "Wie dacht' ich je daran,
Dass ich dich minnen sollte? das ist ein eitler Wahn.
Soll ich dich aber meiden, so wär' ich sanfter[1] tot."
Er ward von Gedanken oft bleich und oft wieder rot.

Da sah man den Sieglindensohn so minniglich da stehn,
Als wär' er entworfen auf einem Pergamen
Von guten Meisters Händen; gern man ihm zugestand,
Dass man nie im Leben so schönen Helden noch fand.

Die mit Kriemhilden gingen, die hiessen aus den Wegen
Allenthalben weichen; dem folgte mancher Degen.
Die hochgetrag'nen Herzen freute man sich zu schaun;
Man sah in hohen Züchten viel der herrlichen Fraun.

Da sprach von Burgunden der König Gernot:
"Dem Helden, der so gütlich Euch seine Dienste bot,
Gunter, lieber Bruder, dem bietet hier den Lohn
Vor allen diesen Recken. Des Rates spricht man mir nicht Hohn.

Heisset Siegfrieden zu meiner Schwester kommen,
Dass ihn das Mägdlein grüsse; das bringt uns immer Frommen.
Die niemals Recken grüsste, soll sein mit Grüssen pflegen,
Dass wir uns so gewinnen diesen zierlichen Degen."

Des Wirtes Freunde gingen, dahin wo man ihn fand;
Sie sprachen zu dem Recken aus dem Niederland:
"Der König will erlauben, Ihr sollt zu Hofe gehn.
Seine Schwester soll Euch grüssen; die Ehre soll Euch geschehn."

Der Rede ward der Degen in seinem Mut erfreut;
Er trug in seinem Herzen Freude sonder Leid,

[1] 'Better.'

Dass er der schönen Ute  Tochter sollte sehn.
In minniglichen Züchten  empfing sie Siegfrieden schön.

Als sie den Hochgemuten  vor sich stehen sah,
Ihre Farbe ward entzündet.  Die Schöne sagte da:
"Willkommen, Herr Siegfried,  ein edler Ritter gut."
Da ward ihm von dem Grusse  gar wohl erhoben der Mut.

Er neigte sich ihr minniglich,  als er den Dank ihr bot;
Da zwang sie zu einander  sehnender Minne Not.
Mit liebem Blick der Augen  sahn einander an
Der Held und auch das Mägdlein;  das ward verstohlen getan.

Ward da mit sanftem Drucke  geliebkost weisse Hand
In herzlicher Minne,  das ist mir unbekannt.
Doch kann ich auch nicht glauben,  sie hätten's nicht getan.
Liebebedürft'ge Herzen  täten Unrecht daran.

*From Adventure 7: The strenuous games at Isenstein*[1]*; Brunhild is fraudulently vanquished for Gunter by the invisible Siegfried.*

Brunhildens Stärke  zeigte sich nicht klein,
Man trug ihr zu dem Kreise  einen schweren Stein,
Gross und ungefüge,  rund dabei und breit;
Ihn trugen kaum zwölfe  dieser Degen kühn im Streit.

Den warf sie allerwegen,  wie sie den Speer verschoss;
Darüber war die Sorge  der Burgunden gross.
"Wen will der König werben?"  sprach da Hagen laut;
"Wär' sie in der Hölle  doch des übeln Teufels Braut!"

An ihre weissen Arme  sie die Ärmel wand,
Sie schickte sich und fasste  den Schild an die Hand;
Sie schwang den Spiess zur Höhe:  das war des Kampfs Beginn.
Gunter und Siegfried bangten  vor Brunhildens grimmem Sinn.

[1] The home of Brunhild, far out over the North Sea. She is an athletic maid who kills her suitors unless they vanquish her in certain sports. Gunter has come to woo her, Siegfried promising to help him. Siegfried's reward is to be the hand of Kriemhild.

Und wär' ihm da Siegfried zu Hilfe nicht gekommen,
So hätte sie dem König das Leben wohl benommen.
Er trat hinzu verstohlen [1] und rührte seine Hand;
Gunter seine Künste mit grossen Sorgen befand.

"Wer war's, der mich berührte?" dachte der kühne Mann,
Und wie er um sich blickte, da traf er niemand an.
Er sprach: "Ich bin es, Siegfried, der Geselle dein;
Du sollst gar ohne Sorge vor der Königin sein."

Er sprach: "Gib aus den Händen den Schild, lass mich ihn tragen
Und behalt' im Sinne, was du mich hörest sagen:
Du habe die Gebärde, ich will das Werk begehn."
Als er ihn erkannte, da war ihm Liebes geschehn.

"Verhehl' auch meine Künste, das ist uns beiden gut;
So mag die Königstochter den hohen Übermut
Nicht an dir vollbringen, wie sie gesonnen ist.
Nun sieh doch, welcher Kühnheit sie wider dich sich vermisst."

Da schoss mit ganzen Kräften die herrliche Maid
Den Speer nach einem Schilde, mächtig und breit,
Den trug an der Linken Sieglindens Kind;
Das Feuer sprang vom Stahle, als ob es wehte der Wind.

Des starken Spiesses Schneide den Schild ganz durchdrang,
Dass das Feuer lohend aus den Ringen sprang.
Von dem Schusse fielen die kraftvollen Degen;
War nicht die Tarnkappe, sie wären beide da erlegen.

Siegfried dem kühnen vom Munde brach das Blut.
Bald sprang er auf die Füsse, da nahm der Degen gut
Den Speer, den sie geschossen ihm hatte durch den Rand;
Den warf ihr jetzt zurücke Siegfried mit kraftvoller Hand.

[1] Siegfried has put on his *Tarnkappe*, or hiding-cloak, which makes him invisible.

Er dacht': "Ich will nicht schiessen das Mägdlein wonniglich."
Des Spiesses Schneide kehrt' er hinter den Rücken sich;
Mit der Speerstange schoss er auf ihr Gewand,
Dass es laut erhallte von seiner kraftreichen Hand.

Das Feuer stob vom Panzer, als trieb' es der Wind,
Es hatte wohl geschossen der Sieglinde Kind.
Sie vermochte mit den Kräften dem Schusse nicht zu stehn;
Das wär' von König Guntern in Wahrheit nimmer geschehn.

Brunhild die schöne bald auf die Füsse sprang:
"Gunter, edler Ritter, des Schusses habe Dank!"
Sie wähnt', er hätt' es selber mit seiner Kraft getan;
Nein, zu Boden warf sie ein viel stärkerer Mann.

Da ging sie hin geschwinde, zornig war ihr Mut,
Den Stein hoch erhub sie, die edle Jungfrau gut;
Sie schwang ihn mit Kräften weithin von der Hand,
Dann sprang sie nach dem Wurfe, dass laut erklang ihr Gewand.

Der Stein fiel zu Boden von ihr zwölf Klafter weit,
Den Wurf überholte im Sprung die edle Maid.
Hin ging der schnelle Siegfried, wo der Stein nun lag;
Gunter musst' ihn wägen, des Wurfs der Verhohl'ne pflag.

Siegfried war kräftig, kühn und auch lang,
Den Stein warf er ferner, dazu er weiter sprang;
Ein grosses Wunder war es, und künstlich genug,
Dass er in dem Sprunge den König Gunter noch trug.

Der Sprung war ergangen, am Boden lag der Stein,
Gunter war's, der Degen, den man sah allein;
Brunhild die schöne ward vor Zorne rot,
Gewendet hatte Siegfried dem König Gunter den Tod.

Zu ihrem Ingesinde sprach die Königin da,
Als sie gesund den Helden an des Kreises Ende sah:
"Ihr, meine Freund' und Mannen, tretet gleich heran.
Ihr sollt dem König Gunter alle werden untertan."

*From Adventure 16: Siegfried is treacherously slain by Hagen.*[1]

Die höf'sche Zucht erwies da Siegfried daran:
Den Schild legt' er nieder, wo der Brunnen rann;
Wie sehr ihn auch dürstete, der Held nicht eher trank,
Bis der König getrunken; dafür gewann er übeln Dank.

Der Brunnen war lauter, kühl und auch gut,
Da neigte sich Gunter hernieder zu der Flut.
Als er getrunken hatte, erhob er sich hindann:
Also hätt' auch gerne der kühne Siegfried getan.

Da entgalt er seiner höf'schen Zucht; den Bogen und das Schwert
Trug beiseite Hagen von dem Degen wert,
Dann sprang er zurücke, wo er den Wurfspiess fand,
Und sah nach einem Zeichen an des Kühnen Gewand.

Als der edle Siegfried aus dem Brunnen trank,
Er schoss ihm durch das Kreuze,[2] dass aus der Wunde sprang
Das Blut von seinem Herzen hoch an Hagens Gewand;
Kein Held begeht wohl wieder solche Untat nach der Hand.

Den Gerschaft im Herzen liess er ihm stecken tief.
Wie im Fliehen Hagen da so grimmig lief,
So lief er wohl auf Erden nie vor einem Mann!
Als da Siegfried Kunde der schweren Wunde gewann,

[1] The two queens have quarreled, and Hagen, as the faithful liegeman of Brunhild, seeks the life of Siegfried, who is invulnerable except in one spot on his back. At the end of a day's hunt in the Odenwald (across the Rhine from Worms) the thirsty Siegfried races with Gunter and Hagen to a spring. — [2] The silken cross which the unsuspecting Kriemhild has sewn upon her husband's corselet, in order that Hagen may protect him from the spears of the enemy.

Der Degen mit Toben von dem Brunnen sprang;
Ihm ragte von der Achsel eine Gerstange lang.
Nun wähnt' er da zu finden Bogen oder Schwert,
Gewiss, so hätt' er Hagnen den verdienten Lohn gewährt.

Als der Todwunde da sein Schwert nicht fand,
Da blieb ihm nichts weiter als der Schildesrand.
Den rafft' er von dem Brunnen und rannte Hagen an;
Da konnt' ihm nicht entrinnen König Gunthers Untertan.

Wie wund er war zum Tode, so kräftig doch er schlug,
Dass von dem Schilde nieder wirbelte genug
Des edeln Gesteines; der Schild zerbrach auch fast,
So gern gerochen hätte sich der herrliche Gast.

Da musste Hagen fallen von seiner Hand zu Tal,
Der Anger von den Schlägen erscholl im Wiederhall.
Hätt' er sein Schwert in Händen, so wär' es Hagens Tod.
Sehr zürnte der Wunde, es zwang ihn wahrhafte Not.

Seine Farbe war erblichen, er konnte nicht mehr stehn,
Seines Leibes Stärke musste ganz zergehn,
Da er des Todes Zeichen in lichter Farbe trug;
Er ward hernach betrauert von schönen Frauen genug.

Da fiel in die Blumen der Kriemhilde Mann,
Das Blut von seiner Wunde stromweis nieder rann;
Da begann er die zu schelten, ihn zwang die grosse Not,
Die da geraten hatten mit Untreue seinen Tod.

Da sprach der Todwunde. "Weh, ihr bösen Zagen,
Was helfen meine Dienste, da ihr mich habt erschlagen?
Ich war euch stets gewogen, und sterbe nun daran;
Ihr nabt an euren Freunden leider übel getan.

Die sind davon bescholten, so viele noch geborn
Werden nach diesem Tage. Ihr habt euern Zorn
Allzusehr gerochen an dem Leben mein;
Mit Schanden geschieden sollt ihr von guten Recken sein."

Hinliefen all die Ritter, wo er erschlagen lag,
Es war ihrer vielen ein freudeloser Tag.
Wer Treue kannt' und Ehre, der hat ihn beklagt;
Das verdient' auch wohl um alle dieser Degen unverzagt.

Der König der Burgunden klagt' auch seinen Tod.
Da sprach der Todwunde: "Das tut nimmer Not,
Dass der um Schaden weine, von dem man ihn gewann;
Er verdient gross Schelten, er hätt' es besser nicht getan."

Da sprach der grimme Hagen: "Ich weiss nicht, was euch reut;
Nun hat doch gar ein Ende, was uns je gedräut.
Es gibt nun nicht manchen, der uns darf bestehn;
Wohl mir, dass seiner Herrschaft durch mich ein End' ist geschehn."

"Ihr mögt Euch leichtlich rühmen," sprach der von Niederland;
"Hätt' ich die mörderische Weis' an Euch erkannt,
Vor Euch behütet hätt' ich Leben wohl und Leib.
Mich dauert nichts auf Erden als Frau Kriemhild, mein Weib.

Nun mög' es Gott erbarmen, dass ich gewann den Sohn,
Der jetzt auf alle Zeiten den Vorwurf hat davon,
Dass seine Freunde jemand meuchlerisch erschlagen;
Hätt' ich Zeit und Weile, das müsst' ich billig beklagen."

"Wohl nimmer hat begangen so grossen Mord ein Mann,"
Sprach er zu dem König, "als Ihr an mir getan;
Ich erhielt Euch unbescholten in grosser Angst und Not;
Ihr habt mir schlimm vergolten, dass ich so wohl es Euch bot."

Da sprach in Jammer weiter der todwunde Held:
"Wollt ihr, edler König, noch auf dieser Welt
An jemand Treue pflegen, so lasst befohlen sein
Doch auf Eure Gnade Euch die liebe Traute mein.

Es komm' ihr zu Gute, dass sie Eure Schwester ist;
Bei aller Fürsten Tugend helft ihr zu jeder Frist.
Mein mögen lange harren mein Vater und mein Lehn;
Nie ist an liebem Freunde einem Weib so leid geschehn."

Er krümmte sich in Schmerzen, wie ihm die Not gebot,
Und sprach aus jammerndem Herzen: "Mein mordlicher Tod
Mag euch noch gereuen in der Zukunft Tagen;
Glaubt mir in rechten Treuen, ihr euch selber habt erschlagen."

Die Blumen allenthalben waren vom Blute nass.
Da rang er mit dem Tode, nicht lange tat er das,
Denn des Todes Waffe schnitt ihn allzusehr.
Da konnte nicht mehr reden dieser Degen kühn und hehr.

*From Adventure 39 : The end of the Nibelungs.*[1]

Den Schild liess er fallen, seine Stärke, die war gross;
Hagnen von Tronje mit den Armen er umschloss.
So ward von ihm bezwungen dieser kühne Mann;
Gunter der edle darob zu trauern begann.

Hagnen band da Dietrich und führt' ihn, wo er fand
Kriemhild die edle, und gab in ihre Hand
Den allerkühnsten Recken, der je Gewaffen trug;
Nach ihrem starken Leide ward sie da fröhlich genug.

[1] The widowed Kriemhild has married Etzel and lived several years at the Hunnish court, always nursing plans of vengeance against Hagen, who has not only killed her husband but robbed her of her Nibelungen hoard. At last she invites her brothers to visit her. In the fierce fights that take place at Kriemhild's instigation all the Burgundians have fallen except Gunter and Hagen. The death of his liegemen at the hands of the Burgundians constrains the mighty Dietrich of Bern to interfere.

Da neigte sich dem Degen vor Freuden Etzels Weib:
"Nun sei dir immer selig das Herz und auch der Leib;
Du hast mich wohl entschädigt aller meiner Not,
Ich will dir's immer danken, es verwehr' es denn der Tod."

Da sprach der edle Dietrich: "Nun lasst ihn am Leben,
Edle Königstochter; es mag sich wohl begeben,
Dass Euch sein Dienst vergütet das Leid, das er Euch tat.
Er soll es nicht entgelten, dass Ihr ihn gebunden saht."

Da liess sie Hagnen führen in ein Haftgemach,
Wo niemand ihn erschaute, und er verschlossen lag.
Gunter der edle hub da zu rufen an:
"Wo blieb der Held von Berne? Er hat mir Leides getan."

Da ging ihm hin entgegen von Bern Herr Dieterich.
Gunters Kräfte waren stark und ritterlich;
Da säumt' er sich nicht länger, er rannte vor den Saal.
Von ihrer beider Schwertern erhob sich mächtiger Schall.

So grossen Ruhm erstritten Dietrich seit alter Zeit,
In seinem Zorne tobte Gunter so im Streit,
Er war nach seinem Leide von Herzen feind dem Mann;
Ein Wunder musst' es heissen, dass da Herr Dietrich entrann.

Sie waren alle beide so stark und mutesvoll,
Dass von ihren Schlägen Palast und Turm erscholl,
Als sie mit Schwertern hieben auf die Helme gut.
Da zeigte König Gunter einen herrlichen Mut.

Doch zwang ihn der von Berne, wie Hagnen war geschehn,
Man mochte durch den Panzer das Blut ihm fliessen sehn
Von einem scharfen Schwerte, das trug Herr Dieterich;
Doch hatte sich Herr Gunter gewehrt, der müde, ritterlich.

Der König ward gebunden von Dietrichens Hand,
Wie nimmer Kön'ge sollten leiden solch ein Band.
Er dachte, liess er ledig Guntern und seinen Mann,
Wem sie begegnen möchten, die müssten all den Tod empfahn.

Dietrich von Berne nahm ihn bei der Hand,
Er führt' ihn hin gebunden, wo er Kriemhilden fand.
Ihr war mit seinem Leide des Kummers viel benommen.
Sie sprach: "König Gunter, nun seid mir höchlich willkommen."

Er sprach: "Ich müsst' Euch danken, vieledle Schwester mein,
Wenn Euer Gruss in Gnaden geschehen könnte sein;
Ich weiss Euch aber, Königin, so zornig von Mut,
Dass Ihr mir und Hagen solchen Gruss im Spotte tut."

Da sprach der Held von Berne: "Königstochter hehr,
So gute Helden sah man als Geisel nimmermehr,
Als ich, edle Königin, bracht' in Eure Hut;
Nun komme meine Freundschaft den Heimatlosen zu Gut."

Sie sprach, sie tät' es gerne. Da ging Herr Dieterich
Mit weinenden Augen von den Helden tugendlich.
Da rächte sich entsetzlich König Etzels Weib:
Den auserwählten Degen nahm sie Leben und Leib.

Sie liess sie gesondert in Gefängnis legen,
Dass sich nie im Leben wiedersahn die Degen,
Bis sie ihres Bruders Haupt hin vor Hagen trug.
Kriemhildens Rache ward an beiden grimm genug.

Hin ging die Königstochter, wo sie Hagen sah.
Wie feindselig sprach sie zu dem Recken da:
"Wollt Ihr mir wiedergeben was Ihr mir habt genommen,
So mögt Ihr wohl noch lebend heim zu den Burgunden kommen."

Da sprach der grimme Hagen: "Die Red' ist gar verloren,
Vieledle Königstochter. Den Eid hab' ich geschworen,
Dass ich den Hort nicht zeige; so lange noch am Leben
Blieb' einer meiner Herren, wird er niemand gegeben."

"Ich bring' es zu Ende," sprach das edle Weib.
Dem Bruder nehmen liess sie Leben da und Leib.
Man schlug das Haupt ihm nieder, bei den Haaren sie es trug
Vor den Held von Tronje; da gewann er Leids genug.

Als der Unmutvolle seines Herrn Haupt ersah,
Wider Kriemhilden sprach der Recke da:
"Du hast's nach deinem Willen zu Ende nun gebracht,
Es ist auch so ergangen, wie ich mir hatte gedacht.

Nun ist von Burgunden der edle König tot,
Geiselher der junge, dazu Herr Gernot.
Den Hort weiss nun niemand als Gott und ich allein;
Der soll dir Teufelsweibe immer wohl verhohlen sein."

Sie sprach: "So habt Ihr üble Vergeltung mir gewährt;
So will ich doch behalten Siegfriedens Schwert.
Das trug mein holder Friedel, als ich zuletzt ihn sah,
An dem mir Herzensjammer vor allem Leide geschah."

Sie zog es aus der Scheide, er konnt' es nicht wehren,
Da dachte sie dem Recken, das Leben zu versehren.
Sie schwang es mit den Händen, das Haupt schlug sie ihm ab;
Das sah der König Etzel, dem es grossen Kummer gab.

"Weh!" rief der König: "wie ist hier gefällt
Von eines Weibes Händen der allerbeste Held,
Der je im Kampf gefochten und seinen Schildrand trug!
So feind ich ihm gewesen bin, mir ist leid um ihn genug."

Da sprach Meister Hildebrand: "Es kommt ihr nicht zu Gut,
Dass sie ihn schlagen durfte; was man halt mir tut,
Ob er mich selber brachte in Angst und grosse Not,
Jedennoch will ich rächen dieses kühnen Tronjers Tod."

Hildebrand im Zorne zu Kriemhilden sprang,
Er schlug der Königstochter einen Schwertesschwang.
Wohl schmerzten solche Dienste von dem Degen sie;
Was konnt' es aber helfen, dass sie so ängstlich schrie?

Die da sterben sollten, die lagen all umher,
Zu Stücken lag verhauen die Königstochter hehr.
Dietrich und Etzel huben zu weinen an
Und jämmerlich zu klagen manchen Freund und Untertan.

Da war der Helden Herrlichkeit hingelegt im Tod;
Die Leute hatten alle Jammer und Not.
Mit Leid war beendet des Königs Lustbarkeit,
Wie immer Leid die Freude am letzten Ende verleiht.

Ich kann euch nicht bescheiden, was seither geschah,
Als dass man immer weinen Christen und Heiden sah,
Die Ritter und die Frauen und manche schöne Maid;
Sie hatten um die Freunde das allergrösseste Leid.

Ich sag' euch nicht weiter von der grossen Not.
Die da erschlagen waren, die lasst liegen tot.
Wie es auch im Heunland hernach dem Volk geriet,
Hier hat die Mär' ein Ende. Das ist DAS NIBELUNGENLIED.

## XIX. GUDRUN

A ballad epic of the Lowlands, in which ancient viking tales of bride-stealing and sea-fighting have been worked over under the influence of Christianity and chivalry. Although the only extant manuscript dates from the early years of the 16th century, the poem was probably composed about 1200, — not long after the Nibelungenlied, the style of which it to some extent imitates. There are in all 1705 four-line strophes. The strophe is like that of the Nibelungenlied save that the rimes *bb* are feminine, and the final half-line has five accents. This last feature gives to the verse a dragging effect which is unpleasant to the modern ear.

The locus of the poem is the coast of the North Sea from Jutland to Normandy. The story consists of a Hilde-saga and a Gudrun-saga, the whole being preceded by an introductory account of Hilde's lineage. She is the daughter of 'wild Hagen,' King of Ireland, and is abducted, not much against her will, by envoys of Hetel, King of the Hegelings. Gudrun is the daughter of Hetel and Hilde. She betroths herself to Herwig of Seeland, but is violently abducted, during the absence of her father's fighting men, by Hartmut of Normandy. The Hegelings pursue, and a great fight takes place on the Wülpensand (near the mouth of the Scheldt). King Hetel and many of his men are killed, and the Normans sneak away in the night with the captured women. For fourteen years (while a new generation of Hegelings is growing up) Gudrun lives as exile in Normandy, faithful to her absent lover Herwig, and cruelly treated by the fiendish mother of Hartmut because she refuses to take the Norman for a husband. Then come rescue and revenge.

There are several translations, the most popular being, again, that of Simrock. To illustrate the meter the first of the selections below is given in Simrock's rendering; the others are in the smoother translation of Loschhorn, who ruthlessly amputates the two extra feet in the last half-line.

*From Adventure 6: Horand the Dane, one of Hetel's envoys, does some wonderful singing, which captivates the princess Hilde.*

Als die Nacht ein Ende nahm und es begann zu tagen,
Horand hub an zu singen, dass ringsum in den Hagen
Alle Vögel schwiegen vor seinem süssen Sange.
Die Leute, die da schliefen, lagen in den Betten nicht mehr lange.

Sein Lied erklang ihm schöner und lauter immerdar,
Herr Hagen hört' es selber, der bei Frau Hilde war.
Aus der Kemenate mussten sie zur Zinne,
Der Gast war wohl beraten; die junge Königin ward des Sanges inne.

Des wilden Hagen Tochter und ihre Mägdelein
Sassen da und lauschten, wie selbst die Vögelein
Auf dem Königshofe vergassen ihr Getöne;
Wohl hörten auch die Helden, wie der von Dänenlanden sang so schöne.

Als er schon das dritte Lied zu Ende sang,
Allen, die es hörten, währt' es nicht zu lang.
Es däuchte sie in Wahrheit nur spannenlange Weile,
Wenn er immer sänge, während einer ritte tausend Meilen.

Als er gesungen hatte und von der Stelle ging,
Die Königstochter morgens wohl nie so froh empfing,
Die ihr die Kleider brachten, die sie sollte tragen.
Das edle Mägdlein schickte sie alsbald nach ihrem Vater Hagen.

Der König ging zur Stelle, wo er die Tochter fand.
In traulicher Weise war da des Mägdleins Hand
An ihres Vaters Kinne; sie wusst' in ihn zu dringen.
Sie sprach: "Liebes Väterlein, heiss ihn uns noch neue Lieder singen."

Er sprach: "Liebe Tochter, wenn er zur Abendstund'
Dir immer singen wollte, ich gäb' ihm tausend Pfund.
Doch sind so hochfährtig des fremden Landes Söhne,
Dass uns hier am Hofe nicht so leicht erklingen seine Töne."

Was sie bitten mochte, der König blieb nicht mehr.
Nun fliss sich wieder Horand, dass er nie vorher
So wundersam gesungen; die Siechen und Gesunden
Konnten nicht vom Platze, wo sie da wie angewurzelt stunden.

Die Tier' im Walde liessen ihre Weide stehn;
Die Würme, die da sollten in dem Grase gehn,
Die Fische, die da sollten in dem Wasser fliessen,
Verliessen ihre Fährte; wohl durft' ihn seiner Künste nicht verdriessen.

Was er da singen mochte, das däuchte niemand lang,
Verleidet in den Chören war aller Pfaffen Sang.
Auch die Glocken klangen nicht mehr so wohl als eh';
Allen, die ihn hörten, war nach Horanden weh.

Da liess ihn zu sich bringen das schöne Mägdelein;
Ohn' ihres Vaters Wissen, gar heimlich sollt' es sein.
So blieb es ihrer Mutter, Frau Hilden, auch verhohlen,
Dass der Held so heimlich sich zu ihrem Kämmerlein gestohlen.

*From Adventure 15: The abduction of Gudrun by the Normans.*

Ludwig und Hartmut drangen in das hohe Tor,
Viel todeswunde Streiter liessen sie davor.
Eine edle Jungfrau zu weinen drob begann;
Viel Schaden ward von Feinden in Hetels Burg getan.

Von Ormanie der König gewann da frohen Mut.
Seine Zeichen trugen er und die Helden gut
Bis an den Saal der Feste. Da liess man von den Zinnen
Die lichten Fahnen flattern; Weh traf die Königinnen.

Hartmut, der schnelle Degen, zur schönen Kudrun geht.
Er spricht: "Edle Jungfrau, Ihr habt mich stets verschmäht;
Drum werden wir's verschmähen, ich und die Freunde mein,
Dass wir Gefangene machen. Man hängt sie, gross und klein."

Nichts mehr gab sie zur Antwort als: "Wehe, Vater mein!
Könntest du es wissen, dass man die Tochter dein
Gewaltsam wagt zu führen hinweg aus deinem Lande,
Du spartest der Verlass'nen den Schaden und die Schande."

Gern wüsst' ich, was wäre den Fremden wohl geschehn,
Wenn der grimme Wate hätte zugesehn,
Wie Hartmut der kühne durch den Saal geschritten kam,
Und mit ihm König Ludwig Kudrun gefangen nahm.

Wate und auch Hetel hätten es ihm verwehrt
Und manchen Helm zerhauen mit ihrem guten Schwert,
Wär's ihnen nur verraten! Man sähe nimmermehr
Geführt die schöne Kudrun gefangen übers Meer.

Es standen alle Leute in trübem Sinn und Mut;
Nicht anders wär' es heute. Man nahm da Hab' und Gut
Mit Raub den armen Bürgern und trug es fort zugleich.
Glaubt mir, es wurde jeder von Hartmuts Recken reich.

Als sie genommen hatten Schätze und Gewand,
Führte man Frau Hilde hinaus an ihrer Hand.
Gern hätte auf die Zinnen man roten Brand gesetzt;
Dass einst die Rache folgte, wer dachte daran jetzt?

Hartmut befahl, es bleibe die Feste unversehrt.
Schnell das Land zu räumen hat der Fürst begehrt,
Eh' man die üble Kunde hätt' Hetel überbracht,
Der noch in Waleis kämpfte mit stolzer Heeresmacht.

"Auch sollt ihr Raub nicht nehmen," sprach der Held Hartmut,
"Sind wir daheim, so zahl' ich mit meines Vaters Gut.
Auch fahren wir um so leichter über die weite See."
Ludwigs grimmes Wüten tat Kudruns Herzen weh.

Die Burg, die war gebrochen; die Stadt, die war verbrannt.
Da hatte man gefangen die besten, die man fand;
Zweiundzwanzig Frauen, minnigliche Maide,
Führten sie von dannen zu Hildes Herzeleide.

Wie traurig stand im Saale die edle Königin!
Sie schritt betrübten Herzens zu einem Fenster hin,
Zu grüssen die Gefangenen mit einem letzten Blick;
Es blieb manch edle Fraue klagend bei ihr zurück.

*From Adventure 17: The battle on the Wülpensand.*

Es war ein breiter Werder, der Wülpensand genannt,
Da hatten Ludwigs Recken aus Normannenland
Für sich und ihre Rosse geschafft willkommne Rast.
Wie bald bedrängt' die Frohen der grimmen Sorge Last!

Man führte aus den Schiffen auf den öden Strand
Die minniglichen Mädchen aus Hegelingenland.
Wie sie das Herz es lehrte, so klagten da die Frauen
Und liessen ihre Tränen die Feinde reichlich schauen.

Da sah der Schiffer einer auf den Wogen nahn
Ein Schiff mit vollen Segeln; dem König sagt' er's an.
Und als sie es erblickten, rief Hartmut und die Seinen:
"Pilger sind es. Sehet das Kreuz im Segel scheinen!"

Bald erschaute jeder drei Kiele fest und gut,
Dabei neun volle Kocken; die führten durch die Flut
Manchen, der noch nimmer zu Gottes Ruhm und Ehr'
Ein Kreuz getragen hatte![1] Der Normann griff zur Wehr.

Bald waren sie so nahe, dass man die Helme sah
Auf dem Verdecke glänzen. Viel Not erhob sich da
Und mancher arge Schaden für Ludwig und sein Heer.
"Auf!" rief Hartmut, "uns suchen die Feinde über Meer."

Nicht träge waren die Fremden, nah kamen sie dem Land,
Dass man schon knarren hörte die Ruder an dem Strand.
Dort standen zum Empfange in hellem Waffenkleid
Die Alten und die Jungen am Ufer schon bereit.

Laut rief der König Ludwig, den Seinen zugewandt:
"Ein Kinderspiel nur war es, was je im Kampf ich fand!
Heut gilt's zum ersten Male mit guten Helden Streit.
Wer meiner Fahne folget, dem lohn' ich's alle Zeit."

Hartmuts Feldzeichen trug man auf den Sand.
So nah schon waren die Schiffe, dass man mit der Hand
Die Speere konnte stossen zum Bord vom Ufer wild;
Nur wenig Musse gönnte Herr Wate seinem Schild.

[1] Hetel and his men have taken possession of some ships belonging to a party of pilgrims. A *Kocke* was a wide, blunt-pointed convoy.

So grimmig ward verteidigt niemals zuvor ein Land.
Die Hegelingenrecken drangen an den Strand,
Sie schwangen ohn' Ermüden die Speere und das Schwert,
Sie tauschten scharfe Hiebe, — die keiner doch begehrt.

Da galt es Speere werfen! Es dauerte gar lang,
Bis sie das Land gewannen. Der alte Wate sprang
Voll Ingrimm auf die Feinde und griff sie hurtig an;
Was er im Sinne hatte, bald ward es kund getan.

Es drang der König Ludwig auf Waten ein voll Wut.
Mit einem scharfen Speere traf er den Recken gut,
So dass die Stücke sprangen hoch auf in alle Winde.
Stark war der König Ludwig. Da kam das Ingesinde.

Auf den Helm des Königs das Schwert Herr Wate schwang,
Dass die scharfe Schneide bis auf das Haupt ihm drang.
Trüg' er nicht unter der Brünne ein dichtes Hemd, geschnitten
Aus Abalier Seide, den Tod hätt' er erlitten.

Wider den Degen Irolt der kühne Hartmut sprang.
Ihrer beider Waffe auf dem Helm erklang,
Es hallte das Schwertgetöse weit über die Schar dahin.
Wacker hielt sich Irolt, Hartmut war stark und kühn.

Herwig von Sewen, ein Held berühmt und gut,
Verfehlt' im Sprung' das Ufer; so sprang er in die Flut,
Dass er bis an die Achsel tief in dem Wasser stand,
Ein harter Dienst um Minne ward Herwig da bekannt.

Den edlen Recken wollten ertränken in der Flut
Seine grimmen Feinde. Viele Schäfte gut
Mussten an ihm splittern, er eilte auf den Sand
Entgegen seinen Feinden; nicht ruhte seine Hand.

Grössere Kampfesmühe  ward niemals Helden kund.
Nie hat man so viel Recken  gedrängt zum tiefen Grund.
Die ohne Wunden starben,  versenkt ins wilde Meer,
Ihrer war von beiden Seiten  ein ganzes Kriegesheer.

Als sie den Strand gewannen,  sah man die Wasserflut
Aus tiefen Todeswunden  gefärbt ringsum wie Blut.
Aus Freunden und aus Feinden  ein purpurroter Fluss,
So breit — sein End' erreichte  nicht eines Speeres Schuss.

*From Adventure 21: The hard fate of Gudrun in Normandy.*

Da bot man Hetels Tochter  Burgen an und Land.
Weil keines sie begehrte,  musste sie Gewand
Alle Tage waschen  vom Morgen bis zur Nacht.
Drum sah man später Ludwig  sieglos vor Herwigs Macht.

Es ging der Degen Hartmut,  wo er die Seinen fand,
Er befahl in ihre Obhut  die Leute und das Land,
Dann zog er in die Ferne.  Er dacht' in Sorgen schwer:
"Mich drängen viele Feinde;  drum setz' ich mich zur Wehr."

Da sprach mit Wolfessinne  die böse Frau Gerlind:
"Nun will ich, dass mir diene  der stolzen Hilde Kind.
Weil sie in ihrer Bosheit  sich dünkt so gut und treu,
Soll sie als Magd mir dienen;  leicht wär' vom Schmach sie frei."

Darauf die edle Jungfrau:  "Was ich leisten kann,
Das sei mit diesen Händen  früh und spät getan;
Mit Fleiss und gutem Willen  tu' ich es immerdar,
Da mich mein herbes Schicksal  schuf aller Freude bar."

Da sprach die böse Gerlind:  "Du sollst mein Gewand
Jeden Morgen tragen  nieder an den Strand;
Du sollst die Kleider waschen  mir und dem Ingesinde.
Und hüte dich, du Stolze,  dass man dich müssig finde."

Darauf die edle Jungfrau: "Fraue, hört mich an!
Nun lasst mich unterweisen, dass ich lernen kann,
Wie ich die Kleider wasche unten an dem Meer.
Ich mag nicht Freude haben, ja, quält mich nur noch mehr!"

Da hiess sie eine Wäscherin nieder an den Strand,
Dass sie es Kudrun lehrte, tragen das Gewand.
Die Fürstentochter diente in harter Pein und Not;
Niemand konnt' es wehren; es war Gerlinds Gebot.

*From Adventure 28: The Hegelings take revenge; King Ludwig's end.*

Laut rief der edle Herwig: "Wer ist der Alte da?
Von seinen starken Händen schon vieles Leid geschah.
Er schlägt so tiefe Wunden mit seiner grossen Kraft,
Dass er daheim den Frauen viel Not und Wehe schafft."

Das hörte König Ludwig, der Held von Normandie.
"Wer ist's, der im Getümmel dort so gewaltig schrie?
Ich heisse König Ludwig und Normandie mein Reich.
Wer mich zum Kampfe fordert, dem achte ich mich gleich."

Er sprach: "Ich heisse Herwig, und du stahlst mir mein Weib.
Das sollst du wieder geben, oder tot liegt hier ein Leib —
Der meine oder deine — und dazu mancher Held."
Herr Ludwig drauf: "Mit Drohen hast du dich mir gestellt.

Doch sprachst du deine Beichte wahrhaftig ohne Not.
Ich schlug schon manchem andern die Anverwandten tot
Und nahm ihm seine Habe. Du, prahle nicht so sehr;
Die Gattin, die du forderst, küssest du nimmermehr."

Kaum war das Wort gesprochen, da sprengten sie heran,
Beide aneinander. Mancher kühne Mann
Sprang an des Herren Seite aus des Getümmels Drang;
Es musste heiss sich mühen, wer da den Sieg errang.

Wohl war Herr Herwig wacker und seiner Stärke froh,
Doch schlug Herrn Hartmuts Vater den jungen König so,
Dass er begann zu sinken vor Ludwigs rauher Hand;
Gern hätt' er ihn auf ewig getrennt vom Vaterland.

Wäre nicht so nah gewesen Herrn Herwigs gutes Heer,
Das vor dem Feind ihn schützte, er wäre nimmermehr
Von Ludwig geschieden anders als im Tod;
Den jungen Herren brachte der Held in grosse Not.

Sie halfen, dass das Fechten kein böses Ende nahm.
Als er von seinem Falle nun wieder zu sich kam,
Da hat nach einer Zinne [1] er schnell emporgeschaut,
Ob er darin erblickte wohl seines Herzens Traut.

Er dacht' in seinem Herzen: "Ach, wie ist mir geschehn!
Wenn meine Herrin Kudrun hat meinen Fall gesehn,
Und wenn ich einst zum Weibe die Königin gewinne,
So wird sie mich drum schelten und weigern mir die Minne

Dass mich der greise Recke hier hat zu Fall gebracht,
Muss billig mich beschämen." Da hiess zu neuer Schlacht
Er seine Zeichen tragen dahin, wo Ludwig stand;
Nach drängten seine Helden mit Speer und Schildesrand.

In Ludwigs Rücken tobte der Hegelinge Heer;
Er kehrte sich zum Feinde und setzte sich zur Wehr.
Da rasselten die Hiebe, da krachte mancher Schaft;
Die in der Nähe standen, erprobten Ludwigs Kraft.

Es traf Kudruns Geliebter unterm Helm und überm Rand
Den alten König Ludwig mit heldenstarker Hand.
Er schlug ihm eine Wunde, dass man nicht länger stritt;
Da war's, wo König Ludwig den grimmen Tod erlitt.

[1] The fight takes place before the Norman castle.

*From Adventure 29: The fate of Queen Gerlinde.*

Da trat dahin auch eilend die böse Frau Gerlind;
Demütig fiel zu Füssen sie Hildes schönem Kind.
"Nun schütze uns, o Herrin, vor Wate," war ihr Flehn;
"Denn du nur kannst es wenden, sonst ist's um uns geschehn."

"Dass Ihr um Gnade bittet, erhabene Königin,
Das höre ich nicht ungern; doch steht nicht so mein Sinn.
Wann durfte ich Euch bitten? Wann winktet Ihr Gewähr?
Ihr waret mir nie gnädig. Drum trifft mein Zorn Euch schwer."

Als nun der alte Wate Herrn Ludwigs Königin sah,
Wie knirscht' er mit den Zähnen! Näher trat er da,
Ihm funkelten die Augen, sein Bart war ellenbreit,
Vor dem von Stürmen bebte im Saale Mann und Maid.

Er fasste ihre Hände und zog zur Tür sie hin,
Da hub sie an zu jammern, die arge Königin.
Er sprach in blindem Zorne: "Fürstin stolz und hehr!
Für Euch wäscht meine Herrin die Kleider nimmermehr."

Als er hinaus die Fürstin zog aus dem Gemach,
Da schaute manches Auge ihm voller Neugier nach.
Er fasste ihre Haare, wer hatt' ihm das erlaubt?
Sein Zürnen war gewaltig, er schlug ihr ab das Haupt.

## XX. THE EARLIER MINNESINGERS

'Early' means, roughly, from 1150 to 1190. The lyric poets of this period were for the most part Austrian and Bavarian knights who lived remote from the French border and were little influenced by the now well-developed art of the troubadours and trouvères. They got their impulse rather from the simple love-messages and dance-songs which had long been current in Latin, probably also in artless German verses. These trifles were now translated, so to speak, into the terms of chivalrous sentiment. The art of the minnesingers culminated in the fascinating songs of Walter von der Vogelweide, and then, as their numbers increased, it gradually degenerated toward conventional inanity.

Of the selections below, the first five are by unknown authors. No. 1 is preserved in a girl's Latin letter to her lover; see *Des Minnesangs Frühling*, by Lachmann and Haupt, page 221. No. 2 is found at the end of a Latin poem; see Vogt and Koch's *Geschichte der deutschen Literatur*, 2nd edition, page 87. The translations of Nos. 6, 8, and 9 are also from Vogt and Koch; the others are those of Kinzel as found in Bötticher and Kinzel's *Denkmäler*.

1

**Mein.**

Du bist mein, ich bin dein:
Des sollst du gewiss sein.
Du bist beschlossen
In meinem Herzen.
Verloren ist das Schlüsselein,
Du sollst immer drinnen sein.

2

**Tanzlust des Mädchens.**

Alles Trauern werf' ich hin,
Auf die Heide steht mein Sinn;
Kommt, ihr Trautgespielen mein,
Dort zu sehn der Blumen Schein.
Ich sage dir, ich sage dir,
Meine Freundin, komm mit mir.

Minne süss, Minne rein,
Mache mir ein Kränzelein:
Tragen soll's ein stolzer Mann,
Der wohl Frauen dienen kann.
Ich sage dir, ich sage dir,
Meine Freundin, komm mit mir.

3

**Frühlingswonne.**

Noch keinen Sommer sah ich je,
Der so lieblich deuchte mich.
Mit wie viel schönen Blumen hat
Die Heide heut gezieret sich!
Der Wald ist eitel Sanges voll,
Die Zeit, die tut den kleinen Vögeln wohl.

4

**Gruss.**

Der aller Welten Meister ist,
Der geb' der Lieben guten Tag,
Von der ich wohl getröstet bin.
Sie hat mir all mein Ungemach
Durch ihre Freundlichkeit genommen,
Hat mich vor Untreu wohl bewahrt:
In ihre Gunst bin ich gekommen.

5

**Zum Reihen!**

Lasst springen den Reihen
Uns, Fraue mein,
Uns freuen des Maien,
Uns kommet sein Schein.
Der vordem der Heide
Bracht' schmerzliche Not,
Der Schnee ist zergangen,
Und sie ist umfangen
Von Blumen so rot.

### 6

### Herr von Kürenberg: Der Falke.

Ich zog mir einen Falken länger denn ein Jahr.
Da er nach meinem Wunsche nun gezähmet war,
Und ich ihm sein Gefieder mit Golde schön umwand,
Hoch stieg er in die Lüfte und flog dahin in fremdes Land

Und nun hab' ich ihn wieder in stolzem Flug erblickt,
Es hält die seidne Fessel ihm noch den Fuss umstrickt,
Ganz rot ihm das Gefieder vom goldnen Schmucke scheint:
Gott sende die zusammen, die in Liebe wären gern vereint!

### 7

### Dietmar von Eist: Erinnerung.

Oben auf der Linde
Ein kleiner Vogel lieblich sang,
Vor dem Wald es hell erklang.
Da flog mein Herz geschwinde
An einen wohlbekannten Ort;
Viel Rosenblumen sah ich stehn.
Die mahnen die Gedanken mein
Dass sie zu einer Jungfrau gehn.

### 8

### Dietmar von Eist: Der Falke.

Es stand eine Frau alleine
Und blickte über die Heide,
Blickt' aus nach ihrem Lieben.
Einen Falken sah sie fliegen:
"Wie glücklich, Falke, du doch bist!
Du fliegst, wohin dir's lieb ist.
Du erwählest in dem Walde
Einen Baum dir nach Gefallen.

Also hab' auch ich getan:
Ich selbst erwählte mir den Mann.
Der wohlgefiel den Augen;
Das neiden andre Frauen.
Ach, liessen sie mir doch mein Lieb,
Da mich zu ihren Trauten nie Verlangen trieb!"

### 9

### Dietmar von Eist: Tagelied.

"Schläfst du, holder Liebling du?
Man weckt uns, ach, nach kurzer Ruh':
Schon hört' ich, wie mit schönem Sang
Ein Vöglein auf der Linde Zweig sich schwang."

"Von Schlafes Hülle sanft bedeckt,
Werd' ich durch dein 'Wach auf!' geschreckt:
So folgt auf Liebes stets das Leid;
Doch, was du auch befiehlst, ich bin bereit."

Aus ihrem Aug' die Träne rann:
"Du gehst, verlassen bin ich dann.
Wann kehrst du wieder her zu mir?
Ach, meine Freude führst du fort mit dir."

### 10

**Heinrich von Veldeke: Vogelsang.**

So in den Aprillen
Die Blumen entspringen,
Sich lauben die Linden
Und grünen die Buchen,
So mögen nach Willen
Die Vögelein singen.
Denn Minne sie finden,
Allda sie sie suchen,
Bei ihrem Genoss. Ihr Frohsinn ist gross;
Des nie mich verdross.
Denn sie schwiegen all den Winter stille.

Da sie an dem Reise
Die Blumen sahn prangen
Und Blätter entspringen,
Da hörte man schöne
Oft wechselnde Weise,
Wie vordem sie sangen.
Sie hoben ihr Singen
Mit lautem Getöne
Niedrig und hoch. Mein Sinn steht also:
Bin heiter und froh.
Recht ist's, dass ich laut mein Glück preise.

### 11

**Reinmar der Alte: Glücksverkündigung.**

Froh bin ich der Märe,
Die ich hab' vernommen,
Dass des Winters Schwere
Will zu Ende kommen.
Kaum erwart' ich noch die Zeit,
Denn ich hatte nichts als Leid,
Seit die Welt rings war verschneit.

Hassen wird mich keiner,
Wenn ich fröhlich bin;
Weiss Gott! tät' es einer,
Wär's verkehrter Sinn.
Niemand ich ja schaden kann.
Wenn s i e Gutes mir tut an,
Was geht's einen andern an?

Sollt' ich meine Liebe
Bergen und verhehln,
Müsst' ich ja zum Diebe
Werden und gar stehln.
Nein, das kommt mir nicht zu Sinn,
Weil ich gar zu fröhlich bin,
Geh' ich hier, geh' dort ich hin.

Spielt sie mit dem Balle,
In der Mägdlein Chor:
Dass sie nur nicht falle,
Da sei Gott davor!
Mädchen, lasst eu'r Drängen sein!
Stosset ihr mein Mägdelein,
Halb dann ist der Schade mein.

### 12
### Friedrich von Hausen: Zwiespalt.

Es will mein Herze und mein Leib sich scheiden;
So lange waren innig sie gesellt!
Mein Leib will einzig kämpfen mit den Heiden,
Doch hat mein Herz ein andres sich erwählt
Vor aller Welt. Wie quält es mich so sehr,
Dass Herz und Leib sich nicht mehr folgen beide!
Viel taten meine Augen mir zu Leide.
Entscheiden kann den Streit allein der Herr.

Von solchen Nöten glaubt' ich mich errettet,
Da ich das Kreuz annahm zur Ehr' des Herrn,
Mein Herze enger nur mit mir verkettet;
Doch bleibt beständig es in weiter Fern.
Welch reiches Leben sollte mir erstehn,
Liess fahren nur mein Herz sein töricht Streben.
Doch fragt es, merk' ich, nichts nach meinem Leben,
Und wie es mir am Ende soll ergehn.

Doch, da ich, Herz, es nimmermehr kann wenden,
Dass du mich traurig lässt und einsam hier,
So bitt' ich Gott, dass er dich wolle senden,
Dahin, wo man sich freundlich neiget dir.
O weh! Wie wird sich enden doch dein Wahn!
Wie durftest du entfliehen meinen Händen?
Wer soll dir deinen Kummer helfen enden
So treulich, wie ich sonst es hab' getan?

### 13
### Spervogel: Weibes Tugend.

Ob auch ein reines Weib nicht reiche Kleidung trägt,
Doch kleidet ihre Tugend sie, wer's recht erwägt,
Dass sie so schön geblümet geht,
So wie die lichte Sonne steht
An einem Tag mit vollem Glanz,

Erstrahlend hell und reine. —
So viel die Falsche sich mit Kleidern schmückt,
Ihre Ehre bleibt doch kleine.

14

**Spervogel: Priamel.**[1]

Wer einen Freund will suchen,
Wo er niemand traut,
Und spürt des Wildes Fährte,
Wenn der Schnee schon taut,
Kauft ungesehn der Ware viel,
Und hält noch aufgegebenes Spiel,
Und dient nur bei geringem Mann,
Wo ohne Lohn er bleibet:
Den wird es einmal noch gereun,
Wenn er's zu lange treibet.

## XXI. WALTER VON DER VOGELWEIDE

The greatest of medieval lyrists. He was an Austrian, of knightly rank but poor, and was born about 1170. He led a wandering life, visiting many courts, taking a deep interest in public affairs and distinguishing himself by his matchless songs and *Sprüche*. In 1215 Emperor Friedrich II gave him a small estate near Würzburg. He died about 1230.

There are many translations of Walter, the best being by Simrock (1832), Panier (1878), Kleber (1894), and Eigenbrodt (1898). The translations below are from the sumptuous work of J. Nickol, Düsseldorf, 1904, which is itself eclectic and aims to give, for each poem, the best translation that could be found. No. 1 is by Pfaff, No. 2 by Simrock, 3 by Eigenbrodt, 4, 5, 6, 10 by Nickol, 7, 9, 11 by Panier, 8, 12 by Kleber.

1

**Maienlust.**

Wollt ihr schauen, was dem Maien
Wunders ist beschert?
Seht die Pfaffen, seht die Laien,
Wie das alles fährt!
Gross ist sein' Gewalt:
Hat er Zauber sich ersonnen?
Wo er kommt mit seinen Wonnen,
Da ist niemand alt.

[1] From Latin *praeambulum*; a gleeman's 'prelude.'

Uns soll alles wohl gelingen,
Fröhlich woll'n wir sein.
Lasst uns tanzen, lachen, singen,
Doch in Züchten fein.
Weh! Wer wär' nicht froh,
Seit die Vöglein also schöne
Singen ihre besten Töne?
Tun wir auch also!

Wohl dir, Maie, dass du leidest
Weder Hass noch Streit!
Wie du schön die Bäume kleidest
Und die Heide weit!
Die hat Farben viel.
"Du bist kurzer, ich bin langer:"
Also streiten auf dem Anger
Blumen sich im Spiel.

Roter Mund, sollst dich bezähmen,
Lass dein Lachen sein!
Ach, es kann dich nur beschämen,
So zu spotten mein.
Ist das wohl getan?
Wehe der verlornen Stunde,
Soll von minniglichem Munde
Unminn' ich empfahn!

Was mir alle Freude störet,
Seid Ihr, Frau, allein.
Ihr nur habt mich ja betöret,
So erbarmt Euch mein.
Wie steht Euch der Mut?
Wollt Ihr mir zu allen Tagen
Eure Gnade ganz versagen,
So seid Ihr nicht gut.

Lasst die Sorgen von mir scheiden,
Macht mir lieb die Zeit!
Sonst muss ich die Freude meiden,
Dass Ihr selig seid.
Wollt Ihr um Euch sehn?
Alles freut sich im Vereine,
Lasst von Euch auch eine kleine
Freude mir geschehn!

2

**Frühling und Frauen.**

Wenn die Blumen aus dem Grase dringen,
Gleich als lachten sie hinauf zur Sonne,
Des Morgens früh an einem Maientag,
Und die kleinen Vöglein lieblich singen
Ihre schönsten Weisen: welche Wonne
Hat wohl die Welt, die so erfreuen mag?
Man glaubt sich halb im Himmelreiche.
Wollt ihr hören, was sich dem vergleiche,
So sage ich, was wohler doch

Schon öfter an den Augen tat
und immer tut, erschau' ich's noch.

Denkt, ein edles, schönes Fräulein schreite
Wohlbekleidet, wohlbekränzt hernieder,
Sich unter Leuten fröhlich zu ergehn,
Hochgemut im fürstlichen Geleite,
Etwas um sich blickend hin und wieder,
Wie Sonne neben Sternen anzusehn:
Der Mai mit allen Wundergaben
Kann doch nichts so Wonnigliches haben
Als ihr viel minniglicher Leib;
Wir lassen alle Blumen stehn
und blicken nach dem werten Weib.

Nun wohlan, wollt ihr Beweise schauen:
Gehn wir zu des Maien Lustbereiche,
Der ist mit seinem ganzen Heere da.
Schauet ihn und schauet edle Frauen,
Was dem andern wohl an Schönheit weiche,
Ob ich mir nicht das bessre Teil ersah.
Ja, wenn mich einer wählen hiesse,
Dass ich eines für das andre liesse,
Ach, wie so bald entschied' ich mich:
Herr Mai, ihr müsstet Jänner sein,
eh' ich von meiner Herrin wich'.

### 3
### Schönheit und Tugend.

Heil sei der Stunde, da sie mir erschienen,
Die mir den Leib und die Seele bezwungen!
Alle Gedanken ihr einziglich dienen;
Das ist mit Güte der Guten gelungen.
Dass ich nicht lassen und meiden sie kann,
Hat ihre Schönheit und Güte vollbracht
Und ihr roter Mund, der so wonniglich lacht.

Seele und Sinne, die hab' ich gewendet
Auf die Vielreine, die Liebe, die Gute.
Werde uns beiden noch lieblich vollendet,
Was zu gewähren sie hold mir geruhte!
Was ich an Freude auf Erden gewann,
Hat ihre Schönheit und Güte vollbracht
Und ihr roter Mund, der so wonniglich lacht.

### 4
### Das Tröstelein

In einem zweifelvollen Wahn
War ich gesessen und gedachte
Zu lassen ihren Dienst fortan,
Als mich ein Trost ihr wiederbrachte.
Trost mag es wohl nicht heissen, denn zur Stund'
Ist es ja kaum ein kleines Tröstelein,
So klein, wenn ich's euch sag', ihr spottet mein.
Doch Freude ist erlaubt auch aus geringem Grund.

Mich hat ein Halm gemachet froh,
Der sagt, ich solle Gnade finden.
Ich mass dasselbe kleine Stroh,
Wie ich zuvor es sah bei Kinden.
Nun höret denn und merket wohl, ob sie es tu':
"Sie tut, tut's nicht, sie tut, tut's nicht, sie tut."
Wie oft ich mass, so war noch je das Ende gut.
Das tröstet mich, doch da gehöret Glaube zu.

Wie lieb sie mir von Herzen sei,
So kann ich es gar wohl noch leiden,
Zählt sie mich nur den Besten bei;
Ich darf ihr Werben ihr nicht neiden.
Wie ich es kann erkennen, glaub' ich nicht,
Dass sie ein andrer wankend machen möge;
Ich wollte, die Getäuschten sähn, dass Wahn sie tröge,
Denn allzulange schon hört sie auf jeden Wicht.

### 5

### Wert der Minne.

Was soll ein Mann, der nicht begehrt
Zu werben um ein reines Weib?
Bleibt er von ihr auch unerhört,
Es hebt ihm Seele doch und Leib.

Er tu' um Einer willen so,
Dass er den andern wohlbehagt,
Dann macht ihn wohl die Eine froh,
Wenn sich die Andre ihm versagt.

Des achte, wenn er liebt, der Mann,
Viel Glück und Ehre liegt daran.
Wer guten Weibes Minne hat,
Der schämt sich keiner Missetat.

### 6

### Doppelzüngigkeit.[1]

Gott gibt zum König, wen er will;
Darüber wundr' ich mich nicht viel:
Uns Laien wundert nur der Pfaffen Lehre.
Was sie gelehrt vor wenig Tagen,
Dass woll'n sie heut schon anders sagen.
Nun denn, bei Gott und eurer eignen Ehre,
So sagt uns denn in Treue,
Mit welcher Red' ihr uns betrogen.
Erkläret uns die eine recht von Grunde,
Die alte oder neue.
Uns dünket, eines sei gelogen;
Zwei Zungen stehen schlecht in einem Munde.

[1] Pope Innocent III was at first a partisan of Otto the Saxon and consecrated him as emperor. But when Otto invaded Italy in 1210 the Pope turned against him and excommunicated him.

## 7
### Glückes Ungunst.

Frau Glück verteilet rings um mich
Und kehret mir den Rücken zu.
Sie will nicht mein erbarmen sich;
Ich weiss nicht, was ich dazu tu'.
Sie zeigt nicht gern ihr Antlitz mir,
Lauf' ich um sie herum, bin ich doch hinter ihr
Denn ihr beliebt's nicht mich zu sehn;
Ich möcht', dass ihr die Augen an den Nacken ständen, dann müsst's ohn' ihren Wunsch geschehn.

## 8
### Das Lehen.

Ich hab' ein Lehen, alle Welt, ich hab' ein Lehen!
Jetzt fürcht' ich weder mehr den Hornung an den Zehen,
Noch will die bösen Herrn um ihre Gunst ich flehen.
Der edle Herr, der milde Herr hat mich beraten,
Dass ich im Sommer Luft, im Winter Wärme haben kann.
Die Nachbarn sehn mich jetzt mit andern Augen an,
Sie sehn nicht mehr den Butzemann in mir, wie sie es taten.
Zu lange war ich arm, das weiss ich keinem Dank;
Ich war so voll des Scheltens, dass mein Atem stank.
Den hat der König rein gemacht, dazu auch meinen Sang.

## 9
### Morgengebet.

Mit Segen lass mich heut erstehn,
Herr Gott, in deiner Obhut gehn
Und reiten, wo hinaus mein Fuss sich kehre.
Herr Christ, lass sichtbar an mir sein
Die grosse Kraft der Güte dein
Und schütze mich um deiner Mutter Ehre.
Wie ihrer Gottes Engel pflag
Und dein, der in der Krippe lag,

Jung als Mensch und alt als Gott,
Demütig vor dem Esel und dem Rinde,
Und dennoch schon in fester Hut
Hielt Joseph sie und dich so gut
Wohl mit Treuen sonder Spott:
So schütz' auch mich, dass man gehorsam finde
Mich deinem göttlichen Gebot.

## 10

## Die drei Dinge.

Ich sass auf einem Steine
Und deckte Bein mit Beine.
Darauf setzt' ich den Ellenbogen;
Ich hatt' in meine Hand gezogen
Das Kinn und eine Wange.
Da dachte ich gar bange,
Wie man auf Erden sollte leben;
Doch keinen Rat konnt' ich mir geben,
Wie man drei Ding' erwürbe,
Dass keins davon verdürbe.
Die zwei sind Ehr' und fahrend Gut,
Das oft einander Schaden tut;
Das dritt' ist Gottes Segen,
Daran ist mehr gelegen.
Die wünscht' ich gern in einen Schrein.
Ja, leider mag das nimmer sein,
Dass Gut und weltlich' Ehre
Und Gottes Huld, die hehre,
Je wieder in Ein Herze kommen.
Ihnen ist Weg und Steg benommen:
Untreue liegt im Hinterhalt,
Und auf der Strasse fährt Gewalt;
Friede und Recht sind beide wund.
Die dreie finden kein Geleit, die zwei denn werden erst gesund.

### 11
### Abschied von der Welt.

Frau Welt, Ihr sollt dem Wirte sagen,
Dass ich ihn ganz bezahlet habe;
All meine Schuld sei abgetragen,
Dass er mich aus dem Schuldbrief schabe.
Wer ihm was soll, der mag wohl sorgen;
Eh' ich ihm lange schuldig blieb, eh'r wollt' ich bei den Juden borgen.
Er schweiget bis auf einen Tag,
Dann aber nimmt er sich ein Pfand, wenn jener nicht bezahlen mag.

### 12
### Elegie.

O weh, wohin entschwunden sind alle meine Jahr!
Ist mir mein Leben geträumet, oder ist es wahr?
Was ich je wirklich wähnte, war's nur ein Traumgesicht?
So hab' ich denn geschlafen, und ich weiss es nicht!
Jetzt bin ich erwacht, und ist mir unbekannt,
Was mir vordem war kundig, wie meine rechte Hand.
Leut' und Land, da ich von Kindheit an erzogen,
Die sind mir fremd geworden, als ob es sei erlogen;
Die mir Gespielen waren, die sind träg' und alt,
Geackert ist das Feld, gehauen ist der Wald.
Wenn nicht das Wasser flösse, wie es weiland floss,
Fürwahr, ich wähnte, mein Unglück es wär' gross.
So kalt grüsst jetzt mich mancher, der einst mich wohl gekannt;
Voll Not und Trübsal ist die Welt in Stadt und Land.
So ich gedenk' an manchen wonniglichen Tag,
Die sind mir entfallen, recht wie ins Meer ein Schlag.
Immermehr o weh!

O weh, wie jämmerlich doch junges Volk jetzt tut,
Dem ehmals nie verzagte in der Brust der Mut!
Die tragen sich mit Sorgen, weh, was tun sie so!
Wohin ich immer blicke, keinen seh' ich froh.
Tanzen, Lachen, Singen, vergeht vor Sorgen gar;

Nie sah man unter Christen so jämmerliche Schar.
Seht nur der Frauen Schmuck, der einst so zierlich stand;
Die stolzen Ritter tragen bäurisches Gewand.
Uns sind ungnädige Briefe[1] her von Rom gekommen;
Uns ist erlaubt zu trauern, und Freude gar benommen.
Das schmerzt mich tief im Herzen — wir lebten einst so wohl —
Dass ich nun für mein Lachen Weinen tauschen soll.
Die Vöglein in dem Walde betrübet unsre Klage,
Was Wunder, wenn auch ich darüber schier verzage?
Doch, ach, was sprech' ich Tor in meinem sündigen Zorn?
Wer dieser Wonne folget, der hat jene dort verlorn.
Immermehr o weh!

O weh, wie ward uns Gift mit Süssigkeit gegeben!
Die Galle seh' ich mitten in dem Honig schweben.
Die Welt ist aussen lieblich, weiss und grün und rot,
Doch innen schwarzer Farbe, finster wie der Tod.
Wen sie verleitet habe, der suche Trost bei Zeit;
Er wird mit leichter Busse von schwerer Schuld befreit.
Daran gedenket, Ritter, es ist euer Ding!
Ihr tragt die lichten Helme und manchen harten Ring,
Dazu die festen Schilde und das geweihte Schwert;
Wollte Gott, ich wäre für ihn zu streiten wert!
So wollt' ich armer Mann verdienen reichen Sold;
Nicht mein' ich Hufen Landes, noch der Herren Gold.
Ich möchte jene ewigliche Krone tragen,
Ein Söldner könnte sie wohl mit seinem Speer erjagen.
Könnt' ich die teure Reise fahren über See,
So wollt' ich wieder singen "wohl" und nimmermehr "o weh,"
Nimmermehr o weh!

## XXII. HEINRICH VON VELDEKE'S ENEID

A Low German poem of 13,528 verses, completed between 1184 and 1190. Its author was a Netherlander of knightly rank who finished his poem in Thuringia and was regarded by his successors as the father of the riming love-

[1] The pope's excommunication of Emperor Friedrich II, in September, 1228.

romance. His chief source was an Old French *Roman d'Enéas*, but he dealt very freely with his French text, omitting much, adding much and making some use, possibly, of the Latin original.

*Lines 1450–1534: The love-smitten Dido confides in her sister Anna.*

Sie ging in ihre Kemenate,
Wo ihre Frauen lagen.
Als die sie kommen sahen,
Waren sie all' in Sorgen:
Es war doch früh am Morgen.
Sie hatte grosses Ungemach;
Bedeutungsvoll sie sprach
Zu ihrer Schwester Annen;
Die führte sie von dannen
In ihre Kemenate wieder.
Sie fiel am Bette nieder
Und klagte ihr ihr Ungemach,
Wie sie die ganze Nacht
Schlaflos geblieben war.
Sie seufzte tief fürwahr,
Gar traurig war ihr Sinn,
Sie sprach: "Mein' Ehr' ist hin."
"Fraue Schwester Dido,"
Sprach Anna, "wie denn so?
Sagt, was ist Eure Not?"
"Schwester, ich bin fast tot."
"Erkranktet Ihr? Zu welcher Stund'?"
"Schwester, ich bin ganz gesund,
Doch kann ich nicht genesen."
"Schwester, wie mag das wesen?
Ich meine, Frau, 's ist Minne."
"Ja, Schwester, zum Wahnsinne."
"Warum betragt Ihr Euch also,
Liebe Fraue Dido?
Was wollt Ihr so verderben?
Ihr dürft nicht an Minne sterben.
Ihr mögt sehr wohl genesen
Und nachher glücklich wesen.
Es ist kein Mann auf Erden,
Der nicht Euer könnte werden,
Der nicht froh wär' Eurer Minnen;
Ihr sollt Euch bass besinnen."
Da versetzte Frau Dido:
"Es steht mir nicht also.
Wahr ist es in der Tat,
Ich sollte finden andern Rat;
Ich tät' es, wär's in meiner Wahl.
Ihr wisset, dass ich dem Gemahl
Sicheus gelobte und verhiess,
Der mir ein gross Gut hinterliess
Und auch grosse Ehr',
Dass ich nun nimmermehr
Einen Mann würde nehmen,
Was für Freier immer kämen."
Da sprach aber Anna:
"Ihr redet von dem Manne
Allzuviel und ohne Not.
Er ist seit vielen Tagen tot.
Wo steht denn Euer Sinn?
Wie hätte er Gewinn,
Wenn Ihr jetzt verdürbet
Und törichterweise stürbet?
Ihr braucht nicht Euer Leben
Seinetwegen zu vergeben.
Er könnt' es Euch nicht lohnen.

Ihr sollt Euch selber schonen.
Die Rede, die Ihr tut,
Sie ist ja gar nicht gut.
Lasst solche Rede sein
Und folgt dem Rate mein;
Das ist grössere Weisheit.
Sagt mir nur die Wahrheit:
Wer ist der selige Mann,
Dem Gott es gönnen kann,
Dass Ihr ihn wollt minnen?
Das gebt mir zu besinnen.
Ich will Euch raten dann
So gut, wie ich es kann,
Weil ich Euch Gutes gönne.
Ob ich so raten könne,
Dass Ihr damit gedienet seid?
Nun sagt es mir, es ist ja Zeit."
Sie sprach: "Ich will's nicht hehlen.
Ich will Euch jetzt befehlen
Ehre so wohl als Leben.
Ihr sollt mir Rat drauf geben.
Es ist," sprach sie, "ein Mann,
Dem keiner gleichen kann.
Ich muss verraten seinen Nam'
Trotz meiner grossen Scham;
Das Nennen tut mir weh.
Er heisset," sprach sie, "E" —
Und nach dem NE ward es gar lang,
So sehr die Minne sie bezwang,
Bevor sie deutlich sagte AS; —
Dann wusste Anna, wer er was.

*Lines 9735–9820: Pending the fight between Eneas and Turnus, Lavinia hears of Minne from her mother.*

Da nun zwischen beiden
Der Zweikampf sollt' entscheiden,
Recht war es ihrer Tapferkeit.
Sie machten sich bereit
Mit mannlichem Sinn.
Da ging die Königin
Eines Abends spat
In ihre Kemenat
Und rief die Tochter zu sich,
Eine Jungfrau minniglich.
Zu reden sie begonnte,
Wie sie es wohl konnte,
Mit sehr klugem Sinn.
Es sprach die Königin:
"Lavine, schönes Mägdelein,
Du liebe Tochter mein,
Vielleicht es nun so endet,
Dass der Vater dir entwendet
Grosses Gut und grosse Ehr':
Turnus, der edle Herr,
Der deine Minne stark begehrt,
Ist deiner durchaus wert;
Des hab' ich sichere Kunde.
Und wärest du zur Stunde
Tausendmal so schön und gut,
Du könntest billig deinen Mut
Dem tapfern Mann zukehren;
Ich gönne dir die Ehren.
Ich will, dass du ihn minnest,
Und dabei auch erkennest,
Dass er ein edler Herr.
Drum lob' ich dir so sehr
Den Helden wonnesam.
Sei doch Eneas gram,
Jenem Trojaner schlecht,
Der ihn erschlagen möcht',
Der dich im Herzen trägt

Dir ist's ja auferlegt,
Ihm Ungunst zu erzeigen
Und stetiges Abneigen,
Ihm keine Ehr' zu zollen,
Ihm Gutes nicht zu wollen.
Du sollst ihm bleiben kalt,
Weil er dich mit Gewalt
Nun wähnet zu gewinnen.
Er strebt nach deiner Minnen
Nur wegen deines Gutes:
Was er bestrebt, er tut es,
Damit er dich erwerbe
Und mit dir nun als Erbe
Gewinne auch zugleich
Deines Vaters Reich.
Du tätest, wie ich wollt',
Würdest du Turnus hold."
"Womit soll ich ihn minnen?"
"Mit Herzen und mit Sinnen."
"Soll ihm mein Herze geben?
Wie könnte ich dann leben?"
"Unwissend bist du, wie man sieht."
"Was, wenn es nicht geschieht?"
"Was, wenn's geschehen tut?"
"Wie kann ich meinen Mut
Einem Manne zukehren?"
"Die Minne wird's dich lehren."
"Um Gotteswillen, was ist Minne?"
"Sie ist vom Urbeginne
Der Erde Herrscherin
Und bleibt's auch fernerhin
Bis zu dem jüngsten Tag.
In keiner Weise mag
Ein Mensch ihr widerstehen,
Denn sie kann niemand sehen
Noch betasten mit der Hand."
"Die hab' ich, Fraue, nie gekannt."
"Du sollst sie kennen lernen noch."
"Wann erwartet Ihr es doch?"
"Ich erwart' es, wie ich mag.
Vielleicht erleb' ich noch den Tag,
Da du ungebeten minnest.
Und wenn du es beginnest,
Wirst du empfinden Lust dazu."
"Ich weiss, dass ich 's nicht tu'."
"Es kommt, so sicher du auch bist."
"Dann sagt mir, was die Minne ist."
"Ich kann sie nicht beschreiben."
"Dann lasst es doch noch bleiben."

*Lines 10031–79: Lavinia's first glimpse of Eneas.*

Als der Held dahin kam,
Und die Jungfrau wonnesam
Ihre Augen kehrte dar
Und sein da unten ward gewahr
Von ihrer hohen Zinne,
Durchschoss sie nun Frau Minne
Mit einem scharfen Pfeil;
Drum ward ihr Qual zuteil
Auf manche lange Stunde.
Sie empfing eine Wunde,
In ihrem Herzen drinnen,
So dass sie musste minnen
Und konnte nichts dafür.

Gram ward die Mutter ihr,
Deren Huld sie ganz verlor,
Denn sie brannte und sie fror
Fast in derselben Stunde.
Die Art und Weis' der Wunde,
Das Übel war ihr unbekannt.
Sehr bald sie nun verstand
Ihrer Mutter Geheiss.
Sie ward unmässig heiss
Und danach wieder kalt,
Sie kam in Ungewalt,
Unangenehm sie lebte,
Sie schwitzte und sie bebte,
Wurde bleich und wurde rot;
Sehr gross war ihre Not
Und ihres Leibes Ungemach,
Da fand sie Kraft und sprach.
Als das Herz ihr wiederkam,
Sprach die Jungfrau wonnesam
Jämmerlich sich selber zu:
"Ich weiss nicht leider, was ich tu';
Ich weiss nicht, was mich schiert,
Dass ich bin so verwirrt.
Nie ward mir solches kund;
Ich war bisher gesund
Und bin nun jetzt fast tot.
Wer hat in kurzen Stunden
Das Herz mir festgebunden,
Das früher ledig war und frei?
Mir ahnt, es sei das Ungemach,
Von dem vorher die Mutter sprach.
Zu früh hat's mir passiert!
Wär' ich doch ungeniert
Von — Minne, wie ich sie verstand,
Ja, Minne hat sie es genannt!"

## XXIII. HARTMANN VON AUE

The first in order of the three great romancers who interpreted the French tales of chivalry for medieval Germany. They were adapters rather than translators, just as were the French poets themselves in relation to their Keltic sources. Hartmann was born in Swabia about 1165, took part in a crusade, probably that of 1197, and died before 1220. His chief works are the two Arthurian romances *Erec* and *Iwein*, and the two pious 'legends' *Gregorius* and *Der arme Heinrich*. The selection from *Der arme Heinrich* is given in Bötticher's translation, as found in Bötticher and Kinzel's *Denkmäler*, II, 2.

### I

*From 'Iwein,' lines 2073–2338: The enterprising maid Lunete persuades her mistress to marry Iwein, who has just slain her husband.*

Dass sie der Magd je Hartes sprach,
Davon litt sie solch Ungemach,
Dass sie es sehr bereute.
Als sich der Tag erneute,
War jene noch einmal gekommen
Und wurde besser aufgenommen
Als sie entlassen ward vorher.

Die Frau ermunterte sie sehr
Mit gütigem Empfange.
Es dauerte nicht lange,
Bevor sie nun also begann:
"Du lieber Gott, wer ist der Mann,
Den du mir gestern lobtest?
Ich glaube nicht, du tobtest,
Denn der war nicht von Herzen matt,
Der meinen Herrn erschlagen hat.
Hat er Geburt und Jugend
Und sonst etwa 'ne Tugend,
So dass er mir zum Herren ziemt,
Und dass die Welt, wenn sie's vernimmt,
Mir's nicht zu sehr verdenken kann,
Dass ich genommen hab' den Mann,
Der mir den Herrn erschlagen?
Kannst du mir von ihm sagen,
Was mir in seiner Tugend Licht
Dem üblen Ruf die Spitze bricht?
Und rätst du mir sodann,
Ich nähme ihn zum Mann?"
Sie sprach: "Es dünkt mich gut.
Mich freut, dass Ihr den Mut
So schnell habt umgekehret.
In ihm seid Ihr geehret;
Zu fürchten wäre keine Scham."
Sie sprach: "Was ist also sein Nam'?"
"Er nennt sich Herr Iwein."
Gleich stimmten sie nun überein.
Sie sprach: "Der Nam' ist mir doch kund
Seit mancher langen Stund'.
Er ist gewiss vom hohen Stamm
Des Königs Vriën lobesam.
Nun ist die Sache klar zum Teil,
Und krieg' ich ihn, so hab' ich Heil.
Aber, Gesellin, weisst du recht,
Ob er mich auch haben möcht'?"
"Es wär' ihm lieb, wär's schon geschehn."
"Und sage mir, wie bald wird's gehn?"
"In ungefähr vier Tagen."
"Ach Gott, was willst du sagen!
Zu lang machst du die Frist.
Bedenke dich, ob's möglich ist,
Dass ich ihn morgen — heute — sehe."
"Wie wollt Ihr, Frau, dass das geschähe?
Zu denken wäre nicht daran:
Es lebt auf Erden nicht der Mann,
Er habe denn Gefieder,
Der käme hin und wieder
In solcher kurzen Frist;
Ihr wisst, wie fern es ist."
"So überlass es meinem Witz.
Mein Garçon läuft ja wie der Blitz;
Zwei Tag' ein andrer reiten muss,
Er macht's in einem Tag zu Fuss.
Der Mondschein ihm auch helfen mag:
Er mache ja die Nacht zum Tag.

Auch sind die Tag' unmässig lang;
Sag' ihm, es lohnt sich hoch sein Gang,
Und dass es ihm recht lange frommt,
Wenn er schon morgen wiederkommt.
Er rühre tüchtig nur die Bein'
Und mache die vier Tag' zu zwein.
Er soll sich sputen sehr
Und ausruhen nachher,
So lang er eben ruhen möcht'.
Nun, Trautgesellin, mach's ihm recht!"

Sie sagte: "Frau, es soll geschehn;
Doch eines sei nicht übersehn:
Befragt doch Eure Leute
Gleich morgen oder heute;
Denn paart Ihr Euch ohn' ihren Rat,
Es wäre eine üble Tat.
Wer sich berät in diesen Dingen,
Dem kann es nimmermehr mislingen.
Was man alleine tut,
Wird es nachher nicht gut,
Bringt böses Leid in Doppelmass:
Den Schaden und der Freunde Hass."

Sie sprach: "O weh Gesellin traut,
Wie mir vor diesem Schritte graut!
Man wird vielleicht dagegen sein."
"Nur nichts vom Bangen, Fraue mein!
Es ist gewiss kein andrer Held,
Und sucht Ihr durch die ganze Welt,
Der wahrte Euch wie er den Bronn;
So wird die Meinung sein davon.
Mit Freude, zweifelt nicht daran,
Wird jederman in Eurem Bann
Solch Landeshut begrüssen;
Man wirft sich Euch zu Füssen
Und bittet Euch, hat man's erfahren,
Geschwinde Euch mit ihm zu paaren."
Sie sprach: "Nun lass den Garçon ziehn!
Indessen will ich mich bemühn,
Botschaften auszusenden;
Wir wollen die Rede enden."

Leicht hätte sie ihn fortgesandt,
Denn er befand sich gleich zur Hand.
Der Garçon auf den Wink der Maid
Verbarg sich mit Geschwindigkeit;
Schnell fasste ja der flinke Knapp,
Was man ihm auszuführen gab.
Er konnt' ihr helfen bei dem Lügen
Und ohne jede Bosheit trügen.
Eh' ihre Herrin hatte Zeit,
Zu träumen von der Möglichkeit,

Der Knabe sei schon auf dem Wege,
Nahm sie den Ritter in die Pflege,[1]
Wie Gott allein sie lohnen kann.
Mit schönster Bitte ging sie dran.
Es lagen Kleider da bereit
In dreifacher Vortrefflichkeit,
Grau, hermelin und bunt;
Ging doch der Wirt zu jeder Stund'
Gekleidet wie ein Hofgalan,
Der viel auf Leibespflege sann
Und nie am Prunk es fehlen liess.
Das schönste sie ihn wählen hiess
Und kleidete ihn damit an.
Am nächsten Abend ging sie dann,
Wo sie die Frau alleine fand,
Und machte sie gleich vor der Hand
Von Freude bleich und rot.
Sie sprach: "Gebt mir das Botenbrot!
Der Garçon ist gekommen."
"Hast schon etwas vernommen?
Ist's gute Märe? Sprich doch! Wie?
Also ist Herr Iwein hie?
Wie ist es ihm so früh geglückt?"
"Die Liebe hat ihn hergeschickt."
"Ach Gott! Doch sprich! Wer weiss davon?"
"Es weiss bisher kein Muttersohn
Als Euer Knab' und wir."
"Wann führst du ihn zu mir?
Geh stracks zu ihm, ich bitte dich."
Die flinke Magd entfernte sich
Und machte mit verstellter Mien',
Als vor dem Ritter sie erschien,
Als ob mit böser Märe
Sie ihm gesendet wäre.
Sie hing den Kopf und sah ihn an
Und trauriglich also begann:
"Ach, lieber Gott, mit mir ist's aus!
Die Herrin weiss, dass Ihr im Haus.
Für mich hat sie nun nichts als Zorn;
Ich habe ihre Huld verlorn,
Weil ich Euch barg im Schlosse hier.
Doch sagt sie, es beliebe ihr
Euch einmal näher anzusehen."
"Und sollte das nun nicht geschehen,
Ich liess ihr eher meinen Leib."
"Sie sollt' Euch töten? Sie, ein Weib?"
"Sie hat ja doch ein starkes Heer."
"Oh, Ihr genest wohl ohne Wehr.
Ich hab's von ihr mit Sicherheit,
Dass Euch in keiner Weise leid

[1] Iwein is in the castle, Lunete having saved him from the vassals of the slain Askalon by giving him a ring that made him invisible.

Von ihren Händen soll geschehen;
Sie wünscht Euch nur allein zu sehen.
Ihr müsst Euch nur gefangen geben;
Es geht Euch anders nicht ans Leben."
Er sagte: "Sie holdseliges Weib!
Ich will es gern, dass dieser Leib
Auf immer ihr Gefangener sei,
Und dass mein Herz sei auch dabei."
Jetzt stand er auf und ging dahin,
Ein seliger Mann mit frohem Sinn,
Und ward kühl aufgenommen.
Als er vor sie gekommen,
Begrüsst' ihn weder Wort noch Neigen.
Ihr langes, langes Stilleschweigen
Begann ihm endlich sauer zu werden;
Er wusste nicht sich zu gebärden.
Er blieb in weiter Fern' zurück
Und sah sie an mit scheuem Blick.
Da beide schwiegen, sprach die Magd:
"Herr Iwein, warum so verzagt?
Lebt Ihr und habt Ihr einen Mund?
Ihr redetet vor kurzer Stund';
Jetzt werdet Ihr ganz stumm.
In Gottes Namen, sagt warum
Ihr meidet ein so schönes Weib.
Weh dessen unglücksel'gem Leib,
Der ohne Dank je einen Mann,
Der doch geläufig sprechen kann,
Zu einer schönen Frau geleitet,
Die er dann anzureden meidet!
Rückt ihr nur näher ohne Scheu!
Ich sage Euch bei meiner Treu,
Sie wird Euch doch nicht beissen! Traun!
Fügt man dem andern solches Graun,
Wie ihr von Euch geschehen,
Und will man Gnade sich versehen,
Dazu gehört ein besserer Lohn.
Ihr habt den König Askalon,
Den ihr so lieben Herrn erschlagen:
Könnt Ihr auf Gunst zu hoffen wagen?
Ihr steht in grosser Schuld;
Nun werbt um ihre Huld!
Wir wollen sie beide bitten,
Dass sie, was sie erlitten,
Geruhe zu vergessen."
Jetzt ward nicht mehr gesessen.
Er warf sich ihr zu Füssen
Und bat um holdes Grüssen
Als schuldbelad'ner Mann.
Er sprach: "Ich mag und kann
Euch Besseres nicht bezeigen
An Ehr' und treuem Neigen
Als wenn ich sage: Richtet mich!
Was Ihr mögt wollen, das will ich."

"Wollt Ihr denn alles, was ich will?"
"Ja wohl; es dünkt mich nicht zu viel."
"So nehm' ich Euch vielleicht den Leib."
"Wie Ihr gebietet, holdes Weib."
"Nun ja, was soll ich reden lang?
Da Ihr Euch ohne jeden Zwang
In meine Macht ergeben,
Nähm' ich nun Euch das Leben,
Es ziemte nicht dem Weibe.
Glaubt aber nicht bei Leibe,
Dass es aus Wankelmut geschehe,
Wenn ich Euch jetzt, wie ich gestehe,
Nur allzu früh empfang' in Gnade.
Von Euch entstand mir solcher Schade,
Dass, stünd' es mir um Ehr' und Gut,
Wie es den meisten Frauen tut,
Ich sicherlich nicht wollte,
Wie ich es auch nicht sollte,
So jäh Euch Gnad' erteilen.
Nun gilt es aber eilen;
Denn da es zu erwarten steht,
Dass mir mein Land verloren geht
Gleich heute oder morgen,
Muss ich mich schnell versorgen
Mit einem Mann zur Landeswehr.
Ihn find' ich nicht in meinem Heer,
Seit mein Gemahl erschlagen ist;
Drum muss ich nun in kurzer Frist
Mir einen Mann erküren
Oder mein Land verlieren.
Nun sollt Ihr mir aufrichtig sagen:
Da Ihr den Herrn mir habt erschlagen,
So seid Ihr wohl ein tüchtiger Mann;
Und wenn ich Euch gewinnen kann,
Bin ich mit Euch doch wohl bewahrt
Vor fremdem Hochmut jeder Art.
Und glaubt, was ich Euch nun erkläre:
Eher als dass ich Euch entbehre,
Gält' ich sogar als ungesittet;
Obwohl das Weib den Mann nicht bittet,
Bitt' ich zuerst und bitte sehr.
Bedrängen will ich Euch nicht mehr,
Ich will Euch gerne. Wollt Ihr mich?"
Er sagte: "Frau, verneinte ich,
So wär' es um mein Glück geschehen.
Der liebste Tag, den ich gesehen,
Der ist mir heute widerfahren,
Und möge Gott mein Heil bewahren!"

## II

*From 'Der arme Heinrich', lines 1004–1217: Poor Henry at Salerno with the maid who is eager to give her heart's blood that he may be cured of his leprosy.*

So fuhr denn nach der Stadt Salern
Die treue Magd mit ihrem Herrn.
Es trübt des Herzens Fröhlichkeit
Nichts mehr, als dass der Weg so weit,
Dass ihr so lang das Licht noch schien.
Und als er sie gebracht dahin,
Wo er den Meister wohlbekannt,
Wie er gedachte, wiederfand,
Ward's dem gar fröhlich angesagt,
Gefunden wäre jetzt die Magd,
Die einst er ihn gewinnen hiess.
Zugleich er ihn sie sehen liess.
Den däuchte das unglaublich schier.
Er sprach: "Mein Kind, und hast du dir
Solch Willen wohl auch klar gemacht?
Wie? Hat zu dem Entschluss gebracht
Dich Wunsch und Drohung deines Herrn?"
Die Jungfrau sprach, sie tu' es gern:
Aus ihrem eignen Herzen sei
Der Wunsch gekommen, frank und frei.
Gross Wunder däucht' ihn das, und fern
Nahm er besonders sie vom Herrn
Und fragt' sie auf die Seligkeit,
Ob nicht ihr Herr in seinem Leid
Solch Reden hätt' ihr aufgedroht.
Dann sprach er: "Kind, es ist dir not,
Dass du dich mehr noch kümmerst drum,
Was dir bevorsteht — hör', warum.
Wenn du den Tod nun leiden musst
Und nicht von Herzen gern es tust,
So ist dein junges Leben hin
Und bringt doch keinen Deut Gewinn.
Verschliess' vor mir nicht deinen Mund.
Was dir geschieht, tu' ich dir kund.
Ich muss dich ausziehn, nackt und bloss;
Da wird die Pein der Scham dir gross.
Ich binde dich an Bein- und Armen;
Fühlst du mit deinem Leib Erbarmen,
Bedenke, Mädchen, diese Schmerzen!
Ich schneide dich bis tief zum Herzen

Und reiss' es lebend noch aus dir.
Nun, Mädchen, sprich und sage mir,
Wie es mit deinem Mute steh';
Geschah noch keinem Kind so weh,
Als dir von mir nun muss geschehen.
Dass ich es tun muss und es sehen,
Das macht mir Angst und Not genug.
Bedenk' nun selber bei dir klug:
Gereut dich's auch nur um ein Haar,
So hab' ich meine Arbeit gar
Und du den jungen Leib verloren."
So ward um alles sie beschworen,
Dass fern sie bleibe solcher Pflicht,
Wär' felsenfest ihr Wille nicht.

Die Jungfrau aber lachend sprach,
Da sie erfuhr, dass an dem Tag
Ihr helfen sollte noch der Tod
Aus aller Welt- und Erdennot:
"Gott lohn' Euch, lieber Herr, dass Ihr
So ganz und gar und treulich mir
Die volle Wahrheit habt gesagt.
Nun bin ich wahrlich doch verzagt:
Ein Zweifel mir das Herz erregt;
Euch sei's geklagt, was mich bewegt.
Mir bangt jetzt, unser Unternehmen
Möcht' Euer zager Mut noch lähmen,
Dass es vielleicht gar unterbleibe!
Eu'r Reden ziemte einem Weibe.
Ihr seid des Hasen Spielgenoss,
Und Eure Angst ist viel zu gross
Um mich, dass ich nun sterben soll.
Wahrhaftig, Herr, Ihr tut nicht wohl
Bei Eurer grossen Meisterschaft.
Ich bin ein Weib, doch hab' ich Kraft.
Wagt Ihr nur mich zu schneiden,
Ich wag' es wohl zu leiden.
Die Angst und bittre Todesqual,
Davon Ihr mir erzählt zumal,
Die hab' ich wohl von Euch vernommen;
Doch wär' ich wahrlich nicht gekommen,
Wüsst' ich so fest nicht meinen Mut,
Dass ich vergiessen könnt' mein Blut
Und alle Leiden gern erdulden.
Mir ist von Euren Hulden
Die bleiche Farbe ganz genommen
Und also fester Mut gekommen,
Dass ich nicht ängstlicher hier steh',
Als wenn ich froh zum Tanze geh';
Die Not kann doch so gross nicht sein,

Die einen Tag nur währt; ich mein',
Dass ich fürs ewige Leben
Den einen Tag wohl könnte geben.
Euch kann an meinem festen Willen
Kein Zweifel mehr das Herz erfüllen.
Könnt' Ihr dem Herrn Gesundheit geben
Und mir zugleich das ew'ge Leben,
Um Gotteswillen, tut's beizeit.
Lasst sehn, ob Ihr ein Meister seid.
Ihr sollt noch reizen mich dazu.
Ich weiss es wohl, um wen ich's tu'.
In dessen Namen es geschieht,
Der unsre guten Dienste sieht
Und lässt sie ungelohnet nicht.
Ich weiss wohl, dass er selber spricht,
Wer grosse Dienste leiste,
Des Lohn sei auch der meiste.
Drum halt' ich diesen grimmen Tod
Auch nur für eine süsse Not
Um solch gewissen Himmelslohn.
Liess' ich die reiche Himmelskron',
So wär' zu töricht doch mein Sinn,
Da ich so arm geboren bin."

Nun sah er, dass unwandelbar
Und ohne Reu' ihr Wille war.
Noch einmal führt' er sie sodann
Hin zu dem armen, siechen Mann
Und sprach zu ihrem Herren:
"Dem Zweifel lasst uns wehren,
Zum Werke sei die Magd nicht gut!
Nun habt Vertraun und guten Mut,
Ich mache bald Euch ganz gesund."
Hin führt' der Meister sie zur Stund
In sein geheimes Arbeitszimmer,
Damit ihr Herr es sehe nimmer,
Verschloss vor ihm sogleich die Tür
Und warf noch einen Riegel für:
Er wollte nicht, dass er es seh',
Wie's nun mit ihr zu Ende geh'.

In einer Kemenaten,
Die er gar wohl beraten
Mit Arzenein für jung und alt,
Hiess er die Jungfrau alsobald
Vom Leibe ziehn der Kleider Zier.
Drob ward sie froh und fröhlich schier.
Sie riss die Näte gleich entzwei
Und war bald ihrer Kleider frei.

Als sie der Meister nun ansah,
In seinem Herzen fühlt' er da,
Wie sehr ihn dauerte die Maid,
Dass Herz und Mut vor Traurigkeit
Ihm beinah wären noch verzagt.
Da sah die gute, reine Magd

Gar einen hohen Tisch da stehn,
Auf den hiess sie der Meister gehn.
Alsbald er fest darauf sie band
Und nahm ein Messer in die Hand,
Das nahe lag, gar lang und scharf,
Des man für solches Werk bedarf.
So guten Stahl das Messer trug,
Dem Meister war's nicht scharf genug.
Ihn jammerte die grosse Not,
Er wollt' ihr lindern noch den Tod.

Nun lag ein guter Wetzstein auch
Ganz nahe bei, wie noch der Brauch.
Auf dem hub jetzt zu streichen an
Gar langsam der bedrückte Mann.
Das Wetzen aber hörte,
Der ihre Freude störte,
Der arme Heinrich vor der Tür.
Und als das Wetzen drang herfür,
Da klagt' und trauert' er gar sehr,
Dass er das Mägdlein nimmermehr
Lebendig sollte sehen.
Er hub zu suchen an und spähen,
Bis endlich in der dünnen Wand
Sein Aug' ein kleines Löchlein fand.
Da sah er durch den schmalen Spalt
Sie auf dem Tisch gebunden bald.
Sie war so hold, so jung und schön,
Da musst' er reuig sich ansehn,
Und anders ward ihm da zu Mut.
Ihn deucht', es sei wohl nimmer gut,
Wie ihm bisher das Herz gesinnt.
Und so verwandelt' er geschwind
Den alten eigensücht'gen Sinn
Und gab sich neuem Fühlen hin.
Er sprach: "Das war unklug Beginnen,
Dass wider den in trotz'gen Sinnen
Du leben wolltest einen Tag,
Dem niemand doch entrinnen mag.
Du weisst fürwahr nicht, was du tust,
Da du doch einmal sterben musst,
Dass du dies jammervolle Leben,
Das Gott allein dir hat gegeben,
Nicht willig willst zu Ende tragen,
Zumal du sicher nicht kannst sagen,
Ob dich erlöst des Kindes Tod.
Was dir beschert der liebe Gott,
Das lass dir alles auch geschehn.
Ich will des Kindes Tod nicht sehn."

Sogleich war der Entschluss gefasst.
Er pochte an die Wand mit Hast
Und bat: "Lasst mich sogleich hinein!"
Der Meister sprach: "Das kann nicht sein,
Mir fehlt die Musse jetzt dazu,
Dass ich Euch auf die Türe tu'."
"Nein, Meister, höret nur ein Wort!"
"Wie kann ich, wartet ruhig dort,
Bis es geschehn." "Ach Meister, nein,
Hört mich, es muss vor dem noch sein!"
"Nun sagt mir's denn durch diese Wand!"
"Ach, nein, so ist es nicht bewandt."
Da öffnet endlich er die Tür.
Der arme Heinrich trat herfür,
Wo sein Gemahl [1] gebunden lag.
Zum Meister alsobald er sprach:
"Dies Mägdlein ist so wonniglich,
Wahrhaftig, nimmermehr kann ich
Ihr jämmerliches Ende sehn.
Des Ewigen Wille soll geschehn.
Heisst sie vom Tische sich erheben;
Das Silber will ich gern Euch geben,
Das ich Euch bot für Eure Müh'.
Nur lasst, ich bitt', am Leben sie!"

## XXIV. WOLFRAM VON ESCHENBACH

The deepest of the three chief romancers and the most strongly marked in his individuality. His date is approximately 1170–1220. He was a Bavarian knight of humble estate, who spent some time at the court of Landgrave Hermann in Thuringia. He speaks of himself as 'ignorant of what the books contain,' which is usually taken to mean that he could not read or write. His great work is *Parzival*, a blend of Arthurian and Grail romance, which he says he got from a French poet Kyot. Nothing is known of any such poet, and some think him an invention. Certain it is, however, that Wolfram had some other source than Chrestien de Troyes' *Conte del Graal*, though he was acquainted with that, and that he invented freely. Two other narrative poems, *Titurel* and *Willehalm*, were left unfinished. The selections from *Parzival* below are from the translation by W. Hertz, Stuttgart, 1898.

*From 'Parzival,' Book 3, lines 293–500* [2] *: Parzival takes leave of his mother, who has tried in vain to prevent his hearing of knighthood; the young 'fool' follows her directions all too literally.*

[1] Heinrich had playfully called her his 'wife.' The girl is but eight years old when the story begins. — [2] The numbers refer to the original text, Bartsch's edition; the translation is not a line-for-line version.

Heut mocht' ein andrer birschen,
Sein Sinn stand nicht nach Hirschen.
Er rennt nach Haus zur Mutter wieder,
Erzählt — und sprachlos sinkt sie nieder.
Doch als sie wieder kam zu Sinn,
Sprach die entsetzte Königin:
"Wer sagte dir von Rittertum?
O sprich, mein Sohn! Du weisst darum?"
"Vier Männer sah ich, Mutter mein,
Gott selbst hat nicht so lichten Schein;
Die sagten mir von Ritterschaft.
Artus in seiner Königskraft
Verleiht die Rittersehren,
Soll sie auch mir gewähren."
Da ging ein neuer Jammer an.
Sie wusste keinen Rat und sann:
Was sollte sie erdenken,
Sein Trachten abzulenken?
Das einzige, was er begehrt
Und immer wieder, ist ein Pferd.
Sie dacht' in Herzensklagen:
Ich will's ihm nicht versagen;
Doch soll es ein gar schlechtes sein,
Da doch die Menschen insgemein
Schnell bereit zum Spotte sind,
Und Narrenkleider soll mein Kind
An seinem lichten Leibe tragen.
Wird er gerauft dann und geschlagen,
So kehrt er mir wohl bald zurück.
Aus Sacktuch schnitt in einem Stück
Sie Hos' und Hemd; das hüllt ihn ein
Bis mitten auf sein blankes Bein,
Mit einer Gugel obendran.
Zwei Bauernstiefel wurden dann
Aus rauher Kalbshaut ihm gemacht.
Sie bat ihn: "Bleib noch diese Nacht!
Du sollst dich nicht von hinnen kehren,
Eh' du vernahmst der Mutter Lehren:
Ziehst pfadlos du durch Wald und Heiden,
Sollst du die dunkeln Furten meiden;
Sind sie aber seicht und rein,
So reite nur getrost hinein.
Du musst mit Anstand dich betragen
Und niemand deinen Gruss versagen.
Wenn dich ein grauer weiser Mann
Zucht will lehren, wie er's kann,
So folg' ihm allerwegen
Und murre nicht dagegen.
Eins achte ferner nicht gering:
Wo eines guten Weibes Ring
Du kannst erwerben und ihr Grüssen,

So nimm's; es wird dir Leid versüssen.
Küsse keck das holde Weib
Und drück' es fest an deinen Leib;
Denn das gibt Glück und hohen Mut,
Sofern sie züchtig ist und gut.
Und endlich, Sohn, sollst du noch wissen:
Zwei Lande wurden dir entrissen
Von Lähelins, des stolzen, Hand,
Der deine Fürsten überrannt.
Ein Fürst von ihm den Tod empfing,
Indes dein Volk er schlug und fing."
"Das soll er wahrlich nicht geniessen;
Ich werd' ihn mit dem Pfeile spiessen."

Dann in der frühsten Morgenzeit
War schon der Knabe fahrtbereit,
Der nur vom König Artus sprach.
Sie küsst' ihn noch und lief ihm nach.
O Welt von Leid, was da geschah!
Als ihren Sohn sie nicht mehr sah, —
Dort ritt er hin, wann kehrt er wieder? —
Fiel Herzeloyd zur Erde nieder.
Ihr schnitt ins Herz der Trennung Schlag,
Dass ihrem Jammer sie erlag.
Doch seht, ihr vielgetreuer Tod,
Er wehrt von ihr der Hölle Not.
O wohl ihr, dass sie Mutter ward!
Sie fuhr zum Lohn des Heiles Fahrt,
Sie, eine Wurzel aller Güte,
Ein Stamm, auf dem die Demut blühte.
Ach, dass die Welt uns nicht beschied
Ihr Blut auch nur zum elften Glied!
Drum ist so wenigen zu traun.
Doch sollen nun getreue Fraun
Mit Segenswünschen ihn geleiten,
Den wir dort sehn von dannen reiten.

Es wandte sich der junge Fant
Hin nach dem Wald von Breceliand.[1]
Er kam an einen Bach geritten,
Den hätt' ein Hahn wohl überschritten,
Doch weil da Gras mit Blumen spross,
So dass der Bach im Schatten floss,
Gedacht' er an der Mutter Wort
Und trabte diesseits an ihm fort
Unverdrossen bis zur Nacht;

[1] A famous wood in Bretagne — la forêt de Bréchéliant. Wolfram's spelling is Prizljan, Hartmann's Brezilian.

Die ward, wie's eben ging, verbracht.
Am Morgen traf er eine Stelle,
Da rann das Wasser seicht und helle;
Hier ritt er durch und sah ein Feld,
Das schmückt' ein grosses Prachtgezelt
Aus reichem Samt dreifarbig bunt,
Und alle Näte in der Rund'
Deckt feiner Borten Stickerei.
Die Lederhülse hing dabei,
Die, wenn es regnen wollte,
Man drüber ziehen sollte.

Des stolzen Herzogs von Lalander
Minnige Gemahlin fand er
Im Zelte, Frau Jeschute,
Die noch im Schlafe ruhte,
Zum Rittersleib erschaffen:
Sie trug der Minne Waffen,
Einen Mund durchleuchtig rot,
Sehnenden Ritters Herzensnot.
Wie wonnig sie entschlummert war!
Halb offen stand ihr Lippenpaar,
Das glüht von heissem Minnefeuer;
So lag das holde Abenteuer.
Schneeweiss erglänzt' in dichten Reihn
Der kleinen Zähne Elfenbein.
Leicht lernt' ich küssen solchen Mund,
Doch wurde mir das selten kund.
Auf weichem Lager hingestreckt
Hat sie den Zobel, der sie deckt,
Zurückgestreift bis an die Hüften,
Im schwülen Sommer sich zu lüften,
Seit einsam lag das schöne Weib.
Gott selbst hat an den süssen Leib
Seine Meisterkunst gewandt.
Lang war ihr Arm und blank die Hand.

Doch als der wilde Knabe da
An ihrer Hand ein Ringlein sah,
Sprang er ans Bett, den Reif zu holen,
Wie's ihm die Mutter anbefohlen.
Das reine Weib in Scham erschrak,
Als ihr der Knab' im Arme lag.
Sie, die man keusche Zucht gelehrt,
Sprach: "Wer hat mein Gemach entehrt?
Jungherr, Ihr waget allzuviel.
Geht, suchet Euch ein andres Ziel!"
Doch er, wie laut die Schöne klagt,
Ihn kümmert's nicht, was sie auch sagt.
Er drückt' an sich die Herzogin,
Zwang ihren Mund an seinen hin

Und nahm den Ring. Auch brach der Range
Von ihrem Hemd die goldne Spange.
Sie wehrt sich, doch mit Weibes Wehr;
Ihr war sein Arm ein ganzes Heer.
"Mich hungert," klagt er, "gib mir Essen!"
Sie sprach: "Ihr wollt doch mich nicht fressen?
Wärt Ihr zu Nutzen weise,
Ihr nähmt Euch andre Speise.
Seht, dort beiseit steht Brot und Wein
Und zwei Rebhühnchen obendrein.
Das hat ein Mägdlein hergebracht,
Die's Euch doch wenig zugedacht.
Er liess von ihr, indem er sass
Und einen guten Kropf sich ass,
Wonach er schwere Trünke schlang.
Ihr währt sein Wesen hier zu lang;
Sie deucht: dem Jungen fehlt's im Hirne;
Der Angstschweiss stand ihr auf der Stirne.
Drum sprach sie: "Jungherr, lasset mir
Das Ringlein und die Spange hier
Und hebt Euch fort! Denn kommt mein Mann,
Und trifft Euch hier im Zelte an,
So müsst Ihr Zorn erleiden,
Den Ihr gern möchtet meiden."
Er sprach mit trotzigem Gesicht:
"Er komme nur! Ich fürcht' ihn nicht.
Doch schadet's dir an Ehren,
Will ich von hinnen kehren."
Aufs neu' kam er ans Bett gegangen,
Die Schöne küssend zu umfangen;
Ungerne litt's die Herzogin.
Dann ohne Abschied ritt er hin;
Doch sprach er noch: "Gott hüte dein!
So lehrte mich's die Mutter mein."

*From Book 5, lines 345–490: Parzival in the castle of the Grail.*[1]

Dann kam die Königin herein;
Ihr Antlitz gab so lichten Schein,
Sie meinten all', es wolle tagen.
Als Kleid sah man die Jungfrau tragen
Arabiens schönste Weberei.

[1] The blundering Parzival has now been instructed in the ways of knighthood by the gray-haired Prince Gurnemanz, who has told him to avoid asking questions about what he sees. With this caution in mind Parzival fails to inquire into the malady of the mysterious sick man in the Grail castle — a fateful error which involves him in long wanderings during which he despairs of God. The sick man is his uncle Anfortas, whom he is destined, after a lapse of years, to heal by a simple question and to succeed as king of the Grail.

Auf einem grünen Achmardei[1]
Trug sie des Paradieses Preis,
Des Heiles Wurzel, Stamm und Reis.
Das war ein Ding, das hiess der Gral,
Ein Hort von Wundern ohne Zahl.
Repanse de Schoye sie hiess,
Durch die der Gral sich tragen liess.
Die hehre Art des Grales wollte,
Dass, die sein würdig pflegen sollte,
Die musste keuschen Herzens sein,
Vor aller Falschheit frei und rein.
Die Jungfraun tragen vor dem Gral
Sechs Glasgefässe lang und schmal,
Aus denen Balsamfeuer flammt.
Sie wandeln züchtig insgesamt
Mit abgemess'nem Schritte
Bis in des Saales Mitte.
Die Königin verneigte sich
Mit ihren Jungfraun feierlich
Und setzte vor den Herrn den Gral.
Gedankenvoll sass Parzival
Und blickte nach ihr unverwandt,
Die ihren Mantel ihm gesandt.
Drauf teilt sich all das Gralgeleite;
Zwölf Jungfraun stehn auf jeder Seite,
Und in der Mitte steht allein
Die Magd in ihrer Krone Schein.
Nun traten vor des Mahls Beginn
Die Kämm'rer zu den Rittern hin,
Ein jeder ihrer vier zu dienen
Mit lauem Wasser, das er ihnen
In schwerem goldnem Becken bot,
Dabei ein Jungherr wangenrot,
Das weisse Handtuch darzureichen.
Da sah man Reichtum ohnegleichen.
Der Tafeln mussten's hundert sein,
Die man zur Türe trug herein,
Vor je vier Ritter eine;
Darauf von edlem Leine
Deckten sie mit Fleisse
Tischtücher blendend weisse.
Der Wirt in seiner stummen Qual
Nahm selber Wasser; Parzival
Wusch sich mit ihm zugleich die Hände.
Drauf bracht' ein Grafensohn behende
Ein seidnes Handtuch farbenklar
Und bot es ihnen knieend dar.
Ein jeder Tisch, so viel da stehn,
Ist von vier Knappen zu versehn:
Die einen knien, um vorzuschneiden,

[1] Green silk from Arabia.

Aufwärter sind die andern beiden.
Nun rollen durch den Saal vier Wagen,
Die Goldgeschirr in Fülle tragen;
Das wird von Rittern unverweilt
An all die Tafeln ausgeteilt.
Man zog im Ring sie Schritt für Schritt,
Und jedem ging ein Schaffner mit,
Dem dieser Hort zur Hut befohlen,
Ihn nach dem Mahl zurückzuholen.
Hundert Knappen traten dann
Mit Tüchern auf der Hand heran;
Voll Ehrfurcht kamen sie gegangen,
Das Brot vom Grale zu empfangen.
Denn wie ich selber sie vernommen,
Soll auch zu euch die Märe kommen:
Was einer je vom Gral begehrt,
Das ward ihm in die Hand gewährt,
Speise warm und Speise kalt,
Ob sie frisch sei oder alt,
Ob sie wild sei oder zahm.
Wer meint, dass dies zu wundersam
Und ohne Beispiel wäre,
Der schelte nicht die Märe.
Dem Gral entquoll ein Strom von Segen,
Vom Glück der Welt ein vollster Regen.
Er galt fast all dem Höchsten gleich,
Wie man's erzählt vom Himmelreich.

In kleinen goldnen Schalen kam,
Was man zu jeder Speise nahm:
Gewürze, Pfeffer, leckre Brühn.
Ass einer zaghaft oder kühn,
Sie fanden insgesamt genug,
Wie man's mit Anstand vor sie trug.
Wein, Maulbeertrank, Siropel rot,
Wonach den Becher jeder bot,
Und welchen Trank er mochte nennen,
Den konnt' er gleich darin erkennen,
Alles durch des Grales Kraft.
Die ganze werte Ritterschaft
War so zu Gaste bei dem Gral.
Wohl sah mit Staunen Parzival
Die Pracht der Wunder sich bezeigen;
Jedoch aus Anstand wollt' er schweigen.
Er dachte: der getreue Mann,
Gurnemanz, befahl mir an,
Vieles Fragen zu vermeiden.
Drum will ich höflich mich bescheiden
Und warten, bis man ungefragt,
Von diesem Haus mir alles sagt,
Wie man bei Gurnemanz getan

Drauf sah er einen Knappen nahn
Mit einem Schwerte schön und stark;
Die Scheide galt wohl tausend Mark,
Der Griff ein einziger Rubin.
Das ward vom Wirt dem Gast verliehn:
"Ich hab' es oft im Kampf getragen,
Bis Gott am Leibe mich geschlagen.
Herr, nehmt es als Ersatz entgegen,
Sollt' man Euch hier nicht wohl verpflegen."
Ach dass auch jetzt er nicht gefragt!
Um seinetwillen sei's geklagt,
Da mit dem Schwert, das er empfing,
Die Mahnung doch an ihn erging.
Auch jammert mich sein Wirt zumal;
Denn von der ungenannten Qual
Würd' er durch seine Frage frei.
Damit war nun das Mahl vorbei.

*From Book 16, lines 332–458: Parzival, as purified king of the Grail and unswervingly faithful husband, is reunited to his wife Kondwiramur.*

"Geheimnisreich ist Gottes Tat,"
Sprach er,[1] "wer sass in seinem Rat?
Wer kennt die Grenzen seiner Macht?
Kein Engel hat sie ausgedacht.
Ja, Gott ist Mensch," so fuhr er fort,
"Ist seines Vaters ew'ges Wort,
Ist Vater und ist Sohn zugleich,
Sein Geist an Hilfe gross und reich.
Ein Wunder seltsam rätselvoll
Ist hier geschehn; durch Euren Groll
Rangt Ihr ab dem höchsten Willen,
Eures Herzens Wunsch zu stillen.
Mir tat einst Eure Mühsal leid;
Denn unerhört zu aller Zeit
War's, mit Gewalt der Waffen
Den Gral sich zu erraffen.
Ich hätt' Euch gern den Wunsch benommen.
Doch anders ist's mit Euch gekommen:
Euch ward der herrlichste Gewinn.
Nun kehrt an Demut Euren Sinn!"
Drauf Parzival: "Mein Weib ist nah.
Ich will sie sehn, die ich nicht sah

[1] The speaker is the wise old hermit Trevrizent, who has cleared up for Parzival the mystery of the Grail and led him to inward peace.

Nun seit fünf langen Jahren.
Da wir beisammen waren,
War sie mir lieb und ist es noch.
Drum lass mich ziehn! Dein Rat jedoch
Soll mir verbleiben bis zum Tod.
Du rietest mir in grosser Not."
So schied er von dem heil'gen Mann,
Die Nacht durch ritt er fort im Tann;
Der Weg war seinen Degen kund.
Am Morgen fand er lieben Fund:
Manch Zelt geschlagen auf dem Plane,
Vom Lande Brobarz manche Fahne,
Der mancher Schild gefolgt von fern.
Da lagen seines Landes Herrn.
Er fragte nach der Fürstin Zelt;
Das stand für sich abseits im Feld,
Von kleinen Zelten rings umfangen.
Ihr Ohm, schon früh auf, kam gegangen;
Noch war der Blick des Tages grau.
Da sah er halten auf der Au
Ein Volk von Rittern und von Knappen,
Erkannte gleich des Grales Wappen
Und eilte Herrn und Degen
Mit Willkommsgruss entgegen,
Befahl auch, dass ein Jungherr lief
Und rasch der Herrin Marschall rief,
Die Gäste für den Morgen
Behaglich zu versorgen.
Den König führt' er an der Hand
Hin, da die Kleiderkammer stand,
Ein klein Gezelt von Buckeram,
Wo man den Harnisch von ihm nahm.
Noch war der Herrin nichts bewusst.
Da fand er seiner Augen Lust:
Im weiten Zelte schlief die Schöne
Und bei ihr seine kleinen Söhne,
Loherangrin und Kardeis,
Und hier und dort umher im Kreis
Lagen lichter Fraun genug.
Der Oheim auf die Decke schlug
Und rief: "Willst du erwachen,
So wirst du fröhlich lachen!"
Aufblickend sah sie ihren Mann.
Ihr Hemd nur hat die Herrin an,
Die nun die Decke um sich schwang,
Vom Bette auf den Teppich sprang,
Und Parzival, er drückte
Ans Herz die Holdbeglückte.
Man sagte mir, sie küssten sich.
Sie sprach: "So hat das Glück mir dich
Gesendet, Herzensfreude mein!

Sollst Gott und mir willkommen sein!
Nun sollt' ich zürnen, kann es nicht.
Heil sei dem Tag und seinem Licht,
Der dies Umfangen mir gebracht,
Das all mein Leid zunichte macht!
Des Herzens Wunsch, ich halt ihn hier,
Und Sorge hat kein Teil an mir."
 Nun wachten auch die Kinderlein.
Er beugt sich zärtlich zu den zwein
Und küsste sie, die nackend lagen.
Der Ohm hiess sie von dannen tragen,
Und auch die Frauen sandt' er fort.
Die grüssten erst mit freud'gem Wort
Den Herren nach der langen Reise;
Dann führt sie aus dem Zelte leise
Der gute Ohm, der Parzival
Seinem holden Weib befahl.
Noch war es früh; drum liessen wieder
Die Kämm'rer rings die Zeltwand nieder.
Hat ihn einst Blut und Schnee [1] verzückt,
Im Liebesweh sich selbst entrückt,
Dafür — es war auf dieser Flur —
Gab ihm Ersatz Kondwiramur,
Die rot wie Blut und weiss wie Schnee.
An keinem Ort sonst nahm er je
Minnetrost für Minnenot,
Den manches Weib ihm liebend bot.

## XXV. GOTTFRIED VON STRASSBURG

Pre-eminent as a graceful and cunning psychologist of sensual passion. His great work — all that we have from him except some lyric poems — is the love-intoxicated romance of Tristan and Isold, which he began early in the 13th century and did not live to complete. For this his principal source was the French trouvère, Thomas of Brittany, who composed his *Tristan* in England about 1180. Of this French poem only a few fragments are extant. The original Tristan-saga contained elements of revolting savagery, but in Gottfried's poem,

[1] In Book 6 it is related that Parzival, riding away from the castle of the Grail, comes upon three drops of blood in the snow — the blood of a wild goose that had been attacked by a falcon. The red and white remind him of Kondwiramur and he sinks into a moody trance.

as in the fragments of Thomas, it is transformed into a courtly romance of love — an illicit love that defies conscience and the world and remains faithful unto death. The selections are from the translation by W. Hertz, 4th edition, Stuttgart, 1904.

*From 'Tristan,' Book 1, lines 119–242: The goodness of love and love-stories.*

Ich weiss es sicher wie den Tod
Und hab's erkannt in eigner Not:
Wer minnt mit edlem Sinne,
Liebt Mären von der Minne.
Drum wer nach solchen trägt Begier,
Der hat nicht weiter als zu mir.
Ich künd' ihm süsse Schmerzen
Von zweien edlen Herzen,
Die Liebe trugen echt und wahr,
Ein sehnend junges Menschenpaar,
Ein Mann, ein Weib, ein Weib, ein Mann,
Tristan Isold, Isold Tristan.
Treu, wie ich las die Kunde
Von ihrem Liebesbunde,
So leg' ich sie mit willigem Sinn
Allen edlen Herzen hin,
Dass sie durch Kurzweil dran genesen;
Das ist sehr gut für sie zu lesen.
Gut? fraget ihr. Ja, innig gut,
Macht lieb die Liebe, rein den Mut,
Stählt die Treue, ziert das Leben;
Wohl kann's dem Leben Zierden geben.
Denn wo man höret oder liest,
Wie Herz sich treu zum Herzen schliesst,
Da lernen die Getreuen
Sich recht der Treue freuen.
Liebe, Treue, steter Mut,
Ehre und manch andres Gut
Stehn nirgends so dem Herzen nah,
Sind nirgends ihm so lieb wie da,
Wo man von Herzeliebe sagt
Und Herzeleid von Liebe klagt.
Lieb' ist selig allezeit,
Ein Ringen so voll Seligkeit,
Dass ohne ihre Lehre
Nicht Tugend ist noch Ehre.
Da Liebe so das Leben weiht,
Da so viel Tugend sie verleiht,
Ach, dass nicht alles, was da lebt,
Nach rechter Herzensliebe strebt;
Dass ich so wenig finde deren,
Die lautres herzliches Begehren
Um Freundes willen mögen leiden,
Nur um den armen Schmerz zu meiden,
Der bei der Lieb' zu mancher Stund'
Verborgen liegt im Herzensgrund.
Wie litte nicht ein edler Mut
E i n Weh für tausendfaches Gut,
Für grosse Freude kleinen Gram?

Wem niemals Leid von Liebe kam,
Dem kam auch Lust von Liebe nie:
Lust und Leid, wann liessen die
Im Lieben je sich scheiden?
Man muss mit diesen beiden
Lob und Ehre sich erwerben
Oder ohne sie verderben.
Von denen diese Märe kündet,
Hätten sie nicht treu verbündet
Um Herzenswonne sehnend Klagen
In einem Herzen einst getragen,
Es wär' ihr Name im Gedicht
So manchem edlen Herzen nicht
Zum Heil und lieben Trost gekommen.
Nun wird noch heute gern vernommen
Und rührt noch immer süss aufs neue
Ihre innigliche Treue,
Ihr Glück und Jammer, Wonn' und Not.
Und liegen sie auch lange tot,
Ihr süsser Name lebt uns doch;
Auch soll der Welt zu gute noch
Lang ihr Tod und ewig leben,
Den Treubegier'gen Treue geben,
Den Ehrbegier'gen Ehre.
Die ewig neue Märe
Von ihrer Treue Lauterkeit,
Von ihrer Herzen Lust und Leid,
Ist aller edlen Herzen Brot:
So lebt in uns ihr beider Tod.
Wer nun begehrt, dass man ihm sage
Ihr Leben, Sterben, Freud' und Klage,
Der neige Herz und Ohren her:
Er findet alles sein Begehr.

*From 'Tristan,' Book 16, lines 11711–11844: The fateful love-potion.*[1]

Doch als die Jungfrau und der Mann,
Als nun Isolde und Tristan
Den Trank getrunken, was geschah?
Gleich war der Welt Unruhe da,
Minne, die Herzensjägerin,
Und schlich zu ihren Herzen hin.
Sie liess, eh' beide sich's versehn,
Ihr Siegspanier darüber wehn
Und unterwarf sie mit Gewalt.
Eins und einig wurden bald,
Die zwei gewesen und entzweit.
Nun hatten sie nach langem Streit
In raschem Frieden sich gefunden.

[1] Tristan, a young embodiment of all knightly virtues, has been sent to Ireland to win the hand of the peerless Isold for his old uncle Marke, King of Cornwall. He succeeds in his mission. On the voyage to Cornwall, however, it befalls by accident that he partakes with Isold of a philter prepared by her mother and intended for her and King Marke.

Der Hass[1] Isoldens war entschwunden:
Minne, die Versöhnerin,
Die hatte ihrer beider Sinn
Von Hasse so gereinigt,
In Liebe so vereinigt,
Dass eins dem andern hell und klar
Und lauter wie ein Spiegel war.
Sie hatten nur ein einz'ges Herz:
Isoldens Leid war Tristans Schmerz,
Und Tristans Schmerz Isoldens Leid.
Sie einten sich für alle Zeit
In Freude und in Leide
Und hehlten sich's doch beide.
Das tat die Scham, dass sie nichts sagten,
Der Zweifel tat's, dass sie ver zagten,
Sie an ihm und er an ihr.
Und riss auch ihre Herzensgier
Nach Einem Ziel sie blindlings fort,
Sie bangten vor dem ersten Wort.
Drum blieb in Scheu' und Sorgen
Ihr Sehnen noch verborgen.
  Als Tristan fühlt der Minne Bann,
Da rief er Treu' und Ehre an,
Und diese beiden mahnten ihn,
Vor ihrer Lockung zu entfliehn.
Nein, dacht' er fort und fort bei sich,
Sei standhaft, Tristan, hüte dich!
Lass ab und schlag dir's aus dem Sinn.
Doch drängte stets sein Herz dahin.
Mit seinem Willen kämpft' er schwer,
Begehrte wider sein Begehr:
Es zog ihn ab, es zog ihn an.
So wand sich der gefang'ne Mann
Und suchte, aus den Schlingen
Sich mühsam loszuringen,
Und hielt sich tapfer lange Zeit.
Es ging dabei ein zwiefach Leid
Seinem treuen Herzen nah:
Wenn er in ihre Augen sah,
Und ihm die süsse Minne
Verzehrte Herz und Sinne
Mit ihrem holden Angesicht,
So dacht' er an der Ehre Pflicht,
Und die entriss ihn ihrem Bann.
Gleich griff ihn Minne wieder an,
Seine Erbekönigin,
Und trieb ihn wieder zu ihr hin.
Bedrängt ihn Ehr' und Treue schwer,
Minne bedrängt ihn doch noch mehr;
Sie tat ihm mehr zu leide
Als Treu' und Ehre beide.
Schaute sein Herz sie lachend an,
So blickte weg der treue Mann;

[1] Tristan had slain Morold, a kinsman of Isold's, wherefore she had tried, with small success, to 'hate' him.

Doch sollt' er sie nicht sehen,
Wollt' ihm das Herz vergehen.
Oft, wie Gefang'ne sinnen,
Oft sann er zu entrinnen,
Und dachte: Sieh nach andern,
Lass dein Begehren wandern
Und liebe, was sich lieben lässt!
Da hielt ihn stets die Schlinge fest.
Oft prüft' er sorgsam Herz und Sinn,
Als spürt' er eine Wandlung drin;
Doch fand er nur darinne
Isolden und die Minne.
  Nicht anders war es mit Isot.
Sie kämpfte mit derselben Not,
Auch ihr war angst und weh zu Mut.
Kaum fühlt sie in der weichen Flut
Der zauberischen Minne
Versinken ihre Sinne,
Da — in jähem Schreck und Graus
Spähte sie nach Rettung aus
Und wollte schnell auf und davon;
Jedoch verloren war sie schon
Und haltlos sank sie nieder.
Sie sträubte sich dawider,
Suchte nach allen Enden
Mit Füssen und mit Händen
Und wandte sich bald hin, bald her;
Doch so versenkte sie nur mehr
Die Hände und die Füsse
Tief in die blinde Süsse
Des Mannes und der Minne.
Wie die gefang'nen Sinne
Sich mochten drehn und regen,
Auf allen ihren Wegen,
Auf jedem Schritt, auf jedem Tritt,
Ging Minne, ihre Herrin mit,
Und alles, was sie dacht' und sann,
War Minne nur und nur Tristan.
Doch all das blieb verschwiegen;
Entzweit in stetem Kriegen
War hier das Herz, die Augen dort,
Scham trieb die Augen von ihm fort;
Doch Minne bracht' ihr Herz ihm dar.
Und diese widerspenst'ge Schar,
Scham und Minne, Mann und Magd,
Die war teils mutig, teils verzagt:
Die Magd begehrte nach dem Mann
Und sah ihn nicht mit Augen an;
Die Scham, die wollte Minne,
Doch ward es niemand inne.
Was mocht' es helfen? Scham und Magd
Kommt leicht zu Falle, wie man sagt;
Sie haben gar ein kurzes Leben
Und können nicht lang widerstreben.
Isot auch unterwarf sich bald,
Und sieglos weichend der Gewalt
Ergab sie Leib und Sinne
Dem Manne und der Minne.

*From 'Tristan,' Book 24, lines 15522–15748: The ordeal of God.*[1]

Der König sprach: "Frau Königin,
Ich lass' es dabei gern beruhn.
Wollt Ihr uns so Genüge tun,
Wie's Eure Rede zugestand,
So gebt uns sich'res Unterpfand:
Kommt her, gelobt mit Wort und Eid
Zum Gottesurteil Euch bereit
Mit dem glüh'nden Eisen,
Wie wir's Euch werden weisen."
Die Herrin weigerte sich nicht;
Sie schwur, die Probe vor Gericht
Zu leisten nach sechs Wochen,
Wie's ihr ward zugesprochen,
In der Stadt zu Karliun.
Der Herr entliess die Fürsten nun;
Sie kehrten heimwärts insgemein.
Isolde aber blieb allein
Mit Ängsten und mit Leide,
Und es bedrückten beide
Ihr Herz mit gleicher Schwere:
Angst um ihre Ehre
Und heimlich Leid, nicht minder schwer,
Dass ihre Lüge sie nunmehr
Zur Wahrheit sollte bringen.
In diesem heissen Ringen
Wusste sie nicht aus noch ein,
Und darum beides, Angst und Pein,
Vertraute sie dem gnäd'gen Christ,
Der hilfreich in den Nöten ist;
Der möchte sie entlasten.
Ihm mit Gebet und Fasten
Befahl sie all die Angst und Not,
Und eine List erfand Isot:
Im stillen Herzen hoffte sie
Getrost auf Gottes Courtoisie
Und schrieb an Tristan einen Brief,
Der ihn nach Karliun berief,
Wie er's auch möglich mache,
Dass, wenn der Tag erwache,
An dem das Schiff dort lande,
Er frühe sei am Strande
Und da im Hafen ihrer warte.
Nun, so geschah's: er kam und harrte
Im Pilgermantel arm und schlicht;
Er hatte sich das Angesicht
Überschminkt und aufgeschwellt
Und Leib und Kleidung ganz entstellt.
Als dann Isot und Marke
Anhielten mit der Barke,
Ersah ihn gleich die Herrin dort,
Und sie erkannt' ihn auch sofort.
Und als das Schiff zu Strande stiess,

[1] Having become justly suspicious of his wife's fidelity, King Marke requires her to prove her innocence by the ordeal of the hot iron. She complies — in a way.

Isot den Waller bitten liess,
Wenn er nicht fürchte zu erlahmen,
So möcht' er doch in Gottes Namen
Sie tragen von des Schiffes Rand
Hinüber auf das trockne Land;
Sie wollte sich in diesen Tagen
Von keinem Ritter lassen tragen.
Da riefen sie den Pilger an:
"He, kommet näher, guter Mann,
Und tragt die Herrin ans Gestad!"
Der Pilger tat, wie man ihn bat:
Er ging zu seiner Herrin hin
Und trug Isot, die Königin,
Auf seinen Armen nach dem Port.
Sie raunt ihm zu mit raschem Wort,
Dass, was ihm auch draus würde,
Er unter seiner Bürde
Mit ihr am nahen Ziele
Zur Erde niederfiele.
So tat er: kaum dass am Gestad
Der Waller aus dem Wasser trat
Aufs trockne Land, so strauchelt' er
Und fiel, als wär's von ungefähr,
Und bracht' im Fallen es dahin,
Dass er der schönen Königin
Im Arme lag an ihrer Seite.
Da ward ein Aufruhr im Geleite:
Sie kamen gleich in Haufen
Mit Stecken hergelaufen,
Um ihm mit blauen Malen
Den Trägerlohn zu zahlen.
"Nein, nein, lasst ab!" so rief Isot,
"Denn es geschah ihm nur aus Not.
Der Pilger ist so matt und krank,
Dass er vor Schwäche niedersank."
  Dafür erscholl ihr in der Runde
Ehr' und Dank aus jedem Munde.
Sie lobten's im Gemüte,
Dass sie mit solcher Güte
Verteidigte den armen Wicht.
Sie sprach mit lächelndem Gesicht:
"Welch Wunder wäre nun daran,
Wenn dieser fremde Pilgersmann
Mit mir zur Kurzweil wollte scherzen?"
So gewann sie alle Herzen,
Da sie so milde sich erwiesen,
Und Frau Isolde ward gepriesen
Und hochgerühmt von manchem Mann.
Doch Marke sah das alles an
Und hörte schweigend jedes Wort.
Sie aber fuhr zu scherzen fort:
"Nun weiss ich nicht, was draus entsteht,
Dass ich doch, wie ihr selber seht,

Von heut an nicht mehr schwören kann,
Dass ausser Marke nie ein Mann
Mir in den Arm gekommen,
Noch einer je genommen
Sein Lager mir zur Seiten."
So scherzten sie im Reiten,
Und war der arme Waller
Fortan im Munde aller,
Bis sie zum Stadttor zogen ein.
Da waren Pfaffen viel und Lai'n,
Barone, Ritterschaft in Menge,
Gemeinen Volks ein gross Gedränge,
Bischöfe und Prälaten auch,
Die hielten da nach heil'gem Brauch
Das Amt und weihten das Gericht.
Gewärtig ihrer strengen Pflicht
Harrten schon die Weisen;
Im Feuer lag das Eisen.
  Die gute Königin Isold,
Die hatt' ihr Silber und ihr Gold
Und was vom Schmuck ihr war zuhanden,
Samt ihren Rossen und Gewanden
Dahingeschenkt um Gottes Huld,
Dass Gott an ihre wahre Schuld
Zur Stunde nicht gedächte
Und sie zu Ehren brächte.
So war zum Münster sie gekommen
Und hatte Messe da vernommen
Mit inniglichem Mute.
Andächtig sah die Gute
Zu Gott auf, dem sie sich vertraut.
Sie hatte auf der blossen Haut
Ein rauhes härnes Hemd und dann
Ein wollnes Röcklein drüber an,
Das ihr, wenn's an ihr niederhing,
Nicht auf die zarten Knöchel ging.
Die Armel waren aufgezogen
Bis nahe an den Ellenbogen,
Arm' und Füsse waren bloss.
Da rührt ihr Anblick und ihr Los
Manch Herz und Auge mit Erbarmen;
Wie dürftig war das Kleid der Armen,
Wie bleich, wie trübe sah sie drein!
Hiemit kam auch der Heiligenschrein,
Darauf den Schwur sie sollte tun,
Und man gebot Isolden nun,
Ihre Schuld an diesen Sünden
Vor Gott und vor der Welt zu künden.
Sie hatte Ehr' und Leben
An Gottes Huld ergeben
Und bot ihr Herz und ihre Hand
Furchtsam, wie es um sie stand,
Dem Schreine und dem Eide.
Hand und Herz im Leide
Befahl sie Gottes Segen
Zu hüten und zu pflegen.

Doch war auch mancher in der Schar,
Der hätte, alles Hochsinns bar,
Der Königin den Eidschwur gern
Vorgesagt im Kreis der Herrn
Ihr zu Schaden und zu Falle.
Ihr alter Feind voll Gift und Galle,
Des Königs Truchsess Marjodo,
Versuchte es bald so, bald so,
Und trug es ihr zum Schaden an.
Doch war auch wieder mancher Mann,
Der sich selbst an ihr ehrte
Und ihr's zu Gute kehrte.
So stritten sie sich her und hin
Um den Eid der Königin;
Der war ihr gut, der bös gesinnt,
Wie's immer geht, wo Menschen sind.
"Herr König," fiel die Herrin ein,
"Was sie auch reden insgemein,
Der Eid muss doch vor allen
Euch und nur Euch gefallen;
Und darum seht nun selber zu,
Was ich hier spreche oder tu'.
Ob ich den Eid Euch sage,
So dass er Euch behage.
Der wirre Hader schweige still;
Vernehmt, was ich Euch schwören will:
Dass ausser Euch kein andrer Mann
Kunde meines Leibs gewann,
Und dass wahrhaftig, wenn nicht Ihr,
Kein Lebender auf Erden mir
Im Arm und an der Seite lag
Als der, den ich nicht leugnen mag —
Was würd' es mir auch taugen,
Da Ihr mit eignen Augen
Ihn saht in meinem Arme —
Der Pilgersmann, der arme:
So helfe mir denn, red' ich wahr,
Mein Gott und aller Heiligen Schar,
So dass ich ohne Wehe
Das Urteil hier bestehe.
Herr, wollt Ihr mehr, gebietet nur,
Und ich verbess're Euch den Schwur
In jeder Weise, wie Ihr wollt."
"Nein," sprach der König, "Frau Isold,
Soweit ich das erwägen kann,
Bedünkt es mich genug hieran.
Nun nehmt das Eisen auf die Hand,
Und wie die Wahrheit Ihr bekannt,
So helf' Euch Gott in dieser Not!"
"Amen," sprach die Frau Isot.
Sie griff es an auf Gottes Gnaden —
Und trug das Eisen ohne Schaden.
Da wurde deutlich wohl und klar
Vor aller Augen offenbar,
Dass unsern lieben Herrgott man
Wie einen Ärmel wenden kann:

Er schmiegt sich an und fügt sich glatt,
Wie man es nur im Sinne hat,
So weich, so handsam und bequem,
Wie's artig ist und angenehm,
Ist allen Herzen gleich bereit
Zum Trug wie zur Wahrhaftigkeit,
Zum Ernste wie zur Spielerei,
Wie man's begehrt, er ist dabei.

## XXVI. KONRAD VON WÜRZBURG

The most gifted of the romancers after the famous trio. He was born at Würzburg about 1230, wrote some of his earliest poems there, lived afterwards at Basel, then at Strassburg, and died at Basel in 1287. He loved the good old times of knighthood and wrote of them in facile verse whose popularity is attested by several notices. His works are rather numerous. The most important of the longer romances is *Engelhart;* of the shorter tales, *The World's Reward*, *Otto with the Beard*, *Silvester*, and the *Story of a Heart.* This last is given below in condensed form.

### Story of a Heart.

Ein Ritter und ein gutes Weib,
Die hatten einmal Seel' und Leib
So fest verwebt in Minneglut,
Dass beider Leben, beider Mut
War eins geworden ganz und gar.
Was je der Frau zuwider war,
Das war es auch dem Ritter.
Davon zuletzt ward bitter
Ihr Lebensende, leider.
Es war die Minne beider
Nun worden so gewaltig,
Dass sie sehr mannigfaltig
Die Herzen machte schmerzen.
Gross Schmerz ward ihren Herzen
Von süsser Minne kund.
Die hatte sie bis auf den Grund
Mit ihrer Flamm' entzündet
Und dergestalt ergründet
In heisser Leidenschaft,
Dass Worte machtlos bleiben
Dieselbe zu beschreiben.
Doch konnten sie nun leider nicht
Zusammenkommen, um die Pflicht
Der Minne nach Begehr zu üben.
Denn jenes Weib, gemacht zum Lieben,
Hatt' einen werten Ehgemal,
Der brachte beiden grosse Qual,
Weil dieser, immer auf der Hut,
Bewachte jenen Ritter gut,
So dass er niemals konnte stillen

An ihr des wunden Herzens Willen,
Das blutete im Busen sein.
Deswegen litt er eine Pein,
Die grausam war und fürchterlich.
Nach ihrem Leibe minniglich
Begann er sich gar sehr zu quälen
Und konnte seine Not verhehlen
Nicht mehr vor ihrem Mann.
Zur Frau begab er sich sodann
Bei günstiger Gelegenheit
Und klagte ihr sein Herzensleid.
Daraus entstand erst lang danach
Für ihn ein schweres Ungemach.
Der Gatte, in verdächt'gem Mut,
Bewachte sie mit strenger Hut
So lange, bis ihm leider klar
An ihrem Tun geworden war,
Dass süsse Minne beider Glück
Umwickelt hielt in ihrem Strick.
Das tat dem guten Herrn leid;
Er dachte bei sich sehr gescheit:
Lass ich mein Weib also gebaren,
Werd' ich an ihr nun bald erfahren,
Was all mein Glück vergiftet,
Wenn sie mir Schaden stiftet
Mit diesem werten Mann.
Also, wenn ich es fügen kann,
Entrück' ich sie seinem Begehr:
Über das grosse wilde Meer
Will ich nun mit ihr fahren
Und sie auf solche Art bewahren
Vor ihm, bis er dann ganz von ihr
Wegwendet seines Herzens Gier.
Und bald denkt sie an ihn nicht mehr:
Dem, hört' ich sagen von je her,
Wird nach und nach sein Lieb zu Leid,
Der lebt beständig lange Zeit
Von ihm getrennt. So steht mein Sinn:
Ich fahre bald mit ihr dahin
Und bleibe in der heil'gen Stadt,
Bis meine Frau vergessen hat
Die Liebe, die sie überkam
Von diesem Ritter lobesam.
Als es dem ward bekannt,
Der nach der Dame war entbrannt,
Beschloss der Liebende bei sich,
Ihr nachzufolgen schleuniglich.
Die strenge Kraft der Minne
Bezwang so seine Sinne,
Dass er ja um das schöne Weib
Hätte willig seinen Leib
In den grimmen Tod gebracht.
Drum wollt' er, wie er's ausgedacht,
Nicht lang verziehen mit der Fahrt.
Als nun die Dame inne ward
Der Absicht, die er hegte,
Rief heimlich ihn, so wie sie pflegte,
Zu sich das kaiserliche Weib
Und sagte: "Freund und lieber Leib,
Mein Mann ist auf den Plan gekommen,

Wie du wohl selber hast vernommen,
Mich zu entfernen weit von dir.
Nun, Trautgesell, gehorche mir
In deiner hochholdseligen Art
Und mach' zunichte diese Fahrt,
Die er ersann zu meinem Weh.
Fahr' du alleine über See;
Und hat er dann davon vernommen,
Dass du vor ihm dahin gekommen,
So bleibt er hier wohl stehen,
Und jener Argwohn wird vergehen,
Den er auf mich gelenkt,
Wenn er nun bei sich denkt:
'Wär' etwas Wahres an der Sünde,
Der ich mein Weib für schuldig finde,
Hätte der Ritter solchermassen
Das Land gewiss niemals verlassen.'
So wird der Argwohn bald entkräftet,
Den er bisher auf mich geheftet;
Auch soll es dir kein Leid bereiten,
Dich aufzuhalten dort im weiten,
Bis das Geschwätz wird einmal stumm,
Das hier zu Lande läuft herum.
Und bringt der süsse reine Christ
Dich wieder heim nach kurzer Frist,
So hast du's besser künftiglich
Mit deiner Minne, wie auch ich,
Denn das Geplapper von uns zwein
Wird, hoff' ich, ausgestorben sein.
Gott sei's geklagt, dass du allhier
Nicht immer bleiben kannst bei mir,
Und ich bei dir, wie ich begehr'.
Nun komm zu mir, mein lieber Herr,
Und steck' dir dieses Ringlein an:
Dich soll's erinnern dann und wann,
Wie ich hier weil' mit schwerem Sinn,
Weil ich von dir geschieden bin.
Jetzt küsse mich nur noch einmal
Und tue, wie ich dir befahl."

Der werte Ritter trennte sich
Von ihr und ging wehmütiglich
Ans Ufer, wo ein Schiff sich fand,
Und fuhr nach dem gelobten Land.
Doch schwerer wurde mit der Zeit
Des Liebekranken Weh und Leid.
Es drang bis auf der Seele Grund,
Er ward von tiefer Sorge wund
Und klagte öfters von der Pein,
Die wütete im Herzen sein.
So lebt' er jammervolle Tage
Und trieb so lange seine Klage

Bis er am Ende kam so weit
In seinem grenzenlosen Leid,
Dass er nicht mehr mochte leben.
Solch elend Los war ihm gegeben,
Dass auch sein Äussres deutlich sprach
Von seinem inneren Ungemach.
Und als der Ritter wusste,
Dass er bald sterben musste,
Sprach er also zu seinem Knecht:
"Mein Trautgesell, vernimm mich recht!
Ich sehe leider wohl,
Dass ich bald sterben soll,
Weil die, die ich so sehr geliebt,
Grausam zu Tode mich getrübt.
Das ist nun meine Lage,
Drum höre, was ich sage:
Wenn meine allerletzte Not
Vorbei ist, und ich liege tot
Durch das holdselige Weib,
So lass aufschneiden meinen Leib
Und nimm mein Herz heraus,
All blutig und von Farbe graus.
Sodann sollst du es salben
Mit Balsam allenthalben;
So bleibt es frisch auf Jahr und Tag.
Und höre, was ich weiter sag'.
Schaff' dir ein goldnes Büchselein,
Verziert mit edelem Gestein;
Darein mein totes Herze tu'
Lege das Ringlein auch hinzu
Und bring' es meiner Frauen,
Damit sie möge schauen,
Was ich von ihr erlitten,
Und wie mein Herz verschnitten
Um ihretwillen. Gott beglücke
Meine arme Seel' und schicke,
Dass die weitentfernte Süsse
Glück und Lebensfreud' geniesse,
Da ich hier nun liege tot."
In solcher schweren Herzensnot
Verschied der Ritter. Mit dem Toten
Verfuhr der Knecht, wie ihm geboten:
Er kehrte heim mit heissem Schmerz
Und trug mit sich das tote Herz.
Doch als er durch die Gegend eilte,
Wo jene hohe Frau verweilte,
Kam ihm — es war sehr ungelegen —
Ihr werter Ehgemahl entgegen,
Bedrohte ihn mit scharfem Wort
Und nahm das Herze mit sich fort.
Dem Koche liess er's überreichen,
Der eine Speise sondergleichen
Für seine Herrin machen sollte.
Der Koch tat, wie der Schlossherr wollte,
Und ganz unwissentlicher Weise
Genoss die Frau die ekle Speise.
Es deucht' ihr gut, sie ass es gern
Und sprach also zu ihrem Herrn:

"Ist dieses Essen lobesam
Wild gewesen oder zahm?"
Der Herr erwiderte gemessen:
"Du hast des Ritters Herz gegessen,
Der mit so liebevollem Sinne
Stets trachtete nach deiner Minne.
Von sehnsuchtsvoller Herzensnot
Liegt er in weiter Ferne tot
Und hat sein Herz in dieses Land
Durch seinen Knecht zu dir gesandt."
Entsetzen traf das holde Weib,
Das Herz erkaltet' ihr im Leib,
Die Hände fielen ihr zum Schoss,
Das Blut ihr aus dem Munde goss;
Zuletzt sprach sie in tiefem Schmerz:
"Ass ich also des Freundes Herz,
Der stetig mich geliebt so sehr,
So sag' ich Euch bei meiner Ehr',
Dass keine andre Speise mir
Von diesem Tage für und für
Den Mund berührt. Ich folge nach
Dem Freunde, der nie Treue brach;
Ich weiss, ich komme bald ans Ende."
Sie faltete die weissen Hände,
Es brach das Herz in ihrem Leib,
Sie sank dahin ein totes Weib.

## XXVII. LATER MINNESINGERS

During the 13th century the making of amatory verses in honor of a liege lady became a part of the ordinary fashion of knighthood. In time the 'nightingales' could be counted by the hundred. Many of them were very clever metricians, but not many found anything to express that had not been better expressed before. A few of the more noteworthy among Walter's successors are represented in the following selections, which are taken from Obermann's *Deutscher Minnesang*. The most original is Neidhart von Reuental, who eschewed the conventional *hohe Minne* and sang lustily of the plebeian maid and the rustic dance.

I

**Reinmar von Zweter: Gebet an den Unendlichen.**

Gott, Ursprung aller guten Ding',
Gott, alle Weit' und Breite rings umschliessend wie ein Ring,
Gott, aller Höh' Bedeckung, aller Tiefe endeloser Grund,
O sieh aus deiner Göttlichkeit

Herab auf deine teuer dir erkaufte Christenheit,
Um die dein eingeborener Sohn ward an dem heil'gen Kreuze wund.
Er hat sich uns vermählt mit seinem Blute:
Die Liebe komm' uns auch von dir zugute
Um dessen will'n, durch den wir kamen
Von Hölle los und Teufelsmacht.
Ihm sei mit dir, Herr, Lob gebracht
Als Einem Gotte mit dreifachem Namen.

2

**Reinmar von Zweter: Kurze Lust und langes Leid.**

Du süsses Weib! Im Herzen mein
Sieh dich doch um, und find'st du dort noch wen als dich allein,
So lass mich nur vergehn und ohne Trost bis an mein Ende leben.
Doch herrschest du darin, o dann,
Vielsüsses Weib, so nimm in Huld dich meiner mehr auch an.
Mehr kann ich nicht: durch meine Augen bist du mir ins Herz gegeben.
Ganz bist du, Süsse, mir hineingegangen,
Ich hab' dich oftmals heimlich drin empfangen.
Wenn ich so lieb dann an dich dachte,
Ein wenig wohler mir geschah;
Doch dann sass ich gar traurig da,
Und kurze Lust mir langes Leid stets brachte.

3

**Reinmar von Zweter: Der tapfere Hahn.**

Preis muss ich, Hahn, Euch zugestehn!
Ihr seid in Wahrheit tapfer, wie gar oft ich hab' gesehn,
Denn Eure Meisterschaft ist gross bei Euern Fraun, sind's noch so viel.
Nun ist nur Eine mir beschert,
Die doch mir alle Freude nimmt und meinen Sinn beschwert,
Sie trägt das grössre Messer, und sie zürnt, wenn froh ich werden will.
Hätt' ich so zwei, dann wagt' ich nie zu lachen,
Hätt' ich so vier, könnt' nichts mehr froh mich machen,

Hätt' acht ich, würd' ich nicht mehr leben können,
Sie brächten mir den Tod vor Leid.
O Hahn, dass Ihr so tüchtig seid,
Ist Euer Glück, — Ihr meistert selbst zwölf Hennen.

### 4

### Ulrich von Lichtenstein: Glück der Hoffnung.

In dem Walde süsse Töne
Singen kleine Vögelein.
Auf der Heide blühen schöne
Blumen zu des Maien Schein.
Also blüht auch froh mein Mut,
Wenn er denkt an ihre Güte,
Die mir reich macht mein Gemüte,
Wie der Traum dem Armen tut.

Ja, zu ihrer Tugend hege
Diese Hoffnung ich,
Dass ich endlich sie bewege,
Und sie noch beglücket mich.
Dieser Hoffnung bin ich froh.
Gebe Gott, dass sich's vollende,
Sie mir diesen Wahn nicht wende,
Der mich jetzt erfreut schon so.

Du viel Süsse, Wohlgetane,
Frei von Truge, treu und stet,
Lasse mich in liebem Wahne,
Wenn es jetzt nicht anders geht,
Dass die Freude lange währ',
Ich vor Weinen nicht erwache,
Nein, dem Trost entgegenlache,
Der von ihrer Huld kommt her.
Lieber Wunsch und froh Gedenken
Ist die grösste Freude mein.
Nichts soll mir den Trost beschränken,
Lässt sie mich nur immer sein
Ihr mit beidem nahe bei
Und vergönnt mir, ihretwegen
Süsse Lust daran zu hegen,
Wie beglückend sie stets sei.

Süsser Mai, auch du alleine
Tröstest sonst die Welt fürwahr;
Doch du freust selbst im Vereine
Mit der Welt mich kaum ein Haar.
Brächtet ihr wohl Freude mir
Ausser der Viellieben, Guten?
Trost will ich von ihr vermuten;
Ich leb' nur des Trosts von ihr.

### 5

### Ulrich von Lichtenstein: Treue Liebe.

In dem duftigsüssen Maien,
Wenn erprangt des Waldes Trieb,
Sieht man lieblich auch zu zweien,
Was nur irgend hat ein Lieb.
Eins ist mit dem andern froh,
Und mit Recht, die Zeit will's so.

Wo ein Lieb zum Lieb sich reihet,
Gibt die Liebe frohe Lust,
Und mit hohen Freuden maiet
Es fortan in jeder Brust.
Liebe will, dass Trauern flieht,
Wo man Lieb bei Liebe sieht.

Wo zwei Lieb' einander meinen
Treulich sich von Herzensgrund,
Und sich beide so vereinen,
Dass nie schwankt ihr Liebesbund:
Für ein Leben wonniglich
Schenkte Gott die beiden sich.

Treue Liebe nennt man Minne:
Eins ist Lieb' und Minne dann,
Dass ich sie in meinem Sinne
Nimmermehr drum scheiden kann.
Liebe muss im Herzen mein
Immer mir auch Minne sein.

Kann ein treues Herze finden
Treue Liebe, treuen Mut,
Muss ihm alle Trauer schwinden.
Treue Liebe ist so gut,
Dass sie stete Freude leiht
Treuem Herzen allezeit.

Möcht' ich treue Liebe finden,
Wollt' ich so getreu ihr sein,
Dass ich damit überwinden
Wollte alle Sorg' und Pein.
Treue Liebe hab' ich gern,
Ungetreue bleib' mir fern.

### 6

### Neidhart von Reuental: Die tanzlustige Junge.

"Der Mai, der ist so mächtig,
Drum führt er auch so prächtig
Den Wald an seinen Händen,
Der ist jetzt voll von neuem Laub, der Winter muss sich enden.

Ich freu' mich an der Heide
Der hellen Augenweide,
Die uns jetzt aufgegangen;"
So sprach ein schmuckes Mägdelein, "die will ich schön empfangen.

Lasst, Mutter, ohne Weilen
Mich hin zum Felde eilen
Und dort im Reihen springen.
Ich hörte wahrlich lange nicht die Kinder Neues singen."

"Ach nein doch, Tochter, nein doch!
Dich hab' ich ganz allein doch
Genährt an meinen Brüsten;
Drum folg' mir nur und lass dich ja nach Männern nicht gelüsten."

"Den ich Euch will nennen,
Den werdet Ihr ja kennen.
Zu dem ich voll Verlangen
Jetzt will, ist der von Reuental, ihn will ich jetzt umfangen.

Es grünt ja an den Zweigen,
Dass berstend fast sich neigen

Die Bäume tief zur Erden.
Nun wisst nur, liebe Mutter mein, der Knabe muss mir werden!

Mutter, ach schon lange
Verlangt er nach mir bange;
Soll ich dafür nicht danken?
Er sagt, dass ich die schönste sei von Bayern bis nach Franken."

7

**Neidhart von Reuental: Die tanzlustige Alte.**

Eine Alte fing zu springen
Munter wie ein Zicklein an, sie wollte Blumen bringen.
"Tochter, gib mir mein Gewand,
Ich muss an des Knappen Hand,
Er ist von Reuental genannt."
Trara nuretum, trara nuri runtundeie!

"Mutter, bleibt doch nur bei Sinne!
Dieser Knappe denkt ja nicht je an treue Minne."
"Tochter, lass mich ohne Not;
Ich weiss ja, was er mir entbot,
Nach seiner Minne bin ich tot."
Trara nuretum, trara nuri runtundeie!

8

**Neidhart von Reuental: Die zwei Gespielen.**

Nun ist ganz vergangen
Der Winter kalt.
Mit Laube steht behangen
Der grüne Wald.
Wonniglich
Mit Stimmen, süss und freudiglich,
So singen jetzt die Vöglein Lob dem Maien.
Gehn auch wir zum Reihen!

Allen im Vereine
Kam froher Sinn.
Blumen in dem Haine
Hab' nun weithin
Ich gesehn;
Aber ich kann nicht gestehn,
Dass mir mein langer Liebesgram verschwinde,
Er, mein treu Gesinde.

Zwei Gespielen fragten,
Wie's jedem geh'.
Stille sie sich klagten
Ihr Herzensweh.
Eine sprach:
"Trauer, Leid und Ungemach,
Das zehret mir am Leib und allen Sinnen,
Freud' ist nicht mehr drinnen.

Es lässt mich im Gemüte
Leid nicht in Ruh'.
Ein Freund voll hoher Güte
Zwingt mich dazu.
Bleibt der Mann
Fern doch, der mir's angetan,
Dass langes Liebesleid sich bei mir mehret
Und mein Herz verzehret."

"Sag's nur frei von Herzen,
Was fehlt denn dir?
Macht dir die Liebe Schmerzen,
Dann folge mir:
Hab' Geduld!
Ist ein lieber Mann dran schuld,
So trag es still im Herzen als dein eigen.
Ich will gern auch schweigen."

"Nun, du wirst ihn kennen,
Denn manches Mal
Hört'st du wohl schon nennen
Den Reuental.
Sein Gesang
Mein Gemüte ganz bezwang.
Der da weiss den Himmel zu verwalten,
Mag ihn mir erhalten!"

### 9

**Tannhäuser: Gute Aussicht.**

Hört, lohnen will die Herrin mir,
Der ich gedienet ohne Wank!
Das ist gar schön getan von ihr,
Drum sagt ihr alle euern Dank!

Abwenden soll ich nur den Rhein,
Dass er nicht mehr bei Koblenz geh',
Dann will sie mir willfährig sein.
Und bring' ich Sand erst aus der See,

Da wo zur Ruh' die Sonne geht,
Erhört sie mich; doch einen Stern,
Der grade in der Nähe steht,
Den wünscht sie auch von mir recht gern.

Doch denkt mein Mut: was sie mir tut,
Es soll mich alles dünken gut.
Sie nahm vor mir sich gute Hut, die Reine;
Ausser Gott alleine
Kennt niemand ja die Liebste, die ich meine.

Nähm' ich der Elbe ihren Fall,
Sagt sie, so tu' sie mir noch wohl,
Dazu der Donau ihren Schall.
Ei ja, sie ist gar tugendvoll!

Den Salamander muss ich ihr
Erst bringen aus dem Feuer her,
Dann lohnet auch die Liebste mir
Und tut dann ganz mir nach Begehr.

Kann ich den Regen und den Schnee
Wegwenden, das versprach sie mir,
Dazu den Sommer, samt dem Klee,
So wird auch wohl viel Liebes mir.

Doch denkt mein Mut: was sie mir tut,
Es soll mich alles dünken gut.
Sie nahm vor mir sich gute Hut, die Reine;

Ausser Gott alleine
Kennt niemand ja die Liebste, die ich meine.

### 10

### Gottfried von Neifen: Die Flachsschwingerin.

Ei ja, uns jungen Männern mag
Bei Fraun es leicht mislingen.
Es war mal mitten um den Tag,
Da hört' ich eine schwingen:
Sie schwang Flachs,
Sie schwang Flachs, ja Flachs, ja Flachs.

Guten Morgen bot ich ihr
Und sprach: "Gott mög' Euch ehren!"
Die schöne Jungfer dankte mir,
Ich wollte ein schon kehren.
Sie schwang Flachs,
Sie schwang Flachs, ja Flachs, ja Flachs.

Da sprach sie: "Weiber gibt's hier nicht,
Ihr seid wohl fehlgegangen.
Eh' Euer Will' an mir geschicht,
Säh' ich Euch lieber hangen!"
Sie schwang Flachs,
Sie schwang Flachs, ja Flachs, ja Flachs.

### 11

### Steinmar: Die hübsche Bäuerin.

Sommerzeit, wie froh ich bin,
Dass ich nun kann schauen
Eine hübsche Häuslerin,
Krone aller Frauen!
Denn ein Dirnlein, das nach Kraute
Geht, die ist es, die als Traute
Ich ersah.
Ihr zum Dienst nur bin ich da!
Schau' rings um dich!
Wer verstohlen minnt, der hüte sich!

War vor mir sie winterlang
Leider eingeschlossen,
Geht zur Heide jetzt ihr Gang,
Wo die Blüten sprossen;
Wo sie Blumen sich zum Kranze
Pflücket, den sie bei dem Tanze
Trägt zur Zier.
Viel noch kos' ich da mit ihr.

Ja, mich freut die Stunde schon,
Wenn sie geht zum Garten,
Und ihr ros'ger Mund zum Lohn
Mich heisst auf sie warten.
Fröhlich wird dann mein Gemüte;
Dass die Mutter sie nicht hüte
Fernerhin,
Vor der ich behutsam bin.

Da ich mich nun hüten muss
Vor der Mutter Tücke,
Liebchen, wag' zum guten Schluss
Bald mit mir dein Glücke!
Brich den Trotz, der dich will hüten,

Denn ich will's dir ja vergüten;
Allezeit
Sei dir Leib und Gut geweiht!

Steinmar, hab' denn frohen Mut!
Wird dir noch die Hehre,
Die so hübsch ist und so gut,
Hast du an ihr Ehre.
Denn vom allerbesten Teile
Dessen, was zum Erdenheile
Dienen kann,
Wird dir reich beschert ja dann!
Schau' rings um dich!
Wer verhohlen minnt, der hüte sich!

## XXVIII. POEMS OF THE DIETRICH-SAGA

More than a dozen late-medieval epics, mostly anonymous and not precisely datable, have to do with the exploits of heroes who are the same as those that appear in the Nibelungen Lay or in some way related to them. Some of the poems are written in the Nibelungen meter, or a close approximation to it, others in short rimed couplets, still others in a peculiar stanza of twelve lines. The most of them relate to Dietrich of Bern, the doughtiest and most eminent of all the saga-heroes. Of the selections below No. 3 is given in Simrock's translation, *Das kleine Heldenbuch*, 3rd edition, 1874.

### I

*From 'Laurin': Dietrich and his men encounter the dwarf-king.*[1]

Sie ritten auf einander los
Und trafen sich mit hartem Stoss,
Der eine hoch, der andre klein,
Denn Laurin hatte kurze Bein'.
Fehl ging des Herrn Witeges Schuss,
Doch traf der Zwerg, ihm zum Verdruss,
Und stach ihn nieder in den Klee.
Kein Unglück tat ihm je so weh.
Laurin, der kühne,
Sprang nieder auf das Grüne;
Er wollte nehmen schweres Pfand,
Den rechten Fuss, die linke Hand,
Und wäre Dietrich nicht gekommen,
Er hätte solches Pfand genommen.
Erzürnt sprang Dieterich heran,
Und sprach, beschirmend seinen Mann:
"He da, du kleiner Wicht,
Behellige ihn nicht!

[1] The locus is the mountains of Tirol. Laurin, the diminutive dwarf-king, has a rose-garden the trespasser upon which must lose a hand and foot. The arrogant Witege, Dietrich's man, wantonly tramples down the roses; whereupon Laurin assails him, in knightly fashion, on horseback.

Er ist mir zugesellt,
Das wisse ja die Welt,
Und mit mir hergekommen.
Würd' ihm solch Pfand genommen,
Des hätt' ich immer Schande,
Wenn man es mir im Lande
Nachsagte, mir dem Berner; nicht
So leicht ertrüg' ich solch Gerücht."
Da sprach Laurin, der kleine Mann:
"Was geht mich wohl dein Name an?
Die Märe von dem Berner
Will ich nicht hören ferner;
Davon hab' ich genug vernommen.
Mich freut, dass du hierher gekommen:
Du musst mir geben schweres Pfand,
Den rechten Fuss, die linke Hand.
Du sollst mich kennen lernen, traun!
Den Garten hast du mir verhaun,
Zertreten unter Füssen.
Das sollst du mir nun büssen.
Ich dünk' euch wohl nicht gross,
Doch wäre euer Tross
Dreitausend stark und mehr,
Ich schlüg' das ganze Heer."
Herr Dietrich hatte gnug gehört;
Er sah sich um nach seinem Pferd,
Erreichte es in schnellem Lauf,
Sprang ohne Stegereif hinauf,
Ergriff den Ger mit starker Hand —
Da kam sein Meister Hildebrand,
Und dieser vielerfahrne Mann
Rief also seinen Herren an:
"Mein lieber Dieterich,
Sei klug und höre mich!
Verwirfst du meine Lehre,
Verlierst du wohl die Ehre.
Verkennst du doch den Wicht!
Dein Reiten taugt hier nicht.
Hättst du die ganze Welt im Bann,
Er sticht dich nieder auf den Plan;
So verlierst du deine Ehr'
Und darfst dann nimmermehr
Als Fürst mit Fürsten gehen.
Zu Fusse sollst du ihn bestehen,
Steig' ab vom Rosse auf das Feld;
Das rat' ich dir, du kühner Held.
Und höre einen weitern Rat:
Durch Schmiedewerk, wie er es hat,
Kommst du dem Zwerg, wie auch es sei,
Mit Schneidewaffen niemals bei.
Hau' mit dem Knopf[1] ihm um die Ohren
Und mache ihn also zum Toren.
So trägst du, dir und uns zum Lohn,

[1] The 'pommel' of his sword.

Mit Gottes Hilf' den Sieg davon."
Des Meisters Rat war nicht verlorn,
Er sprang von seinem Ross in Zorn:
"Laurin, ich widersage dir;
Nun, räche deinen Grimm an mir."
"Ja wohl," so sprach der Kleine,
"Das tu' ich ganz alleine."
Den Schild zu fassen er begann
Und lief den Berner hastig an.
Er schlug ihm einen grimmen Schlag,
So dass sein Schild auf Erden lag.
Des Berners Zorn war gross;
Er stürtzte auf das Männlein los
Und schlug auf seinen Schildesrand,
So dass er fiel ihm aus der Hand.
Herr Dieterich von Bern
Hätt' ihn betäubet gern;
Er rannt' ihn an und mit dem Knopf
Schlug er ihn grimmig auf den Kopf,
Dass weit und breit erklang der Ton
Des Helmes und der goldnen Kron'.
Es schwindelte dem Zwerg sogar,
Er wusste nicht, wie's mit ihm war.
Er griff in seine Tasche klein
Und holte sich sein Tarnkäpplein,
Worin er gleich unsichtbar ward.
Jetzt ging's dem Berner erst recht hart.
Der Kleine schlug ihm hier und dort
Furchtbare Wunden fort und fort,
So dass dem schwergeprüften Mann
Dass Blut nun durch die Brünne rann.
Da sprach der Held von Bern:
"Ich schlüge dich ja gern,
Doch weiss ich nicht zur Frist,
Wo du zu treffen bist.
Wohin bist du gekommen?
Wer hat dich mir entnommen?"
Der Berner holte aus und schlug
In grimmem Zorn ob dem Betrug;
Und ellenweit die Waffe sein
Biss in die Felsenwand hinein.
All unverletzt der kleine Mann
Lief abermals den Berner an,
Der, hart bedrängt, den Streichen
Nicht wusste zu entweichen.
Er kam in furchtbare Gefahr,
Wiewohl er stark und weise war
Und sich aufs Waffenwerk verstand.
Da sprach der weise Hildebrand:
"Wirst du von einem Zwerg erschlagen,
Kann ich dich nicht so sehr beklagen.
Dir könnt' es bass gelingen,
Wollt' er nur mit dir ringen.

Ergreif' und halte fest den Butzen,
So ist sein Käpplein ohne Nutzen."
Der Berner sprach: "Ja, käm's zum Ringen,
Es könnte mir doch bass gelingen."
Er trug dem Zwerge grimmig Hass.
Als dieser nun bemerkte, was
Der Held von ihm begehrte,
Wie bald er's ihm gewährte!
Er schleuderte sein Schwert von sich
Und stürtzte auf Herrn Dieterich.
Kraftvoll ergriff der Kleine
Des Riesen starke Beine,
Und beide fielen in den Klee;
Die Schande tat dem Berner weh.
Da sprach — er war ja gleich zur Hand —
Der weise Meister Hildebrand:
"Dietrich, lieber Herre mein,
Zerreiss' ihm doch das Gürtelein,
Davon er hat Zwölfmännerkraft;
So magst du werden siegehaft."
Nun ging es an ein starkes Ringen,
Noch wollt's dem Berner nicht gelingen.
Gross war Herrn Dieterichs Bemühn:
Man sah's ihm aus dem Munde sprühn,
Wie Feuer aus der Esse tut;
Nicht mehr verträglich war sein Mut.
Zuletzt griff er ins Gürtlein zäh
Und hob das Zwerglein in die Höh'
Mit rasender Gebärde
Und schmiss es auf die Erde.
Ums Gürtlein war es jetzt getan,
Dem Laurin war es übel dran;
Denn als der Kleine fiel zu Hauf,
Griff Hildebrand das Gürtlein auf,
Das jenem Riesenkraft verlieh.
Jetzt kam der Zwerg in Not; er schrie
Und heulte, dass der Schall
Ertönte über Berg und Tal.
Demütig rief er Dietrich an:
"Warst du je ein guter Mann,
So friste mir das Leben.
Ich will mich dir ergeben,
Ich will dir werden untertan
Mit meinem Gut von heute an."

2

*From the 'Lay of Ecke': Ecke's death and Dietrich's remorse.*[1]

Die Schwerter warfen sie von sich
Und rangen nun gewaltiglich
Auf freier Stätt' im Walde.

[1] Ecke is a redoutable young giant whose conceit leads him to seek an encounter with Dietrich of Bern. Three queens promise him the choice among them if he brings the famous man to them, so that they can see him. At first

Einander taten sie so weh,
Dass Blut begoss den grünen Klee
Hinab die Bergeshalde.
Gen einen Baum der Berner zwang
Den riesenhaften Ecke;
Das Blut ihm aus den Wunden drang,
Betäubet ward der Recke.
Der Berner drückte ihn aufs Gras
Mit solcher fürchterlichen Kraft, dass er kaum noch genas.

Der mächt'ge Ecke war gefällt,
Und auf ihm lag der edle Held,
Herr Dieterich von Berne:
"Dein Leben steht in meiner Hand,
Gib mir sofort dein Schwert zum Pfand,
Du, der du kämpfst so gerne.
Tust du es nicht, musst du den Tod
Von meiner Hand erdulden.
Drum hilf dir selber aus der Not
Und komme mir zu Hulden.
Du wirst geführt an meiner Hand
Gefangen vor die Frauen drei; so werd ich dort bekannt."

Der Riese sprach, ein Recke wert:
"Dir geb' ich nicht mein gutes Schwert,
Du lobenswerter Degen.
Drei Königinnen wohlgestalt
Schickten mich her in diesen Wald,
Wo ich dir jetzt erlegen.
Doch eher als gefangen gehn
Mit dir nun nach Jochgrimme
Vor jene Königinnen schön,"
Rief er mit lauter Stimme,
"Und deren Spott in Angst und Not
Aushalten zu Jochgrimme dort, erkür' ich hier den Tod."

Der lobenswerte Held von Bern
Vernahm des Feigen[2] Wort nicht gern,
Er sprach. "Es reut mich, Ecke.
Kann es also nicht anders sein,
Verlierst du bald das Leben dein,
Du ausgewählter Recke.
Also erweiche deinen Sinn
Im Namen aller Frauen;
Sonst hast du grossen Ungewinn,
Wie du sogleich wirst schauen.
Mit wildem Hass blickst du mich an,
Und stündst du einmal auf, müsst' ich den Tod empfahn."

Er riss den Helm ihm zornig ab,

Dietrich refuses to fight, but Ecke finally goads him to it with insults. After a fierce battle Ecke is killed.—[2] In the archaic sense of 'mortally wounded,' 'doomed to death.'

Doch war der Schwertstich, den er gab,
Ein nutzloses Beginnen,
Denn zähes Gold schirmt' ihm den Kopf.
Er schlug ihn grimmig mit dem Knopf,
Das Blut begann zu rinnen
Ihm allenthalben durch das Gold,
Es schwanden ihm die Sinne;
Der rechte Lohn war ihm gezollt.
Er öffnet' ihm die Brünne,
Die herrliche von Golde rot,
Und stach ihn mit dem Schwerte durch; dazu zwang ihn die Not.

Als er den Sieg ihm abgewann,
Da stand er ob dem kühnen Mann
Und sprach die Trauerworte:
"Mein Sieg und auch dein junger Tod,
Sie machen mich nun reuerot;
Ich muss an jedem Orte
Erscheinen als der Ehre bar,
Das klag' ich dir dem Feigen.
Wohin ich auch im Lande fahr',
Wird jeder auf mich zeigen
Mit starker Abscheu im Gesicht
Und sagen: Seht den Berner da, der Könige ersticht.

Da diese Tat einmal getan,
Bleib' ich nun ohne Lob fortan
Und ohne Fürstenehre.
Wohlan denn, Tod, nimm du mich hin,
Da ich der Ungetreue bin;
Wer gab mir diese Lehre?
Dass ich dich, junger Held, erstach,
Es muss mich ewig dauern.
Zu Gott klag' ich mein Ungemach
Mit wehmutsvollem Trauern.
Ich kann's verhehlen vor der Welt,
Doch denk' ich selbst daran, ist all mein Glück vergällt."

## 3

*From the 'Rose-garden, Adventure II: The battle between Dietrich and Siegfried.*[1]

Vermessentlich die Helden zwei scharfe Schwerter zogen,
Dass spannenlange Scherben von ihren Schilden flogen.
Um die Späne von den Schilden weinte manches Weib:
"Sollen zwei Fürsten milde verlieren Leben und Leib,"

[1] Kriemhild has at Worms a rose-garden which is guarded by twelve famous champions. She challenges Dietrich and his Amelungs to invade her garden if they dare, promising to each victor a kiss and a wreath. Eleven duels, in which Kriemhild's man is either slain or barely holds his own, precede the encounter between the two invincibles.

Sprachen sie, "der Königin zu lieb, das ist zu viel!"
"Lasst sie fechten," sprach Kriemhild, "es ist mir nur ein Spiel."
Da fochten mit einander die beiden kühnen Degen
Mit ungefügen Sprüngen, dazu mit grossen Schlägen.

Der Küsse dachte Siegfried, die er bei Kriemhild empfing;
Da kam zu neuen Kräften der kühne Jüngling,
Man sah ihn mordlich fechten, das will ich euch sagen.
Da begann er im Kreise Dietrichen umzujagen.

Da sprach die schöne Kriemhild: "Nun schaut, ihr Frauen mein,
Das ist der kühne Siegfried, der Held vom Niederrhein.
Wie treibt er den Berner umher auf grünem Feld!
Noch trägt mein lieber Siegfried das Lob vor aller Welt."

Siegfried der edle war ein starker Mann,
Jetzt lief er gewaltig Dietrichen an;
Er schlug ihm eine Wunde durch seinen Eisenhut,
Dass man hernieder rinnen ihm sah das rote Blut.

"Wie hält sich unser Herre?" frug heimlich Hildebrand.
"Er ficht leider übel," sprach Wolfhart allzuhand;
"Eine tiefe Wunde hat er durch seinen Eisenhelm,
Er ist mit Blut beronnen, er ficht recht wie ein Schelm."

"Er ist noch nicht im Zorne," sprach da Hildebrand.
"Nun ruf' in den Garten, du kühner Weigand,
Und sag' ich sei gestorben, er habe mich erschlagen; [1]
Wenn das ihn nicht erzürnet, dann mögen wir wohl klagen."

Wolfhart rief in den Garten, dass weit die Luft erscholl:
"O weh mir meines Leides, das ist so gross und voll!

[1] In the preceding adventure we hear that Dietrich was at first unwilling to face Siegfried on account of his horny skin, his magic sword and his impenetrable armor. To provoke his master's wrath — Dietrich can only fight when enraged — the faithful Hildebrand takes him aside and calls him a coward; whereat Dietrich knocks him down — to the old man's private satisfaction.

Hildbrand ist erstorben, wir müssen ihn begraben.
O weh, du Vogt von Berne, was hast du ihn erschlagen!"

"Ist Hildebrand gestorben," rief der Held von Bern,
"So findet man an Treue ihm keinen gleich von fern.
Nun hüte deines Lebens, Siegfried, kühner Mann,
Es ist mein Scherz gewesen, was ich noch stritt bis heran.

Wehr' dich aus allen Kräften, es tut dir wahrlich not.
Uns beide scheidet niemand als des einen Tod.
Ich hab' um deinetwillen verloren einen Mann,
Den ich bis an mein Ende nimmer verwinden kann."

Wie ein Haus, das dampfet, wenn man es zündet an,
So musste Dietrich rauchen, der zornige Mann.
Eine rote Flamme sah man gehen aus seinem Mund.
Siegfried's Horn erweichte; da ward ihm Dietrich erst kund.

Er brannte wie ein Drache, Siegfrieden ward so heiss,
Dass ihm vom Leibe nieder durch die Ringe floss der Schweiss.
Den edeln Vogt von Berne ergriff sein grimmer Zorn:
Er schlug dem kühnen Siegfried durch Harnisch und durch Horn,

Dass ihm das Blut, das rote, herabsprang in den Sand;
Siegfried musste weichen, wie kühn er eben stand.
Er hatt' ihn hin getrieben, jetzt trieb ihn Dietrich her;
Das sah die schöne Kriemhild, die begann zu trauern sehr.

Der Berner schnitt die Ringe, als wär' es faules Stroh;
Zum erstenmal im Leben sah man, dass Siegfried floh.
Da jagt' ihn durch die Rosen der Berner unverzagt;
Nun säumte sich nicht länger die kaiserliche Magd.

Sie sprang von ihrem Sitze, ein Kleid sie von sich schwang,
Kriemhild in grosser Eile hin durch die Rosen drang.

Da rief mit lauter Stimme die Königstochter hehr:
"Nun lasst von Eurem Streite, Dietrich, ich fleh' Euch sehr.

Steht ab um meinetwillen, und lasst das Kämpfen sein;
Euch ist der Sieg geworden zu Worms an dem Rhein."
Da tat der Vogt von Berne, als hätt' er's nicht gehört,
Er schlug mit seinem Schwerte, schier hätt' er ihn betört.

Er hörte nichts von allem, was die Königstochter sprach,
Bis er dem kühnen Siegfried vollends den Helm zerbrach.
Wie viel man der Stühle zwischen die Streiter warf,
Die zerhieb der Berner mit seinem Schwert so scharf.

Da warf sie ihren Schleier über den kühnen Degen;
So dachte sie dem Gatten zu fristen Leib und Leben.
Da sprach die Königstochter: "Bist du ein Biedermann,
So lass ihn des geniessen, dass er meine Huld gewann."

Da sprach der Held von Berne: "Die Rede lasset sein;
Wessen Ihr mich bittet, zu allem sag' ich nein.
Euch Ritter und euch Frauen, ich bring' euch all' in Not;
Ihr müsst vor mir ersterben, da Hildebrand ist tot."

Alles, was im Garten war, wollt' er erschlagen,
Dietrich in seinem Zorne, wie wir hören sagen.
Hildebrand der alte tat als ein Biedermann,
Er sprang in den Garten und rief seinen Herren an.

Er sprach: "Lieber Herre, lasst ab von Eurem Zorn;
Ihr habt den Sieg gewonnen, nun bin ich neu geborn."
Dietrich der kühne sah Hildebranden an,
Da erweicht' ihm sein Gemüte, da er stehen sah den Mann.

Der Berner liess sein Toben, er küsst' ihn auf den Mund:
"Gott will ich heute loben, dass du noch bist gesund;

Sonst hätte nicht verfangen ihr Flehen insgemein;
Um Siegfried war's ergangen: das schuf das Sterben dein.

Nun lass' ich von dem Harme, da Hildbrand ist gesund."
Da schlug die Königstochter sich selber auf den Mund.
Da sprach Frau Kriemhild: "Ihr seid ein biedrer Mann,
Dem man seinesgleichen in der Welt nicht finden kann."

Auf setzte sie dem Berner ein Rosenkränzelein,
Ein Halsen und ein Küssen gab ihm das Mägdelein.
Sie sprachen einhellig: "Das mag man Euch gestehn,
Es ward in allen Reichen kein Mann wie Ihr gesehn."

Siegfried dem kühnen man zu Hilfe kam,
Sie führten ins Gestühle den Degen lobesam.
Man zog ihm ab den Harnisch, dem kühnen Weigand;
Da verbanden ihm die Wunden die Frauen allzuhand.

## XXIX. MEYER HELMBRECHT

A metrical novelette written about 1250 by a man who calls himself Wernher the Gardner. The locus of the story, which is interesting as a picture of the times, is the region about the junction of the Inn and the Salzach. Its hero is a depraved young peasant who gets the idea that the life of a robber knight would be preferable to hard work upon his father's farm. So he dresses himself in fine clothes to ape the gentry, becomes a robber and commits all manner of outrages until one day he is caught and hanged by a party of his victims. In the course of his career he revisits his former home and compares notes with his father. The selection is from Bötticher's translation in Part II of Bötticher and Kinzel's *Denkmäler*.

*Lines 844–986: The old knighthood and the new.*

Als sie in Freuden assen,
Da konnt's nicht länger lassen
Der Vater, ihn zu fragen
Nach höfischem Betragen,
Wie er's bei Hof gelernt jetzund.
"Mein Sohn, die Sitten tu mir kund,
So bin ich auch dazu bereit,
Zu sagen, wie vor langer Zeit
In meinen jungen Jahren
Die Leut' ich sah gebaren."

"Ach Vater, das erzähle jetzt,
Ich geb' auch Antwort dir zuletzt
Auf alle deine Fragen
Nach höfischem Betragen."
"Vor Zeiten, da ich Knecht noch war
Bei meinem Vater manches Jahr,
— Den du Grossvater hast genannt —
Hat der mich oft zu Hof gesandt
Mit Käse und mit Eiern,
Wie's heut noch Brauch bei Meiern.
Da hab' die Ritter ich betrachtet
Und alles ganz genau beachtet.
Sie waren edel, kühn und treu,
Von Trug und niederm Sinne frei,
Wie's leider heut nicht oft zu schaun
Bei Rittern und bei Edelfraun.
Die Ritter wussten manches Spiel,
Das edlen Frauen wohlgefiel.
Eins wurde Buhurdier'n [1] genannt,
Das tat ein Hofmann mir bekannt,
Als ich ihn nach dem Namen fragte
Des Spiels, das da so wohl behagte.
Sie rasten dort umher wie toll
— Drob war man ganz des Lobes voll, —
Die einen hin, die andern her.
Jetzt sprengte dieser an und der,
Als wollt' er jenen niederstossen.
Bei meinen Dorfgenossen
Ist selten solcherlei geschehn,
Wie dort bei Hof ich's hab' gesehn.
Als sie vollendet nun das Reiten,
Da sah ich sie im Tanze schreiten
Mit hochgemutem Singen;
Das lässt Kurzweil gelingen;
Bald kam ein muntrer Spielmann auch,
Der hub zu geigen an, wie's Brauch.
Da standen auf die Frauen,
Holdselig anzuschauen.
Die Ritter traten jetzt heran
Und fassten bei der Hand sie an;
Da war nun eitel Wonne gar
Bei Frauen und der Ritterschar
Ob süsser Augenweide.
Die Junker und die Maide,
Sie tanzten fröhlich allzugleich
Und fragten nicht, ob arm, ob reich.
Als auch der Tanz zu Ende war,
Trat einer aus der edlen Schar
Und las von einem, Ernst [2] genannt;

[1] A sham battle between two troops of mounted knights. — [2] That is, Duke Ernst; see above, No. xvii.

Und was von Kurzweil allerhand
Am liebsten jeder mochte treiben,
Das fand er dort: Nach Scheiben
Mit Pfeil und Bogen schoss man viel;
Die andern trieben andres Spiel,
Sie freuten sich am Jagen.
O weh, in unsern Tagen
Wär' nun der Beste, das ist wahr,
Wer dort der Allerschlecht'ste war.
Da wusst' ich wohl, was Ehr' erwarb,
Eh' leid'ge Falschheit es verdarb.
Die falschen, losen Gesellen,
Die boshaft sich verstellen,
Nicht Recht und Sitte kennen,—
Niemand wollt's ihnen gönnen,
Zu essen von des Hofes Speise.
Heut ist bei Hofe weise,
Wer schlemmen und betrügen kann;
Der ist bei Hof der rechte Mann
Und hat an Geld und Gut und Ehr'
Ach, leider immer noch viel mehr
Als einer, der rechtschaffen lebt
Und fromm sich Gottes Huld erstrebt.
So viel weiss ich von alter Sitte;
Nun, Sohn, tu mir die Ehr', ich bitte,
Erzähle von der neuen nun."
"Das, Vater, will ich treulich tun.
Jetzt heisst's bei Hof nur: Immer drauf,
Trink, Bruder, trink, und sauf und sauf!
Trink dies, so sauf' ich das: juchhe!
Wie könnt' uns wohler werden je?
Nun höre, was ich sagen will:
Einst fand man edle Ritter viel
Bei schönen, werten Frauen.
Heut kann man sie nur schauen,
Wo unerschöpflich fliesst der Wein.
Und nichts macht ihnen Müh' und Pein
Vom Abend bis zum Morgen,
Als nur das eine Sorgen,
Wenn nun der Wein zur Neige geht,
Ob sie der Wirt auch wohl berät
Und neuen schafft von gleicher Güte.
Da suchen Kraft sie dem Gemüte.
Ihr Minnesang heisst ungefähr:
Reich, Schenkin, schnell den Becher her!
Komm, süsses Mädchen, füll' den Krug,
's gibt Narr'n und Affen noch genug,
Die, statt zu trinken, ihren Leib
Elend verhärmen um ein Weib.
Wer lügen kann, der ist ein Held,
Betrug ist, was bei Hof gefällt,
Und wer nur brav verleumden kann,

Der gilt als rechter höf'scher Mann.
Der Tüchtigste ist allerorten,
Wer schimpft mit den gemeinsten Worten.
Wer so altmodisch lebt wie ihr,
Der wird bei uns, das glaubet mir,
In Acht und schweren Bann getan.
Und jedes Weib und jeder Mann
Liebt ihn nicht mehr noch minder
Als Henkersknecht und Schinder.
Und Acht und Bann ist Kinderspott."[1]
Der Alte sprach: "Erbarm' sich Gott!
Ihm klag' ich täglich neu das Leid,
Dass sich das Unrecht macht so breit.
Dahin ist der Turniere Pracht,
Dafür hat Neues man erdacht.
Einst rief man kampfesfreudig so:
Frisch auf, Herr Ritter, frisch und froh!
Jetzt aber schallt's an allen Tagen:
Hussa, Herr Ritter, auf zum Jagen,
Stich hier und schlag' zu Tode den,
Und blende, wer zu gut kann sehn.
Dem dort hau' frisch nur ab das Bein,
Den lass der Hände ledig sein.
Lass den am nächsten Baume hangen,
Doch jenen Reichen nimm gefangen,
Er zahlt uns gerne hundert Pfund."
"Mir sind die Sitten alle kund,
Mein Vater, und ich könnte eben
Von diesem neuen Brauch und Leben
Noch viel erzählen, doch heut nicht mehr;
Ich ritt den ganzen Tag umher,
Und mich verlangt nach Ruhe nun."

*Lines 1700-1790: Helmbrecht's sad end.*

Wohin er kam bei seinem Wandern,
Da zeigt' ein Bauer ihn dem andern
Und schrie ihn an und seinen Knecht:
Haha! Du dieb'scher Schuft, Helmbrecht,
Wärst du ein Bauer noch wie ich,
Man führte nicht als Blinden[2] dich."

[1] That is: We pay no attention to the decrees of the courts. — [2] Helmbrecht has had his eyes put out by a magistrate.

Ein Jahr lang litt er solche Not,
Bis durch den Strang er fand den Tod.
Ich sag' euch nun, wie das geschah.
Ein Bauer ihn von weitem sah,
Als eines Tags er durch den Wald
Hinstrich um seinen Unterhalt.
Der Bauer spaltete mit andern
Sich Holz; da sah er Helmbrecht wandern,
Der eine Kuh ihm einst genommen,
Die sieben Bänder[1] schon bekommen.
Gleich sprach er zu den lieben Freunden,
Dass sie zur Rachetat sich einten.
"Wahrhaftig," fiel gleich einer ein,
"In Stücke reiss' ich ihn so klein,
Wie Stäubchen in dem Sonnenlicht,
Nimmt ihn vorweg ein andrer nicht.
Denn mir und meinem Weibe
Zog er hinweg vom Leibe
Das letzte Kleid, das unser war;
Drum ist er mein mit Haut und Haar."
Ein dritter, der dabei stand sagte:
"Und wenn er aus sich drei auch machte,
Ich wollt' ihn töten doch allein.
Der Schuft schlug Schloss und Türen ein
Und nahm aus Küch' und Keller frech
Mir auch den letzten Vorrat weg."
Dem vierten, der das Holz zerhieb,
Vor Wut kaum noch die Sprache blieb:
"Ich reisse gleich den Kopf ihm ab
Und denke, dass ich Ursach' hab'.
Mein Kind in einen Sack er stiess,
Dieweil's noch schlummerte so süss.
Mitsamt den Betten stopft' er's ein,
In dunkler Nacht blieb ich allein.
Und als es schrie vor Schmerz und Weh,
Da schleudert' er's in kalten Schnee.
Da wär' es elend umgekommen,
Hätt' ich's nicht schnell ins Haus genommen."
Der fünfte sprach: "Ja, meiner Treu,'
Wie ich mich seines Hierseins freu'!
Wie soll mein Herz sich heute weiden
An seinen Qualen, seinen Leiden!
Er tat Gewalt an meinem Kind;
Und wär' er dreimal noch so blind,

[1] Of the 'bands' or 'rings' on the cow's horns. She was seven years old.

Ich hängt' ihn an den nächsten Baum.
Ich selber rettete mich kaum
Aus seinen Händen, nackt und bloss.
Ja, wär' er wie ein Haus so gross,
Es wird an ihm noch heut gerochen,
Nun er sich hierher hat verkrochen
In diesen tiefen, dichten Wald."
"Nur näher, kommt doch näher bald!"
So riefen sie, und bald ergoss
Sich auf Helmbrecht der ganze Tross.
Indes die Schläge auf ihn sausten,
Hohnworte ihm im Ohre brausten:
"Helmbrecht, die Haube[1] nimm in Acht!"
Was Henkershand noch nicht vollbracht
An diesem Werk voll Schmuck und Zier,
Das war gar bald getan allhier.
Ein grauses Bild: auch nicht ein Stück,
Breit wie ein Pfennig, blieb zurück.
Die Sittiche und Lerchen schön,
Wie lebende fast anzusehn,
Die Sperber und die Turteltauben,
Und was genäht sonst auf die Hauben,
Das lag zerstreut nun allerorten.
Hier trieben Lockenbüschel, dorten
Das Seidenzeug und blondes Haar.
Wär' sonst keins meiner Worte wahr,
Ihr könntet mir doch glauben,
Was ich erzähle von der Hauben.
Wie jämmerlich sie ward zerrissen!
Wollt ihr von einem Kahlkopf wissen?
Kein kahlerer ward je gesehn.
Sein Lockenhaar, so blond und schön,
Das lag verachtet und zerstreut
Rings auf der Erde weit und breit.
Das kümmerte die Bauern nicht,
Sie liessen noch den armen Wicht
Die Beichte sprechen; gleich zur Stund
Schob einer Helmbrecht in den Mund
Ein Bröckchen Erd'[2] zu Schutz und Hut
Vor Höllenfeuers heisser Glut.
Dann hängten sie ihn an den Baum.

[1] At the beginning of the poem Helmbrecht's elaborately embroidered hood is described at length. — [2] This is not to be understood as a mockery of religion. A dying person might be shrived by a layman if no priest was at hand, a bit of earth or grass being substituted for the holy host.

# XXX. THOMASIN OF ZIRCLAERE

A North-Italian cleric — Zirclaere was a village in the old duchy of Friuli — who wrote a rimed treatise on manners, morals, education, etc. He wrote first in *Wälsch*, *i. e.* Italian, or more probably French, and then in German. His German title, *Der wälsche Gast*, was a bid for the hospitable reception of the foreigner's book in Germany. And it was well received, there being evidence that it was widely read for two centuries. The poem consists of 14,752 verses in ten books and was written in 1215. There is no poetry in it, but it is interesting as a specimen of medieval didacticism.

*From the 'French Guest,' Book 3: Life's compensations; riches and poverty.*

Der Bauer möchte werden Knecht,  
Dünkt ihm einmal das Leben schlecht;  
Der Knecht, der wäre gern ein Bauer,  
Dünkt ihm einmal das Leben sauer.  
Der Pfaffe möchte Ritter wesen,  
Langweilt es ihm, sein Buch zu lesen;  
Sehr gern der Ritter Pfaffe wär',  
Wenn er den Sattel räumt dem Speer.  
Der Kaufmann, kommt er in die Not,  
Sagt: "Weh und ach, o wär' ich tot!  
Mir ist ein elend Los gegeben.  
Der Werkmann hat ein gutes Leben;  
Er bleibt zu Hause, sel'ger Mann,  
Da ich, der ich nicht werken kann,  
Muss fahren immer hin und her  
Und leiden Mühsal hart und schwer."  
Der Werkmann sagt: "Wie wonniglich  
Lebt doch der Kaufmann! Während ich  
Mich nachts mit harter Arbeit plag',  
Schläft ja der Kaufmann, wenn er mag."  
Was diesem lieb, ist jenem leid;  
Das macht die Unbeständigkeit.  
Wollte ziehen der Hund am Wagen,  
Und der Ochse Hasen jagen,  
Es deuchte uns doch wunderlich.  
Noch schlimmer aber reimt es sich,  
Bei diesem oder jenem Leiden  
Den Stand des andern zu beneiden,  
Der Knecht den Bauer und umgekehrt;  
Das ist ja beiderseits verkehrt.  
Wird Pfaffe Ritter, Ritter Pfaffe,  
So handelt jeder wie der Affe,  
Der, sorglos ob es ihm sei recht,  
Ein jedes Amt bekleiden möcht'.

Die Sach' ist trüglich ganz und gar;
Ich sage euch, und es ist wahr:
Das seine würde keiner geben,
Kannt' er nur des andern Leben.
Des Armen Mühen und des Reichen,
Die beiden sich vollständig gleichen.
Wer hat Verstand, der deutlich sieht,
Dass Armut nicht den kürzern zieht.
Dem Armen weh die Armut tut,
Der Reiche quält sich um sein Gut.
Ist man mir schuldig, tut's mir leid,
Dass keine Barschaft steht bereit;
Bin ich der Schuld'ge, leid' ich Qualen,
Weil ich nichts habe zu bezahlen.
Man sieht ja, zwischen arm und reich
Ist alles abgewogen gleich.
Der arme Mann sehnt sich nach Gut,
Der reiche Mann bedarf der Hut.
Gut wünschen ist des Armen Plage,
Und wer es hat, kommt in die Lage,
Dass er um Hilfe bitten muss·
Auf gleicher Stufe geht ihr Fuss.
Der Arme plagt sich nach dem Gute,
Dem Reichen ist es schlecht zu Mute,
Weil er noch ungesättigt bleibt;
Besitz die Sorgen nie vertreibt.
Wer hat genug und mehr noch will,
Dem hilft sein Gut genau so viel,
Als Rauch den Augen nützlich ist;
Das ist nun wahr zu jeder Frist.
Der ist sehr arm bei grossem Gut,
Der mehr begehrt in seinem Mut.
Der hat an kleinen Dingen viel,
Der hat genug und nichts mehr will.
Hat jemand einen reichen Mut,
Er ist nicht arm bei kleinem Gut.
Wem nicht genüget, was er hat,
Für dessen Armut ist kein Rat:
Des bösen Mannes kargem Mut
Genügt ja nicht das grösste Gut.
Der Geiz'ge hätte stets die Fülle,
Wäre nur nicht sein böser Wille.
Wer nicht mit wenigem kann leben,
Muss seinen Leib zu eigen geben.
Der brave Mann weiss stets Bescheid
In Reichtum und in Dürftigkeit.

---

Wir wenden mehr der Müh' und List
An das, was uns nicht nötig ist,
Als an das Nötige sogar:

Ist doch die Art sehr wunderbar.
Man lässt zu Hause Kind und Weib
Und plagt mit Arbeit seinen Leib,
Und der Gewinn ist manchmal klein;
Es würd' also viel besser sein,
Wenn man mit nur geringer Müh'
Nach Tugend würbe; so gedieh'
Uns Reichtum und ein grosses Gut
(Ich meine in dem reichen Mut).
Man gibt sehr oft den eignen Leib,
Freiheit, Seele, Kind und Weib
Um weniges, und wenn zur Stund'
Wir's kaufen sollten für ein Pfund,
Wir liessen es ganz unberührt.
Der tör'chte Mensch zu Markte führt
Sein eignes Selbst und weiss nicht wie,
Um lauter Sorge, Reu' und Müh'.
Mit seinem Selbst kauft er was ein,
Und meint, das Ding nun wäre sein;
Doch mit der Zeit wird er belehrt,
Dass er vielmehr dem Ding gehört.
Er wäre sein, wär' nicht sein Gut;
Dermassen hat er seinen Mut,
Und seinen Sinn dem Gut gegeben
Und muss als ein Leibeigner leben.
Der, der verkauft den freien Mut,
Erhält niemals ein gleiches Gut.
Wem sein Reichtum läufet vor,
Der folget nach ihm wie ein Tor.
Wer mit dem Gute unrecht tut,
Der unterwirft ihm seinen Mut,
Und wer es nicht beherrschen kann,
Der ist des Pfennigs Dienstemann.

Jetzt von der Unbeständigkeit:
Von grosser Lieb' kommt grosses Leid.
Was man erwirbt mit grosser Not,
Man lässt es doch zurück im Tod.
Der Reichtum macht niemand gesund,
Der ruft ihn in der Krankheit Stund'.
Wer da ihn liebt mit grossem Neid,
Verlässt ihn auch mit grossem Leid;
Und wie er sich mag wenden,
Es muss mit ihm doch enden.
Und Leid von Lieb' entstehen mag,
Sogar auch vor dem Todestag:
Feind, Feuer, Spiel und Tod und Diebe,

Die können machen Leid aus Liebe.
Drum mein' ich, dass der Reiche tut
Das beste, wenn er gibt sein Gut
Um ein viel besseres, das heisst,
Um Gottes Huld, die allermeist
Einträglich ist und ihm gewährt
Den Reichtum, der sich ewig mehrt,
Den kauft des Armen reiner Mut;
Drum haben sie ein gleiches Gut.
Der Arme kommt zu seinem Ziel
Geschwinder, wenn er es nur will.
Der Reiche fährt in seiner Würde,
Der Arme mit geringer Bürde
Und ohne Sorge, wie's ihm passt;
Der Reiche mit des Reichtums Last,
Dazu mit Angst und argem Wahn.
Hört er nur etwas, hält er an.
Rührt sich irgendwo 'ne Maus,
Er meint, es wäre in sein Haus
Ein Dieb gekommen, und schreit "Diebe!"
Das macht doch nur des Geldes Liebe.
Indessen dringt der Arme vor
Dem Reichen zu des Herren Tor.
Wer stets behalten will sein Gut,
Der geb' es in des Armen Hut;
Denn dieser bringt es an den Ort,
Wo es ihm bleibt als ew'ger Hort.
Wer seine Kammer hier will machen,
Er mag sie, wie er will, bewachen,
Verliert den Schatz, das Wort ist wahr,
So hier wie dort auf immerdar.
Der Karge bleibt ein Nimmersatt:
Solch Wesen auch die Hölle hat;
Drum sollten beide, meine ich
Zusammenhalten ewiglich.
Wer sich erweist der Hölle gleich,
Gehört nicht hin in Gottes Reich.

## XXXI. DER STRICKER

The assumed name of a thirteenth century writer whose real name is unknown. *Der Stricker* probably means 'the composer,' 'the poet.' He wrote a long epic, *Karl the Great*, an Arthurian romance, *Daniel of the Blooming Vale*, and several short tales of which the best is *Pfaffe Ameis*. The hero is a peripatetic rogue and practical joker who plays tricks on people and makes much money. The selection is from the translation by Karl Pannier in the Reclam library.

*From 'Pfaffe Ameis,' lines 805 ff: Ameis as doctor.*

Als nun Ameis durch diesen Schlich
Gar vieles Gut erworben sich
Dort an dem Hof zu Karolingen,[1]
Ritt er hin nach Lotharingen
Und fragete da unverwandt,
Bis er des Landes Herzog fand.
Dem meldete er eine Märe,
Dass nach dem Herrgott keiner wäre,
Der besser heilen könnt' als er.
"So hat Euch Gott gesendet her,"
Hat da das Wort der Herzog nommen;
"So bin ich froh, dass Ihr gekommen.
Ich hab' Verwandt' und Dienstleut' hier,
Von deren Leiden Kummer mir
Ersteht; siech ist ein grosser Teil.
Verleiht Euch Gott ein solches Heil,
Dass Ihr sie machen könnt gesund,
Ihr werdet reich zur selb'gen Stund'."
Ameis zu sprechen da begann:
"Ich bin ein Arzt, der solches kann.
Die von dem Aussatz sind befreit
Und nicht durch Wunden haben Leid,
Die haben Krankheit nicht so schwer —
Und wären's tausend oder mehr, —
Dass ich sie nicht gesunden macht',
Bevor der Tag entweicht der Nacht;
Geschieht dies nicht, nehmt mir das Leben.
Drum bitt' ich Euch, mir nicht zu geben
Geschenke oder Lohn, bevor
Ihr nicht gehört mit eignem Ohr,
Dass sie gesagt, sie sei'n gesund.
Dann tut mir Eure Gnade kund."
Des freute sich der Herzog sehr:
"Ihr redet wohl," erwidert' er
Und rief die Kranken unverweilt.
An zwanzig kamen da geeilt;
Die führt' der Pfaff' in ein Gemach.
"Bald hab' ich," er zu ihnen sprach,
"Von eurer Krankheit euch befreit,
Wenn ihr mir schwöret einen Eid,
Erst nach Verlauf von sieben Tagen

[1] Paris.

Von meiner Red' etwas zu sagen.
Nicht anders ich euch heilen kann."
Als er mit solcher Red' begann,
Da liessen sie sich bald besiegen.
Sie schworen, dass sie es verschwiegen,
Und er zu ihnen nun begann:
"Nun gehet ohne mich hindann
Und wollt besprechen euch dabei,
Wer unter euch der kränkste sei.
Ist er gefunden, tut's mir kund —
Bald sollt ihr werden dann gesund.
Den kränksten will ich nämlich töten,
Um euch zu helfen aus den Nöten
Mit seinem Blute allsogleich.
Mein Leben sei zum Pfande euch."
Darob erschraken alle Siechen,
Und wer da kaum vermocht' zu kriechen
Vor seiner Krankheit grimmer Not,
Der fürchtete, es sei sein Tod,
Wenn seine Not gemerkt man hab',
Und ging dahin gar ohne Stab,
Wo sie die Unterredung hatten.
Vernehmet jetzo, wie sie taten.
Es dachte da ein jeder Mann:
"Wie klein ich auch behaupten kann,
Dass meiner Krankheit Leiden sei,
So redet einer doch dabei,
Das seine sei noch kleiner;
Dann redet wieder einer,
Das seine sei zweimal so klein.
Dann sprechen alle insgemein,
Ich sei der allerkränkste hie.
So sterbe ich, geheilt sind sie.
Drum will ich mich behüten eh'r
Und sagen, dass gesund ich wär'."
So dachte er bei sich allein,
So dachten alle insgemein.
Und alle gaben zu verstehn,
Dass ihnen Gnade wär' geschehn;
Sie wären munter und gesund.
Das taten sie dem Meister kund.
Er sprach: "Ihr wollt betrügen mich."
Da schwor ein jeder feierlich
Bei seiner Treu', es wäre wahr,
Nichts tät' ihm weh, auch nicht ein Haar.
Da ward der Meister hoch erfreut.
"Geht hin nun," sprach er, "liebe Leut',
Und saget es dem Herzog an."
Das wurde unverweilt getan:
Sie gingen hin und sagten an,
Sobald sie ihren Herren sahn,
Es wär' ein heil'ger Mann gekommen;
Der Krankheit wären sie benommen.
Darob zu staunen er begann

Und fragte alle Mann für Mann,
Ob sie durch Lug ihn täuschten nicht.
Da zwang sie ihres Eides Pflicht,
Den sie Ameis, dem Pfaffen, taten,
Dass keine andre Red' sie hatten,
Als die: "sie wären ganz gesund."
Da liess an Silber zu der Stund'
Dem Pfaffen hundert Mark er geben.
Und dieser kannt' kein Widerstreben,
Liess ab sich schnell das Silber wägen
Und forderte den Reisesegen;
Dann eilt' hinweg er unverwandt.

## XXXII. FREIDANK.

The assumed name of a popular gnomic poet who lived in the first half of the 13th century. His fame rests on his *Bescheidenheit*, which means the 'wisdom' or 'sagacity' that comes of experience. The book is a miscellaneous collection of proverbial and aphoristic sayings. The titles of those given below were supplied by the translator.

### 1
### Geheimnis der Seele.

Wie die Seele geschaffen sei,
Des Wunders werd' ich hier nicht frei.
Woher sie komme, wohin sie fahr',
Die Strass' ist mir verborgen gar.
Hier weiss ich selbst nicht, wer ich bin;
Gott gibt die Seel', er nehme sie hin:
Gleichwie ein Hauch verlässt sie mich,
Und wie ein Aas da liege ich.

### 2
### Unentbehrlichkeit der Toren.

Der Weisen und der Toren Streit
Hat schon gewähret lange Zeit
Und muss auch noch viel länger währen;
Man kann sie beide nicht entbehren.

### 3
### Borniertheit der Toren.

Der Tor, wenn er 'ne Suppe hat,
Kümmert sich gar nicht um den Staat.

### 4
### Nachahmungssucht der Toren.

Findet ein Tor eine neue Sitt',
Dem folgen alle Toren mit.

### 5
### Selbstgefälligkeit.

Uns selbst gefallen wir alle wohl;
Drum ist das Land der Toren voll.

### 6

**Selbstüberschätzung.**

Wer wähnt, dass er ein Weiser sei,
Dem wohnt ein Tor sehr nahe bei.

### 7

**Alter und Jugend.**

Haben alte Leute jungen Mut,
Und junge alten, das ist nicht gut;
Singen, springen soll die Jugend,
Die Alten wahren alte Tugend.

### 8

**Grenzen der Fürstenmacht.**

Und sollte es der Kaiser schwören,
Der Mücken kann er sich nicht wehren;
Was hilft ihm Herrschaft oder List,
Wenn doch ein Floh sein Meister ist.

### 9

**Der unbedeutende Feind.**

Dem Löwen wollt' ich Friede geben,
Liessen mich die Flöhe leben.

### 10

**Der kühnste Vogel.**

Die Flieg' ist, wird der Sommer heiss,
Der kühnste Vogel, den ich weiss.

### 11

**Rom und der Papst.**

Zu Rom ist manche falsche List,
Daran der Papst unschuldig ist.

### 12

**Weisheit und Reichtum.**

Ich nähme Eines Weisen Mut
Für zweier reicher Toren Gut.

### 13

**Scheinheiligkeit.**

Von manchem hört' ich schon mit Neid,
Er pflege grosser Heiligkeit;
Und sah ich ihn, da dünkt' es mich,
Er wäre nur ein Mensch wie ich.

### 14

**Der freie Gedanke.**

Deshalb sind Gedanken frei,
Dass die Welt unmüssig sei.

### 15

**Lebensregel.**

Man soll nach Gut und Ehre jagen
Und Gott dennoch im Herzen tragen.

### 16

**Minneglück.**

Wer minnet, was er minnen soll,
Dem ist mit Einem Weibe wohl;
Ist sie gut, so ist ihm gewährt,
Was man von allen Weibern gehrt.

# XXXIII. PLAY OF THE TEN VIRGINS

One of the earliest attempts at dramatic composition in German. There is a tradition that it was played in 1322 before the Landgrave of Thuringen and that he was so overwhelmed by its picture of Christ as stern judge that he fell into a moody despair which endured five days and ended with an apoplectic stroke from which he died three years later.

*Die erste Törichte spricht also:*

Herr Vater, himmelischer Gott,
Tu' es bei deinem bittern Tod,
Den du am Kreuze hast erduldet:
Verzeih' uns armen Jungfraun, was wir verschuldet.
Verleitet hat uns leider unsre Torheit;
Lass uns geniessen deiner grossen Barmherzigkeit,
Und Mariens, der lieben Mutter dein,
Und lass uns zu dem Gastmahl hier herein.

*Jesus spricht also:*

Wer die Zeit der Reue versäumet hat
Und auch nicht büsste seine Missetat
Und kommt zu stehn vor meiner Tür,
Der findet keinen Eintritt hier.

*Die zweite Törichte spricht:*

Tu' auf, o Herr, dein Tor!
Die gnadenlosen Jungfraun stehen davor
Lieber Herr, wir bitten dich sehr,
Dass deine Gnade sich uns zukehr'.

*Jesus spricht also:*

Ich weiss nicht, wer ihr seid.
Da ihr zu keiner Zeit
Mich selber habt erkannt
Noch die Taten meiner Hand,
So bleibt euch Gnadenlosen
Das Himmelstor verschlossen.

*Die dritte Törichte spricht also:*

Da Gott uns Heil versagt,
Beten wir zu der reinen Magd,
Mutter aller Barmherzigkeit,
Dass sie uns huld sei in unsrem grossen Herzeleid
Und zu ihrem Sohn flehe für uns Armen,
Dass er sich unser woll' erbarmen.

*Die vierte Törichte spricht:*

Maria, Mutter und Magd,
Uns ward gar oft gesagt,
Du seiest aller Gnade voll;
Nun bedürfen wir der Gnade wohl.

Dies bitten wir dich sehr
Bei aller Jungfrauen Ehr',
Dass du zu deinem Sohn flehest für uns Armen,
Er möge sich unser gnädig erbarmen.

*Maria spricht also:*

Tatet ihr je mir oder meinem Kinde etwas zu Frommen,
Es müsste euch jetzt zu statten kommen.
Das tatet ihr aber leider mit nichten,
Drum wird unser beider Bitte wenig ausrichten.
Doch will ich's versuchen bei meinem Kinde,
Ob ich vielleicht Gnade finde.

*Maria fällt auf die Kniee vor unsern Herrn und spricht:*

Ach, liebes Kind mein,
Gedenke der armen Mutter dein,
Gedenke der mannigfaltigen Not,
Die ich erlitt durch deinen Tod.
Herr Sohn, da ich dein genas,
Hatt' ich weder Haus noch Palas,
Ganz arm war ich;
Das hab' ich erlitten für dich.
Ich hatte mit dir Mühe, es ist wahr,
Mehr als dreiunddreissig Jahr;
Sieh, liebes Kind, das lohne mir
Und erbarme dich dieser Armen hier.

*Jesus spricht zu Maria:*

Mutter, denkt an das Wort,
Das sie finden geschrieben dort:
Wolken und Erde sollen vergehn,
Meine Worte sollen immer stehn.
Du errettest den Sünder nimmermehr,
Weder du noch das ganze himmlische Heer.

*Die erste Törichte spricht also:*

Ach Herr, bei deiner Güte
Erweiche dein Gemüte
Und erzürne dich nicht so sehr.
Bei aller Jungfrauen Ehr'
Schau' heute unser Elend an;
Es reut uns, was wir dir zu Leid je haben getan.
Nicht wieder wollen wir uns vergehen;
Erhöre deiner Mutter Flehen
Und lass uns arme Jungfrauen
Die Festlichkeit beschauen.
Maria, aller Sünder Trösterin,
Hilf uns zum Freudensaal darin!

*Maria spricht also:*

Eure Fürsprecherin will ich gerne sein.
Wäret ihr nur von Sünde frei,
Ihr kämet desto leichter herein.
Ich will aber für euch mein Kind Jesum bitten.
Liebes Kind, lass dich meiner Bitte nicht verdriessen!
Lass heute unsre Tränen vor deinen Augen fliessen,
Und denke an das Ungemach,

Das ich erlitt an deinem Todestag,
Da ein Schwert durch meine Seele ging.
Also für jene Pein, die ich um dich empfing,
Belohne mich zu gunsten dieser Armen
Und ihrer lass dich nun erbarmen.
Du bist ihr Vater, eine jede ist dein Kind;
Denke, wie lästig sie dir auch geworden sind
In manchem Ungemache,
Und in was für einer Sache
Der Sünder dich auch geplagt,
Er ist dennoch die Schöpfung deiner Macht.
Mein Sohn, du trauter, guter,
Erhöre deine Mutter.
Hab' ich dir je einen Dienst getan,
So nimm dich dieser Armen an,
Damit die jammervolle Schar
Zu Himmel ohne Urteil fahr'.

*Jesus spricht also :*

Nun schweiget, Frau Mutter mein;
Solche Rede mag nicht sein.
Da sie auf der Erde waren,
Gute Werke sie nicht gebaren.
Ihnen gemäss war alle Schlechtigkeit;
Drum versag' ich ihnen meine Barmherzigkeit,
Nach der sie dort nie suchten,
Und schicke sie zu den Verfluchten;
Ihre späte Reue soll nichts nützen.
Zu Gericht will ich jetzt sitzen:
Geht, ihr Verfluchten an Seel' und Leibe,
Wie ich euch von mir jetzt vertreibe.
Geht in das Feuer unter die Hut
Des übeln Teufels und seiner Brut!
Sünder, geh von mir!
Trost und Gnade versag' ich dir.
Kehre von den Augen mein,
Fern bleibe dir meines Antlitz' Schein!
Scheide von meinem Reich,
Das du, dem Toren gleich
Durch deine Sünden verloren hast;
Trage mit dir der Sünden Last!
Gehe hin und schrei' und heul'!
Keine Hilfe wird dir je zu teil.

## XXXIV. EASTER PLAYS

The Easter plays grew out of a brief and solemn church function, which followed a Latin ritual. In time German superseded the Latin, but without replacing it entirely; the performances increased greatly in scope, took in elements of fun, buffoonery and *diablerie*, outgrew the churches and became great popular festivals, which were usually held in the market-place. The performance of an Easter play together with a preceding passion play might occupy several hundred actors for a number of days. The texts as known to us are hardly 'literature' in the narrower sense. They were written by men of small poetic talent, who rimed carelessly, used the rough-and-ready language of the people, did not shrink from indecency and aimed at dramatic rather than poetic effects.

## I

*From the Redentin play: Christ's descent into hell.*[1]

LUCIFER

Nun seht, ist das nicht ein wunderlich Getue,
Dass wir nicht mehr sollen leben in Ruhe?
Wir wohnen hier schon über fünftausend Jahr
Und wurden solches Unfugs noch nie gewahr,
Wie man ihn jetzt gegen uns will treiben;
Dennoch wollen wir hier verbleiben,
So lange wir stehen noch kampfbereit,
Ob es euch allen sei lieb oder leid.

LUCIFER (*ad David*)

David, wer ist dieser König der Ehren?

DAVID

Das kann ich dir wohl leicht erklären:
Er ist der starke Herr,
Mächtig im Kampf und in aller Ehr';
Er ist's, der alle Dinge hat erschaffen.

LUCIFER

O weh, so sind unnütz all unsre Waffen
Und all unsre Wehr,
Kommt der gewaltige König hierher.

JESUS

Ich fordre, Riegel an dieser Hölle,
Dass du dich auftuest in der Schnelle.
Ich will zerbrechen das Höllentor
Und die Meinen führen hervor.

(*et cantat: Ego sum Alpha et Omega, etc.*)

Ich bin ein A und auch ein O;
Das sollt ihr wissen alle, so
Hier seid in dieser Höllenfeste.
Ich bin der Erste und auch der Letzte.
Der Schlüssel Davids bin ich gekommen,
Um zu erlösen meine Frommen.

[1] The original, in the Middle Low German of Mecklenburg (Redentin is a village near Wismar) is printed in Kürschner's *Deutsche Nationalliteratur*, Vol. 14. — Upon coming to life in the tomb and escaping the guards stationed by Pilate, Christ descends into hell to release the 'fathers.' Lucifer's first speech — he is the over-lord of hell and Satan his first lieutenant — is addressed to the devils in view of the rumored approach of the King of Glory.

SATANAS

Wer ist dieser Mann mit dem roten Kleide,
Der uns so vieles tut zu Leide?
Eine Unanständigkeit ist das
Und beleidigt uns in hohem Mass.

JESUS

Schweig', Satan, und sei bange!
Schweige, verdammte Schlange!
Spring auf, du Höllentor!
Die Seelen sollen hervor,
Die darin sind gefangen.
Ich habe am Galgen gehangen
Für die, die taten den Willen mein.
Ich habe gelitten grosse Pein
In meines Leibs fünf Wunden.
Damit soll Lucifer sein gebunden
Bis an den jüngsten Tag:
Ihm ewige Pein und ein grosser Schlag.

(*Tunc cum vehemencia confringit infernum*)

Weichet von hier geschwinde,
All ihr Höllengesinde!

(*et arripit Luciferum*)

Lucifer, du böser Gast,
Du trägst fortan dieser Ketten Last,
Nicht mehr treibst du dein schändlich Wesen;
Meine Lieben sollen vor dir genesen.

(*Chorus cantat: Sanctorum populus — Anime cantant: Advenisti — Jesus cantat: Venite benedicti — cum ricmo:*)

Kommt her, meine Benedeiten!
Not sollt ihr nicht mehr leiden.
In meines Vaters Reich begleitet ihr mich,
Um dort euch zu freuen ewiglich
Im lauteren Glanz der Seligkeit,
Die euch ohn' Ende stehet bereit.

(*et arripit Adam manu dextra*)

Adam, gib mir deine rechte Hand!
Heil und Glück sei dir bekannt!
Ich vergebe dir,
Was du verbracht zu Leide mir.

ADAM

Lob sei dir und Ehr',
Du Weltgebieter hehr!
Ich und all mein Geschlecht
Waren verdammt mit Recht.
Doch wolltest du in deiner Barmherzigkeit
Uns erlösen aus solcher Jämmerlichkeit.
Eva! Eva!
Selig Weib, komm mal her ja!

(*et cantat: Te nostra vocabant suspiria —*)

JESUS

Du warst an deinen Sünden gestorben;
Nun hab' ich sterbend dich wieder erworben

Und will dich führen zu des Vaters Thron.

EVA

O Herr Jesus, Gottes Sohn,
Ich habe gesündigt gegen dich,
Indem ich liess betrügen mich
Und Trotz bot deinem Worte.
Drum wohn' ich hinter der Höllenpforte
Wohl fünftausend Jahr!
Nun bin ich erlöset offenbar.

2

*From the Vienna play: The quacksalver scene.*[1]

(*Nun kommen die Personen und singen.*)

Allmächtiger Gott, Vater der höchste,
Der Engel Trost, der aus der Not
Uns rettete und Trost uns bot —

DIE ZWEITE PERSON

Vater, allmächtiger Gott,
Dem die Engel stehn zu Gebot,
Was soll uns Armen nun geschehen,
Da wir dich nicht mehr sollen sehen?
Wir haben den verloren,
Der uns zum Troste ward geboren,
Jesus Christus,
Der reinen Jungfrau Sohn,
Der der Welt Hoffnung war.
O, wie gross ist unser Schmerz!
Wir haben verloren Jesus Christ,
Der aller Welt ein Tröster ist,
Mariens Sohn, den reinen;
Drum müssen wir beweinen
Bitterlich seinen Tod,
Da er uns half aus grosser Not.

DIE DRITTE PERSON

Wir wollen dahin, wo er im Grabe liegt,
Und ihn betrauern, der den Tod besiegt
Für uns, und salben ihm die Wunden sein;
O weh, wie gross ist unsre Herzenspein!
Geliebte Schwestern beide,
Wie sollen wir leben in unserm Leide,
Wenn wir entbehren müssen
Jesus den süssen?
Drum gehen wir und kaufen Salben,
Damit wir ihm allenthalben
Bestreichen seine Wunden
In diesen frühen Stunden.

[1] The original is printed in the *Fundgruben* of Hoffmann von Fallersleben, 1837. The 'Personen' are the three Marys, who go at break of day to anoint the body of the buried Christ. On the way they are taken in by a peripatetic quacksalver who has a cantankerous wife and a scapegrace clerk named Rubin.

(*Der Kaufmann ruft dem Knechte*)

Rubein! Rubein! Rubein!

(*Rubinus kommt gelaufen*)

Was wollt Ihr denn, Herr Meister mein?

MERCATOR

Rubein, wo hast du so lange gesteckt?
Du tust deinen Dienst nicht recht.
Du solltest hier kaufen und verkaufen
Und die Leute schinden und täuschen.

RUBINUS

Herr, ich besuchte jene alten Weiber;
Ich wollte auftreten als Harnsteinschneider.

MERCATOR

Rubein, es wird wohl nächstens tagen.
Ich hör' ein jämmerlich Klagen
Von drei Frauen, die singen;
Uns mag jetzt wohl gelingen,
Ein gut Geschäft zu machen mit Ehr';
Geh und rufe sie hierher.

RUBINUS

Herr, welche meinest du?
Soll ich sie alle rufen herzu?

MERCATOR

Doch nicht! Rufe nur die allein,
Die am Wege klagen und schrein.

(*Rubinus geht zu den Schwestern*)

Gott grüss' euch, Frauen, zu jeder Zeit.
Ich sehe wohl, dass ihr betrübet seid.
Was euch mag immer schmerzen,
Ihr seufzt mit schwerem Herzen.
Es tut mir leid, das glaubet mir,
Dass so betrübt ihr stehet hier.

*Die Personen sagen:*

Gut Kind, Gott lohn' es dir!
Wir haben ein schwer Gemüt allhier.

RUBINUS

Das bessere Gott in seiner Güte
Und euch vor allem Leid behüte!
Ausser Trost hättet ihr was gern,
So geht und fragt bei meinem Herrn.

DIE ZWEITE PERSON

Gott segne dich, du guter Knabe,
Und lass gedeihen deine Habe!
Unser Leid ist verborgen.
Wir wollen dir gerne folgen;
Nicht länger wollen wir hier stehn,
Wir wollen gerne mit dir gehn.

*Mercator canit:*

Ihr Frauen, seid mir höchst willkommen!
Ich hoffe zu fördern euer Frommen.

Ist etwas hier, was ihr begehrt,
Es wird euch gern von mir gewährt.
Ich habe die besten Salben,
Die da allenthalben
Im Lande werden zu finden sein,
In Ysmodia und in Neptaleim.
So wahr ich mir den Korb und Stab
Mitgebracht habe aus Arab;
So wahr mein schönes Weib Antonie
Mit mir kam von Babylonie,
So muss euch diese recht gedeihen,
Denn ich brachte sie von Alexandreien.

Die dritte Person

Guter Mann, ich hab' in der Hand
Drei schöne Gulden von Byzant.
Gib uns dafür reichlichermassen,
Und möge Gott dich leben lassen!

Mercator

Da ihr beim Kauf nicht feilschen wollt,
Will ich verdienen euer Gold.
Nehmt also erstens diese Büchse,
Die besser ist als andre fünfe.
Und nehmet diese auch dabei,
Die besser ist als andre zwei.
Und diese Büchse nehmet, so
Noch besser ist als andre zwo.

Tertia Persona

Nun sage uns, du guter Mann,
Sollen wir mit dieser Salbe gahn?

Mercator

Ja, Frau, und wär' ich rotes Gold,
Ihr sollt sie tragen, wohin ihr wollt.

*Die Ärztin spricht zornig:*

Ihr Frauen, lasst die Büchsen stehn!
Ihr sollt damit von hier nicht gehn,
Sie kosteten mir allzuteuer;
Die macht' ich neulich überm Feuer.
Geht schnell von meinem Krame ab,
Sonst schlag' ich euch mit einem Stab.

*Der Krämer spricht zu ihr:*

Wie doch, Ihr böse Haut!
Wie dürft Ihr immer werden laut?
Wollt Ihr tadeln mein Verkaufen,
Ich will Euch schlagen, will Euch raufen.

Mercatrix

Wie ist der Flachsbart doch so dreist!
Du bist ein rechter Plagegeist.
Der Geier soll dich schänden
Hier unter meinen Händen!

MERCATOR

Frau, lasst ab von Eurem Schwatzen,
Sonst fühlt Ihr nächstens meine Tatzen.

MERCATRIX

Ich schweige nicht, das sag' ich dir!
Wenn du kommst von deinem Bier,
Bist du betrunken wie ein Schwein.
Mög' es dir nimmermehr gedeihn!

MERCATOR

Schweigt, Frau, sonst rollt Ihr bald zu Hauf.

MERCATRIX

Da drüben geht der Vollmond auf.

MERCATOR

Schweigt, oder ich geb' Euch einen Schlag.

MERCATRIX

Klotz, da er hier besoffen lag!

MERCATOR

O du altes Redefass!
Ich trug dir doch niemals Hass.
Nun geb' ich dir eins auf den Kopf,
Dass es summt dir unterm Schopf.
Und eins noch kriegst du auf den Rücken,
Das weh tun soll in allen Stücken.

MERCATRIX

Ach, ach, ach und leider!
Sind das doch die neuen Kleider,
Die du zu Ostern mir gesandt.
Wärst du nur ins Feuer gerannt!
Gott gebe dir Geschwür' im Magen,
Dass du krepierst in wenig Tagen!
Wärst du nicht zu Wien entgangen,
Man hätte dich schon längst gehangen.
Du hast auch einen roten Bart
Und bist ein Kobold schlimmster Art.

MERCATOR

Fraue, liebe Fraue mein,
Möget Ihr immer selig sein!
Vergib mir, dass ich dich geschlagen,
Aber du hast so viel zu sagen.
Die Klage machst du mannigfalt,
Und daran tust du mir Gewalt.
Du hast ein wunderlich Gebärde,
Und willst mich bringen unter die Erde.

MERCATRIX

Ja, ich vergebe dir die Schläge
Am Tag, wo ich dich ins Grab hinlege.

MERCATOR (*zu Rubin*)

Hinweg mit den Pulvern!  
Hier kann ich nicht mehr bleiben.  
Hebe auf Korb und Stab,  
Und laufen wir nach Arab  
Weithin von diesem Lande:  
Sonst kämen wir vielleicht zu Schande.

RUBINUS (*dicit*)

Herr, ich packe ein recht gerne  
Und laufe mit in weite Ferne.

## XXXV. REYNARD THE FOX

A humorous poem, with incidental satire, which enjoyed the favor of all medieval Europe. The earliest German attempt to weave a continuous narrative out of the animal-stories that had previously been current in Latin, and to some extent in French, was that of an Alsatian poet, Heinrich der Glichezare, who wrote about 1180 and drew upon French sources. With the exception of a badly preserved fragment this poem is lost. It was called *Isengrines Not* and described the pranks played by the cunning fox on the stupid wolf. Half a century later it was worked over by an unknown rimester who changed the title to *Reinhart Fuchs*. This is the High German version from which the first of the selections below is translated. More important in a literary way is the Low German version, of which the earliest print dates from 1498. A specimen of this is given in Simrock's translation.

I

*From the High German 'Reinhart Fuchs,' lines 663 ff: Reynard initiates the wolf as a monk and teaches him to catch fish.*

"Gevatter," sprach Herr Isengrin,  
"Gedenkst du stets als Mönch hierin  
Zu wohnen bis zu deinem Tod?"  
"Ja wohl," sprach er, "es tut mir not:  
Du wolltest ohne meine Schuld  
Mir versagen deine Huld  
Und nehmen wolltest du mein Leben."  
Sprach Isengrin: "Ich will's vergeben,  
Hast du mir je ein Leid getan,  
Wenn ich nun mit dir wohnen kann."  
"Vergeben? Mir?" sprach da Reinhart,  
"Mein Leben sei nicht mehr bewahrt,  
Tat ich je was zu Leide dir.  
Wüsstest du mir Dank dafür,  
Ich gäbe dir zwei Stücke Aal,  
Den Rest von meinem letzten Mahl."  
Herr Isengrin war hoch erfreut.  
Er öffnete das Maul sehr weit,

Und Reinhart warf sie ihm in Mund.
"Ich bliebe immermehr gesund,"
Sprach Isengrin mit blödem Sinne,
"Wär' ich nur einmal Koch da drinne."
Reinhart sprach: "Ist bald getan.
Willst du hier Brüderschaft empfahn,
So wirst du Meister über die Braten."
Dem war es recht, wie ihm geraten.
"Das tu' ich," sagte Isengrein.
"Also steck deinen Kopf herein,"
Sprach Reinhart. Jener war bereit,
Und eilig nahte sich sein Leid.
Er tat hinein die Schnauze gross,
Und Bruder Reinhart ihn begoss
Mit heissem Wasser, das ist wahr,
Und brachte ihn um Haut und Haar.
Isengrin sprach: "Weh tut das mir."
Reinhart sagte: "Wähnet Ihr
Den Himmel mühlos zu gewinnen?
Ihr seid doch nicht so ganz von Sinnen?
Gern mögt Ihr leiden diese Not,
Gevatter, wenn Ihr läget tot:
Die Brüderschaft habt Ihr empfahn,
Und alle Tage von nun an
Habt Ihr an tausend Messen teil,
Was sicherlich Euch bringt zum Heil."
Isengrin meint', es wäre wahr;
Er klagte nicht um Haut und Haar,
Die er nun nicht mehr nannte sein.
Er sprach: "Jetzt, Bruder, sind gemein
Die Äle, die noch drinne sind,
Da ich wie du ein Gotteskind.
Wer mir ein Stück davon versagt,
Wird vor dem Abte angeklagt.
Reinhart sprach: "Nie tät' es not;
Euch steht das Unsrige zu Gebot
In brüderlicher Minn' und Ehr',
Doch hier sind keine Fische mehr.
Ich will Euch aber führen gleich
Zu unserm klösterlichen Teich,
In dem so viele Fische gehen,
Dass niemand mag sie übersehen.
Die Brüder taten sie hinein."
"Lasst uns nur hin," sprach Isengrein;
Da gingen sie gleich ohne Zorn,
Der Teich war aber überfrorn.
Sie begannen nachzuschauen;
Es war ein Loch im Eis gehauen,
Wo man sich Wasser herausnahm,
Was Isengrin zu Schaden kam.

Sein Bruder trug ihm grossen Hass
Und einen Eimer nicht vergass;
Reinhart war froh, als er ihn fand
Und an den Schwanz dem Bruder band.
Da sprach Herr Isengrein:
"In nomine patris! Was soll das sein?"
"Senkt hier den Eimer," Reinhart sprach,
"Und wartet ruhig und gemach
Indem ich treibe sie hierher;
Nicht lange bleibt Ihr magenleer,
Weil ich sie sehen kann durchs Eis."
Herr Isengrin war nicht sehr weis'.
Er sprach: "Sagt mir in Bruderminne,
Gibt es denn wirklich Fisch' hierinne?"
"Ja Tausende hab' ich gesehn."
"Wohl denn, es kann uns Glück geschehn."
Isengrin hatte dummen Sinn;
Bald fror der Schwanz ihm fest darin.
Die Nacht ward schrecklich kalt am Ort,
Doch Reinhart schwieg nur immerfort.
Herr Isengrin fror mehr und mehr;
Er sprach: "Der Eimer wird mir schwer."
"Ich zähle drin, bei meiner Ehr',
Der Äle dreissig," sprach Reinhart;
"Dies wird uns eine nütze Fahrt.
Steht nur noch wenig Zeit in Ruh',
Es kommen hundert noch dazu."
Nachher, als es begann zu tagen,
Sprach Reinhart: "Leider muss ich sagen,
Mir bangt des grossen Reichtums wegen.
Ich bin in hohem Grad verlegen,
Weil so viel Fische uns gegönnt,
Dass Ihr sie gar nicht heben könnt.
Versucht's doch, ob es Euch gelingt,
Dass Ihr heraus den Eimer bringt."
Herr Isengrin fing an zu ziehen,
Doch all umsonst war sein Bemühen;
Den Eimer musst' er lassen stehen.
Reinhart sprach: "Ich will jetzt gehen
Zu den Brüdern, dass sie kommen;
Es soll der Fang uns allen frommen."
Bald kam herauf die helle Sonn',
Und Reinhart machte sich davon.

## 2

*From the Low German 'Reinke de Vos,' Book 2: Reinke under the Pope's ban; Martin the Ape offers to assist him.*

Als Martin der Affe das vernommen,
Reinke wolle zu Hofe kommen,
Zu reisen gedacht' er just nach Rom.
Er ging ihm entgegen und sprach: "Lieber Ohm,
Fasst Euch ein Herz und frischen Mut."
Den Stand seiner Sache kannt' er gut,
Doch frug er nach ein und anderm Stück.
Reineke sprach: "Mir ist das Glück
In diesen Tagen sehr zuwider.
Gegen mich klagen und zeugen wieder
Etliche Diebe, wer es auch sei,
Das Kaninchen ist und die Krähe dabei.
Der eine hat sein Weib verloren,
Der andre die Hälfte von seinen Ohren.
Könnt' ich selber vor den König kommen,
So sollt' es beiden wenig frommen.
Was mir am meisten schaden kann,
Ist dies: Ich bin in des Papstes Bann.
Der Probst hat in der Sache Macht,
Aus dem der König selber viel macht.
Warum man in den Bann mich tat,
Ist, weil ich Isegrim gab den Rat,
Da er ein Klausner war geworden,
Dass er weglief' aus dem Orden,
In den er bei Clemar sich begeben.
Er schwur, er könne nicht mehr leben
In solch hartem, strengem Wesen,
So lang zu fasten, so viel zu lesen.
Ich half ihm weg; das reut mich jetzt,
Zumal er mich zum Dank verschwätzt:
Er feindet mich beim König an
Und tut mir Schaden, wo er kann.
Geh' ich nach Rom, so setz' ich fürwahr
Weib und Kinder in grosse Gefahr,
Denn Isegrim wird es nicht lassen,
Ihnen nachzustellen und aufzupassen
Mit andern, die mir zu schaden trachten
Und schon manches wider mich erdachten.
Würd' ich nur aus dem Bann gelöst,

So wär' mir Mut ins Herz geflösst;
Ich könnte getrost mit besserm Gemache
Sprechen für meine eigne Sache."
Martin sprach: "Reineke, lieber Ohm,
Ich bin eben auf dem Weg nach Rom;
Da will ich Euch helfen mit schönen Stücken,
Ich leide nicht, dass sie Euch unterdrücken.
Als Schreiber des Bischofs, könnt Ihr denken,
Versteh' ich was von solchen Ränken.
Ich will den Probst nach Rom citieren
Und will so gegen ihn plädiren;
Seht, Ohm, ich schaff' Euch Excusation
Und bring' Euch endlich Absolution,
Und wenn der Probst sich vor Ärger hinge.
Ich kenn' in Rom den Lauf der Dinge,
Und was zu tun ist, weiss ich schon.
Da ist auch mein Oheim Simon,
Der sehr mächtig ist und hochgestellt
Und jedem gerne hilft fürs Geld.
Herr Schalkefund steht auch da hoch,
Dr. Greifzu und andre noch,
Herr Wendemantel und Herr Losefund,
Die sind da all mit uns im Bund.
Ich habe Geld voraus gesandt,
Mit Geld wird man am besten bekannt.
Ja, Quark, man spricht wohl von Citieren;
Sie wollen nur, man soll spendieren.
Wär' eine Sache noch so krumm,
Man biegt mit Geld sie um und um.
Wer Geld bringt, mag sich Gnade kaufen;
Wer das nicht hat, den lässt man laufen.
Seht, Ohm, seid ruhig um den Bann,
Ich nehme mich der Sachen an
Und bring' Euch frei, Ihr habt mein Wort.
Geht dreist zu Hof, Ihr findet dort
Frau Riechgenau, mein Ehgemahl.
Der König liebt sie, und zumal
Auch unsre Frau, die Königin,
Denn sie hat klugen, behenden Sinn.
Sprecht sie an, sie liebt die Herrn
Und verwendet sich für Freunde gern.
Sie ist Euch zu jedem Dienst erbötig.
Das Recht hat manchmal Hilfe nötig.
Bei ihr sind ihrer Schwestern zwei,

Dazu auch meiner Kinder drei
Und viel andre noch von Euerm Geschlecht,
Die gern Euch helfen zu Euerm Recht.
Kann Euch denn sonst kein Recht geschehn,
So lass' ich meine Macht Euch sehn.
Macht es mir nur gleich bekannt.
Alle, die wohnen im ganzen Land,
Den König und alle, Weib und Mann,
Die bring' ich in des Papstes Bann
Und schick' ein Interdict so schwer,
Man soll nicht begraben noch taufen mehr,
Und keine Messe lesen noch singen.
Drum, lieber Ohm, seid guter Dingen!
Der Papst ist ein alter, schwacher Mann,
Er nimmt sich keiner Sache mehr an;
Drum hat man sein auch wenig acht.
Am Hofe übt die ganze Macht
Der Kardinal von Ohnegenügen,
Ein rüstiger Mann, der weiss es zu fügen.
Ich kenn' ein Weib, die hat er lief,
Die soll ihm bringen einen Brief.
Mit der bin ich sehr wohl bekannt,
Und, was sie will, geschieht im Land.
Sein Schreiber heisst Johann Partei,
Der kennt wohl Münze alt und neu.
Horchgenau ist sein Kumpan,
Der ist des Hofes Kurtisan.
Wendundschleich ist Notarius,
Beider Rechte Baccalaureus;
Übt der ein Jahr noch seine Tücken,
So wird er Meister in Praktiken.
Moneta und Donarius halten jetzt
Die Richterstühle dort besetzt;
Wem sie das Recht erst abgesprochen,
Dem ist und bleibt der Stab gebrochen.
So gilt in Rom jetzt manche List,
Daran der Papst unschuldig ist.
Die muss ich alle zu Freunden halten:
Sie haben über die Sünden zu schalten
Und lösen das Volk all aus dem Bann.
Oheim, vertraut Euch mir nur an!
Der König hat es schon vernommen,
Dass ich Euch will zu Hilfe kommen.
Er weiss auch, dass ich der Mann dazu bin;
Drum kommt Ihr nicht zu Ungewinn.

Bedenkt alsdann der König recht,
Wie viele vom Affen- und Fuchsgeschlecht,
In seinem geheimsten Rate sitzen.
Geh's wie es will, das muss Euch nützen."
Reineke sprach: "Ich bin getröstet;
Ich dank' Euch's gern, wenn Ihr mich löstet."

## XXXVI. PETER SUCHENWIRT

The most gifted verse-writer of the poetically barren 14th century. He was a 'wandering singer' who depended for his livelihood upon the patronage of princes and spent the most of his life in Austria. He died about 1400. The selection is a translation of his *Red' von der Minne.*

### A Discourse of Love.

Ich wanderte an einem Tag
In einen wonniglichen Hag,
Darin die Vögel sungen;
Da kam ich unbezwungen
Auf einem wonniglichen Raume
Zu einem dichtbelaubten Baume,
An deren Wurzeln wundervoll
Hervor ein kaltes Brünnlein quoll.
Da fand ich sitzen hart anbei
Drei Frauen alle mangelfrei,
Minne, Stæt' und Gerechtigkeit.
Die erste klagt' ihr Herzensleid,
Bezwungen von des Schmerzes Not;
Sie sprach: "Ich bin beinahe tot
An Ehren und an Sinnen:
Die mich sollten minnen,
Sie sind ein ehrloses Geschlecht.
Da ich nun, Minne, mit Unrecht
Auf Erden kam zu solchem Leben,
Sollt ihr getreuen Rat mir geben.
Gerechtigkeit, in Gottes Namen,
Von dem die zehn Gebote kamen,
Macht, dass mein Recht mir werd' erteilt:
Wer Minne lasterhaft vergeilt
Und reiner Frauen Würdigkeit,
Der büss' es! Das ist nun mein Leid."
Gerechtigkeit sprach zu der Stæte:
"Wir hätten nötig gute Räte,
Um recht zu richten die Geschicht'."
Frau Stæte sprach mit Worten schlicht:
"Nun hört und merkt, was ich will sagen:
Wem Minne Hass mag tragen,
Den wollen wir in aller Schnelle
Sogleich verhören auf der Stelle."
Gerechtigkeit tat auf den Mund:
"Macht uns allhier mit Worten kund,

Durch wen Ihr leidet solche Pein.”
Frau Minne sprach: “Der Jammer mein
Ist leider hart und schauderhaft,
Weil mancher Prahler lügenhaft
Von reinen Frauen faselt. Ach,
Dass Gott ihn nicht mit seinem Schlag
Getroffen aller Welt zur Lehr’!
Das würde mich erfreuen sehr,
Wie ich bekenne öffentlich.
Die schnöden Dinge liebt er sich
Und schwatzt von dem, was er nie sah.
Drum sollt’ er in die Höll’ und da
Die heisse Loh ihn sengen,
Der Teufel hart bedrängen,
Zur Ahndung seiner falschen List,
Weil er ein loser Schwätzer ist.
Darüber sollt ihr richten mir.”
  Gerechtigkeit erwidert’ ihr:
“So sei’s! Ein Urteil soll geschehn:
Ihn soll kein lieblich Aug’ ansehn,
Von einer reinen Frauen zart;
Ihr Mund sei gegen ihn verspart,
Dass ihm kein Gruss mag werden kund
Von einem rosenroten Mund.
Das ist der strenge Wille mein.”
  Frau Stæte sprach: “Ich leid’ auch Pein
In meinem Herzen mannigfalt:
Ich habe Diener, jung und alt,
Die sagen, dass sie stätig sein
Und tun das öffentlich zum Schein
Bei reinen Frauen manchmal kund;
Doch tief in ihres Herzens Grund
Liegt falscher List ein grosser Hort:
Das ist der Seele arger Mord
Und reiner Frauen Ungewinn.
Ich wollt’, wer hätt’ so falschen Sinn,
Dass dem doch aus dem Munde sein
Die Zähne wüchsen, wie dem Schwein;
Daran erkenntlich wären die Leut’,
Und reine Frauen leicht befreit
Von jener Schälkchen loser Schar
Mit Worten sanft und doch nicht wahr,
Mit Zungen, die wie Messer schneiden;
Ach, was muss man davon leiden!
Und noch eins mich mit Schmerz bewegt:
Dass mancher Blau am Leibe trägt
Und wähnt davon stätig zu sein,
Weil er in blauer Farbe Schein
Erzeiget sich den Frauen gut.
Mich dünkt nun so in meinem Mut:
Wäre die Farbe, wie man hört,
Die Elle hätte wohl den Wert
Von hundert Gulden sicherlich;

Doch Stæte wiegt im Herzen sich,
Sie tut nicht von der Farbe kommen,
Drum kann es manchem wenig frommen,
Wenn er der Unstæt' huldigt
Und wird von Fraun beschuldigt."
Ich hört' ihr Plaudern mannigfalt,
Und was zu tun, entschied ich bald.
Ich ging hinzu und sprach kein Wort.
Frau Minn' erblickte mich sofort,
Die war gar wundersam geziert:
"Sag' mir, mein lieber Suchenwirt,"
Sprach sie, "was tust du hie?"
Geschwinde fiel ich auf ein Knie.
"Gnade, Frau," darauf sprach ich;
"Der Mai hat Blumen wonniglich
Im ganzen Land herumgestreut,
Dass manches Herze wird erfreut,
So wie die kleinen Vögelein.
Ich kam verlockt vom Augenschein
Auf diesen Anger wunderbar;
Da wurde Euer ich gewahr
Und hörte Eure Klage gross."
Sie sprach: "Ich bin der Freuden bloss
Und weiss, was ich beginnen soll.
Die Welt ist schlechter Kniffe voll:
Hast du gehört des Jammers Pein,
So handle nach dem Willen mein
Und tu' es offenherzig kund
Den Edlen hier zu mancher Stund',
Dass sie vor Schande hüten sich."
"Das tu' ich gerne, Frau," sprach ich.
So schied ich von der Minne dann
Beglückt und ohne argen Wahn.

## XXXVII. BRANT'S SHIP OF FOOLS

A famous satire published at Basel in 1494, with numerous excellent woodcuts. Its author, Sebastian Brant, was born at Strassburg in 1457, took his degree in law, became city clerk of his native place and died in 1521. The *Ship of Fools*, which consists of disconnected sections describing the various kinds of fools — over a hundred of them — who have embarked in the ship for Fool-land, was translated into Latin, into French three times and into English twice. It was Germany's first important contribution to world-literature. The selections are from the modernization by Simrock, Berlin, 1872.

I

**Von Geiznarren.**

Wer sich verlässt auf zeitig Gut,
Drin Freude sucht und guten Mut,
Der ist ein Narr mit Leib und Blut.[1]

---

Der ist ein Narr, der sammelt Gut
Und hat nicht Freud', und guten Mut
Und weiss auch nicht, wem er's wird sparen,
Wenn er muss zum düstern Keller fahren.
Noch törichter ist, wer vertut
In Üppigkeit und Frevelmut
Was Gott ins Haus ihm hat gegeben.
Er nur verwalten soll sein Leben
Und Rechenschaft drum geben muss
Wohl schwerer als mit Hand und Fuss.
Ein Narr häuft den Verwandten viel;
Die Seel' er nicht bedenken will,
Sorgt, ihm gebrech' es in der Zeit,
Und fragt nicht nach der Ewigkeit.
O armer Narr, wie bist du blind!
Du scheust den Ausschlag, kriegst den Grind.
Erwirbt mit Sünden mancher Gut
Und brennt dann in der Hölle Glut,
Des achten seine Erben klein:
Sie hülfen ihm nicht mit einem Stein,
Lösten ihn kaum mit einem Pfund,
Wie tief er läg' im Höllenschlund.
Gib weil du lebst, ist Gottes Wort:
Ein andrer schaltet, bist du fort.
Kein weiser Mann trug je Verlangen
Mit Reichtum auf der Welt zu prangen.
Er trachtet nur sich selbst zu kennen;
Den Weisen mag man steinreich nennen.
Das Geld am Ende Crassus trank;
Danach gedürstet hatt' ihn lang.
Crates sein Geld warf in das Meer,
So stört's im Lernen ihn nicht mehr.
Wer sammelt, was vergänglich ist,
Begräbt die Seel' in Kot und Mist.

[1] These three lines, which are a sort of motto, precede a picture representing a rich man seated at a table which is loaded with money and plate. Two poor travelers approach and look covetously upon the wealth. All three men wear the fool's cap.

**2**

**Selbstgefälligkeit.**

Den Narrenbrei ich nie vergass,
Seit mir gefiel das Spiegelglas:
Hans Eselsohr mein Herz besass.[1]

---

Der rührt sich wohl den Narrenbrei,
Der wähnt, dass er sehr witzig sei,
Und gefällt sich selber gar so wohl,
Dass er in den Spiegel guckt wie toll
Und doch nicht mag gewahren, dass
Er einen Narren sieht im Glas.
Und sollt' er schwören einen Eid,
Spricht man von Zucht und Artigkeit,
Meint er, die hätt' er ganz allein,
Seinsgleichen könnt' auch nirgends sein,
Der aller Fehler ledig wär'.
Sein Tun und Ruhn gefällt ihm sehr.
Des Spiegels er drum nicht enträt,
Wo er sitzt und reitet, geht und steht,
Wie es Kaiser Otho hat gemacht,
Der den Spiegel mitnahm in die Schlacht
Und schor die Backen zwier am Tag,
Mit Eselsmilch sie wusch hernach.
Dem Spiegel sind die Fraun ergeben;
Ohne Spiegel könnte keine leben.
Eh' sie sich recht davor geschleiert
Und geputzt, wird Neujahr wohl gefeiert.
Wem so gefällt Gestalt und Werk,
Ist dem Affen gleich zu Heidelberg.[2]
Dem Pygmalion gefiel sein Bild,
Vor Narrheit ward er toll und wild.
Sah in den Spiegel nicht Narciss,
Lebt' er noch manches Jahr gewiss.
Mancher sieht stets den Spiegel an,
Der ihm doch nichts Schönes zeigen kann.
Wo du solch närrisch Schaf siehst weiden,
Das mag auch keinen Tadel leiden,
Es geht in seinem Taumel hin,
Und kein Verstand will ihm zu Sinn.

[1] The picture shows a fool stirring porridge and looking into a mirror. — [2] A note by Simrock states that upon the old bridge at Heidelberg was formerly to be seen an emblematic ape, with the verses:

Was hast du mich hier anzugaffen?
Sahst du noch nie den alten Affen?
Zu Heidelberg sieh hin und her;
Du findest meinesgleichen mehr.

## XXXVIII. FOLK-SONGS OF THE FIFTEENTH CENTURY

A large number of folk-songs originated in the 15th and still more in the 16th century. From the nature of the type they can seldom be exactly dated unless they relate to a known historical occurrence. The following selections are taken from Erk and Böhme's admirable *Deutscher Liederhort*, 3 volumes quarto, Leipzig, 1893-4. As any translation into smooth modern verse would destroy a part of the characteristic flavor of the songs, they are printed as in Erk and Böhme, but with occasional modernizations of spelling and grammar.

### 1

### Reigen um das erste Veilchen.[1]

Der Maie, der Maie
Bringt uns der Blümlein viel;
Ich trag' ein frei's Gemüte,
Gott weiss wohl, wem ich's will.

Ich will's ei'm freien Gesellen,
Derselb' der wirbt um mich,
Er trägt ein seiden Hemd an,
Darein so preist[2] er sich.

Er meint, es säng' ein' Nachti-
gall,
Da war's ein' Jungfrau fein:
Und kann er mein nicht werden,
Trauret das Herze sein.

### 2

### Burschenleben.[3]

Ich weiss ein frisch Ge-
schlechte,
Das sind die Burschenknechte,
Ihr Orden steht also:
Sie leben ohne Sorgen
Den Abend und den Morgen,
Sie sind gar stätiglich froh.
Du freies Burschenleben!
Ich lob' dich für den Gral;[4]
Gott hat dir Macht gegeben
Trauren zu widerstreben,
Frisch wesen überall.

Sie können auch nit hauen
Des Morgens in dem Taue
Die schönen Wiesen breit;
Sonder[5] die schönen Frauen
Die können sie wohl schauen
Die Nacht bis an den Tag.
Das macht ihr frei's Gemüte
Der schönen Frauen klar;
Gott selber sie behüte
Durch seine milde Güte,
Die minnigliche Schar!

Wie selten sie auch messen
Das Koren,[6] das sie essen,
Und was der Metzen[7] gilt!
Die Bauern müssen schneiden
Und dazu Gerwel reiden[8]

[1] A song for the ring-dance about the earliest spring violet; Erk and Böhme, II, 713. — [2] M. H. G. *brîsen*, equivalent to modern *schnüren*. — [3] An old student song, found in a manuscript of the year 1454; Erk and Böhme, III, 484. — [4] The holy Grail as symbol of something very precious. — [5] In the sense of modern *aber*. — [6] For *Korn*, *i. e.* 'grain.' — [7] The miller's 'toll' (part of the grist taken in payment for grinding). — [8] *Gerwel reiden*, 'turn the hand-mill.'

Viel gar ohn' ihren Dank.[1]
Du feines Burschenleben!
Ich lob' dich für den Gral;
Gott hat dir Macht gegeben
Trauren zu widerstreben,
Frisch wesen überall.

### 3

### Mädchenkunde eines fahrenden Sängers.[2]

Ich spring' an diesem Ringe
Des besten, so ich's kann,[3]
Von hübschen Fräulein singen,[4]
Als ich's gelernet han.[5]
Ich ritt durch fremde Lande,
Da sah ich mancherhande,
Da ich die Fräulein fand.

Die Fräuelein von Franken
Die seh' ich allzeit gern;
Nach ihn' stehn mein' Gedanken,
Sie geben süssen Kern.
Sie sind die feinsten Dirnen,
Wollt' Gott, ich sollt' ihn' zwirnen,
Spinnen wollt' ich lern.[6]

Die Fräuelein von Schwaben
Die haben golden Haar,
Sie dürfen's frischlich wagen,
Sie spinnen über Lahr;[7]
Wer ihn' den Flachs will schwingen,
Der muss sein nit geringe,[8]
Das sag' ich euch fürwahr.

Die Fräuelein vom Rheine
Die lob' ich oft und dick:[9]
Sie sind hübsch und feine
Und geben freundlich Blick.
Sie können Seide spinnen,
Die neuen Liedlein singen,
Sie sind der Lieb' ein Strick.

Die Fräuelein von Sachsen
Die haben Scheuern weit;
Darin da posst[10] man Flachse,
Der in der Scheuern leit.[11]
Wer ihn' den Flachs will possen,
Muss haben ein' Flegel grosse,
Dreschend zu aller Zeit.

Die Fräuelein von Baiern
Die können kochen wohl,
Mit Käsen und mit Eiern
Ihr' Küchen die sind voll.
Sie haben schöne Pfannen
Weiter denn die Wannen,
Heisser denn ein' Kohl'.

Den Fräuelein soll man hofieren[12]
Allzeit und weil man mag,

[1] *Ohne Dank*, 'reluctantly.' — [2] An elderly minstrel joins in the dance and sings the praise of girls that he has seen in different German lands; Erk and Böhme, II, 712. — [3] *Des besten . . . kann*, equivalent to *so gut ich kann*. — [4] 'To sing,' or perhaps 'singing.' — [5] *Habe*. — [6] *Lernen*. — [7] *Über die Lehre*, 'surpassing their instruction,' 'outdoing their teachers.' — [8] *Nit geringe*, 'smart.' — [9] *Sehr*. — [10] Equivalent to *klopft*, 'beats.' — [11] *Liegt*. — [12] 'Court.'

Die Zeit die kommet schiere,[1]
Es wird sich alle Tag';[2]
Nun bin ich worden alte,
Zum Wein muss ich mich halten
Alldieweil ich mag.

### 4

### Anweisung zum Raubritterberuf.[3]

Der Wald hat sich belaubet,
Des freuet sich mein Mut.
Nun hüt' sich mancher Bauer,
Der wähnt, er sei behut![4]
Das schafft des argen Winters Zorn,
Der hat mich beraubet,
Das klag' ich heut und morn.

Willst du dich ernähren,
Du junger Edelmann,
Folg' du meiner Lehre,
Sitz' auf und trab' zum Bann![5]
Halt' dich zu dem grünen Wald,
Wenn der Bauer ins Holz fährt,
So renn' ihn frischlich an!

Erwisch' ihn bei dem Kragen,
Erfreu' das Herze dein,
Nimm ihm, was er habe,
Spann' aus die Pferdlein sein!
Sei frisch und dazu unverzagt,
Wann er nummen[6] Pfennig hat,
So russ ihm d' Gurgel ab.[7]

Heb' dich bald von dannen,
Bewahr' dein' Leib, dein Gut!
Dass du nit werdest zu Schannen,[8]
Halt' dich in stäter Hut!
Der Bauern Hass ist also gross;
Wenn der Bauer zum Tanze geht,
So dünkt er sich Fürstengenoss.

Er nimmt die Metze[9] bei der Hand,
Die gibt ihm einen Kranz;
Er ist der Metze eben
Derselbe Ferkelschwanz.[10]
Die Tölpel trippeln hinten nach,
Das ist der Metze eben[11]
Und dem Conzen[12] auch.

Ich weiss ein' reichen Bauern,
Auf den hab' ich's gericht';
Ich will ein' Weile lauern,
Wie mir darum geschicht.[13]
Er hilft mir wohl aus aller Not,
Gott grüss' dich, schönes Jungfräulein,
Gott grüss dich, Mündlein rot!

[1] 'Soon.' — [2] *Es wird . . . Tag*, equivalent to *Tag reiht sich an Tag*. The sense is: The time comes fast when one must turn from girls to wine, as I am even now doing. — [3] A robber knight greets the spring-time as good for his business, and expresses his lordly contempt of the peasantry; Erk and Böhme, II, 23. — [4] 'Secure.' — [5] *Bann* here means the robber's lurking-place. — [6] *Keinen mehr*. — [7] *So russ . . . ab*, 'cut his throat.' — [8] *Schanden*. — [9] 'Wench.' — [10] 'Pig's tail,' figuratively for 'dirty clown.' — [11] 'Agreeable.' — [12] *Conz*, or *Kunz*, contemptuously for a country lubber. — [13] *Geschicht*, for *geschieht*. The sense is: I 'll lurk for him and see what comes of it.

## 5

### Ritter und Schildknecht.[1]

Es ritt ein Herr und auch sein Knecht
Wohl über eine Heide, die war schlecht, ja schlecht,
Und alles, was sie red'ten da,
War alles von einer wunderschönen Frauen,
Ja Frauen.

"Ach, Schildknecht, lieber Schildknecht mein,
Was redest du von meiner Frauen, ja Frauen?
Und fürchtest nicht mein' braunen Schild,
Zu Stücken will ich dich hauen,
Vor meinen Augen!"

"Euern braunen Schild, den fürcht' ich klein,[2]
Der lieb' Gott wird Euch wohl behüten, behüten."
Da schlug der Knecht sein' Herrn zu Tod,
Das geschah um des Fräuleins[3] Güte,
Ja Güte.

"Nun will ich heimgehn landwärts ein,
Zu einer wunderschönen Frauen, ja Frauen."
"Ach Fräulein, gebt mir's Botenbrot,
Eu'r edler Herr und der[4] ist tot,
So fern auf breiter Heide,
Ja Heide."

"Und ist mein edler Herre tot,
Darum will ich nicht weinen, ja weinen;
Der schönste Buhle, den ich hab',
Der sitzt bei mir daheime,
Mutteralleine.

[1] Erk and Böhme, I, 374. Imagine the story thus: A faithless wife instigates her husband's squire to kill him. When the murder is reported to her she is at first pleased, then touched with remorse. She rides forth to find the body of her husband, and the lilies — symbols of purity — bow in shame as she passes. At sight of her dead husband's face, she resolves to enter a convent. — [2] *Wenig.* — [3] *Fräulein* here in the sense of 'young wife'; *um des Fräuleins Güte*, 'to gain the young wife's favor.' — [4] *Und der* is pleonastic.

Nun sattle mir mein graues Ross!
Ich will von hinnen reiten, ja reiten."
Und da sie auf die Heide kam,
Die Lilien täten sich neigen,[1]
Auf breiter Heide.

Auf band sie ihm sein' blanken Helm
Und sah ihm unter die Augen, ja Augen;
"Nun muss es Christ geklaget sein,
Wie bist du so zerhauen
Unter dein' Augen.

Nun will ich in ein Kloster ziehn,
Will den lieben Gott bitten, ja bitten,
Dass er dich ins Himmelreich woll' lan,[2]
Das gescheh' durch meinen Willen![3]
Schweig stille!"[4]

6

**Tannhäuser.**[5]

Nun will ich aber heben an
Von dem Tannhäuser singen,
Und was er Wunders hat getan
Mit Venus, der edlen Minne.

Tannhäuser war ein Ritter gut,
Wann er wollt' Wunder schauen,
Er wollt' in Frau Venus Berg,
Zu andern schönen Frauen.

"Herr Tannhäuser, Ihr seid mir lieb,
Daran sollt Ihr gedenken!
Ihr habt mir einen Eid geschworn,
Ihr wollt von mir nit wenken."

"Frau Venus, das en[6] hab ich nit,
Ich will das widersprechen;
Und red't das jemands mehr denn Ihr,[7]
Gott helf' mir's an ihm rächen!"

[1] *Täten sich neigen*, 'did bow'; *täten* being indicative. — [2] *Lan*, for *lassen*. — [3] *Durch meinen Willen*, 'for my sake.' — [4] Addressed to the husband; he is not to accuse her before God. — [5] Erk and Böhme, I, 40. The Venus of the folk-song represents the German Frau Holde, a love-goddess who holds her court in a mountain and infatuates men to the peril of their souls. Just how and when the saga attached itself to the historical minnesinger Tannhäuser is not known. Urban IV, referred to in the last stanza, was pope from 1261 to 1265. — [6] A form of the old negative particle; *en nit* = *nicht*. — [7] *Jemands . . . Ihr*, 'any one but you.'

"Herr Tannhäuser, wie red't Ihr nun?
Ihr sollt bei mir beleiben;[1]
Ich will Euch mein' Gespielin geben
Zu einem stäten Weibe."

"Und nähm' ich nun ein ander Weib,
Ich hab' in meinem Sinne:
So müsst' ich in der Hölle Glut
Auch ewiglich verbrinnen."

"Ihr sagt mir viel von der Hölle Glut,
Habt es doch nie empfunden;
Gedenkt an meinen roten Mund,
Der lacht zu allen Stunden."

"Was hilft mich Euer roter Mund?
Er ist mir gar unmäre;[2]
Nun gebt mir Urlaub, Fräulein zart,
Durch aller Frauen Ehre!"

"Herr Tannhäuser, wollt Ihr Urlaub han,
Ich will Euch keinen geben;
Nun bleibt hie, edler Tannhäuser,
Und fristet Euer Leben."

"Mein Leben das ist worden krank,
Ich mag nit länger bleiben;
Nun gebt mir Urlaub, Fräulein zart,
Von Eurem stolzen Leibe!"

"Herr Tannhäuser, nit reden also,
Ihr tut Euch nit wohl besinnen;
So gehn wir in ein Kämmerlein
Und spielen der edlen Minne."

"Eu'r Minne ist mir worden leid,
Ich hab' in meinem Sinne:
Frau Venus, edle Fraue zart,
Ihr seid ein' Teufelinne."

"Herr Tannhäuser, was red't Ihr nun,
Und dass Ihr mich tut schelten?
Nun, sollt Ihr länger hierinnen sein,
Ihr müsst' es sehr entgelten."

"Frau Venus, das en will ich nit,
Ich mag nit länger bleiben.
Maria Mutter, reine Maid,
Nun hilf mir von dem Weibe!"

"Herr Tannhäuser, Ihr sollt Urlaub han,
Mein Lob das sollt Ihr preisen,
Wo Ihr in dem Land umfahrt;
Nehmt Urlaub von dem Greisen!"[3]

[1] *Bleiben.* — [2] Equivalent to *gleichgültig.* — [3] The legendary old man, faithful Eckart, who warns of danger and rebukes sinners.

Da schied er wieder aus dem Berg,
In Jammer und in Reuen:
"Ich will gen Rom wohl in die Stadt
Auf eines Papstes Treuen.

Nun fahr' ich fröhlich auf die Bahn,
Gott müss' sein immer walten!
Zu einem Papst, der heisst Urban,
Ob er mich möcht' behalten."

"Ach Papste, lieber Herre mein,
Ich klag' Euch hie mein' Sünde,
Die ich mein' Tag' begangen hab',
Als ich Euch's will verkünden.

Ich bin gewesen auch ein Jahr
Bei Venus, einer Frauen.
So wollt' ich Buss' und Beicht' empfahn,
Ob ich möcht' Gott anschauen."

Der Papst hat ein Stäblein in seiner Hand,
Das war sich also dürre:
"Als wenig das Stäblein grünen mag,
Kommst du zu Gottes Hulde!"

"Und sollt' ich leben nur ein Jahr,
Ein Jahr auf dieser Erden,
So wollt' ich Beicht' und Buss' empfahn
Und Gottes Trost erwerben."

Da zog er wied'rum aus der Stadt
In Jammer und in Leiden:
"Maria Mutter, reine Magd,
Muss ich mich von dir scheiden!"

Er zog nun wied'rum in den Berg
Und ewiglich ohn' Ende:
"Ich will zu meiner Frauen zart,
Wo mich Gott will hin senden."

"Seid gottwillkommen, Tannhäuser!
Ich hab' Eu'r lang entboren;[1]
Seid gottwillkommen, mein lieber Herr,
Zu einem Buhlen auserkoren."

Das währet an den dritten Tag,
Der Stab hub an zu grünen.
Der Papst schickt' aus in alle Land:
Wo der Tannhäuser wär' hinkommen?

Da war er wieder in den Berg
Und hatt' sein Lieb erkoren;
Des muss der vierte Papst Urban
Auf ewig sein verloren!

[1] For *entbehrt*.

# XXXIX. LATE MEDIEVAL RELIGIOUS PROSE

Prior to Luther the most noteworthy prose is found in the sermons of Berthold von Regensburg, the great 13th century preacher, and in the somewhat later writings, largely sermons, of the mystics Eckhart, Seuse, Tauler and Meerschwein. Their interest is rather more religious than literary. The earliest example of imaginative prose is the so-called *Farmer of Bohemia*, written in 1399, in which a bereaved husband discourses of his lost wife with Death. The 15th century shows a considerable body of prose literature in the form of sermons, chronicles, translations, paraphrases, but nothing of great artistic distinction.

I

*From a Sermon of Berthold von Regensburg 'On the Angels.'*[1]

Wir begehen heute das Fest der grossen Fürsten, der heiligen Engel, die der ganzen Welt ein überaus grosses Wunder sind, und an denen der allmächtige Gott viele Wunder und grosse Wunder geschaffen hat. Und wollte ein Mensch nicht aus anderm Grunde in den Himmel kommen, so könnte er doch gerne darum in den Himmel kommen, nur damit er sähe, was für Wunder und Wunder da sind. Und des Wunders kann niemand zu Ende kommen, das Gott in den heiligen Engeln an den Tag gelegt hat. Und sie sind unseres Herrn Boten, denn Engel heisst auf Griechisch ein Bote. Unser Herr hatte grosse Freude, da er ohne Anfang war, wie er auch auf immer ohne Ende ist. Ich rede von der Gottheit, von der Krone; ehe er etwas erschuf, wie wir jetzt sind, da hatte er gar grosse Freude in sich selbst und mit sich selbst. Da gedachte er zu machen, er wollte zwei Kreaturen machen, zweierlei Kreaturen, damit diese seiner Freude teilhaftig würden, er selbst aber darum nicht weniger Freude hätte. Und wie grosse Freude er auch ihnen gab, hatte er doch selbst darum nicht mindre Freude, recht wie der Sonnenschein. Wie viel die Sonne uns auch alle Tage ihres Lichtes gibt, hat sie selbst um nichts weniger. Und also machte Gott zwei Kreaturen: das waren der Mensch und der Engel. Da machte Gott ein Ding,[2] und das war das allerbeste Ding unter allen Dingen, die Gott je gemacht hat. Und nie machte er ein Ding so gut unter allen Dingen, die Gott gemacht hat, [wie dieses, das er machte,] damit

[1] Pfeiffer's edition of Berthold von Regensburg, Vienna, 1862, vol. ii, page 174. — [2] The 'thing,' as explained further on, is *die Tugend*.

Mensch und Engel seiner Freude teilhaftig würden, da es so nütze und so gut war. Und also machte es Gott, dass Menschen und Engel davon immermehr Freude haben sollten. Und wie ausserordentlich nütze das Ding auch war, und wie viel Ehre und Seligkeit auch daran liegt, so waren doch etliche Engel im Himmel, die das Ding nicht behalten wollten, und diese wurden verstossen aus den ewigen Freuden und wurden in die ewige Marter geworfen. Und alle, die das Ding behielten, die blieben bei dem allmächtigen Gott in den ewigen Freuden, weil sie das Ding behielten, das so gut ist, unter allen Dingen das beste. . . .

Und also begeht man heute das Fest der Engel, die bei Gott blieben und aushielten, dass sie nicht fielen. Und also begeht man heute das Fest Sankt Michaels und der heiligen Engel. Und dass man das Fest der heiligen Engel nicht oft im Jahre begeht, daran tat unser Herr gar weislich und wohl; wie billig es auch wäre, dass man ihr Fest dreimal im Jahre beginge, so tat unser Herr gar weislich und wohl daran, und es ist besser, dass man es nicht oft begeht. Warum? Seht, aus diesem Grunde. Wenn man ihr Fest mit Singen und Lesen beginge, müsste man auch von ihnen predigen. Und wenn wir also oft von den Engeln predigen müssten, so käme vielleicht ein Frevler und würde vielleicht so frevelhaft sein, dass er von den heiligen Engeln Ketzerei predigen könnte. Denn unser Herr hat so viel Wunders an den Engeln gemacht, dass wir es nicht alles sicherlich wissen. Er hat etliche Wunder an den Engeln gemacht, wovon wir nicht genau wissen sondern nur vermuten. Und wer ein Ding vermutet, der weiss es nicht sicherlich. So hat auch unser Herr manches Ding an ihnen gemacht, das wir wohl wissen. Wer daher die Dinge predigen wollte, die wir vermuten, der könnte vielleicht Ketzerei predigen. Also soll niemand etwas predigen als das, was man sicherlich weiss.

2

*From Eckhart's tractate 'On the Nature and Dignity of the Soul.'*[1]

Die Seele hat zwei Füsse, das Verständnis und die Minne; und je mehr sie versteht, desto mehr minnet sie. Und wer kann sie

[1] Pfeiffer's edition of Meister Eckhart, Leipzig, 1857, page 401.

fällen, da der sie erhält, der alle Kreaturen erhält? Denn die Gnade reizet die Begierde und ziehet die Seele aus sich selber heraus, so dass sie mit der Gnade und in der Gnade in Gnade kommt, und über die Gnade in Gott, ihren ersten Ursprung kommt, wo es ihr wohler als je wird in wonnesamer Einigung. Denn da verstummen alle Sinne, und der Seele Wille und der Wille Gottes fliessen ineinander, so dass die zwei Willen sich minnesam umfangen in rechter Einigung. Und da kann die Seele weder mehr noch minder denn göttliche Werke hervorbringen, und zwar deshalb, weil an ihr nichts mehr als Gott lebet. Darum spricht die Seele in dem Buch der Minne: Ich habe den Kreis der Welt umlaufen und konnte nicht zu dessen Ende kommen; deshalb habe ich mich in den einzigen Punkt meines einzigen Gottes versenkt, weil er mich verwundet hat mit seinem Anblicke. Und wen dieser Anblick nicht verwundet hat, dessen Seele ist von der Minne Gottes nie verwundet worden. Darum sagt Sankt Bernhard: Welcher Geist den Anblick empfunden hat, der vermag ihn nicht zu beschreiben, und wer ihn nicht empfunden hat, der vermag nicht daran zu glauben. Denn da wird ein Pfeil ohne Zorn geschossen, und man empfindet es ohne Schmerzen; denn da wird der lautere und klare Brunnen der Arzenei der Gnade aufgetan, der die inneren Augen erleuchtet, so dass die Seele mit einem wonnesamen Anschauen den Wollust der göttlichen Heimsuchung empfindet, in dem man unerhörte Dinge geistlichen Gutes gewahrt, die nie gehört noch gepredigt wurden und in keinem Buche geschrieben stehen.

### 3

*From Seuse (Suso): The Prelude to the Silent Mass.*[1]

Er ward gefragt, was er damit meinte, als er Messe sang und vor der stillen Messe das Präludium anhub: *Sursum corda.* (Denn nach ihrer gewöhnlichen Bedeutung meinen die Worte auf Deutsch: Saust auf in die Höhe, alle Herzen, zu Gott!). Die Worte kamen recht begehrlich aus seinem Munde, so dass die Menschen, die sie hörten, auf einen sonderbaren Andacht haben daraus schliessen können. Auf

[1] Kürschner's Deutsche National-Litteratur, Vol. $12^2$, page 210.

diese Frage antwortete er mit einem minniglichen Seufzer und sprach also:

"Wenn ich diese lobreichen Worte *sursum corda* in der Messe sang, geschah es gewöhnlich, dass mein Herz und meine Seele zusammenflossen von göttlicher Qual und Begierde, die mein Herz sofort aus sich selbst entrückten; denn es erhoben sich gewöhnlich drei hochentzückende Vorstellungen, in denen ich zu Gott aufgeschwungen ward, und durch mich alle Kreaturen. Die erste einleuchtende Vorstellung war also: Mich selbst nach allem, was ich bin, nahm ich vor meine inneren Augen mit Leib und Seele und allen meinen Kräften und stellte um mich herum alle Kreaturen, die Gott je erschuf im Himmel und auf Erden und in den vier Elementen, waren es Vögel der Luft, Tiere des Waldes, Fische des Wassers, Laub und Gras des Erdreiches, oder der unzählige Sand am Meer, und dazu all das kleine Gestäube, das im Glanz der Sonne schimmert, und alle die Wassertröpflein, die vom Tau oder vom Schnee oder vom Regen je gefallen sind oder fallen werden, und wünschte, es hätte deren jegliches ein süsses, aufdringendes Saitenspiel, wohlgenährt vom Safte meines innigsten Herzens, und dass also ein neues, hochherziges Lob dem geminnten, zarten Gott aufklänge von Ewigkeit zu Ewigkeit. Und dann zertrennten und zerteilten sich auf eine fröhliche Weise die minnereichen Arme der Seele gegen die unsägliche Zahl aller Kreaturen, und es war ihr Gedanke, sie alle darin eifrig zu machen, recht wie ein freier, wohlgemuter Vorsänger die singenden Gesellen ansporn t, fröhlich zu singen und ihre Herzen zu Gott aufzubieten: *Sursum corda!*"

"Die zweite Vorstellung," sprach er, "war also: Ich nahm in meine Gedanken mein Herz und aller Menschen Herzen und überlegte, welche Lust und Freude, was für Glück und Frieden die geniessen, die ihr Herz Gott allein geben, und dagegen was für Schaden und Leiden, was für Qual und Unruhe vergängliche Minne ihren Untertanen einträgt, und ich rief dann mit grosser Sehnsucht zu meinem Herzen und den andern Herzen, wo sie auch sein möchten in allen Enden dieser Welt: Wohlauf, ihr gefangenen Herzen, aus den engen Banden vergänglicher Minne! Wohlauf, ihr schlafenden Herzen, aus dem Tode der Sünde! Wohlauf, ihr üppigen Herzen, aus der Lauheit eures trägen, lässigen Lebens! Hebt euch auf mit einer gänzlichen ledigen Umkehr zu dem minniglichen Gott: *Sursum corda!*"

4

*From the 'Farmer of Bohemia,' Chapter 3: A bereaved husband expostulates with Death for taking away his wife.*[1]

Ich bin genannt ein Ackermann; von Vogelweid' ist mein Pflug.[2] Ich wohne im Böhmer Land. Gehässig, widerwärtig und widerstrebend soll ich Euch [o Tod] immer mehr sein, denn Ihr habt mir den zwölften Buchstaben,[3] meiner Freuden Hort, gar grausam aus dem Alphabet entrückt. Ihr habt meiner Wonne lichte Sommerblume mir aus des Herzens Anger auf ewig ausgerodet. Ihr habt meines Glückes Inbegriff, meine auserwählte Turteltaube, arglistig entfremdet; Ihr habt unwiederbringlichen Raub an mir getan. Erwägt es selber, ob ich nicht billig zürne, wüte und klage; bin ich doch von Euch freudenreichen Wesens beraubt, täglicher guter Lebtage verlustig gemacht, und aller wonnebringenden Freuden benommen. Froh und freudig war ich ehemals zu jeder Stunde; kurz und lustig war all meine Zeit Tag und Nacht in gleichem Mass, beide freudenreich, überschwenglich reich. Jedes Jahr war für mich ein gnadenreiches Jahr. Nun wird zu mir gesagt: Vorbei! bei trübem Getränk, bei dürrem Ast, betrübt, schwarz und zerstört, bleib' und heul' ohne Unterlass! Also treibt mich der Wind; ich schwimme durch des wilden Meeres Flut; die Wogen haben überhand genommen, mein Anker haftet nirgends. Darum will ich schreien ohne Ende: Tod, seid verflucht!

*From the same, Chapter 12, in which Death makes reply.*

Könntest du richtig messen, wägen, zählen oder aus dem Kopfe dichten, hieltest du nicht solche Rede. Du fluchst und bittest unver-

[1] Kürschners Deutsche National-Litteratur, Vol. $12^2$, page 145, with comparison of Knieschek's edition, Prag, 1877. The work consists of thirty-two chapters in which, alternately, the widower complains and Death replies. Then God, as judge, decides in favor of Death: the body must die that the soul may live. The whole ends with a fervid and eloquent prayer for the repose of the dead wife's soul. — [2] It is conjectured that the author was a schoolmaster who chose to call himself symbolically an *Ackermann*, that is, a 'sower of seed.' Hence he says that his 'plow' comes from the birds; in other words, it is a pen. — [3] The letter M with which the dead wife's name (Margareta) began.

nünftig und ohne alle Notdurft. Was taugt solcher Unsinn? Wir haben früher gesagt: kunstreich, edel, ehrhaft, fruchtreich, artig, — alles, was lebet, muss von unsern Händen zu Ende kommen. Doch schwatzest du und klagst, all dein Glück sei an deinem frommen Weib gelegen. Soll nach deiner Meinung Glück an Weibern liegen, wollen wir dir wohl raten, dass du immer bei Glück bleibest. Warte nur, ob es dir nicht in Unglück gerät! Sage uns: Da du zuerst dein löblich Weib nahmst, fandst du sie fromm oder machtest du sie fromm? Hast du sie fromm gefunden, so suche vernünftiglich: du findest noch viele fromme Frauen auf Erden, von denen eine dir zur Ehefrau werden mag. Hast du sie aber fromm gemacht, so freue dich: du bist der lebendige Meister, der noch ein frommes Weib und eine Frau auferziehen kann. Ich sage dir noch mehr: je mehr dir Liebes wird, desto mehr Leides widerfährt dir. Hättest du dich des Lieben enthalten, würdest du jetzt des Leiden entbehren. Je mehr Liebes zu erfahren, desto mehr Leides in Entbehrung des Lieben. Lieb', Weib, Kind, Schatz und alles irdisch Gut muss am Anfang etwas Freude und am Ende mehr Leides bringen. Alles irdische Lieb muss zu Leide werden: Leid ist Liebes Ende; der Freude End' ist Trauer; nach Lust muss Unlust kommen; Willens Ende ist Unwillen. Zu solchem Ende laufen alle lebendigen Dinge. Lern' es besser, willst du von Klugheit prahlen.

## 5

*From a sermon of Johann Geiler von Kaisersberg.*[1]

Der Mensch, der Gott lieb hat und ihm anhängt allein darum, dass er ihm das Himmelreich gebe, der hat Gott nicht recht lieb. Warum? Darum: sein Gedanke an Gott ist nicht lauter; er denkt an sich selbst; er sucht seinen eignen Nutzen. Ich sage nicht, dass du das Himmelreich nicht begehren solltest, oder dass du Gott nicht darum bitten, ihm nicht darum dienen solltest. Nein, ich verwerfe das nicht; die Schrift ist voll davon, dass man Gott um das Himmelreich bitten sollte. Du sollst das Himmelreich begehren, sollst Gott darum bitten; aber du sollst nicht da stehen bleiben, dass du

[1] Kürschners Deutsche National-Litteratur, Vol. $12^{2}$, page 265.

Gott allein darum dienest, und ihn allein darum liebhabest, damit er dir das Himmelreich gebe, und anders nicht. Das heisst nicht rechte Liebe; das ist Freundschaft um Freundschaft, wobei einer dem andern eine Freundlichkeit tut, damit er es ihm wiedervergelte; wie wenn du einem andern eine Wurst schenktest, damit er dir dagegen eine Seite Speck schenke. Du tust ihm eine Freundlichkeit; erwartetest du aber keine Freundlichkeit dagegen, du tätest ihm auch keine. Das heisst nicht rechte Liebe: es ist Freundschaft um Freundschaft. Aber das heisst rechte Liebe, dass einer einen lieb hat nicht um der Gabe willen, oder weil er etwas von ihm erwartet; sondern er hat ihn eben lieb; er gönnet ihm Gutes; er fördert seinen Nutzen; er wendet Schaden von ihm ab, wo er kann und mag, ohne dass er Wiedervergeltung erwartet. Der hat den andern recht lieb. Also tut der Mensch, der Gott recht lieb hat, allein um dessentwillen, weil er solch ein grosser Herr ist, dass er es würdig wäre; weil er der Höchste und das beste Gut ist.

END OF PART FIRST

# XL. MARTIN LUTHER

1483–1546. Some of the cardinal dates in a career that changed the course of history for the whole Germanic world are as follows: In 1517 Luther posted up the ninety-five theses at Wittenberg; 1520, burned the papal bull and issued the *Address to the German Nobility;* 1522, attended the Diet at Worms and refused to recant; in seclusion at the Wartburg translated the New Testament, which was published that same year; 1525, married Katharina Bora, a nun, having previously renounced monasticism; 1534, published the complete German Bible. Aside from the polemics, tractates, epistles, commentaries, and sermons, whereby he provoked, defended, and organized the Protestant revolt, Luther wrote a few short poems, mostly hymns for worship, also fables and aphorisms. But his great work was his translation of the Bible.

Of the selections below, No. 1 follows the Weimar edition of Luther, VI, 406; No. 3, the reprint in Müller's *German Classics,* I, 488; Nos. 4 and 5, Kürschner's *Nationalliteratur,* Vol. 15.

## I

*From the Address to the Nobility.*

Die Romanisten haben drey mauren, mit grosser behendickeit,[1] umb sich zogen, damit sie sich bissher beschutzt, das sie niemant hat mugenn[2] reformierenn, dadurch die gantz Christenheit grewlich gefallen ist. Zum ersten, wen man hat auff sie drungen mit weltlicher gewalt, haben sie gesetzt und gesagt,[3] weltlich gewalt habe nit recht ubir sie, sondern widderumb,[4] geystlich sey ubir die weltliche. Zum andern, hat man sie mit der heyligen schrifft wolt straffen,[5] setzen sie da kegen,[6] Es gepur[7] die schrifft niemant ausstzulegenn, den dem Bapst. Zum dritten, drewet[8] man yhn[9] mit einem Concilio, szo ertichten sie, es muge niemant ein Concilium beruffen, den der Bapst. Alsso haben sie die drey rutten[10] uns heymlich gestolen, das sie mugen ungestrafft sein, und sich in sicher befestung disser dreyer maur gesetzt, alle buberey und bossheit zutreyben, die wir dan itzt sehen,

[1] *Behendickeit,* 'skill,' 'cunning.' — [2] *Mugenn* = *mögen* in the sense of modern *können.* — [3] *Gesetzt und gesagt,* 'proclaimed the doctrine.' — [4] *Widderumb* = *dagegen, im Gegenteil.* — [5] *Straffen,* 'refute.' — [6] *Da kegen* = *dagegen.* — [7] *Gepur* = *gebühre.* — [8] *Drewet* = *drohet.* — [9] *Yhn* = *ihnen.* — [10] The three 'rods' with which Luther proposed to chastise the papists were the temporal power, scripture, and the Councils.

und ob sie schon ein Concilium musten machen, haben sie doch dasselb zuvor mat[1] gemacht, damit, das sie die fursten zuvor mit eyden vorpflichten,[2] sie bleyben zulassen, wie sie sein, dartzu dem Bapst vollen gewalt geben ubir alle ordnung des Concilii, alsso das gleich gilt, es sein vil Concilia odder kein Concilia, on das[3] sie uns nur mit larven und spiegelfechten[4] betriegen, szo gar greulich furchten sie der haut fur einem rechten freyen Concilio, und haben damit kunig und fursten schochter[5] gemacht, das sie glewben, es were widder got, szo man yhn nit gehorchte in allen solchen schalckhafftigen, listigen spugnissen.[6]

2

*From the Bible of 1534: Psalm xlvi and Matthew v, 1-12.*

Gott ist vnser zuuersicht vnd stercke, eine hülffe jnn den grossen nöten, die vns troffen haben.

Darum fürchten wir vns nicht, wenn gleich die welt vntergienge, Vnd die berge mitten jnns meer süncken.

Wenn gleich das meer wütet vnd wallet, Vnd von seinem vngestüm die berge ein fielen. Sela.

Dennoch sol die stad Gottes fein lüstig bleiben, mit jren brünlin, Da die heiligen wonungen des Höhesten sind.

Got ist bey jr drinnen, darumb wird sie wol bleiben, Gott hilfft jr frue.

Die Heiden müssen verzagen, vnd die Königreiche fallen, Das erdreich mus vergehen, wenn er sich hören lesst.

Der HERR Zebaoth ist mit vns, Der Gott Jacob ist vnser schutz. Sela.

Kompt her, vnd schawet die werck des HERRN, Der auff erden solch zestören anrichtet.

Der den Kriegen steuret jnn aller welt, Der bogen zubricht, spies zuschlegt vnd wagen mit fewr verbrend.

Seid stille, vnd erkennet, das ich Gott bin, Ich wil ehre einlegen vnter den Heiden, ich wil ehre einlegen auff erden.

Der HERR Zebaoth ist mit vns, Der Got Jacob ist vnser schutz.

[1] *Mat*, 'impotent.' — [2] *Vorpflichten* = *verpflichteten.* — [3] *On das* = *ohne dass*, 'aside from the fact that.' — [4] *Larven und spiegelfechten*, 'masks and tricks.' — [5] *Schochter* = *schüchtern.* — [6] *Spugnissen*, 'humbug.'

Da er aber das volck sahe, gieng er auff einen berg, vnd satzte sich, vnd seine Jünger tratten zu jm. Und er that seinen mund auff, leret sie vnd sprach: Selig sind, die da geistlich arm sind, denn das Himelreich ist jre. Selig sind, die da leide tragen, denn sie sollen getröst werden. Selig sind die senfftmütigen, denn sie werden das erdreich besitzen. Selig sind, die da hungert vnd dürstet nach der gerechtigkeit, denn sie sollen sat werden. Selig sind die barmhertzigen, denn sie werden barmhertzigkeit erlangen. Selig sind die reines Hertzens sind, denn sie werden Gott schauen. Selig sind die friedfertigen, denn sie werden Gottes kinder heissen. Selig sind, die vmb gerechtigkeit willen verfolget werden, denn das Himelreich ist jre. Selig seid jr, wenn euch die menschen vmb meinen willen schmehen vnd verfolgen vnd reden allerley vbels widder euch, so sie daran liegen. Seid frölich vnd getrost, Es wird euch im himel wol belohnet werden, Denn also haben sie verfolget die Propheten, die vor euch gewesen sind.

## 3

### *From the Epistle on Translating (1530).*[1]

Ich hab mich des gefliessen[2] im dolmetschen, das ich rein vnd klar deudsch geben möchte. Vnd ist vns wol offt begegenet, das wir 14 tage, drey, vier wochen haben ein einiges[3] Wort gesucht vnd gefragt,[4] habens dennoch zuweilen nicht funden. In Hiob erbeiten[5] wir also, M. Philips,[6] Aurogallus[7] vnd ich, das wir in vier tagen zuweilen kaum drey zeilen kundten fertigen. Lieber, nu es verdeudscht vnd bereit ist, kans ein jeder lesen vnd meistern.[8] Leuft einer jtzt mit den augen durch drey oder vier Bletter, vnd stösst nicht einmal an, wird aber nicht gewar, welche Wacken vnd Klötze[9] da gelegen sind, da er jtzt vber hin gehet wie vber ein gehoffelt[10] Bret, da wir haben must schwitzen[11] vnd vns engsten, ehe denn wir

[1] In his New Testament, Luther had rendered Romans iii, 28 — in the Vulgate *arbitramur hominem iustificari ex fide absque operibus legis* — as follows: Wir halten, das der mensch gerecht werde on des gesetzes werke, *allein* durch den glauben. As there is nothing in the Latin or Greek corresponding to *allein*, the Papists charged him with falsifying scripture. — [2] *Gefliessen* = *befleissigt.* — [3] *Einiges* = *einziges.* — [4] *Gesucht vnd gefragt*, 'sought for and queried over.' — [5] *Erbeiten* = *arbeiteten.* — [6] *M. Philips* = *Magister Philippus* (Melanchthon). — [7] *Aurogallus*, *i. e.* Goldhahn, name of a Wittenberg Hebraist. — [8] *Meistern*, 'criticise.' — [9] *Wacken vnd Klötze*, 'stones and stumps.' — [10] *Gehoffelt* = *gehobelt.* — [11] *Haben must schwitzen* = *haben schwitzen müssen.*

solche Wacken und Klötze aus dem wege reumeten, auff das man kündte so fein daher gehen. Es ist gut pflügen, wenn der Acker gereinigt ist. Aber den Wald vnd die Stöcke ausrotten, vnd den Acker zurichten, da wil niemand an. Es ist bey der Welt kein danck zu uerdienen. Kann doch Gott selbs mit der Sonnen, ja mit Himel vnd Erden, noch mit seines eigen Sons tod, keinen danck verdienen, Sie sey vnd bleibe Welt ins Teufels namen, weil sie ja nicht anders wil.

Also hab ich hie Röm. 3 fast[1] wol gewusst, das im Lateinischen vnd Griechischen Text das wort *sola* oder *solum* nicht stehet, vnd hetten mich solchs die Papisten nicht dürffen[2] leren. War ists, Diese vier buchstaben *sola* stehen nicht drinnen, welche buchstaben die Eselsköpff ansehen, wie die Küe ein new thor. Sehen aber nicht, das[3] gleichwol die Meinung des Texts in sich hat, vnd wo mans wil klar vnd gewaltiglich verdeudschen, so gehöret es hinein. Denn ich habe Deudsch, nicht Lateinisch noch Griechisch reden wöllen, da ich Deudsch zu reden im Dolmetschen furgenommen hatte. Das ist aber die art vnser Deudschen sprache, wenn sich ein Rede begibt[4] von zweien dingen, der man eins bekennet vnd das ander verneinet, so braucht man des worts *allein* neben dem wort *nicht* oder *kein*, Als[5] wenn man sagt, Der Bawr bringt allein[6] Korn, vnd kein Gelt; Item,[7] ich hab warlich jtzt nicht gelt, sondern allein Korn, Ich hab allein gessen[8] vnd noch nicht getruncken, Hastu allein geschrieben vnd nicht uberlesen[9]? Vnd dergleichen unzelige Weise[10] in teglichem brauch. In diesen reden allen, obs gleich die Lateinische oder Griechische Sprache nicht thut, so thuts doch die Deudsche, vnd ist jr art, das sie das wort *allein* hinzusetzt, auf das das wort *nicht* oder *kein* deste völliger[11] vnd deutlicher sey. Denn man mus nicht die buchstaben in der Lateinischen sprachen fragen, wie man sol Deudsch reden, Sondern man mus die Mutter im hause, die Kinder auff der gassen, den gemeinen Man auff dem marckt

[1] *Fast* = *sehr.* — [2] *Dürffen,* in the old sense of 'need.' — [3] *Das* = *das's, i.e. dass es;* the *es,* referring to *sola,* being the object of *hat,* which means 'contains,' or 'implies.' — [4] *Sich begibt* = *es gibt;* 'when there is talk.' — [5] *Als* = *wie, zum Beispiel.* — [6] *Allein* = modern *bloss;* so in the other examples. — [7] *Item,* 'likewise,' 'again.' — [8] *Gessen* = *gegessen.* — [9] *Uberlesen* = *durchgelesen.* — [10] *Unzelige Weise* = *unzähliger Weise,* 'countlessly.' 'ad infinitum.' — [11] *Deste völliger* = *desto kräftiger*

drumb fragen, vnd denselbigen auff das Maul sehen, wie sie reden, vnd darnach dolmetschen. So verstehen sie es denn vnd mercken, das man Deudsch mit jnen redet.

### 4

### Ein feste Burg.[1]

Ein feste burg ist unser Gott,
Ein gute wehr und waffen,[2]
Er hilfft uns frey [3] aus aller not,
Die uns itzt hat betroffen.
Der alt böse feind
Mit ernst [4] ers itzt meint,
Gros macht und viel list
Sein grausam rüstung ist,
Auff erd ist nicht seins gleichen.

Mit unser macht ist nichts gethan,
Wir sind gar bald verloren,
Es streit für uns der rechte man,
Den Gott hat selbs erkoren.
Fragstu wer der ist?
Er heisst Jhesus Christ,
Der HERR Zebaoth,[5]
Und ist kein ander Gott,
Das felt mus er behalten.

Und wenn die welt vol Teuffel wer
Und wolt uns gar verschlingen,
So fürchten wir uns nicht so sehr,
Es sol uns doch gelingen.
Der Fürst dieser welt,
Wie saur [6] er sich stelt,
Thut er uns doch nicht [7];
Das macht, er ist gericht,[8]
Ein wörtlin kan jn fellen.

Das wort sie söllen lassen stan
Und kein danck dazu haben;
Er ist bey uns wol auff dem plan [9]
Mit seinem Geist und gaben.
Nemen sie den leib,
Gut, ehr, kind und weib,
Las faren dahin;
Sie habens [10] kein gewin,
Das Reich mus uns doch bleiben.

### 5

### Frau Musica.[11]

Für [12] allen freuden auf erden
Kan niemand [13] keine feiner werden,

[1] This famous hymn, based on Psalm xlvi and often called the battle-hymn of the Reformation, dates from 1529. — [2] *Waffen* (das) = modern *Waffe* (die). — [3] *Frey*, probably factitive rather than adverbial; 'he helps us free,' *i. e.* 'sets us free.' — [4] *Ernst*, probably in the old sense of *Kampf;* 'he means fight.' — [5] *Zebaoth*, 'of hosts'; a Hebrew plural. — [6] *Saur*, 'fierce,' 'menacing.' — [7] *Nicht* = *nichts*. — [8] *Gericht* = *gerichtet*, 'judged.' Satan's impotence is caused ('made') by the fact that he is under doom. See Revelation xx, 3. — [9] *Plan*, 'field' of battle. — [10] *Habens*, *i. e. haben es*, the *es* being a genitive = 'of it,' 'from it.' — [11] The poem dates from 1538. In lines 1–14, and again in lines 25–40, Frau Musica speaks in her own person; but in lines 15–24 Luther speaks *of* her, proving the goodness of her art by scriptural instances. — [12] *Für* = *vor;* translate by 'of' or 'among.' — [13] *Niemand* is dative; 'no joy can be more exquisite for any one.'

Denn die ich geb mit meim singen
Und mit manchem süssen klingen.
Hie kan nicht sein ein böser mut,
Wo da singen gesellen gut,
Hie bleibt kein zorn, zank, hass noch neid,
Weichen muss alles herzeleid,
Geiz, sorg und was sonst hart anleit,[1]
Fert hin mit aller traurigkeit.
Auch ist ein jeder des wol frei,[2]
Das solche freud kein sünde sei,
Sondern auch Gott viel bass gefelt,
Denn alle freud der ganzen welt.
Dem teufel sie sein werk zerstört
Und verhindert viel böser mörd.
Das zeugt David des königs that,[3]
Der dem Saul oft geweret hat
Mit gutem süssem harfenspiel,
Das er nicht in grossen mord fiel.
Zum göttlichen wort und warheit
Macht sie das herz still und bereit;
Solchs hat Eliseus bekant,[4]
Da er den geist durchs harfen fand.
Die beste zeit im jar ist mein,
Da singen alle vögelein;
Himel und erden ist der vol,
Viel gut gesang da lautet wol.
Voran die liebe nachtigal
Macht alles frölich überal
Mit irem lieblichen gesang;
Des muss sie haben immer dank.
Vielmehr der liebe Herre Gott,
Der sie also geschaffen hat,
Zu sein die rechte sengerin,
Der Musicen ein meisterin;
Dem singt und springt sie tag und nacht,
Seines lobs sie nichts müde macht.
Den ehrt und lobt auch mein gesang
Und sagt im ein ewigen dank.

## XLI. ULRICH VON HUTTEN

1488–1523. An eminent humanist and poet laureate of knightly stock, Hutten had attacked the papacy in various Latin writings before resorting to the vernacular in support of Luther, of whose cause he became, in 1520, an ardent champion. The defeat of his friend Sickingen compelled him to flee to Switzerland, where he died on the island of Ufnau, in the Lake of Zürich.

The selections follow Kürschner's *Nationalliteratur*, Vol. 17[2], pages 249 ff., and pages 269 ff.

[1] *Anleit = anliegt;* 'whatever lies hard upon us.' — [2] *Des wol frei*, 'quite at ease about this.' — [3] *That;* see I Sam. xvi, 23. — [4] *Bekant = erkannt;* see II Kings iii, 15.

I

*From the Poem 'Complaint and Admonition.'*[1]

Hilf, werder Künig,[2] es ist not!
Lass fliegen auss des adlers fan![3]
So wöllen wir es heben an.
Der weingart gottes ist nit rein,
Vil ungewächss ist kommen drein.
Der weytz des herren wicken[4] tregt;
Wer do zů[5] nit sein arbeit legt
Und hilfft das unkraut tilgen auss,
Der würt mit gott nit halten hauss.
Wir reuten auss unfruchtbarkeit
Und thůnd, als gott hatt selbs gesæit,
Zu dem, der solichs rauben pflegt,
Do ers propheten mund[6] bewegt.
Du hast beraubt all nation,
Drumb dir auch werden widerston
All völcker, überfallen dich,
Berauben wider gwaltiglich.
Fürwar, das würt ein gůtte that!
Ich gib all frommen Teutschen rat,
Seit sich nit bessert disser stadt.[7]
Doch halt die frommen ich beuor,[8]
Der greiff man keinem an ein hor.[9]
Und die seind gůtter gschrifft gelert,
Ich bitt, das keiner werd versert.
Und wer ein geistlich leben fürt,
In disser sach bleib unberürt. —
All ding[10] der Bapst hatt übermacht!
Wer das dann hat zům besten gdacht,
Den hatt er mit dem bann erschreckt.
Ich hoff, es seyen schon erweckt
Vil teutscher hertzen, werden sich
Der sachen nemen an, als[11] ich.
Ich hab ye[12] gůt vormanung gthan,
Ich hoff, sye lassen mich nit stan!
Den stolzen Adel ich beruff,
Ir frommen Stett, euch werffet uff!
Wir wöllents halten in gemein;
Lasst doch nit streiten mich allein!
Erbarmt euch übers vatterlandt,
Ir werden Teutschen, regt die handt;

[1] The title of the poem, which comprises 1578 lines and was written in 1520, runs: *Clag und Vormanung* [i. e. *Ermahnung*] *gegen dem übermässigen, unchristlichen gewalt des Bapsts zu Rom und der ungeistlichen geistlichen.* —[2] *Künig;* Karl V (1500–1558). —[3] *Adlers fan*, the imperial eagle. —[4] *Wicken*, 'weeds.' —[5] *do zů* = *dazu, daran.* In early prints, an *uo*, which later became *ue*, then *u*, often appears as *ů*. —[6] *Propheten mund;* see Jer. xii, 10 ff. —[7] *Stadt* = *status, Zustand.* —[8] *Halt beuor* = *nehme aus*, 'except.' —[9] *Hor* = *Haar.* —[10] *All ding*, 'in all things'; gen. with *übermacht.* —[11] *Als* = *wie.* —[12] *Ye* = *je*, 'always.'

Yetzt ist die zeit, zůheben an
Umb freyheit kryegen, gott wils han!
Här zů![1] wer mannes hertzen hatt!
Gebt vorter[2] nit den lügen statt,
Domit sye han vorkert die welt!
Vor hatt es an vormanung gfelt,
Und einem, der euch sagt den grund,
Kein ley[3] euch damals weissen[4] kund,
Und waren nůr die pfaffen glert.
Yetzt hatt uns gott auch kunst[5] beschert,
Das wir die bücher auch verstan.
Wollauff, ist zeyt, wir müssen dran!

## 2

### Ich habs gewagt.[6]

Ich habs gewagt mit sinnen[7]
Und trag des noch kain rew,
Mag ich nit dran gewinnen,
Noch[8] můss man spüren trew[9];
Dar mit ich main[10]
Nit aim allain,
Wen man es wolt erkennen,
Dem land zů gůt,
Wie wol man tůt
Ain pfaffenfeint[11] mich nennen.

Da lass ich ieden liegen[12]
Und reden, was er wil;
Het warheit ich geschwigen,
Mir wären hulder vil.[13]
Nun hab ichs gsagt,
Bin drumb verjagt,[14]
Das klag ich allen frummen,
Wie wol noch ich
Nit weiter fleich,[15]
Villeicht werd wider kummen.

Umb gnad wil ich nit bitten,
Die weil ich bin on schult;
Ich het das recht gelitten,[16]
So[17] hindert ungedult,
Dass man mich nit
Nach altem sit
Zů ghör hat kummen lassen;
Villeicht wils got,
Und zwingt sie not,
Zu handlen diser massen.

Nun ist oft diser gleichen[18]
Geschehen auch hie vor,
Dass ainer von den reichen

[1] *Här zů* = *herzu.* — [2] *Vorter* = *fürder.* — [3] *Ley* = *Laie,* 'layman.' — [4] *Weissen* = *weisen,* 'point the way,' 'instruct,' 'warn.' — [5] *Kunst,* 'knowledge.' — [6] The song was printed separately in 1521 as *Ain new lied herr Vlrichs von Hutten.* The phrase *ich habs gewagt,* translating the Latin *jacta est alea,* became a sort of motto with Hutten after he had taken, in the fall of 1520, the momentous step of defending Luther and advocating a German war of liberation. — [7] *Mit sinnen,* 'deliberately.' — [8] *Noch* = *dennoch.* — [9] *Spüren trew,* 'perceive stedfastness,' 'see that I am faithful' to the decision taken. — [10] *Main* = *meine;* 'I intend the weal not of one only (myself), but of the whole fatherland.' — [11] *Pfaffenfeind,* as a term of reproach among the humanists, had a suggestion of flying at ignoble game. — [12] *Liegen* = *lügen.* — [13] *Mir . . . vil,* 'many would have liked me better.' — [14] *Verjagt;* Hutten's revolutionary writings led to a papal order that he be brought to Rome in chains. Banished on that account by his former friend, the Archbishop of Mainz, he took refuge in the castle of Franz von Sickingen at Ebernburg. — [15] *Fleich* = *fliehe.* — [16] *Recht gelitten,* 'submitted to trial.' — [17] *So* = *aber.* — [18] *Diser gleichen* = *dergleichen.*

Ain gůtes spil verlor,
Oft grosser flam
Von fünklin kam;
Wer waiss, ob ichs werd rechen!
Stat schon im lauf,
So setz ich drauf[1]:
Můss gan oder brechen.

Dar neben mich zů trösten
Mit gůtem gwissen hab,
Dass kainer von den bösten
Mir er[2] mag brechen ab,
Noch sagen, dass
Uff ainig mass[3]
Ich anders sei gegangen,
Dan eren nach,
Hab dise sach
In gůtem angefangen.

Wil nun ir selbs[4] nit raten[5]
Dis frumme nation,
Irs schadens sich ergatten,[6]
Als ich vermanet han,
So ist mir laid!
Hie mit ich schaid,
Wil mengen bass die karten.
Bin unverzagt,
Ich habs gewagt
Und wil des ends erwarten.

Ob dan mir nach tůt denken
Der curtisanen[7] list,
Ain herz last sich nit krenken,
Das rechter mainung ist!
Ich waiss noch vil,
Wöln auch ins spil,
Und soltens[8] drüber sterben:
Auf, landsknecht gůt
Und reuters můt,
Last Hutten nit verderben!

## XLII. THOMAS MURNER

1475–*ca.* 1536. An Alsatian friar of the Franciscan order, Murner traveled much and won great prestige as a scholar. His earliest German writings, the *Guild of Fools* and the *Exorcism of Fools*, are metrical satires in the vein of Sebastian Brant. Though himself a sharp critic of clerical abuses, he could not brook the thought of a rupture with the Roman church. In the *Great Lutheran Fool* he assailed Luther scurrilously. His verse is mostly prosaic and often coarse, but there is a certain elegiac warmth in his song of thirty-five stanzas on the *Downfall of the Christian Faith*, which was published in the early days of the Lutheran revolt. A part of it is given below, the text according to Kürschner's *Nationalliteratur*, Vol. 17[1], page 62.

**Ain new Lied von dem undergang des Christlichen glaubens.**

Nun hört, ich wil euch singen,
In brůder Veiten ton,[9]
Von ungehörten Dingen,
Die laider iez[10] fürgon[11]:

[1] *Setz ich drauf*, 'take my risk on it.' — [2] *Er* = *Ehre.* — [3] *Uff ainig mass* = *irgendwie.* — [4] *Ir selbs* = *sich selbst.* — [5] *Raten* = *Rat schaffen*, 'find means.' — [6] *Ergatten* = *erholen.* — [7] *Curtisanen* = *Höflinge.* — [8] *Soltens* = *sollten sie.* — [9] The *Bruder Veits Ton*, verse-form and tune, was a popular favorite. See Erk und Böhme's *Liederhort*, II, 59. — [10] *Iez* = *jetzt.* — [11] *Fürgon* = *vorgehen.*

Wie dass mit falschen listen
Die christenhait zergat;
Wan das die fürsten wisten,
Sie täten zů der tat.[1]

Der hirt, der ist geschlagen,
Die schäflin sein [2] zerstreut,
Der bapst, der ist verjagen,[3]
Kein kron er me [4] aufdrait,[5]
Und ist mit kainen worten
Von Christo ie erstift [6];
An hundert tausent orten
Ist gossen auss das gift.

Der kaiser ist kain advocat,
Gar hin ist sein gewalt,
Den er ja zu der kirchen hat,
Der schirm zu boden falt;
Sein gebot sein ganz verachtet,
We armer christenhait,
Wa undertäni [7] brachtet,[8]
Und herschaft niderleit!

Die patriarchen alle
Und cardinäl gemain,[9]
Die bischof sein im falle,
Der pfarrer bleibt allain;
Ja den die gmain [10] erwelet
Nach irem unverstand
Und für ain hirten zelet;
Ach, we der grossen schand!

Die minsten sein iez all gelert,
Der [11] vor nie beten kunt,
Kain ler auf erden ie gehört,
Dorft nie aufton sein mund:
Die widerfechten alle
Die zierd [12] der christenhait,
Gent steur [13] zů niderfalle
Ir lob und herlichait.

Die mess, die sol nim [14] gelten
Im leben noch im dot,
Die sacrament sie schelten,
Die seien uns nit not;
Fünf [15] hon sie gar vernichtet,
Die andern [16] lon sie ston
Der massen zů gerichtet,
Dass sie auch bald zergon.

Wir sein all pfaffen worden,
Baid, weiber und die man,
Wie wol wir hant kain orden,
Kain weihe gnomen an.
Die stiel ston auf den benken,
Der wagen vor dem ross,
Der glaub wil gar versenken,
Der grund ist bodenlos.

Die pfaffen sein zerschlagen,
Die münch sein auch zertrent,
Mit luter stimmen klagen,
Man hab sie lang geschent:[17]

[1] *Täten . . . tat* = *würden zur Tat schreiten*, 'would do something.' — [2] *Sein* = *sind.* — [3] *Verjagen* = *beseitigt*, 'done away with.' — [4] *Me* = *mehr.* — [5] *Aufdrait* = *aufträgt*, 'wears.' — [6] *Erstift*, 'established'; see Mat. xvi, 18. — [7] *Undertäni*, an abstract from *Untertan*, in the collective sense of *Untertanenschaft.* — [8] *Brachtet*, from *brachten* = *schreien, toben.* The sense is: 'Where subjects revolt and rulers are powerless.' — [9] *Gemain* = *sämtlich.* — [10] *Gmain* = *Gemeinde.* — [11] *Der*, in the sing., as if *der minste* had preceded. — [12] *Zierd*, the church. — [13] *Gent steur* = *geben Steuer*, 'help on,' 'aid.' — [14] *Nim* = *nimmer* (*nie mehr*). — [15] *Fünf*, namely, confirmation, penance, extreme unction, order, and matrimony. — [16] *Andern*, namely, baptism and the eucharist. — [17] *Geschent* = *geschändet*, 'treated disgracefully.'

Uns alles für erlogen,[1]
Was sie hont ie gesait,
Auss ihren fingern gsogen,
Verfiert die christenhait.

Wer iez zů mal kan liegen,
Veracht all oberkait,
Das evangeli biegen[2]
Auf mort und herzenlaid:
Dem lauft man zu mit schalle,
Hanthabt[3] in mit gewalt,
Biss unser glaub verfalle
Und gar in eschen falt.

Der apfel ist geworfen
Der zwitracht, das ist war,
In steten und in dorfen;
Und geben nit ain har,
Ja nit ain meit[4] auf erden
Umb alle oberkait;
Mit listen und gefärden
Erdenkt man herzenlaid.

Das evangeli frone,[5]
Das was ein frölich mär,
Von got eroffnet schone
Zů frid von himel her:
Das hont sie iez vergiftet
In mort und bitterkait;
Es was zů freud erstiftet,
Iez bringt es herzenlaid.

Ich kan michs nit beklagen
Ja über gotes wort,
Allain dass sies vertragen
Und rinklen[6] auf ain mort
Das wort des ewigen leben
Zů aufrůr und dem dot,
Von Christo uns gegeben,
Das er auss lieb erbot.

## XLIII. THE REFORMATION DRAMA

The spirit of Luther — opposition to the papacy and reliance on scripture — soon found expression in the acted drama. To illustrate this phase of the new literary movement three plays have been drawn on: first, a Swiss play, performed on the streets of Bern in 1522; second, a Low German play, performed at Riga in 1527; third, a midland play, performed at Kahla in 1535. The text of No. 1 follows Bächtold's *Bibliothek älterer Schriftwerke der deutschen Schweiz*, II, 103; for No. 2 see Braune's *Neudrucke*, No. 30; for No. 3, Tittmann's *Schauspiele aus dem 16. Jahrhundert*, pages 21 ff.

### I

*From the 'Contrast between the Pope and Christ,' by Niklaus Manuel.*[7]

[1] *Für erlogen = vorgelogen.* — [2] *Biegen*, with *kan* above; 'whoso can bend the gospel to murder,' etc. — [3] *Hanthabt*, 'invests' (puts into his hands). — [4] *Meit*, 'mite.' — [5] *Frone = heilig.* — [6] *Rinklen*, 'twist,' 'pervert,' — like the preceding *vertragen.* — [7] Niklaus Manuel (*ca.* 1484–1530), locally famous both as a painter and a writer, was a leader of the early Swiss Reformers. The play consisted of a procession representing the Pope, riding in pontifical splendor and attended by pompous retainers; while Christ rode an ass, wearing a crown of thorns and followed by a throng of the lame and the blind. The speakers are two Swiss peasants.

### Cläiwe Pflůg

Vetter Rüede, was lebens ist nun vorhand?
Mich dunkt, es sig [1] aber neiwas nüws [2] im land.
Wer ist der gůt fromm biderman,
Der da ein grawen rock treit an [3]
Und uf dem schlechten esel sitzt
Und treit ein kron, von dörnen gespitzt?
Er ist on zwifel ein trut [4] biderman,
Das sich [5] ich im wol an sim angsicht an;
Es ist kein hoffart in im nit,
Sin hofgesind im des zügnuss git [6]:
Die im nachgand,[7] hinkend und kriechen,
Die armen blinden und feldsiechen.[8]
Schouw, was armer lüten gand im nach!
Ich mein, dass er niemand verschmach.[9]
Die armen stinkenden ellenden lüt,
Sie hend doch kein gelt und gend im gar nüt.
Das ist doch ein ellende unlustige schar
Und gand ouch so gar gottsjämerlich dahar:
Der lam, der ander blind, der dritt wassersüchtig!
Und sitzt aber der gůt man so herzlich züchtig,
So ganz schämig und einfeltig uf dem tier.
Lieber min etter [10] Rüedi, wie gfalt er dir?
Lieber etter, weistu, wer er ist,
Ach, so sag mir's ouch durch Jesum Christ!

### Rüede Vogelnest

Etter Cläiwe, ich bekennen [11] in vast wol,[12]
Darumb ich's dir ouch billichen sagen sol!
Er ist unser höchster schatz und hort,
Er ist des ewigen vaters wort,
Das in dem anfang was bi gott,

[1] *Sig = sei.* — [2] *Neiwas nüws = etwas Neues.* — [3] *Treit an = anträgt.* — [4] *Trut = traut (er).* — [5] *Sich = sehe.* — [6] *Des . . . git = gibt Zeugnis davon.* — [7] *Nachgand = nachgehen.* — [8] *Feldsiechen = aussätzigen.* — [9] *Verschmach = verschmähe.* — [10] *Etter = vetter* (Rüedi being familiar for Rudolf). — [11] *Bekennen = kenne.* — [12] *Vast wol = sehr gut.*

Do er alle ding beschaffen wott,[1]
Himmel und erden, tag und nacht.
On in ist ganz nüt gemacht,
Noch das firmament, noch der erdenklotz:
Er ist der sun des lebendigen gotts.
Es ist der süess, milt und recht demüetig,
Tröstlich, frölich, barmherzig und güetig,
Heilmacher der welt, herr Jesus Christ,
Der am crütz für uns gestorben ist
In sinem dri und drissigsten alter,
Unser schöpfer, erlöser und behalter,
Ein künig aller künig, herr aller herren,
Den ouch die kreft der himel eren.

### Cläiwe Pflůg

Verden plůst willen,[2] ist das der?
Wenn er halb als hoffertig wer,
Als unser kilchherr[3] und sin caplan,
So sähe er der bettler keinen an.
Was gemeint der alt glatzet[4] fischer darmit,
Dass er so dapfer neben im dahar tritt,
Und ouch die anderen biderben lüt?
Weist du ouch, was doch das selb bedüt?

### Rüede Vogelnest

Der alt fischer das ist sant Peter.
Der herr Jesus hat kein trumeter,[5]
Blind und lam sind sin trabanten.
Und die in ein sun gottes erkanten,
Das warend schlecht einvaltig lüt;
Die pfaffen schatztend in gar nüt
Und widerstrebtend im alle zit,
So straft er sie umb iren git[6]
Und ander süntlich wis und berden.[7]

[1] *Wott* = *wollte*. — [2] *Verden plůost willen;* an untranslatable oath. — [3] *Kilchherr* = *Kirchherr*. — [4] *Glatzet*, 'bald.' — [5] *Trumeter* = *Trompeter*. — [6] *Git* = *Geiz*. — [7] *Wis und berden* = *Weise und Gebärden*, 'character and conduct.'

Er kond nie eins mit inen werden.
Darumb sie in allwegen verstiessend
Und zůletst am krütz ermörden liessend.

*(Hie zwischen kam der bapst geritten in grossem triumph in harnisch mit grossem kriegszüg[1] zů ross und fůss mit grossen panern und fenlinen von allerlei nationen lüt. — Sin eidgenossen gwardi[2] all in siner farb, trumeten, pasunen,[3] trummen, pfifen, kartonen,[4] schlangen,[5] hůren und bůben und was zum krieg gehört, richlich, hochprachtlich, als ob er der türkisch keiser wär. Do sprach aber)*

### Cläiwe Pflůg

Vetter Rüede, und wer ist aber der gross keiser,
Der mit im bringt so vil kriegischer pfaffen und reiser[6]
Mit so grossen mechtigen hochen rossen,
So mencherlei wilder seltsamer bossen,[7]
So vil multier mit gold, samet beziert,
Und zwen spicherschlüssel[8] im paner fiert?
Das nimpt mich frömbd und mechtig wunder.
Wärind nit so vil pfaffen darunder,
So meinte ich doch, es wärind Türken und heiden.
Mit denen seltsamen kappen und wilden kleiden. . . .

### Rüede Vogelnest

Das weiss ich ouch und kan dir's sagen.
Man můss in uf den achslen tragen
Und wil darfür gehalten werden,
Dass er sig ein gott uf der erden;
Darumb treit er der kronen dri,
Dass er über all herren si
Und sig ein statthalter Jesu Christ,
Der uf dem esel geritten ist.

### Cläiwe Pflůg

Das möcht wol ein hoffertig statthalter sin!
Das lit heiter am tag und ist ougenschin.

[1] *Kriegszüg* = *Kriegsheer*. — [2] *Gwardi* = *Garde*, *Leibwache*. — [3] *Pasunen* = *Posaunen*. — [4] *Kartonen* = *Cartaunen*, 'heavy guns.' — [5] *Schlangen*, '(long) cannon.' — [6] *Reiser* = *Reisiger*, *Krieger*. — [7] *Bossen* = *Burschen*, *buben*. — [8] *Spicherschlüssel*, 'granary keys'; the keys of St. Peter.

Das sind doch warlich zwo unglich personen:
Des ewigen gotts sun treit ein dörne kronen
Und ist der armůt geliebt und hold;
So ist sins statthalters kronen gold
Und benüegt sich dennocht nit daran,
Er wil dri ob einandern han.
So ist Christus fridsam, demüetig und milt,
So ist der bapst kriegsch, rumorisch und wild
Und ritet dahar so kriegsch und fri,
Grad als ob er voller tüflen si.

2

*From the 'Prodigal Son,' by Burkard Waldis.*[1]

VORLORN SZOHN

Ick seh vp erden hir keyn trost,
Dar mit ick werden mocht erlöst.
Wor ick my kere edder[2] wende,
Dar ys kummer an allen endenn.
Vele dagelöner myn vader hefft,
Der keyn ynn solcken kummer lefft[3]:
Sze hebbent all tho male[4] guedt
Vnd hebben brodes ouerfloedt.
Auers[5] ick mach hir keyn trost erweruenn,[6]
Ick moeth[7] von grotem hunger steruenn.
Ick will my schicken ynn de sakenn
Vnd will my all thohand vpmakenn,
Inn düsser moyge[8] nicht lengher staenn.
Will hen tho mynen vader gaenn
Vnd spreken, vader, ick sy de mann,
De dar hefft alsso öuel[9] gedaenn,

[1] Waldis was a Hessian, born about 1495, who went to Riga in his youth, and there worked and suffered in the cause of the new Lutheranism. The *Prodigal Son* preaches the Lutheran doctrine of justification by faith. The selection is from the beginning of Act II, where the Prodigal, having lived some time with thieves and harlots, decides to return to his father. — [2] *Edder* = *oder*. — [3] *Lefft* = *lebt*. — [4] *All tho male* = *allzumal*, 'constantly.' — [5] *Auers* = *aber*. — [6] *Erweruenn* = *erwerben, gewinnen*. — [7] *Moeth* = *muss*. — [8] *Moyge* = *Mühe*. — [9] *Öuel* = *übel*.

Gesundiget ynn hemmel vnd vor dy,
Dat laeth [1] du nicht entgelden my.
Dat ick geheten was dyn Szohn,
Des will ick my nu gantz entslaen [2];
Ick bin des namens yo nicht werdt,
Dat ick dyn szohn geheyten werde;
Sunder nym my ynn dyne gemeyn,[3]
Make my als dyner dachlöner eynn.
Darumm blyue [4] ick nicht lenger hir.

VADER

Dat ys myn Szohn, den ick dar seh.
Ick meynde, he hadde doet [5] gewessenn:
Nu seh ick woll, he ys genessenn
Vnd leuet noch tho düsser stundt;
Idt [6] bewegt sick myns herten grundt.
My yamert syn elende groet,[7]
Ick seh, he ys ynn groter noeth;
Ick kanss my werlich nicht entslaenn,
Ick moeth ohm [8] vorwar entegen gaenn.

(*Hir gengk de vader entegen demm vorlornn Szohn.*)

Myn leue szoen, wes [9] my willkomenn!
Ick hebbe dyne grote noedt vornomenn.
Vorwar, ick moet my dyner vorbarmenn.[10]
Kumm her, myn szohn, yn myne armenn,
Lech dynen mundt ann myne wanghenn,
Du schalst van my alle gnade erlangenn,
Vortruwe my dat vth [11] hertzen grunde.

(*VORLORN SZOHN veel nedder vor den Vader sprekende*):

Ick seh wol, ick hebbe gnade fundenn.
Ach vader myn, vnd ick bin dey,
De dy hefft willen volgen nü,[12]

[1] *Laeth* = *lass.* — [2] *Entslaen* = *entschlagen;* with reflexive object 'to leave out of account.' — [3] *Gemeyn;* here = 'household.' — [4] *Blyue* = *bleibe.* — [5] *Doet* = *tot.* — [6] *Idt* = *es.* — [7] *Elende groet* = *Elend gross.* — [8] *Ohm* = *ihm.* — [9] *Wes* = *sei.* — [10] *Vorbarmenn* = *erbarmen.* — [11] *Vth* = *aus.* — [12] *Nü* = *nie.*

All tydt[1] dyn geboden wedderstreuet
Vnd nü nha[2] dynen willen geleuet.
Ick hebbe gesundiget ynn ouermoedt,
Inn hemmel vnd vor dy, vader guedt.
De nahm my nicht mehr euen[3] kumpt,
Dat ick mach werden dyn szohn genümbt.[4]
Du haddest ydt my tho voren[5] gesecht,[6]
Ehr wenn[7] ick van dy toch hen wech,[8]
Vnd hefft my gewarndt vor mynen schaden,
Ick wolde my ouers nicht laten raden.
Solcken kummer hefft keyn mynsch gesehn,
De my alleyne ys geschehn.
Darumm, dat ick nicht, wo ick denn scholde,
Dyns guden rades volgen wolde,
Inn dyner straff[9] nicht wolde leuenn,
Darumm hefft my leydt vnd müg[10] vmmgeuen.
Vor myne sunde vnd myssethat
Is ouer my gegan alle quaedt.[11]
Myn sunde bekenne ick all vor dy,
Bidde dy, vader, wes gnedich my;
Ick hebbe gesundiget, ydt rowet[12] my szehr.

3

*From Rebhun's 'Susanna,' Act III, Sc. 4: Having been menaced with death by the wanton judges, Susanna tells her father, mother, and sister of the infamous plot.*[13]

HELCHIAS

Frid mit dir!

ELISABET

O, liebste tochter mein!

[1] *Tydt* = *Zeit.* — [2] *Nha* = *nach.* — [3] *Euen* = *eben;* with *kumpt* = 'befits.' — [4] *Genümbt* = *genannt.* — [5] *Tho voren* = *zuvor.* — [6] *Gesecht* = *gesagt.* — [7] *Ehr wenn* = *früher als, bevor.* — [8] *Toch hen wech* = *zog hin weg* = *hinwegzog.* — [9] *Straff*, 'discipline' — [10] *Müg* = *Mühe.* — [11] *Quaedt* = *böse, schlecht.* — [12] *Rowet* = *reuet.* — [13] Paul Rebhun, who died in 1546, was a Lutheran schoolmaster and pastor. In his *Susanna* he essayed a more regular and varied versification than that of the ordinary *Knittelvers.* The apocryphal story of Susanna was in high favor with the Protestant playwrights on account of its vindication of a chaste wife.

REBECCA

O Susann, du traute schwester mein!

ELISABET

Hilf uns, lieber Got, in ewigkeit!
Wie kumts ewig,[1] das in sölches leid
Du, mein liebste tochter, kummen sollt,
Welches ich lang der meid [2] nicht glauben wollt?
Solstu nu zur zeit deinr höchsten ern
Für ein sölche erst gehalten werden,
Die du hast von jugnt dein lebn gefürt
Keusch, wie einer frummen fraun gebürt?
Ach, das dir sol gschehen sölche gwalt!
Got wöll sehen an [3] dein unschuld bald.

SUSANNA

Sei dann, das mir Got, mein herr, helf draus,
Ist es auch mit meinem leben aus;
Dann sie mir den tot gedrohet han,
Weil ich nicht nach irem willn hab tan.

HELCHIAS

Liebe tochter, hör itz auf vom klagn;
Dann wir wollen Got dein not fürtragn.
Der on zweifel dir wirt helfen aus,
Machen sie gleich was sie wöln daraus.
Wollst uns selber recht erzeln die sach,
Wie du kumst zu diesem ungemach.

SUSANNA

Da die sonn heut warm zu scheinn anfieng,
Nach gewonheit ich in [4] garten gieng,
Wolt beim brunn mich badn ein kleine weil,
Drumb ich sant die meid von mir in eil,

[1] *Ewig = immer.* — [2] *Meid;* the housemaid who had brought the news to Susanna's mother. — [3] *Sehen an,* 'look on,' 'bring to light.' — [4] *In = in den.*

Liess den garten fest beschliessen zu,
Meint, ich wer nu da mit guter ru.[1]
Da erhubn sich plötzlich zu mir her
Dise richter, des erschrak ich ser.
Bald sie mir ir unart muten an,
Lagn mir auch mit bitten heftig an,
Teten mir dazu verheissung vil,
Das ich mich ergeb zu irem will;
Da sie aber nichts mit güt von mir
Kunten habn, da namens frevel für[2]
Und bedroten mich mit irer gwalt,
Sagten, was für gfar mir folgen solt,
Wie sie mir mein er[3] und auch das lebn
Nemen woltn, so ich nicht ergebn
Würde mich zu irem willn so bald;
Da ich aber in nicht ghorchen wolt,
Wurden sie von stund vol zorn und grim,
Ruften meinem gsind[4] mit lauter stimm,
Sagten, wie ich die und dise wer,
Also kum ich leider in die gfer.

SAMRI[5]

Hab ich nicht die sach erraten fein,
Das die richter selber böswicht sein?

GORGIAS

Das sie potz[6]! wer het sich des vertraut,
Das sölchs stecken sol in alter haut?

HELCHIAS

Helf dir Got, du liebe tochter mein,
Welchem wol ist kund die unschuld dein.

[1] *Guter ru*, 'security'; 'I thought I should be safe there.' — [2] *Namens . . . für*, 'they resorted to crime.' — [3] *Er* = *Ehre*. — [4] *Gsind* = *Gesinde*, 'servants.' — [5] Samri and Gorgias are *Hausknechte* of Susanna's husband. — [6] *Potz*, a euphemism for *Gott* in oaths: *dass Gott sie* (*verdamme*).

SUSANNA

Wenn doch nur mein her[1] vorhanden wer,
Oder wüste disen jamer schwer!

ELISABET

Schweig, villeicht wirt er nu kumen schier.[2]

REBECCA

Liebe schwester, Got wöll helfen dir.

CHORUS TERTIUS

David, der prophetisch man,
Zeigt an,
Durch Gottes geist geleret:
Wer sich fest auf Got erbaut
Und traut,
Der wirt nicht umbgekeret;
Wie Sion steht er unbewegt,
Wird nicht geregt
Von starken winden
Des fleischs, des teufels und der welt,
Gegn in sich stellt,[3]
Sich nicht mit sünden
Von in lässt überwinden.

Sein haus, auf eim felsen hart
Verwart,
Ist gwaltig unterfasset;
Wasser, wind kans nicht bewegn,
Noch regn,
On schad sichs alls abstosset.
Got fürchten ist sein burg und schloss;
Kein teufels gschoss
Kan das zersprengen;

[1] *Her;* her husband, Joachim, is away on business. — [2] *Schier* = *bald*
[3] *Gegn . . . steilt* = *stellt sich ihnen entgegen.*

Gots wort sein waffen ist und schwert,
Damit er wert,[1]
Lässt sich nicht drengen,
Zu sünd und abfal brengen.

Aber wer den hern veracht,
Nicht tracht
Auf seine wort und wege,
Den tut wie ein ror im teich
Gar leicht
Ein kleiner wind bewegen.
Sein haus gebaut ist auf den sand,
Hat kein bestand,
Kan sich nicht halten;
Wenn in ein kleine sünd anficht
Und nur besticht,[2]
Wird er zerspalten [3]
Und lässt die bosheit walten.

## XLIV. HANS SACHS

1494–1576. Sachs is the most winsome and versatile German poet of the 16th century. He lived at Nürnberg, practising the trade of the shoemaker and the art of the mastersinger, and writing an immense number of poetic productions. His total of verses has been estimated at half a million. For the reader of to-day he is most enjoyable in his *Schwänke*, or humorous tales, and his *Fastnachtspiele*, or shrovetide plays. The text of the first selection follows Keller's reprint in the *Bibliothek des Literarischen Vereins in Stuttgart*, Vol. 106, page 109; that of the second, Goetze's reprint in Braune's *Neudrucke*, No. 40.

### I

### Sanct Peter mit der Gais.

Weil noch auf Erden ging Christus
Unnd auch mit im wandert Petrus,
Eins tags auss eym dorff mit im gieng,
Bey einer wegscheid Petrus anfieng:
O herre Got und maister mein,
Mich wundert sehr der güte dein,
Weil du doch Gott allmechtig bist,
Lest es doch gehn zu aller frist
In aller welt, gleich wie es geht,

[1] *Wert* = *sich verteidigt.* — [2] *Besticht* = *verführt.* — [3] *Wird er zerspalten* = *kommt er in Zwiespalt mit sich selbst* (Tittmann).

Wie Habacuck sagt, der prophet:
Frevel und gewalt geht für recht;
Der gotloss uberforthailt schlecht
Mit schalckeit den ghrechten und frummen,
Auch könn kein recht[1] zu end mehr kummen.
Die lehr gehn durcheinander sehr,
Eben gleich wie die fisch im meer,
Da immer eyner den andern verschlind,[2]
Der böss den guten uberwind.
Des steht es ubel an allen enden,
Inn obern und in niedern stenden.
Des[3] sichst du zu und schweygest still,
Samb[4] kümmer dich die sach nit viel
Und geh dich eben glat[5] nichts an.
Könst doch als ubel undterstan,[6]
Nembst recht int[7] hand die herrschafft dein.
O solt ich ein jar herrgott sein
Und solt den gwalt haben, wie du,
Ich wolt anderst schawen darzu,
Fürn viel ein besser regiment
Auff erdterich[8] durch alle stend.
Ich wolt stewern mit meiner hand
Wucher, betrug, krieg, raub und brand.
Ich wolt anrichten ein rühigs leben.
Der Herr sprach: Petre, sag mir eben!
Mainst, du woltst ye baser[9] regieren,
All ding auff erd bass ordinieren,
Die frummen schützen, die bösen plagen?
Sanct Peter thet hinwider sagen:
Ja, es müst in der welt bass[9] stehn,
Nit also durch einander gehn.
Ich wolt viel besser ordnung halten.
Der Herr sprach: Nun, so must verwalten,
Petre, die hohe herrschafft mein.
Heut den tag solt du herrgott sein.
Schaff und gepeut als, was du wilt!
Sey hart, streng, gütig oder milt!
Gieb auss den fluch oder den segen!
Gieb schön wetter, wind oder regen!
Du magst straffen, oder belonen,
Plagen, schützen oder verschonen.
Inn summa, mein ganz regiment
Sey heut den tag in deiner hend!
Darmit reichet der Herr sein stab
Petro, den inn sein hende gab.
Petrus war dess gar wolgemut,

[1] *Recht*, 'lawsuit.' — [2] *Verschlind* = *verschlingt.* — [3] *Des*, for *dem* . . (*allen*). — [4] *Samb* = *als ob.* — [5] *Glat* = *gar.* — [6] *Als . . . undterstan* = *alles Übel unterdrücken.* — [7] *Int* = *in die.* — [8] *Erdterich* = *Erdreich.* — [9] *Baser, bass* = *besser*

Daucht sich[1] der herrligkeyt sehr gut.
Inn dem kam her ein armes weib,
Gantz dürr, mager und blaich von leib,
Parfuss inn eym zerrissen klaid.
Die trieb ir gaiss hin auff die waid.
Da sie mit auf die wegschaid kam,
Sprach sie: Geh hin in Gottes nam!
Got bhüt und bschütz dich immerdar,
Das dir kein ubel widerfar
Von wolffen oder ungewitter,
Wann ich kan warlich ye nicht mit dir!
Ich muss gehn arbeyten[2] das taglon.
Heint[3] ich sunst nichts zu essen hon
Dahaym mit meinen kleynen kinden.
Nun geh hin, wo du weyd thust finden!
Gott der bhüt dich mit seiner hend!
Mit dem die fraw widerumb wend
Ins dorff; so ging die gaiss ir strass.
Der Herr zu Petro sagen was[4]:
Petre, hast das gebett der armen
Gehört? du must dich ir erbarmen.
Weil du den tag bist herrgott du,
So stehet dir auch billig zu,
Das du die gaiss nembst in dein hut,
Wie sie von hertzen bitten thut,
Und behüt sie den ganzen tag,
Das sie sich nit verirr im hag,[5]
Nit fall noch müg gestolen wern,
Noch sie zerreissen wolff noch bern,
Das auff den abend widerumb
Die gaiss unbeschedigt haym kumb
Der armen frawen in ir hauss!
Geh hin und richt die sach wol auss!
Petrus namb nach des herren wort
Die gaiss in sein hut an dem ort
Und trieb sie an die waid hindan.
Sich fing sanct Peters unrhu an.
Die gaiss war mutig, jung und frech,
Und bliebe gar nit in der nech,[6]
Loff auff der wayde hin und wider,
Stieg ein berg auff, den andern nieder
Und schloff[7] hin und her durch die stauden.
Petrus mit echtzen,[8] blassn und schnauden
Must immer nachdrollen[9] der gaiss,

[1] *Daucht sich* (with gen.), 'was proud of,' 'elated over.' — [2] *Arbeyten* = *erarbeiten*, 'earn.' — [3] *Heint* = *heute nacht.* — [4] *Sagen was* = *sagend was*, 'was saying,' 'said.' — [5] *Hag* = *Busch, Gehölz.* — [6] *Nech* = *Nähe.* — [7] *Schloff*, 'strayed' (from *schliefen* = *schlüpfen*). — [8] *Echtzen* = *ächzen.* — [9] *Nachdrollen* = *nachtrollen.*

Und schin die sunn gar uberhaiss.
Der schwaiss uber sein leib abran.
Mit unruh verzert der alte man
Den tag biss auff den abend spat,
Machtloss, hellig,[1] gantz müd und mat
Die gaiss widerumb haym hin bracht.
Der Herr sach Petrum an und lacht.
Sprach: Petre, wilt mein regiment
Noch lenger bhalten in deiner hend?
Petrus sprach: Lieber herre, nein,
Nemb wider hin den stabe dein
Und dein gwalt! ich beger mit nichten
Fort hin dein ampt mehr ausszurichten.
Ich merck, das mein weissheit kaum döcht,[2]
Das ich ein gaiss regieren möcht
Mit grosser angst, müh und arbeyt.
O Herr, vergieb mir mein thorheit!
Ich will fort der regierung dein,
Weil ich leb, nit mehr reden ein.
Der Herr sprach: Petre, das selb thu!
So lebst du fort mit stiller rhu.
Und vertraw mir in meine hend
Das allmechtige regiment!

## 2

### Das heiss Eysen: Ein Fassnachtspil[3] mit 3 Person.

Die FRAW tritt einn vnd spricht:

Mein Man hab ich gehabt vier jar,
Der mir von erst viel lieber war.
Dieselb mein Lieb ist gar erloschen
Vnd hat im hertzen mir aussdroschen.[4]
West geren,[5] wes die schulde wer.
Dort geht mein alte Gfatter her,
Die ist sehr alt vnd weiss gar viel.
Dieselbigen ich fragen wil,
Was meiner vngunst vrsach sey,
Das ich werd der anfechtung frey.

Die alt GEFATTERIN spricht:

Was redst so heimlich wider dich?

Die FRAW spricht:

Mein liebe Gfattr, es kümmert mich:
Mich dunckt, mein Mann halt nit sein Eh,
Sonder mit andern Frawn vmbgeh.
Des bit ich von euch einen rath.

[1] *Hellig = müde.* — [2] *Döcht = taugt.* — [3] *Fassnacht.* The usual modern form is *Fastnacht*, as if from *Faste*, and meaning 'eve of the Lenten fast.' So the Grimm Dictionary explains it. But in early texts we find *vasnacht*, *fasnacht*, *fasenacht*, *fassnacht*, which Kluge in his Etymological Dictionary derives from *faseln* in the sense of *Unsinn treiben*. — [4] *Aussdroschen*, 'gone bankrupt,' 'failed.' — [5] *West geren = wüsste gern.*

Die alt GEFATTER spricht:

Gfatter, das ist ein schwere that.

Die FRAW spricht:

Da rath zu, wie ich das erfar!

Die GEFATTER spricht:

Ich weiss nicht, mir felt ein fürwar,
Wie man vor jaren gwonheit het,
Wenn man ein Mensch was zeyhen thet,[1]
Wenn es sein vnschuld wolt beweysen,
So mustes tragn ein glüend Eyssen
Auff bloser Hand auss einem kreiss;
Dem vnschulding war es nicht heyss
Vnd jn auff blosser Hand nit prent,
Darbey sein vnschuld würd erkent.
Darumb hab fleiss vnd richt auch an,
Das diss heiss Eyssen trag dein Man!
Schaw, dass du jn könst vberreden!

Die FRAW spricht:

Das wil ich wol thun zwischn vns beden.
Kan wain vnd seufftzen durch mein list,
Wenns mir schon vmb das hertz[2] nicht ist,
Das er muss als thun, was ich wil.

Die GEFATTER spricht:

So komb dem nach vnd schweig sonst still,
Darmit du fahest deinen Lappen[3]
Vnd jm anstreiffst die Narrenkappen!
Ytzund geht gleich herein dein Man.
Ich wil hin gehn; fah mit jm an!

(*Die alt Gefatter geht ab. Die Fraw sitzt, hat den kopff in der hend.*)

Der MANN kompt vnd spricht:

Alte, wie sitzt du so betrübt?

Die FRAW spricht:

Mein Mann, wiss, das mich darzu übt
Ein anfechtung, welche ich hab,
Der mir kan niemandt helffen ab,
Mein hertzen lieber Man, wenn du!

Der MANN spricht:

Wenns an mir leyt, sag ich dir zu
Helffen, es sey wormit es wöll.

Die FRAW spricht:

So ich die warheit sagen söll,
So dunckt mich, lieber Mann, an dir,

[1] *Ein Mensch . . . thet*, 'accused a person of anything.' — [2] *Es ist mir um das Herz*, 'I am concerned,' 'it is my wish. — [3] *Lappen;* a foolish or 'soft' person.

Du helst dich nicht gar wol an mir,
Sonder bulest mit andern Frawen.

Der MANN spricht:

Thustu ein solches mir zu trawen?
Hastu dergleich gmerckt oder gsehen?

Die FRAW spricht:

Nein, auff mein warheit mag ich jehen.
Du abr bist mir vnfreuntlich gar,
Nicht lieblich, wie im ersten jar.
Derhalb mein lieb auch nimmet ab,
Das ich dich schier nicht mehr lieb hab.
Diss als ist deines Bulens schuld.

Der MANN spricht:

Mein liebes Weib, du hab gedult!
Die lieb im hertzen ligt verporgen!
Mhü vnd arbeit vnd teglichs sorgen
Thut vil schertz vnd schimpffens vertreiben.
Meinst drumb, ich bul mit andern weiben?
Des denck nur nit! ich bin zu frumb.

Die FRAW spricht:

Ich halt dich vor ein Bulr kurtzumb:
Sey denn sach,[1] das du dich purgierst,
Der zicht[2] von mir nicht ledig wirst.

Der MANN reckt 2 finger auff, spricht:

Ich wil ein herten Eyd dir schwern,
Das ich mein Eh nit thet versehrn
Mit andren schönen Frawen jung.

Die FRAW spricht:

Mein lieber Man, das ist nicht gnung.
Eyd schwern ist leichtr, denn Ruben grabn.

Der MANN spricht:

Mein liebes Weib, was wilt denn habn?

Die FRAW spricht:

So trag du mir das heisse Eyssen!
Darmit thu dein vnschuld beweissen!

Der MANN spricht:

Ja, Fraw, das wil ich geren thon.
Geh! heiss die Gfattern vmbher gon,
Das sie das Eyssen leg ins Fewr!
Ich wil wagen die abenthewr
Vnd mich purgiren, weil ich leb,
Das mir die Gfatter zeugnus geb.

[1] *Sey denn sach*, 'unless,' 'except.' — [2] *Zicht* = *Beschuldigung*.

(*Die Fraw geht auss. Er spricht:*)

Mein Frau die treibt gar seltzam mucken [1]
Vnd zepfft mich an mit diesen stucken,[2]
Das ich sol tragen das heiss Eyssen,
Mein Vnschuld hie mit zu beweissen,
Das ich nie brochen hab mein Eh.
Es thut mir heimlich auff sie weh.
Ich hab sie nie bekümmert mit,
Ob sie jr Eh halt oder nit.
Nun ich wil jr ein schalkheit thon,
In Ermel stecken diesen Spon.
Wenn ich das Eyssn sol tragn dermassn,
So wil ich den Span heimlich lassen
Herfür hoschen [3] auff meine Hendt,
Das ich vom Eyssen bleib vnprent.
Mein frömbkeit ich beweissen thu.
Da kommen sie gleich alle zwu.

Die ALT tregt das heiss Eyssen in einer Zangen vnd spricht:

Glück zu, Gfatter! das Eyssn ist heiss.
Macht nur da einen weyten Kreiss!
Da legt jms Eyssen in die mit!
Tragt jrs herauss vnd prent euch nit,
So ist ewer vnschuld bewert,
Wie denn mein Gfattern hat begert.

Der MANN spricht:

Nimb hin! da mach ich einen kreiss.
Legt mir das glüend Eyssen heiss
Daher in kreiss auff diesen Stul!
Vnd ist es sach, vnd das ich Bul,
Das mir das heyss Eyssen als denn
Mein rechte Hand zu kolen prenn.

(*Der Man nimbt das Eysen auff die Hand, tregets auss dem Kreiss vnd spricht:*)

Mein weib, nun bist vergwiest [4] fort hin,
Das ich der zicht vnschuldig bin,
Das ich mein Eh hab brochen nie,
Weil ich das glüend Eyssen hie
Getragen hab gantz vngebrent.

Das WEIB spricht:

Ey, las mich vor schawen dein Hendt!

Der MANN spricht:

Se hin! Da schaw mein rechte hand,
Das sie ist glat vnd vnverprant!

[1] *Mucken* = *Grillen*. — [2] *Zepfft . . . stucken*, 'bothers me with this business.' — [3] *Hoschen* = *huschen*. — [4] *Vergwiest* = *vergewissert*.

Die FRAW schawt die hand, spricht:

Nun, du hast recht; das merck ich eben.
Man muss dir dein Kü wider geben.[1]

Der MANN spricht:

Du must mir vnschuldigen Man
Vor meinr gfattern ein widrspruch than.

Die FRAW spricht:

Nun, du bist fromb, vnd schweig nur stil!
Nichts mehr ich dir zusachen wil.

Der MANN spricht:

Weil du nun gnug hast an der prob,
Wil ich nun auch probieren, ob
Du dein Eh biss her habst nit prochen
Von anfang, weilt[2] mir warst versprochen.
Mein Gfattern, thut darzu ewr stewr!
Legt das Eyssn wider in das Fewr,
Das es erfewr vnd glüend wer!
Darnach so bringt mirs wider her,
Auff das es auch mein Fraw trag mir,
Darmit jr frömbkeit ich probier!

Die GEFATTER spricht:

Ey, was wolt jr ewr Frawen zeyhen?
Thut sie des heissen Eyssens freyen!

Der MANN spricht:

Ach, liebe Gfattr, was ziech sie mich?

Die FRAW spricht:

Mein hertz lieber Mann, wiss, das ich
Das hab auss lauter einfalt than!

Der MANN spricht:

Gfatter, legt bald das Eyssen an!
Darfür hilfft weder fleh noch bit.

*(Die Gefatterin geht hin mit dem Eyssen.)*

Die FRAW spricht:

Mein lieber Mann, weistu dann nit,
Ich hab dich lieb im hertzen grundt.

Der MANN spricht:

Dein that laut anders, denn dein mundt,
Da ich das heiss Eyssen must tragen.

Die FRAW spricht:

Ach, mein Mann, thu nicht weyter fragen,
Sonder mir glauben vnd vertrawen

[1] *Die Kuh wiedergeben* seems to be a peasant phrase for acknowledging that one has been in the wrong. — [2] *Weilt = weil du.*

Als einer auss den frömbsten Frawen!
Lass mich das heiss Eyssen nicht tragen!

Der MANN spricht:

Was darffst dich lang weren vnd klagen?
Bist vnschuldig, so ists schon fried,
So prent dich das heiss Eyssen nit
Vnd hast probiert dein Weiblich Ehr.
Derhalb schweig nur vnd bitt nicht mehr!

Die GFATTER

bringt das glüent eysen, legts auff den stul im kreiss, spricht:

Gfattern, da liegt das glüend Eyssen,
Ewer vnschuld mit zu beweisen.

Der MANN spricht:

Nun geh zum Eyssen! greiff es an! . . .[1]

Die GEFATTER spricht:

Mein Gfatter, lasts best bey euch liegen!
Wölt meiner Gfattern vergeben das!
Wer ist der, der sich nie vergass?
Kompt! wir wöllen dran giessn ein Wein!

Der MANN spricht:

Nun, es sol jr verziehen sein!
Mein Fraw bricht Häfn,[2] so brich ich Krüg,
Vnd wo ich anderst redt, ich lüg.
Doch, Gfatter, wenn jr bürg wolt werden,
Dieweil mein Weib lebet auff Erden,
Das sie solches gar nimmer thu.

Die GEFATTER spricht:

Ey ja, glück zu, Gfatter! glück zu!
Ich wil euch gleich das glait[3] heimgeben.
Vnd wölien heint in freuden leben
Vnd auff ein newes[4] Hochzeit halten
Vnd gar vrlaub geben der alten.
Das kein vnrat weyter drauss wachs
Durch das heiss Eyssen, wünscht Hans Sachs.

[1] At this point nearly a hundred lines are omitted. The wife confesses several transgressions and pleads to be let off, but the husband insists that she handle the iron. When at last she does so it burns her badly. The husband chides her in strong language, whereupon **Gefatter** intervenes as a peacemaker. — [2] *Häfn = Töpfe.* — [3] *Glait = Geleit.* — [4] *Auff ein newes = aufs neue.*

## XLV. FOLKSONGS OF THE SIXTEENTH CENTURY

While the 16th century brought forth no great German lyrist, it is exceptionally rich in good songs, mostly anonymous, that express the joys and sorrows of the general lot. Not all of them were the work of unlettered poets, but all were made to be sung; for lyric poetry as a branch of 'mere literature' had not yet come into being. The selections are from Tittmann's *Liederbuch aus dem 16. Jahrhundert*, Leipzig, 1881, which gives full information as to the source of the various texts. The titles have been supplied by the editor.

### 1

### Lob der Geliebten.

Mein einigs herz, mein höchste zier,
Wie we ist mir allzeit nach dir,
Wie leuchten deine äuglein klar,
Wie schön ist dein goldgelbes har,
Dein mündlein rot, dein wänglein weiss!
Für allen bleibt dir doch der preis.
In deinem dienst, sag[1] sicherlich,
Bleib ich allzeit und ewiglich.

### 2

### Begegnung im Walde.

Ich gieng einmal spazieren
Durch einen grünen walt,
Da hört ich lieblich singen
Ein freulein wol gestalt.
Sie sang so gar ein schönen gsang,
Dass[2] in dem grünen wald erklang.
Ich tet mich zu ir nahen,
Schön tet sie mich empfahen.
Sie hat ein schönen grünen rock
Und war so gar ein hübsche dock;
Sie tet mir wol gefallen
Und liebet[3] mir ob allen.
Solt ich ein andre werben,
Vil lieber wolt ich sterben!

### 3

### Liebesbitte.

Ich kam für liebes[4] fensterlein
An einem abend spate;
Ich sprach zur allerliebsten mein:
Ich fürcht, ich kum zu drate.[5]
Erzeig mir doch die treue dein,
Die ich von dir bin gwarten[6];
Sieh, liebe, lass mich ein!

Bei meiner treu ich dir versprich,
Ich wil dich nit verkeren,[7]
Mein treu ich doch an dir nit brich,
Tust du mich nun geweren.
Kum, glück, und schlag mit haufen drein,
Dass sie mich tu geweren,[8]
Sieh, liebe, lass mich ein!

[1] *Sag*, i. e. *sage ich*. — [2] *Dass* = *dass es*. — [3] *Liebet* = *gefiel*. — [4] *Liebes*, a neuter noun = *der Geliebten*. — [5] *Drate* = *früh*. — [6] *Bin gwarten* = *erwarte* (*gwarten* for *gewartend*). — [7] *Verkeren* = *verführen*. — [8] *Geweren*, 'gratify.'

### 4

**Herzog Ulrichs Jagdlied.**[1]

Ich schell mein horn ins jamertal,
Mein freud ist mir verschwunden,
Ich hab gejagt, muss abelan,[2]
Das wild lauft vor den hunden.
Ein edel tier in diesem feld
Het ich mir auserkoren,
Das schieht[3] ab mir, als ich wol spir,[4]
Mein jagen ist verloren.

Far hin, gewild, in waldes lust!
Ich wil dich nimmer schrecken
Mit jagen dein schneeweisse brust[5];
Ein ander muss dich wecken
Mit jägers gschrei und hundes biss,
Dass du nicht magst entrinnen.
Halt dich in hut, mein tierle gut!
Mit leid scheid ich von hinnen.

Kein hochgewild ich fahen kann,
Das muss ich oft entgelten,
Noch halt ich stät auf jägers ban,
Wiewol mir glück komt selten.
Mag mir nit gbirn[6] ein hochgwild schon,
So lass ich mich beniegen[7]
An hasenfleisch, nit mer ich heisch,
Das mag mich nit betriegen.

### 5

**Verlorene Liebesmühe.**

Ein meidlein zu dem brunnen gieng,
Und das was seuberlichen;
Begegnet im ein stolzer knab,
Der grüsst sie herziglichen.
Sie setzt das krüglein neben sich
Und fraget, wer er were.
Er kusts an iren roten mund:
Ir seit mir nit unmere,[8]
Tret here!

Das meidlein tregt pantoffel an,
Darin tuts einher schnappen.
Wer ir nicht recht zusprechen kan,
Dem schneidt sie bald ein kappen[9];
Kein tuch daran nit wirt gespart,
Kan einen höflich zwagen,[10]
Spricht, sie woll nit mer unser sein,
Sie hab ein andren knaben,
Lat traben!

### 6

**Hüt du dich.**

Ich weiss ein meidlein hübsch und fein.
Hüt du dich!
Sie kan gar falsch und freundlich sein,

[1] Duke Ulrich of Würtemberg (1487–1550) was a passionate lover of the chase. To please the emperor he married an unamiable Bavarian princess, though he was in love with Elizabeth of Brandenburg.— [2] *Abelan* = *ablassen*, 'cease.' — [3] *Schieht ab*, 'shies away.' — [4] *Spir* = *spüre*. — [5] *Brust;* probably to be taken as object of *jagen*, rather than as a loose appositive to *dich*. — [6] *Gbirn* = *gebühren*. — [7] *Beniegen* = *begnügen*. — [8] *Unmere* = *gleichgültig*. — [9] *Kappen* = *Narrenkappen* — [10] *Zwagen* = *waschen* in the sense of 'reject,' 'refuse.'

Hüt du dich, vertrau ir nicht!
Sie narret dich.

Sie hat zwei euglein, die sind braun,
Hüt du dich!
Sie sech [1] dich nicht an durch ein zaun,
Hüt du dich, vertrau ir nicht!
Sie narret dich.

Sie gibt dir ein krenzlein wol gemacht,
Hüt du dich!
Für einen narren wirstu geacht,
Hüt du dich, vertrau ir nicht!
Sie narret dich.

### 7

**Insbruck, ich muss dich lassen.**

Insbruck, ich muss dich lassen,
Ich far dahin mein strassen,
In fremde land dohin;
Mein freud ist mir genomen,
Die ich nit weiss bekommen,[2]
Wo ich im ellend [3] bin

Gross leid muss ich jetzt tragen,
Das ich allein tu klagen
Dem liebsten bulen mein.
Ach lieb, nun lass mich armen
Im herzen dein erbarmen,
Dass ich muss von dannen sein.

Mein trost ob allen weiben,
Dein tu ich ewig bleiben,
Stet, treu, der eren frum.[4]
Nun muss dich Got bewaren,
In aller tugent sparen,
Biss dass ich wider kum.

### 8

**Sorgenfrei.**

Zwischen berg und tiefe tal
Do lit ein frie strasse,
Wer seinen bulen nit haben mag,
Der sol in faren lassen.

Far hin, far hin, du hast die wal,
Ich kan mich din wol massen [5];
Im jar sind noch viel langer tag,
Glück ist in allen gassen.

### 9

**Der Muskateller.**[6]

Den liebsten bulen,[7] den ich han,
Der leit beim wirt im keller;
Er hat ein hölzens röcklein an,
Er heisst der muscateller.
Er hat mich nechten [8] trunken gmacht
Und frölich heut den ganzen tag,
Got geb im heint ein gute nacht!

Von disem bulen, den ich mein,
Wil ich dir bald eins bringen;
Es ist der allerbeste wein,
Macht mich lustig zu singen,
Frischt mir das blut, gibt freien mut,

[1] *Sech* = *sähe.* — [2] *Bekommen*, 'get back,' 'recover.' — [3] *Im ellend* = *in der Fremde.* — [4] *Der eren frum* = *der Ehre treu.* — [5] *Sich massen*, with genitive = *entbehren.* — [6] *Muskateller*, 'muscatel'; a rich, sweetish wine from the muscat grape. — [7] *Bulen;* object of *han*, the following *den* being demonstrative. — [8] *Nechten*, 'last night.'

Alls durch sein kraft und eigenschaft;
Nu grüss dich Got, mein rebensaft!

10

**Der Schwartenhals.**[1]

Ich gieng für einer frau wirtin haus,
Man fragt mich, wer ich wäre;
Ich bin ein armer schwartenhals,
Ich ess und trinke geren.

Man fürt mich in die stuben ein,
Da bot man mir zu trinken;
Mein äuglein liess ich umbher gan,
Den becher liess ich sinken.

Man satzt mich oben an den tisch,
Als ob ich ein kaufman were,
Und da es an ein zalen gieng,
Mein seckel der war lere.

Und da man nu solt schlafen gan,
Man wies mich wol in die scheure;
Da stund ich armer schwartenhals,
Mein lachen ward mir teure.

Und da ich in die scheure kam,
Da fieng ich an zu nisten;
Da stachen mich die hagedorn,
Darzu die rauhen distel.

Da ich des morgens frü aufstund,
Der reif lag auf dem dache;
Da must ich armer schwartenhals
Meins unglücks selber lachen.

Ich nam mein schwert wol in die hand,
Ich gürts wol an die seiten;
Da ich kein geld im seckel het,
Zu fussen must ich reiten.

Ich macht mich auf, ich gieng darvon,
Ich macht mich wol auf die strassen;
Da begegnet mir ein kaufman gut,
Sein tasch must er mir lassen.

## XLVI. THE CHAPBOOKS

The so-called *Volksbücher* of the 16th century were published in cheap and careless form, and designed to meet the popular demand for entertaining and edifying literature — a demand which increased rapidly with the cheapening of paper and the invention of printing. They vary greatly in content and have no common character except a certain artlessness, which is sometimes pleasing but often runs into extreme vulgarity. Special favor was enjoyed by certain collections of anecdotes, specimens of which are given in the first three numbers. The text of Nos. 1, 4, and 5 follows Braune's *Neudrucke* (Nos. 55–6, 34–5, 7–8); that of Nos. 2 and 3 the *Bibliothek des literarischen Vereins in Stuttgart* (Vols. 85 and 229).

[1] *Schwartenhals* = *armer Teufel*, 'vagabond.'

I

*From 'Eulenspiegel,' the 14th story: Eulenspiegel*[1] *gathers a crowd to see* ***him fly.***

Die xiiii history sagt wie Ulenspiegel vss gab, das er zu Megdburg von der lauben[2] fliegen wolt, vnd die zuseher mit schimpffred ab wise.

Bald nach diser zeit als vlenspiegel ein sigrist wz gesein,[3] Da kame er geen Megdburg, vnd treib vil anschleg, vnd sein nom ward da von erst bekant, das man von Vlenspiegel wusst zesagen, da ward er angefochten von den besten der burger von der stat dz er solt etwz abenthür treiben, da sagt er, er wolt es thůn, vnd wolt vff dz rathuss, vnd von der lauben fliegen, da ward ein geschrei in der stat, dz sich iung und alt samlete vff dem marckt, vnd wolten es sehen. Also stunde Vlenspiegel vff der lauben von dem rathuss, vnd bewegt sich mit den armen, vnd gebar eben als ob er fliegen wolt. Die lüt stůnden theten augen vnd müler vff, vnd meinten er wolt fliegen. Da lacht vlenspiegel vnd sprach, Ich meinte es wer kein thor oder nar mer in der welt dan ich. So sih ich wol, dz hie schier die gantz stat vol thoren ist, und wann ir mir alle sagtẽ dz ir fliegen woltẽ ich glaubt es nit, vnd ir glouben mir als einem toren. Wie solt ich fligen kunde, ich bin doch weder ganss noch fogel, so hon ich kein fettich, vnd on fettich oder federn kan nieman fliegen. Nun sehẽ ir offenbar, dz es erlogen ist, vnd lieff da von der lauben, vnd liess dz volck eins teils fluchende, das ander teil lachende vnd sprachen, Das ist ein schalckssnarr noch, dann so hat er war gesagt.

2

*From Pauli's 'Jest and Earnest,'*[4] *the 47th story: The clever fool.*

Es kan auch etwan ein nar ein Vrteil finden, das ein weisser nit finden kan. Es kam vff ein mal ein armer man ein betler in eins wirtzhauss, da was ein groser braten an dem spiss. Der arm man het ein stück brotz das hůb er zwischen den braten vnd das feur,

[1] Till Eulenspiegel, the hero of the tales, is a waggish vagabond who goes about the country, — originally Brunswick, it would seem, — working at this and that and playing pranks on people. The earliest extant edition of the Eulenspiegel stories — that here followed — was printed at Strassburg in 1515. — [2] *Lauben*, 'loggia,' 'balcony' (of the town hall). — [3] *Wz gesein* = *war gewesen*. The preceding story tells how he had taken the rôle of sacristan at an Easter play. — [4] The first edition was published at Strassburg in 1522.

das der geschmack [1] von dem braten in das brot gieng, da ass er dan das brot, das thet der arm man biss das er kein brot me het, da wolt er hinweg gon. Der würt hiesch im die ürten.[2] Der arm man sprach, ir haben mir doch nichtz zů essen noch zů trincken geben, was sol ich bezalen. Der wirt sprach du hast dich gesettigt von dem meinen, von dem geschmack des bratens, das soltu mir bezalen. Sie kamen mit einander an das gerüht, da ward die sach vff geschlagen, biss vff ein andern gerichtztag, da was der gerichtz herren einer der het ein narren da heim, vnd ob dem tisch da ward man der sach zůred. Da sprach der nar, er sol den wirt bezalen mit dem klang des geltz, wie der arm man ersettiget ist worden von dem geschmack des bratens. Da nun der gerichtztag kam da bleib es bei dem vrteil, das vrteil fand der nar.

### 3

*From Wickram's 'Coaching Booklet'* [3]*: An accommodating parson.*

Ein armer ungelerter pfaff stalt nach [4] einer gůten reichen pfarr; dann er hort, wie sy so vil inkommens hette, derhalb sy im so wol gefiel; es war im nit umb das schäfflinweiden zů thůn, sunder er verhofft, vil gelts darauff zu überkommen. Und alss er nun vil und offt darumb gebetten unnd geloffen hette, warde er von den bauren auff ein sontag bescheiden, so wolten sy mit im handlen und auff die pfarr annemmen.

Do nun derselbig sontag kame, erschein der pfaff vor dem schultheyss und gantzen gericht in beysein des amptmans, und alss nun alle ding was bestelt,[5] was er solt zů lon haben, alss behausung, den kleinen zehenden [6] und ettlich viertel früchten, als rocken, weissen, gersten, habern, wein unnd gelt, dess der pfaff seer wol zůfriden was, abgeredt und beschlossen war, name in der schultheiss auff ein ort [7] und sagt im in einer geheimne: Lieber herr pfarrer, nachdem ir bissher im bapstumb euch hand gehalten, solt ir wüssen, das es in disem dorff ein andere gestalt hatt; dann wir sindt hie gůt eigenwillisch. Darumb müsst ir uns das sacrament in zweierley

[1] *Geschmack = Geruch.* — [2] *Ürten = Zeche* (cost of food and drink). — [3] *Rollwagenbüchlein*, a collection of tales to while away the tedium of travel; first published in 1555. — [4] *Stalt nach*, 'wanted to secure.' — [5] *Bestelt*, 'ordered,' 'arranged.' — [6] *Zehenden*, 'tithes' (the dative in apposition to *lon*). — [7] ***Auff ein ort***, 'aside.'

gestalt reichen, nemlich im brot und wein. Der gůt pfarrer forcht, wo er sich des widert, die bauren geben im wider urlaub; derhalben war er gůtwillig unnd sprach zů dem schultheiss: Das will ich gern thůn. Damit ir solt sehen, das ichs treuwlich und gůt mit euch meine, so will ichs euch in dreyerley gestalt geben, als nemblich im brot und wein und dem käss darzů. Das gefiel dem schultheissen fast wol und sagt, er wolt es an seine buren hinder sich bringen, ob sy sich damit wolten lassen beniegen.

4

*From 'Grobianus'* [1]*: How to behave at table.*

Will jemandt mit zu taffel sitzen,
Zum besten ort solt du dich spitzen,[2]
Dass du allzeit sitzst oben an,
Vnd zelt [3] werdst für ein weisen man.
Acht niemands adels oder stands,
Wesens, reichthumb, kunst, oder lands.
Sitz nider, biss ein gût gesell,
Ein jeder sitz dann wo er wöll.
Vnd ob er schon ein Prior wer,
Sprich hie sind noch vil sessel ler.
Sagt jemands, gsell sitz vnden an,
So sprich, was hast du mangels dran?
Gedenck so man dich nidrer [4] mächt,
Was schand es deinen ehren brächt.
Sprich, lieber gsell hie ist mein sitz,
Vnd gäb nit vmb den Papst ein schnitz [5]:
Warumb solt ich eim andern weichen,
So er doch eben ist meins gleichen?
Wir sind von einem vatter gleich,
Ob wir schon arm sind oder reich,
Vnd sind gemacht auss staub vnd erdt,

[1] The German *Grobianus* (1551), by Casper Scheit, is a translation of a Latin satire by Dedekind (1549) which tells how to attain perfection in bad manners — how to become a perfect boor. 'Grobian' is the polar opposite of 'gentleman.' — [2] *Spitzen; sich spitzen* (with *zu*) means to 'set one's heart on,' here perhaps 'go for.' — [3] *Zelt = gezählt.* — [4] *Nidrer*, 'further down.' — [5] *Schnitz*, the worthless part of fruit or vegetable, that which is 'cut off' and thrown away.

Ist ein gůt gsell des andern werdt.
Drumb lasst vns bey einander bleiben,
Ich will auch ewer kein vertreiben.
Doch ob du auch zu spat werst komen,
Vnd einer het dein sitz eingnomen,
So steh nicht lang vorm disch zu gaffen,
Du hast bessers darbey zu schaffen:
Gedenck dass sitzen besser thů
Dann stehn, so gschicht dir liebs darzů.
Sprich, auff lantzman, setz dich hiehar,
Geh auss meim ort, dann ich ghör dar.
Ist er dir nicht an krefften gleich,
So seis jm gůt dass er bald weich:
Will er da sitzen lang zu mausen,[1]
So greiff jm bald nach der kartausen,[2]
Vnd wirff jn vbern nechsten banck,
Das ist ein guter taffel schwanck.
Dann Cato hat geleret wol,
Dass man dem grössern weichen sol.
Vnd setz dich dann an seine stat,
Sorg nit wo er zu fressen hat.
Vnd rhüm die that mit grossen freiden.
Vnd zeuch dein messer auss der scheiden,
Das stumpff, schärtig, vnd rostig sey,
Dass steht vor erbarn leuten frey:
Hengt dann noch gestrig brot daran,
So heb ein lüstigs wetzen an.
Dein groben paurenschůch zeuch ab,
Den selben für ein wetzstein hab,
Ker jn fein vmb, vnd spey darauff,
Vnd wetz das schinder messer drauff,
So wirt es dann gar hell erglitzen,
Vnd blenden all die bey dir sitzen.
Will andern das gefallen nit,
So sprich, hörah, das ist mein sitt.

[1] *Mausen:* the Grimm Dictionary explains it as denoting here *ein verstärktes dasitzen, warten, nicht vom flecke gehen.* — [2] *Kartausen = Kragen*

## 5

*From the original Faustbook of 1587: Faust's compact with the Devil.*

ABendts oder vmb Vesperzeit, zwischen drey vnd vier Vhren, erschien der fliegende Geist dem Fausto wider, der erbotte sich jhm in allem Vnterthänig vnd gehorsam zu seyn, dieweil jm von seinem Obersten Gewalt gegeben war, vnnd sagt zu D. Fausto: Die Antwort bring ich dir, vnnd Antwort mustu mir geben. Doch wil ich zu vor hören, was dein Beger sey, dieweil du mir aufferleget hast, auff diese Zeit zu erscheinen. Dem gab D. Faustus Antwort, jedoch zweiffelhafftig vnd seiner Seelen schädlich, denn sein Datum [1] stunde anders nit, dann dass er kein Mensch möchte seyn, sondern ein Leibhafftiger Teuffel, oder ein Glied darvon, vnd begert vom Geist wie folgt:

Erstlich, dass er auch ein Geschickligkeit, Form vnnd Gestalt eines Geistes möchte an sich haben vnd bekommen.

Zum andern, dass der Geist alles das thun solte, was er begert, vnd von jhm haben wolt.

Zum dritten, dass er jm gefliessen,[2] vnterthänig vnd gehorsam seyn wolte, als ein Diener.

Zum vierdten, dass er sich allezeit, so offt er jn forderte vnd beruffte, in seinem Hauss solte finden lassen.

Zum fünfften, dass er in seinem Hause wölle vnsichtbar regiern, vnd sich sonsten von niemandt, als von jm sehen lassen, es were denn sein Will vnd Geheiss.

Vnd letzlich, dass er jhm, so offt er jhn forderte, vnnd in der Gestalt, wie er jhm aufferlegen wurde, erscheinen solt.

Auff diese sechs Puncten antwort der Geist dem Fausto, dass er jhm in allem wolt willfahren vnd gehorsamen, so ferrn dass er jm dagegen auch etlich fürgehaltene Artickel wölle leisten, vnd wo er solches thue, sol es weiter kein noht haben, vnd seind diss darunter dess Geistes etliche Artickel gewesen:

Erstlich, dass er, Faustus, verspreche vnd schwere, dass er sein, dess Geistes, eygen seyn wolte.

Zum andern, dass er solches zu mehrer B kräfftigung, mit seinem eygen Blut wölle bezeugen, und sich darmit also gegen jm verschreiben.

[1] *Sein Datum stunde* (*stand*), 'his purpose was.' — [2] *Gefliessen*, 'assiduous.'

Zum dritten, dass er allen Christgläubigen Menschen wölle feind seyn.

Zum vierdten, dass er den Christlichen Glauben wölle verläugnen.

Zum fünfften, dass er sich nicht wölle verführen lassen, so jhne etliche wöllen bekehren.

Hingegen wölle der Geist jhme, Fausto, etliche Jahr zum Ziel setzen, wann solche verloffen, soll er von jhme geholt werden, Vnd so er solche Puncten halten würde, soll er alles das haben, was sein Hertz belüste vnd begerte, vnnd soll er alsbaldt spüren, dass er eines Geistes gestallt vnnd weise haben würde. D. Faustus war in seinem Stoltz vnnd Hochmut so verwegen, ob er sich gleich ein weil besunne, dass er doch seiner Seelen Seligkeit nicht bedencken wolte, sondern dem bösen Geist solches darschluge, vnnd alle Artickel zuhalten verhiesse. Er meynet der Teuffel wer nit so schwartz, als man jhn mahlet, noch die Hell so heiss, wie mann davon sagte.

## XLVII. JOHANN FISCHART

1550–1590. Fischart was an Alsatian humorist of satiric bent, great learning, and little originality. His prose — especially in *Gargantua*, his most important work, which is an amplified and Germanized version of the first book of Rabelais — is hard to read on account of its recondite allusions, far-fetched puns, and generally eccentric diction. As a poet he is at his best in the *Lucky Boat of Zürich*, a narrative poem which describes, with much patriotic warmth, the notable feat of a Swiss boat-crew in rowing from Zürich to Strassburg in a single day (June 21, 1576) to attend a *Schützenfest*. The selection follows Kürschner's *Nationalliteratur*, Vol. 18, page 141.

*From the 'Lucky Boat of Zürich,' lines 259–366.*

Da frewten sich die Reysgeferten,
Als sie den Rein[1] da rauschen hörten,
Vnd wünschten auff ein newes Glück,
Das Glücklich sie der Rein fortschick,
Vnd grüssten jhn da mit Trommeten:
"Nun han wir deiner hilff von nöten,
O Rein, mit deynem hellen fluss
Dien du vns nun zur fürdernuss[2];
Las vns geniesen deyner Gunst,

[1] *Rein;* the preceding lines have described the start early in the morning, and the pull on the Limmat and the Aar to the Rhine. — [2] *Fürdernuss = Fördernis, Fortkommen.*

Dieweil du doch entspringst bey vns
Am Vogelberg bey den Luchtmannen,[1]
Im Rheintzierland,[2] von alten anen,
Vnd wir dein Thal, dadurch du rinnst,
Mit bawfeld zirn, dem schönsten dienst.
Schalt[3] diss Wagschiflein nach begeren,
Wir wöllen dir es doch verehren.
Leyt[4] es gen Strassburg, deine zird,
Darfür[5] du gern lauffst mit begird,
Weyl es dein strom ziert vnd ergetzt,
Gleich wie ein Gstein im Ring versetzt."
Der Rein mocht dis kaum hören auss,
Da wund er vmb das schiff sich kraus,
Macht vmb die Růder ein weit Rad,
Vnd schlůg mit freuden anss gestad,
Vnd liess ein rauschend Stimm da hören,
Drauss man mocht dise wort erklären:
"Frisch dran, jr liebe Eydgenossen,"
Sprach er, "frisch dran, seit vnuerdrossen;
Also folgt eweren Vorfaren,
Die diss thaten vor hundert jaren.[6]
Also můss man hie Rhům erjagen,
Wann man den Alten will nachschlagen.
Von ewerer Vorfaren wegen
Seit jr mir wilkumm hier zugegen.
Jr sůcht die alt Gerechtigkeit,
Die ewer Alten han bereit[7];
Dieselbig will ich euch gern gonnen,
Wie es die Alten han gewonnen.
Ich weiss, ich werd noch offtmals sehen
Solchs von ewern nachkommen gschehen.
So erhält man nachbarschafft,
Dann je der Schweitzer eygenschafft
Ist Nachbaurliche freuntlichkeit
Vnd inn der Not standhafftigkeit.
Ich hab vil ehrlich leut vnd Schützen,
Die auf mich inn Schiff thäten sitzen,
Geleit gen Strassburg auff das schiessen,
Dafür mit freuden ich thu flisen;
Aber keyne hab ich geleit

[1] *Luchtmannen;* the Vorderrhein rises on the heights of Lukmanier Pass, a few miles east of the summit of St. Gotthard — [2] *Rheintzierland;* a flattering pun on *Rhätierland.* — [3] *Schalt = bringe vorwärts, befördere.* — [4] *Leyt = geleite.* — [5] *Darfür = worüber.* — [6] *Vor hundert jaren,* the feat of rowing from Zürich to Strassburg in a single day had been performed by a band of Zürich oarsmen in 1456. — [7] *Bereit = bereitet,* in the sense of *erworben.*

Noch heut des tags[1] mit solcher freud.
Fahr fort, fahr fort, lasst euch nichts schrecken,
Vnd thůt die lenden daran strecken.
Die Arbeit trägt darvon den Sig,
Vnd macht, das man hoch daher flig
Mit Fama, die Růmgöttin herlich,
Dan was gschicht schwärlich, das würd ehrlich.
Mit solchen leuten solt man schiffen
Durch die Mörwirbeln vnd Mördifen,
Mit solchen forcht man kein Meerwunder
Vnd kein wetter, wie sehr es tunder[2];
Mit solchen dörfft man sich vermessen,
Das einen fremde fisch nicht fressen,
Dann dise alles vberstreitten
Durch jr vnuerdrossen arbeyten.
Mit disen Knaben solte einer
Werden des Jasons Schiffartgmeyner[3]
Inn die Jnsul zum Gulden Wjder,[4]
Da wüsst er, das er käm herwider.
Weren dise am Meer gesessen,
So lang wer vnersůcht nicht gwesen
America, die newe Welt,
Dan jr Lobgir het dahin gstellt.[5]
Lasst euch nicht hindern an dem thun,
Das auff die haut euch sticht die Sunn,
Sie will euch manen nur dadurch,
Das jr schneid dapfer durch die furch,
Dann sie seh[6] gern, das jr die gschicht
Vollbrächten bey jrm Schein vnd liecht,
Damit sie auch Rhům davon drag,
Gleich wie ich mich des Rümen mag.
Die Blatern,[7] die sie euch nun brennt,
Vnd die jr schaffet inn der hend,
Werden euch dienen noch zu Rhům,
Wie zwischen Tornen eyne plům.
Jr dörft euch nicht nach wind vmbsehen,
Jr seht, der windt will euch nachwähen;
Gleych wie euch nun diss wetter libt,
Also binn ich auch vnbetrübt.
Jr sehet je mein wasser klar
Gleich wie ein Spiegel offenbar.
So lang man würd den Rein abfaren,

[1] *Noch heut des tags* = *bis heute.* — [2] *Tunder* = *donnre.* — [3] *Schiffartgmeyner* = *Schiffahrtgenosse.* — [4] *Wjder* = *Widder* (the Golden Fleece). — [5] *Gestellt* = *getrachtet.* — [6] *Seh* = *sähe.* — [7] *Blatern,* 'blisters.'

Würd keyner ewer lob nicht sparen,
Sonder wünschen, das sein Schiff lieff
Wie von Zürch das Glückhaffte Schiff.
Wolan, frisch dran, jr habt mein gleyt
Vmb ewer standhafft frewdigkeyt.
Die strass auff Strassburg sei euch offen,
Jr werd erlangen, was jr hoffen;
Was jr euch heut frü namen vor,
Das würd den abent euch noch wor,[1]
Heut werd jr die Statt Strassburg sehen,
So war ich selbs herzů werd nähen.
Heut werd jr als wolkommen gäst
Zů Strassburg noch ankommen resch.[2]
Nun, liebs Wagschiflin, lauff behend,
Heut würst ein Glückschiff noch genent,
Vnd durch dich werd ich auch geprisen,
Weil ich solch trew dir hab bewisen."

## XLVIII. JAKOB AYRER

A prolific Nürnberg dramatist (died in 1605), who might be styled a lesser Hans Sachs. He wrote some sixty-nine plays which show, more especially in the prominence of the clown, the influence of the English actors who began to visit Germany toward the end of the 16th century. Among his shrovetide plays are several of a new species, called by him *Singtspiele*, in which the parts, instead of being spoken, were sung to a preëxisting tune. A selection from one of these musical comedies is given below, the text according to the *Bibliothek des literarischen Vereins in Stuttgart*, Vol. 80. The meter is an eight-line stanza called the *Roland's Ton*.

*The 'English clown' as stupid servingman.*

ROLANDT

geht ein mit Willanda, seinem Weib, in Baurs-Kleidern und singt:

Ach soll ich dir nit sagen
Von Janen, vnserm Sohn?
Der thut sich so hart klagen
Vnd will kurtzumb davon.
Er will nicht bey uns bleiben,
Sonder verdingen sich;
Will lernen lesen und schreiben:
Liebs Weib, wie düncket dich?

WILLANDA singt:

Er ist nun bey sein Jaren.
Wenn er nicht bleiben will,
So lass den lecker[3] faren!
Er nützt dir sonst nit vil;
Dann er arbeit nit geren,

[1] *Wor* = *wahr*. — [2] *Resch* = *rasch*, or perhaps *frisch*. — [3] *Lecker*, 'scamp, 'rascal.'

Leyrt[1] geren feurent[2] vmb.
Sein kan ich wol emperen,
Biss er wider herkumb.

JANN POSSET

geht ein, tregt sein Bündel an eim Spiesslein und spricht:

Hört, Vatter! ich will wandern,
Mag nicht mehr eur Knecht sein.
Darumb dingt euch ein andern!
Ich will in die Statt nein,
Mir schaffen einen Herren,
Der mir gibt einen lohn
Vnd mich thut etwas lehren.
Eur beeder ich gnug han.

ROLLANDT singt:

Du bist ein fauler Bengel,
Drumb bleib bei mir herauss!
Ich meint, du habst kein mengel
In deines Vatters hauss.
Kanst du aber nicht bleiben,
Solst du wissen von mir:
Ich will dir den Buckl reiben,[3]
Du solsts empfinden schir.

JANN singt:

Fürwar, alhie so bleib ich nicht,
Ir seit ein grober Baur,
Ir habt ein strenges Angesicht
Und secht schellig[4] vnd saur.
So ist die Mutter vngschaffen,
Zeiht gar zerlampet[5] her,
Runtzlet gleich wie die Affen
Vnd brummt als wie ein Beer.

WILLANDA singt:

Ach du leichtfertiger Hudler,
Wolst mich so machen auss?
Du bist ein fauler sudler,
Pack dich balt auss meim hauss!
Mit dir mag ich nicht palgen;
Wend[6] je nicht bleiben wilt,
So droll dich nauss an Galgen!
Deinthalb es mir gleich gilt.

(*Jann will fortgehen, sein Vater ist zornig.*)

ROLAND singt:

Wart, Lecker, thu vor[7] hören!
Ich will dirs drencken ein
Vnd dich vor lernen ehren
Vatter vnd Mutter dein.
Das nimm zu einer zehrung mit!
Pack dich zum Teuffel heut!
Dann wenn du schon hie bleibest nit,
Hab ich dennoch gnug freundt.

(*Er schlegt jn ab vnd gehn alle ab.*)

Kummt Herr EMERICH vnd sagt:

Ich bin fürwar ein alter Mann
Vnd gar vbel zu fuss.
Ein Knecht den will ich nemen an,
Der auff mich warten muss
Im hauss vnd auff der Gassen,
Dieweil die Haussfrau mein
Mich nicht allein will lassen
Also gehn auss vnd ein.

[1] *Leyrt*, 'loafs around.' — [2] *Feurent* = *feiernd*, 'doing no work.' — [3] *Dir . . reiben*, 'tan your jacket.' — [4] *Schellig*, 'crazy,' 'savage.' — [5] *Zerlampet*, probably a mistake for *zerlumpet*. — [6] *Wend* = *wenn du*. — [7] *Vor* = *erst*.

(*Jann Posset geht ein.*)

Herr EMERICH singt:

Schau! dort kummt hergangen
Ein Knecht; den nimm ich an,
Will jn gehn balt empfangen.

(*Er geht zu ihm vnd sagt:*)

Was seit ir für ein Mann?
Ein Knecht den solt ich dingen,
Der thet warten auff mich.
Will du dich lassen zwingen,[1]
Darff ich annemen dich.

JANN singt:

So wist! ich kumm geloffen rein
Von einem Dorf drey Meil,
Von Rolanden, dem Vater mein,
Bey dem ich ward ein weil,
Von dem ich nichts kund lehren,
Vnd kumm her in die Stadt.
Halt jr mich nun in ehren,
So finden wir beid stat.[2]

Auch will ich gern sein euer Knecht,
Wenn jr mich dingen wolt,
Wils euch auch als verrichten recht;
Iedoch jr mir auch solt
Als, was ich hab zu schaffen,
Schreiben auff einen Brieff;
Vnd dörfft mich auch drumb straffen,
Wenn ichs nich als wol triff.

Herr EMERICH sagt:

Was soll ich dir lang schreiben?
Thu halt, was ich dich heiss!
So kanst du bey mir bleiben,
Wenn thu es thust mit fleiss.
Du must halt auff mich warten
Vnd all Handreichung than,
Mich führn in mein Garten
Vnd was ich dir zeig an.

JANN singt:

Weil ich vor nicht bin gwest alhie
Vnd gedient in der Stadt,
Den gebrauch auch erfahren nie,
Was es für Arbeit hat,
So last euch nicht schwer fallen für,
Zu machen mir ein Brieff,
Das ichs als hab geschribn bey mir
Vnd mich nicht vbergrieff.

Ich bin gar ein vergessner Mann;
Wenn man mir sagt zu vil,
Ich es fürwar nicht mercken kan.
Iedoch ich als thon will,
Was man mir wird auffschreiben.
Mein Herr, versuchts mit mir!

Herr EMERICH singt:

Nun so thu bey mir bleiben!
Ich will dirs schreiben für.

So geh halt in die Stuben nein
Vnd foder ein Schreibzeug!
Denselben trag zu mir herein!
So beschreib ich dirs gleich,
Wastu hast zu schaffen bey mir.
Kummst du demselben nach,
So bin ich zu friden mit dir
Ietzund vnd mein lebtag.

[1] *Lassen zwingen*, 'accept the conditions.' — [2] *Finden . . . stat*, 'find our account,' 'get along.'

JANN

neigt sich vnd geht ab. Kummt bald wieder, bringt ein Feurzeug und singt:

Alhie bring ich den Feurzeug euch,
Wie jr den habt begert.

Herr EMERICH singt:

Ey nein, ich mein ein Schreibzeug,
Du hast nicht recht gehört.
Ein Schreibzeug bring mit Dinten,
Dass ich kan schreiben dir!
Gehe nein (du wirst ihn finden)
Vnd bring denselben mir!

JANN

geht wider ab, zeicht den Hut ab, kummt balt wider, bringt ein Krug vnd singt:

Ach, mein Herr, da habt jr den Krug,
Die weil jr trincken wölt,
Da trincket euch halt eben gnug,
So vil, als euch gefelt!

EMERICH singt:

Wie bist du so vnbesunnen?
Du hast nicht gsuchet recht,
Sonst hest gnug Dinten gfunnen.

(*Jann will gehen.*)

EMERICH singt:

Ey, hör noch eins, mein Knecht!
Wenn du die Dinten bringen thust,
So bring sie mir herein!
Dabey du mir auch bringen must,
Ein Federn tragen rein.
So will ich dir auffschreiben,
Wie ich mit dir hab gredt.

JANN sagt:

Ich will nicht lang aussbleiben,
Balt kommen an der stet.

(*Er geht ab.*)

EMERICH, der alt, singt:

Dass ist ein rechter Knecht für mich
Vnd für die Frauen mein.
Für gar frumm ich jn zwar ansich,
Dort kummt er gleich herein.
Er thut die Dinten tragen,
Drumb hort mir alle zu,
Was der gut gsell wird sagen,
Wenn ich jtzt schreiben thu.

JANN

geht ein, tregt ein Schreibzeug in der Hand vnd in der andern ein lange Hannenfedern vnd singt:

Secht da, Herr, diesen Schreibzeug,
Den schicket euch die Frau.
Auch schicket sie die Federn euch.

EMERICH singt:

Du grober Dilldap,[1] schau!
Was soll doch diese Federn mir?
Man kan nit schreiben mit.
Der Federn bass geziemet dir.

(*Er steckt Jannen die Federn auff.*)

JANN sagt:

Ach, mein Herr, zürnet nit!

[1] *Dilldap*, 'simpleton.'

Herr EMERICH sagt:

So geh balt wider neinwartz du
Vnd bring ein Federn mir!
So richt ich dir dein bstallung
zu;
Auch hol mir ein Papir!
So kan ich darauff schreiben,
Was du must richten auss.

JANN geht ab vnd singt:

Ich will nicht lang aussbleiben,
Sonder balt kommen rauss.

(*Jann geht balt wider ein, bringt ein Schreibfedern vnnd ein Glass mit Bier vnd singt:*)

Hort, Herr! jtzt kumm ich wider
rein,
Bring ein Feder mit mir.
Eur Frau hat mir auch erst
gschencket ein
Dieses frisch Glass mit Bier.
Dass solt jr von mir haben,
Wenn es euch schmecken thut,
Eur Hertz damit zu laben,
Vnd haben ein guten muth.

Herr EMERICH sagt:

Du must ein seltzamer Vogl sein,
Ich schick dich nach Papir,
So bringstu mir zu trincken rein.
Geh nein! heiss geben dir
Ein Papir, drauff zu schreiben
Vnd thu der Sachen recht!
Sonst kanst nicht bey mir bleiben,
Du Eilenspigelsknecht!

## XLIX. GEORG RODOLF WECKHERLIN

A Swabian precursor (1584–1653) of the Opitzian era. In the service of the Duke of Würtemberg he lived some years in France and England, where he became familiar with the literary forms and fashions of the Renascence. These he imitated in German, writing odes, songs (for the reader), anacreontics, sonnets, epigrams, elegies in alexandrine verse, and occasional poems of elaborate metrical structure. For the most part his substance is very thin, consisting in extravagant and affected praise, with much infusion of Roman mythology, of the high-born personages by whose favor he prospered or hoped to prosper. The text of the selections follows Goedeke's edition in *Deutsche Dichter des 17. Jahrhunderts.*

### I

### Amor betrogen.

Cupido einmal sehr verdros-
sen,
Dass er hat so vil pfeil umsunst
Auf meine Myrta los geschossen,
Die niemals achtet seiner kunst,
Erwählet, ihre zarte Schoss
Zu wunden, zornig ein geschoss.
Also flog er bald in den garten,
Da er dieselb zu sein gedacht,
Und nehmend war [1] von fern der
zarten,
Die ihn in diese Welt gebracht,
"Wolan, sprach er, nu soll dein
blut
Recht büssen, Myrta, deinen
mut."

[1] *Nehmend war* = *wahrnehmend.*

Er spannet, unweis, seinen bogen
Und, zilend auf das herz ohn gnad,
Schoss er ihn plötzlich los, betrogen,
In seiner mutter brust gerad,
Darauf dan ein elender schmerz
Vergiftet bald der göttin herz.

"Ach weh! was magst du wol gedenken,"
Sprach sie, "undankbar böser knab?
Wie kanst so tödlich du bekränken
Die, welche dir das leben gab?
Und sparest gleich wol deine macht
Noch wider die, die dich verlacht."

Die red so sehr das kind erschrecket,
Dass es bald seine wängelein
Mit heissen zähern überdecket
Und schrie: "Ach, liebes mütterlein,
Verzeihet mir, dan ich nam euch
Für Myrta, deren ihr gar gleich."

2

**Anakreontisch: Frölich zu leben.**

Wan ich mit guter geselschaft
Frisch zechend an dem tisch gesessen,
Macht mich der süsse rebensaft
Des leids und unmuts bald vergessen!
Ich will stets springen an den danz,
Gekrönet mit dem ebheukranz.

Mein hirn, erhitzet durch ein glas,
Vermeinet mehr reichtum zu haben,
Dan Midas und Crösus besass;
Ja grosser fürsten gunst und gaben,
Dienst ämpter, glück und herrlichkeit
Tritt ich zu grund als eitelkeit.

Wolan, bring her ein volle flasch,
Die sorg aus meinem Kopf zu jagen,
Und dass ich lung und leber wasch;
Was hilft es, sich selbs vil zu plagen?
Ist es nicht bass, zu bet voll wein,
Dan auf der erden tod zu sein?

3

Sonett. **Im dem Jahr 1619.**[1]

Verfolgung, müh und leid ist allein das banier,
Darunder durch die welt sich gottes kinder schlagen;

[1] Georg Friedrich, Margrave of Baden, was a partisan of the Calvinistic Friedrich V, Elector Palatine, who was chosen King of Bohemia in 1619, and is known as the "Winter King." As the sonnet shows, the defeated Protestants set high hopes on the Margrave of Baden, who commanded an army of 20,000 men; but he was soon defeated by the imperial forces and died in exile (1638).

Und der höchst general hat acht, wie man sie führ,
Und wie ein jeder sich begehr für ihn zu wagen.
Oftmal erlaubet er, dass ihr feind triumfier,
Doch lässet er sein volk gänzlich niemal verzagen;
Sondern damit sein feind nicht gar zu vil stolzier,
Verkehret mächtig er sein jauchzen bald in klagen.
Darum ihr, deren will, des teufels willen gleich,
Und deren lust allein ist, gottes volk zu schaden,
Wie euer zorn, grim, wut, sein wort, sein volk, das reich,
Mit schmach, mit qual, mit schand, verbrant, verbaut, beladen:
Also in euerm blut zu steter schand soll euch
Noch zwingen mein marggrav Georg Friderich zu Baden.

## L. MARTIN OPITZ

A Silesian scholar (1597–1639) who won great renown as a poet and a literary lawgiver. In a pioneer treatise on poetics (1624, in which year his *Teutsche Poemata* also appeared), he came to the defense of the German language, pleaded for a purer diction, and defined the principal *genres* current abroad, illustrating them with verses of his own. His theory recognized but two feet, the iamb and the trochee, which he defined in terms of accent. He prescribed a more regular alternation of accented and unaccented syllables and recommended the use of the alexandrine verse. Under his influence German poetry became more regular and artistic, but lost touch with the general life, being more and more regarded as a refined diversion of the scholar class. The text of selections 1–4 follows Braune's *Neudrucke*, No. 1 and Nos. 189–192; for No. 5 see Tittmann's edition in *Deutsche Dichter des 17. Jahrhunderts.*

### 1

*From the 'Buch von der deutschen Poeterey.'*

Wiewol ich mir von der Deutschen Poeterey, auff ersuchung vornemer Leute, vnd dann zue besserer fortpflantzung [1] vnserer sprachen. etwas auff zue setzen vorgenommen, bin ich doch solcher gedancken keines weges, das ich vermeine, man könne iemanden durch gewisse regeln vnd gesetze zu einem Poeten machen. . . .

Die worte vnd Syllaben in gewisse gesetze zue dringen, vnd verse zue schreiben ist das allerwenigste was in einem Poeten zue suchen ist. Er muss εὐφαντασιωτός, [2] von sinnreichen einfällen vnd erfin-

[1] *Fortpflantzung = Verbesserung.* — [2] Εὐφαντασιωτός, 'very fanciful'; see Quintilian vi. 2, 30.

dungen sein, muss ein grosses vnverzagtes gemüte haben, muss hohe sachen bey sich erdencken können, soll anders[1] seine rede eine art kriegen, vnd von der erden empor steigen. Ferner so schaden auch dem gueten nahmen der Poeten nicht wenig die jenigen, welche mit jhrem vngestümen ersuchen auff alles was sie thun vnd vorhaben verse fodern. Es wird kein buch, keine hochzeit, kein begräbnüss ohn vns gemacht; vnd gleichsam als niemand köndte alleine sterben, gehen vnsere gedichte zuegleich mit jhnen vnter. Mann wil vns auff allen Schüsseln vnd kannen haben, wir stehen an wänden vnd steinen,[2] vnd wann einer ein Hauss ich weiss nicht wie an sich gebracht hat, so sollen wir es mit vnsern Versen wieder redlich machen. Dieser begehret ein Lied auff eines andern Weib, jenem hat von des nachbaren Magdt getrewmet, einen andern hat die vermeinte Bulschafft ein mal freundtlich angelacht, oder, wie dieser Leute gebrauch ist, viel mehr aussgelacht; ja des närrischen ansuchens ist kein ende. Müssen wir also entweder durch abschlagen jhre feindschafft erwarten, oder durch willfahren den würden der Poesie einen mercklichen abbruch thun. Denn ein Poete kan nicht schreiben wenn er will, sondern wenn er kann, vnd jhn die regung des Geistes, welchen Ovidius vnnd andere vom Himmel her zue kommen vermeinen, treibet. . . .

Vnd muss ich nur bey hiesiger gelegenheit ohne schew dieses errinnern, das ich es für eine verlorene arbeit halte, im fall sich jemand an vnsere deutsche Poeterey machen wolte, der, nebenst dem das er ein Poete von natur sein muss, in den griechischen vnd Lateinischen büchern nicht wol durchtrieben ist, vnd von jhnen den rechten grieff erlernet hat; das auch alle die lehren, welche sonsten zue der Poesie erfodert werden, vnd ich jetzund kürzlich berühren wil, bey jhm nichts verfangen können. . . .

Nachmals ist auch ein jeder verss entweder ein *iambicus* oder *trochaicus;* nicht zwar das wir auff art der griechen vnnd lateiner eine gewisse grösse der sylben können inn acht nemen; sondern das wir aus den accenten vnnd dem thone erkennen, welche sylbe hoch vnnd welche niedrig gesetzt werden soll. Ein Jambus ist dieser: *Erhalt vns Herr bey deinem Wort;* der folgende ein Trocheus: *Mitten wir im leben sind.* Dann in dem ersten verse die

[1] *Anders*, 'anywise.' — [2] *Steinen* = *Türsteinen*.

erste sylbe niedrig, die andere hoch, die dritte niedrig, die vierde hoch, vnd so fortan; in dem anderen verse die erste sylbe hoch, die andere niedrig, die dritte hoch, u. s. w. aussgesprochen werden. Wiewol nun meines wissens noch niemand, ich auch vor der zeit selber nicht, dieses genawe in acht genommen, scheinet es doch so hoch von nöthen zue sein, als hoch von nöthen ist, das die Lateiner nach den *quantitatibus* oder grössen der sylben jhre verse richten vnd reguliren.

## 2

### Ode.[1]

Ich empfinde fast ein grawen,
Das ich, Plato, für vnd für
Bin gesessen vber dir;
Es ist zeit hienauss zue schawen,
Vnd sich bey den frischen quellen
In dem grünen zue ergehen,
Wo die schönen Blumen stehen,
Vnd die Fischer netze stellen.

Worzue dienet das studieren,
Als zue lauter vngemach?
Vnter dessen laufft die Bach
Vnsers lebens das wir führen,
Ehe wir es innen werden,
Auff jhr letztes ende hin;
Dann kompt ohne geist vnd sinn
Dieses alles in die erden.

Hola, Junger, geh' vnd frage
Wo der beste trunck mag sein;
Nim den Krug, vnd fülle Wein.
Alles trawren leidt vnd klage,
Wie wir Menschen täglich haben,
Eh vns Clotho fortgerafft,
Wil ich in den süssen safft
Den die traube giebt vergraben.

Kauffe gleichfalls auch Melonen,[2]
Vnd vergiss des Zuckers nicht;
Schawe nur das nichts gebricht.
Jener mag der heller schonen,
Der bey seinem Gold vnd Schätzen
Tolle sich zue krencken pflegt
Vnd nicht satt zue bette legt;
Ich wil weil ich kan mich letzen.

Bitte meine guete Brüder
Auff[3] die music vnd ein glass;
Nichts schickt, dünckt mich, nicht sich bass
Als guet tranck vnd guete Lieder.
Lass ich gleich nicht viel zue erben,
Ey, so hab' ich edlen Wein;
Wil mit andern lustig sein,
Muss ich gleich alleine sterben.

## 3

### Chansonnette.

Mit Liebes Brunst behafftet sein,

[1] From the *Poeterey*, Ch. 5, where it is offered in elucidation of lyric poetry. It is a free rendering of Ronsard, II, 18. — [2] *Melonen;* the point is: Do not mind the expense. The muskmelon (*cucumis melo*) came from Italy and Southern France, and (with sugar!) was a luxury. — [3] *Auff*, with *bitten*, in the sense of 'invite to.'

Ist warlich eine schwere Pein;
Es ist kein Schmerz auff dieser Erdt,
Der recht mit jhm verglichen werdt:
Drumb will ich mich gantz embsiglich
Von dem Leyden allzeit scheiden,
Vnd die süsse Gifft vermeiden.
Auff dass nun nicht die schnöde Brunst
Mich lasse zu ihr tragen Gunst,
Soll Venus mich nicht treffen an
Auff jergendt einer Liebes Bahn;
Der Tugendt Weg ist ein schön Steg,
Darauff eben ich will schweben,
Vnd jhr gantz verpflichtet leben.
Recht vnd gar wol auch Pallas blieb
Allzeit befreyet von der Lieb,
Sie gab dem Fewer niemals raum,
Vnd hielte sich in stätem Zaum,
Auff grüner Heyd sie allezeit
Mit dem Hetzen sich thet letzen
Vnd frey aller Sorg ergetzen.
Ich will ins künfftig fleissig auch
Nachfolgen dieser Göttin Brauch,
Denn Venus ist die gröste Last,
Cupido ist ein schädlich Gast.
Wen er einmal nur bringt zu fall,
Muss verderben, offt auch sterben,
Vnd für Frewden schmertz ererben.
Also belohnt er alle doch,
Die sich ergeben seinem Joch;
Vnd diss bedenck ich offt vnd viel,
Es mag lieb haben wer da will,
Ich bleibe meine Zeit allein.
Offt nach schertzen kommen schmertzen,
Wohl dem der das thut beherzen.

### 4
### Sonnet an die Bienen.

Ihr Honigvögelein, die jhr von den Violen
Und Rosen abgemeit den wundersüssen Safft,
Die jhr dem grünen Klee entzogen seine Krafft,
Die jhr das schöne Feldt so offt vnd viel bestohlen,
Ihr Feldteinwohnerin, was wollet jhr doch holen
Das, so euch noch zur Zeit hat wenig nutz geschafft,
Weil jhr mit Dienstbarkeit dess Menschen seit behafft,
Vnd jhnen mehrentheils das Honig müsset Zollen?
Kompt, kompt zu meinem Lieb, auff jhren Rosenmundt,
Der mir mein kranckes Herz gantz inniglich verwundt,
Da sollt jhr Himmelspeiss vnd vberflüssig brechen.
Wann aber jemandt ja sich vnderstehen kundt
Ihr vbel anzuthun, dem sollet jhr zur stundt
Für Honig Galle sein, vnd jhn zu tode stechen.

5

*The horrors of the Thirty Years' War: From the 'Trostgedichte in Widerwertigkeit des Krieges.'*

Wie manche schöne Stadt,
Die sonst das ganze Land durch Pracht gezieret hat,
Ist jetzund Asch und Staub! Die Mauren sind verheeret,
Die Kirchen hingelegt, die Häuser umgekehret.
Wie wann ein starker Fluss, der unversehens kömt,
Die frische Saate stürzt, die Äcker mit sich nimt,
Die Wälder niederreisst, läuft ausser seinen Wegen,
So hat man auch den Plitz und schwefelichte Regen
Durch der Geschütze Schlund mit grimmiger Gewalt,
Dass alles Land umher erzittert und erschallt,
Gesehen mit der Luft hin in die Städte fliegen.
Des Rauches Wolken sind den Wolken gleich gestiegen,
Der Feuer-Flocken See hat alles überdeckt
Und auch den wilden Feind im Läger selbst erschreckt.
Das harte Pflaster hat geglühet und gehitzet,
Die Thürme selbst gewankt, das Erz darauf geschwitzet;
Viel Menschen, die der Schar der Kugeln sind entrant,
Sind mitten in die Glut gerathen und verbrant,
Sind durch den Dampf erstickt, verfallen durch die Wände.
Was übrig blieben ist, ist kommen in die Hände
Der argsten Wütherei, so, seit die Welt erbaut
Von Gott gestanden ist, die Sonne hat geschaut.
Der Alten graues Haar, der jungen Leute Weinen,
Das Klagen, Ach und Weh der Grossen und der Kleinen,
Das Schreien in gemein von Reich und Arm geführt,
Hat diese Bestien im minsten nicht gerührt.
Hier half kein Adel nicht, hier ward kein Stand geachtet,
Sie musten alle fort, sie wurden hingeschlachtet,
Wie wann ein grimmer Wolf, der in den Schafstall reisst.
Ohn allen Unterschied die Lämmer niederbeisst.
Der Mann hat müssen sehn sein Ehebette schwächen,
Der Töchter Ehrenblüt' in seinen Augen brechen,
Und sie, wann die Begier nicht weiter ist entbrant,
Unmenschlich untergehn durch ihres Schänders Hand.

# LI. PAUL FLEMING

1609–1640. Fleming was a gifted lyric poet of the Opitzian era. A Saxon by birth, he studied medicine at Leipzig, where he learned to admire Opitz. Five years of his short life were spent in connection with an embassy of the Duke of Holstein to Russia and Persia. His best work is found in the poems, more especially the sonnets, which he wrote during this long absence from the fatherland. The selections follow Tittmann's edition in *Deutsche Dichter des 17. Jahrhunderts.*

## 1

**An einen guten Freund.**

Lass der Zeit nur ihren Willen
Und vergönn' ihr ihren Lauf;
Sie wird sich selbst müssen stillen,
Wenn wir nichts nicht geben drauf.
Meistes Elend wird verschmerzet,
Wenn mans nicht zu sehr beherzet.

Ist es heute trübes Wetter,
Morgen wird es heiter sein;
Stimmen doch die grossen Götter
Stets an Lust nicht überein.
Und wer weiss, wie lang er bleibet,
Der uns itzo so vertreibet.[1]

Ob die Sonne gehet nieder
Und den Erdkreiss traurig macht,
Doch so kömt sie fröhlich wieder
Nach der überstandnen Nacht.
Herrschen itzund Frost und Winde,
Balde wird es sein gelinde.

Unterdessen sei der Deine,
Brich nicht ab der ersten Kost[2];
Labe dich mit altem Weine
Und versuch den jungen Most.
Lass uns einen Rausch noch kaufen,
Ehe denn wir müssen laufen.

## 2

**An Basilenen[3]: Nachdem er von ihr gereiset war.**

Ist mein Glücke gleich gesonnen,
Mich zu führen weit von dir,
O du Sonne meiner Wonnen,
So verbleibst du doch in mir.
Du in mir und ich in dir
Sind beisammen für und für.

Künftig werd' ich ganz nicht scheuen,
Kaspis, deine fremde Flut,
Und die öden Wüsteneien,
Da man nichts als fürchten thut.
Auch das Wilde macht mir zahm,
Liebste, dein gelobter Nam'.

[1] Lines 11–12 allude, probably, to the occupation of Leipzig by imperial troops in 1632. — [2] *Der ersten Kost*, 'your previous fare.' *Abbrechen* with dative = *Abbruch tun, verkürzen, vermindern.* — [3] While sojourning in Reval, on his way to Asia, Fleming fell in love with Elsabe Niehusen, but later transferred his affections to her sister Anna. Basilene is one of several poetic names for Elsabe.

Überstehe diese Stunden,
Schwester, und sei unverwant.
Ich verbleibe dir verbunden,
Und du bist mein festes Band.
Meines Herzens Trost bist du,
Und mein Herze selbst darzu.

Ihr, ihr Träume, solt indessen,
Unter uns das Beste thun.
Kein Schlaf, der sol ihr vergessen,
Ohne mich sol sie nicht ruhn,
Dass die süsse Nacht ersetzt,
Was der trübe Tag verletzt.

Lebe, meines Lebens Leben,
Stirb nicht, meines Todes Tod,
Dass wir uns uns wiedergeben,
Abgethan von aller Noth.
Sei gegrüsst, bald Trost, itzt Qual,
Tausend, tausend, tausendmal!

### 3

### Inter Brachia Salvatoris.[1]

Des Donners wilder Plitz schlug von sich manchen Stoss,
Das feige Volk stund blass, das scheuche Wild erzittert'
Vom Schmettern dieses Knalls. Die Erde ward erschüttert.
Mein Fuss sank unter sich, der Grund war bodenlos.
Die Gruft, die fiel ihr nach,[2] schlung mich in ihren Schoss.
Ich gab mich in die See, in der es grausam wittert'
Der Sturm flog klippenhoch. Mein Schiff, das ward gesplittert,
Ward leck, ward Anker[3] quit, ward Mast[3] und Segel[3] bloss.
Vor, um und hinter mir war nichts als eine Noth;
Von oben Untergang, von unten auf der Tod,
Es war kein Muttermensch, der mit mir hatt' Erbarmen.
Ich aber war mir gleich, zum Leben frisch und froh,
Zum Sterben auch nicht faul auf[4] wenn und wie und wo,
Denn mein Erlöser trug mich allzeit auf den Armen.

### 4

### Über Herrn Martin Opitzen auf Boberfeld sein Ableben.

So zeuch auch du denn hin in dein Elyserfeld,
Du Pindar, du Homer, du Maro unsrer Zeiten,
Und untermenge dich mit diesen grossen Leuten,
Die ganz in deinen Geist sich hatten hier verstellt.
Zeuch jenen Helden zu, du jenen gleicher Held,

[1] The sonnet is reminiscent of a shipwreck in the Caspian Sea, November 15, 1636; the title from St. Augustine's *inter brachia salvatoris mei et vivere nolo et mori cupio.* — [2] *Fiel ihr nach,* 'gave way' (*ihr* reflexive). — [3] *Anker, Mast, Segel;* all genitive. — [4] *Faul auf,* 'hesitating over.'

Der itzt nichts Gleiches hat, du Herzog deutscher Seiten,
O Erbe durch dich selbst der steten Ewigkeiten,
O ewiglicher Schatz und auch Verlust der Welt!
Germanie ist tod, die herrliche, die freie,
Ein Grab verdecket sie und ihre ganze Treue.
Die Mutter, die ist hin, hier liegt nun auch ihr Sohn,
Ihr Recher und sein Arm. Lasst, lasst nur alles bleiben,
Ihr, die ihr übrig seid, und macht euch nur davon,
Die Welt hat wahrlich mehr nichts Würdigs zu beschreiben.

## LII. FRIEDRICH VON LOGAU

An eminent writer of reflective, critical, and epigrammatic verse (1604–1655). He was born in Silesia and spent the most of his life at Brieg, where he was sometime ducal councillor. In 1654 he published *Salomon von Golaws deutscher Sinngetichte drei Tausend*, the name Golaw being a disguise of Logau. They vary in length from a couplet to a hundred lines or more, and disclose in the aggregate a virile and interesting personality. The text follows Eitner's edition in *Deutsche Dichter des 17. Jahrhunderts*.

1

**Das Beste der Welt.**

Weistu, was in dieser Welt
Mir am meisten wolgefällt?
Dass die Zeit sich selbst verzehret,
Und die Welt nicht ewig währet.

2

**Die unartige Zeit.**

Die Alten konnten fröhlich singen
Von tapfern deutschen Heldensdingen,
Die ihre Väter ausgeübet:
Wo Gott noch uns ja Kinder gibet,
Die werden unsser Zeit Beginnen
Beheulen, nicht besingen können.

3

**Geduld.**

Leichter träget, was er träget,
Wer Geduld zur Bürde leget.

4

**Adel.**

Hoher Stamm und alte Väter
Machen wohl ein gross Geschrei;
Moses aber ist Verräther,
Dass dein Ursprung Erde sei.

5

**Gunst für Recht.**

Kein *Corpus juris* darf [1] man nicht,
Wo Gunst und Ungunst Urtel spricht.

[1] *Darf* = *bedarf.*

### 6

**Theure Ruh.**[1]

Deutschland gab fünf Millionen,
Schweden reichlich zu belohnen,
Dass sie uns zu Bettlern machten,
Weil sie hoch dies Mühen achten.
Nun sie sich zur Ruh gegeben
Und von Unsrem dennoch leben,
Muss man doch bei vielen Malen
Höher noch die Ruh bezahlen.

### 7

**Der Glaubensstreit.**

Luthrisch, Päbstisch und Calvinisch — diese Glauben alle drei
Sind vorhanden; doch ist Zweifel, wo das Christentum dann sei.

### 8

**Ein unruhig Gemüthe.**

Ein Mühlstein und ein Menschenherz wird stets herumgetrieben;
Wo beides nicht zu reiben hat, wird beides selbst zerrieben.

### 9

**Weiberverheiss.**

Wer einen Aal beim Schwanz und Weiber fasst bei Worten,
Wie feste der gleich hält, hat nichts an beiden Orten.

### 10

**Zweifüssige Esel.**

Dass ein Esel hat gespracht, warum wundert man sich doch?
Geh aufs Dorf, geh auf den Markt: o sie reden heute noch.

### 11

**Die deutsche Sprache.**

Deutsche mühen sich jetzt hoch, deutsch zu reden fein und rein;
Wer von Herzen redet deutsch, wird der beste Deutsche sein.

### 12

**Göttliche Rache.**

Gottes Mühlen mahlen langsam, mahlen aber trefflich klein;
Ob aus Langmuth er sich säumet, bringt mit Schärf' er alles ein.

[1] The Treaty of Westfalia gave the Swedes a war indemnity of 5,000,000 talers; but they afterwards demanded and received 200,000 more.

13

**Franzosenfolge.**

Narrenkappen sam [1] den Schellen, wenn ich ein Franzose wär',
Wollt' ich tragen; denn die Deutschen gingen stracks wie ich so her.

14

**Dreierlei Glauben.**

Der Papst der will durch *Thun*, Calvin wil durch *Verstehn*,
In den Himmel aber wil durch *Glauben* Luther gehn.

15

**Drei Fakultäten.**

Juristen, Ärzte, Prediger sind alle drei beflissen,
Die Leute zu purgieren [2] wol am Säckel, Leib, Gewissen.

16

**Verwandelung.**

Dass aus Menschen werden Wölfe,[3] bringt zu glauben nicht Beschwerden;
Siht man nicht, dass aus den Deutschen dieser Zeit Franzosen werden?

17

**Das Hausleben.**

Ist Glücke wo und was, so halt' ich mir für Glücke,
Wann ich mein eigen bin, dass ich kein dienstbar Ohr
Um weg verkaufte Pflicht [4] darf recken hoch empor
Und horchen auf Befehl. Dass mich der Neid berücke,
Da bin ich sorgenlos. Die schmale Stürzebrücke,[5]
Darauf nach Gunst man zeucht, die bringt mir nicht Gefahr;
Ich stehe, wo ich steh', und bleibe, wo ich war.
Der Ehre scheinlich [6] Gift, des Hofes Meisterstücke,

[1] *Sam* = *zusammen mit.* — [2] *Purgieren*, 'purge,' 'clean out.' — [3] *Wölfe*, in allusion to the superstition of the man-wolf (*werewolf, lycanthropus*). — [4] *Um . . . Pflicht*, 'in venal service.' — [5] *Stürzebrücke* = *Fallbrücke.* — [6] *Scheinlich*, 'glittering.'

Was gehen die mich an? Gut, dass mir das Vergnügen
Für grosse Würde gilt; mir ist ja noch so wol,
Als dem der Wanst zerschwillt,[1] die weil er Hoffahrt voll
Wer biegen sich nicht kan, bleibt, wann er fället, liegen.
Nach Purpur tracht' ich nicht; ich nehme weit dafür,[2]
Wann Gott ich leben kan, dem Nächsten und auch mir.

## 18

### An mein väterlich Gut, so ich drei Jahr nicht gesehen

Glück zu, du ödes Feld; Glück zu, ihr wüsten Auen!
Die ich, wann ich euch seh', mit Thränen muss bethauen,
Weil ihr nicht mehr seid ihr; so gar hat euren Stand
Der freche Mord-Gott Mars grundaus herumgewandt.
Seid aber doch gegrüsst; seid dennoch fürgesetzet
Dem allen, was die Stadt für schön und köstlich schätzet.
Ihr wart mir lieb, ihr seid, ihr bleibt mir lieb und werth;
Ich bin, ob ihr verkehrt,[3] noch dennoch nicht verkehrt.
Ich bin, der ich war vor. Ob ihr seid sehr vernichtet,
So bleib' ich dennoch euch zu voller Gunst verpflichtet,
So lang ich ich kan sein; wann dann mein Sein vergeht,
Kans sein, dass Musa wo an meiner Stelle steht.[4]
Gehab dich wol, o Stadt! die du in deinen Zinnen
Hast meinen Leib gehabt, nicht aber meine Sinnen.
Gehab dich wol! mein Leib ist nun vom Kerker los;
Ich darf nun nicht mehr sein, wo mich zu sein verdross.
Ich habe dich, du mich, du süsse Vatererde!
Mein Feuer glänzt nun mehr auf meinem eignen Herde.
Ich geh', ich steh', ich sitz', ich schlaf', ich wach' umbsunst.[5]
Was theuer mir dort war, das hab' ich hier aus Gunst
Des Herrens der Natur, um "Habe-Dank" zu niessen
Und um gesunden Schweiss; darf nichts hingegen wissen
Von Vortel und Betrug, von Hinterlist und Neid,
Und wo man sonst sich durch schickt etwan in die Zeit.

[1] *Zerschwillt* = *schwellend zerplatzt.* — [2] *Nehme dafür* = *ziehe vor.* — [3] *Verkehrt,* 'changed.' — [4] *Dass . . . steht;* 'that some other muse than mine will praise you.' — [5] *Umbsunst,* 'for nothing.'

Ich ess' ein selig Brot, mit Schweiss zwar eingeteiget,
Doch das durch Bäckers Kunst und Hefen hoch nicht steiget,
Das zwar Gesichte [1] nicht, den Magen aber füllt
Und dient mehr, dass es nährt, als dass es Heller gilt.
Mein Trinken ist nicht falsch [2]; ich darf mir nicht gedenken,
Es sei gebrauen zwier,[3] vom Bräuer und vom Schänken.
Mir schmeckt der klare Saft; mir schmeckt das reine Nass,
Das ohne Keller frisch, das gut bleibt ohne Fass,
Drum nicht die Nymphen erst mit Ceres dürfen kämpfen,
Wer Meister drüber sei, das nichts bedarf zum Dämpfen,[4]
Weils keinen Schwefelrauch noch sonsten Einschlag hat,
Das ohne Geld steht feil, das keine frevle That
Hat den jemals gelehrt, der dran ihm liess genügen.
Der Krämer fruchtbar Schwur, und ihr geniesslich [5] Lügen
Hat nimmer Ernt' um mich. Der vielgeplagte Lein,
Der muss, der kan mir auch anstatt der Seiden sein.
Bewegung ist mein Arzt. Die kräuterreichen Wälde
Sind Apotheks genug; Geld, Gold wächst auch im Felde, —
Was mangelt alsdenn mehr? Wer Gott zum Freunde hat
Und hat ein eignes Feld, fragt wenig nach der Stadt,
Der vortelhaften Stadt, da Nahrung zu gewinnen
Fast jeder muss auf List, auf Tück und Ränke sinnen.
Drum hab' dich wol, o Stadt! wenn ich dich habe, Feld,
So hab' ich Haus und Kost, Kleid, Ruh', Gesundheit, Geld.

## LIII. ANDREAS GRYPHIUS

1616–1664. Gryphius is the most important of the pseudo-classic dramatists, though his plays lacked the schooling of the stage. He was born in Glogau, Silesia, won early distinction as a scholar and poet, resided several years in Holland, France, and Italy, and finally settled down in his birthplace, which honored him with the office of town syndic. He wrote five original tragedies in alexandrine verse (always with a chorus of some kind), and several comedies, partly in verse and partly in prose. The selections follow Tittmann's edition in *Deutsche Dichter des 17. Jahrhunderts.*

[1] The bread does not look good, but is nourishing. — [2] *Falsch*, 'diluted.' — [3] *Zwier* = *zweimal*. — [4] In allusion to the process of treating wine with sulphur — nominally to improve its taste and color. — [5] *Geniesslich*, 'profitable.'

I

*From the fourth act of 'Murdered Majesty, or Carolus Stuardus': King Charles I, about to face death on the scaffold, confers with his loyal friends, Colonel Thomlinson and Bishop Juxton.*

KARL

Fürst, aller Fürsten Fürst, den wir nun sterbend grüssen,
Vor dem wir auf dem Knie das strenge Richtbeil küssen,
Gib, was mein letzter Wunsch noch von dir bitten kan,
Und stecke Karols Geist mit heilgem Eifer an.
Entzünde diss Gemüt, das sich ergetzt, zu tragen
Die ehrenvolle Schmach, das sich beherzt, zu wagen
Für unterdrückte Kirch, entzweigesprengte Kron
Und hochverführtes Volk. Ihr, die von eurem Thron
Mein Mordgerüst beschaut, schaut, wie die Macht verschwinde,
Auf die ein König pocht; schaut, wie ich überwinde,
Indem mein Scepter bricht. Die Erden stinkt uns an,
Der Himmel ruft uns ein. Wer also scheiden kan,
Verhöhnt den blassen Tod und trotzt dem Zwang der Zeiten
Und muss der Grüfte Recht[1] grossmüthig überschreiten,
Indem ein Unterthan sein eigen Mordrecht spinnt
Und durch des Prinzen Fall unendlich Leid gewinnt,
Das häufig schon erwacht; wer nach uns hier wird leben,
Wird zwischen heisser Angst und Todesfurchten schweben,
Indem sich Land auf Land und Stadt auf Stadt verhetzt,
Und Rathstuhl dem Altar und Tempel widersetzt,
Und dieser den verdruckt, der jenen aus wil heben,[2]
Und dem, der nach ihm schlägt, den letzten Hieb wil geben;
Biss der, der wider uns den grimmen Schluss aussprach,
Der unser Regiment mit frecher Faust zubrach,
Gepresst durch heisse Reu wird diesen Tag verfluchen
Und meine Tropfen Blut auf seiner Seelen suchen;
Biss der, der sich erkühnt, mein sauber Herz zu schmähn,
Von Blut und Thränen nass sich nach uns um wird sehn.
Doch! wir bekränken[3] diss und bitten: Herr, verschone,

[1] *Recht;* in the sense of 'limit of jurisdiction,' 'boundary.' — [2] *Ausheben* = *aus dem Sattel heben, stürzen.* — [3] *Bekränken* = *beklagen.*

Lass nicht der Rache zu, dass sie dem Unrecht lohne,
Das über uns geblitzt! Ihr König schilt sie frei.[1]
Verstopf auch, Herr, dein Ohr vor ihrem Mordgeschrei.
Was sagt uns Thomlinson?

THOMLINSON

Prinz Karl, die Blum der Helden,
Wil ihrer Majestät die treue Pflichtschuld melden
Und schickt durch treue Leut' aus Katten[2] diss Papier!

KARL

Mein hochbetrübter Prinz, mein Sohn, wie fern von dir!
Wie fern, wie fern von dir!

JUXTON

Der Höchste wird verbinden,
Was dieser Tag zureisst. Mein Fürst wird ewig finden,
Was Zeit und Unfall raubt.

KARL

Recht! Finden und in Gott
Und durch Gott wiedersehn, die ein betrübter Bot
Mit keiner Antwortschrift mehr von uns wird erquicken.
Ich muss die Trauerpost an Freund und Kinder schicken,
Dass Karl itzund vergeh. Nein! Kan der untergehn,
Der zu der Krone geht? Der feste[3] Karl wird stehn,
Wenn nun sein Körper fällt; der Glanz der Eitelkeiten,
Der Erden leere Pracht, die strenge Noth der Zeiten
Und diss, was sterblich heisst, wird auf den Schauplatz[4] gehn;
Was unser eigen ist, wird ewig mit uns stehn.
Was hält uns weiter auf? Geh, Thomlinson, und schicke
Dem Prinzen seinen Brief so unversehrt zurücke,
Als ihn die Faust empfing. Wir gehn die letzte Bahn!
Unnöthig, dass ein Brief, durch schmerzenvollen Wahn,
Durch jammerreiche Wort und neue Seelenhiebe
Uns aus geschöpfter Ruh erweck' und mehr betrübe.

[1] *Schilt . . . frei*, 'exonerates them.' — [2] *Katten* = Holland. — [3] *Feste*, 'substantial,' 'real.' — [4] *Schauplatz* = *Richtplatz*.

JUXTON

Gott, in dem alles ruht, vermehre diese Ruh!

KARL

Er thuts und spricht dem Geist mit starkem Beistand zu.

JUXTON

Sein Beistand stärkt in Angst ein unbefleckt Gewissen.

KARL

Das, der unschuldig litt, wusch durch sein Blutvergiessen.

JUXTON

Der, was uns drückt, ertrug in letzter Sterbensnoth.

KARL

Uns drückt, diss glaubt uns fest, nichts mehr als Straffords Tod

THOMLINSON

Die Richter haben ihm die Halsstraf auferleget.

KARL

Sein Unschuld hat den Blitz auf unser Haupt erreget.

THOMLINSON

Der König gab den Mann durch Macht gezwungen hin.

KARL

Lernt nun, was dieser Zwang uns bringe vor Gewinn.

THOMLINSON

Der König must' es thun, das tolle Volk zu stillen.

KARL

Recht so, seht wie das Volk dem König itzt zu Willen!

THOMLINSON

Als Wentworth um den Tod den König selber bat.

KARL

Seht, was der König itzt dadurch erhalten hat!

THOMLINSON

Man schloss für aller Heil auf eines Manns Verderben.

KARL

Der[1] dieses schloss, ist hin, und wer nicht hin, wird sterben.

THOMLINSON

Dem Urtheil fielen bei der Staats- und Kirchenrath.

KARL

Verblümt es, wie ihr wollt, es war ein arge That.

JUXTON

Der Höchste wird die That der langen Reu verzeihen.

KARL

Er wird von diesem Blut uns durch sein Blut befreien.
Auf, Geist! Die Bluttrompet, der harten Drommel Klang,
Der Waffen Mordgeknirsch ruft zu dem letzten Gang.

2

*From the fifth act of 'Horribilicribrifax': Terrific encounter of the two braggart captains Daradiridatumtarides and Horribilicribrifax.*

HORRIB. Und wenn du mir biss in den Himmel entwichest und schon auf dem lincken Fuss des grossen Bären sässest, so wolte ich dich doch mit dem rechten Spornleder erwischen und mit zweien Fingern in den Berg Ætna werfen.

[1] *Der;* the allusion is to John Pym, under whose leadership of the Commons the Earl of Strafford (Thomas Wentworth) was executed in 1641. Pym himself died in 1643.

DARADIR. *Gardez-vous, follâtreau!*[1] Meinest du, dass ich vor dir gewichen? Und wenn du des grossen Carols Bruder, der grosse Roland selbst, und mehr Thaten verrichtet hättest als Scanderbek, ja in die Haut von Tamerlanes gekrochen werest, soltest du mir doch keine Furcht einjagen.

HORRIB. Ich? Ich will dir keine Furcht einjagen, sondern dich in zwei und siebentzigmal hundert tausend Stücke zersplittern, dass du in einer See von deinem eigenen Blut ersticken sollest. *Io ho vinto l' inferno e tutti i diavoli.*[2]

DARADIR. Ich will mehr Stücker von dir hauen, als Sternen itzund an dem Himmel stehen, und wil dich also tractiren, dass das Blut von dir fliessen sol, biss die oberste Spitze des Kirchthurms darinnen versunken.

HORRIB. *Per non lasciar piu altre passar questa superba arroganza,*[3] wil ich die ganze Belägerung von Troja mit dir spielen.

DARADIR. Und ich die Zerstörung von Constantinopel.

HORRIB. *Io spiro morte e furore,*[4] doch lasse ich dir noch so viel Zeit: befihle deine Seele Gott und bete ein Vaterunser!

DARADIR. Sprich einen englischen Gruss[5] und hiermit stirb.

HORRIB. Du wirst zum wenigsten die *reputation* in deinem Tode haben, dass du von dessen unüberwindlichen Faust gestorben, der den König in Schweden niedergeschossen.

DARADIR. Tröste dich mit dem, dass du durch dessen Hand hingerichtet wirst, der dem Tilly und Pappenheim den Rest gegeben.

HORRIB. So hab ich mein Schwerd ausgezogen in der Schlacht vor Lützen.

DARADIR. *Morbleu, me voila en colère! Mort de ma vie! je suis fâché par ma foi.*[6] So hab ich zur Wehre gegriffen in dem Treffen vor Nördlingen.

HORRIB. Eine solche Positur machte ich in der letzten Niederlage vor Leipzig.

[1] *Gardez-vous(-en), follâtreau* (from *folâtre*), 'take care, nincompoop.' — [2] *Io ho . . . diavoli*, 'I have vanquished hell and all the devils.' — [3] *Per . . . arroganza*, 'to prevent this arrogant conceit from going further.' — [4] *Io . . . furore*, 'I breathe death and fury.' — [5] *Sprich . . . Gruss*, 'pray an Angelus' (angel's greeting, Luke i, 28), *i.e.* 'attend to your devotions.' — [6] *Morbleu . . . foi*, 'Zounds! Behold me in a rage! Death and destruction! Faith, but I am angry.'

DARADIR. So lief ich in den Wallgraben, als man Glogau hat einbekommen.

HORRIB. Ha! ha! ist er nicht *questo capitano*,[1] mit dem ich Kugeln wechselte bei der Gula?

DARADIR. O! Ist er nicht derjenige Signeur, mit dem ich Brüderschafft machte zu Schlichtigheim?

HORRIB. Ha! *mon signeur, mon frère!*[2]

DARADIR. Ha! *Fratello mio illustrissimo!*[3]

HORRIB. Behüte Gott, welch ein Unglück hätte bald geschehen sollen!

DARADIR. Welch ein Blutvergiessen, *massacre et strage*,[4] wenn wir einander nicht erkennet hätten!

HORRIB. *Magnifici et cortesi heroi*[5] können leicht unwissend zusammen gerathen.

DARADIR. *Les beaux esprits*[6] lernen einander durch dergleichen *rencontre*[7] erkennen.

[*Dionysius*[8] *tritt auf.*]

DIONYS. Welche Bärenhäuter rasen hier für unsern Thüren? Wisset ihr Holunken nicht, dass man des Herren Statthalters Pallast anders zu respectiren pfleget? Trollet euch von hier, oder ich lege euch beiden einen frischen Prügel um die Ohren!

HORRIB. *Io rimango petrificato dalla meraviglia.*[9] Sol Capitain Horribilicribrifax diss leiden?

DARADIR. Sol Capitain von Donnerkeil sich also despectiren lassen?

HORRIB. *Io mi levo il pugnale dal lato*,[10] der Herr Bruder leide es nicht!

DARADIR. *Me voila*,[11] der Herr Bruder greiffe zu der Wehre, ich folge.

HORRIB. *Comminciate di gratia.*[12] Ich lasse dem Herren Bruder die Ehre des ersten Angriffs.

[1] *Questo capitano*, 'that captain.' — [2] *Mon . . . frère*, 'my dear sir, my brother.' — [3] *Fratello . . . illustrissimo*, 'most renowned brother.' — [4] *Massacre et strage*, 'slaughter and carnage.' — [5] *Magnifici . . . heroi*, 'magnificent and gentlemanly heroes.' — [6] *Les beaux esprits*, 'fine spirits.' — [7] *Rencontre*, 'meeting(s).' — [8] Dionysius is the servant of the governor, Cleander, before whose palace the captains have been brawling. — [9] *Io . . . meraviglia*, 'I am petrified with amazement.' — [10] *Io . . . lato*, 'I take my sword from my side.' — [11] *Me voila*, 'here I am.' — [12] *Comminciate di gratia*, 'begin, please.'

DARADIR. Mein Herr Bruder, ich verdiene die Ehre nicht, er gehe voran. *C'est trop discourir. Commencez.*[1]

HORRIB. Ei, der Herr Bruder fahre fort, er lasse sich nicht auffhalten. *La necessità vuole.*[2]

DIONYS. Heran, ihr Ertzberenhäuter, ich will euch die Haut sonder Seiffen und Balsam einschmieren.

HORRIB. Ha! *Patrone mio, questa supercheria è molta ingiusta.*[3]

DARADIR. O monsieur, bey dem Element, er sihet mich vor einen Unrechten an.

HORRIB. Ei, *signore mio gratioso,*[4] ich bin Signor Horribilicribrifax.

DIONYS. (*Nimmt beiden die Degen und schlägt sie darmit um die Köpfe.*) Auffschneider, Lügner, Bärenhäuter, Bengel, Baurenschinder, Erznarren, Cujonen![5]

DARADIR. Ei, ei, monsieur, *basta questo pour istesso,*[6] es ist genung, der Kopf blutet mir.

HORRIB. Ei, ei, signor, ich wuste nicht, dass der Statthalter hier wohnete.

DIONYS. Packet euch, oder ich will euch also zurichten, dass man euch mit Mistwagen sol von dem Platze führen.

## LIV. SIMON DACH

1605–1659. Dach was a Königsberg schoolmaster who won considerable repute as a writer of religious and occasional verse. He is the earliest Prussian poet of any importance. The second selection shows what he thought of Opitz. His *Anke van Tharau*, though a wedding-song written by request (like many of Dach's productions), is so fresh and hearty that Herder gave it a place among his folksongs. The text follows Oesterley's edition in Kürschner's *Nationalliteratur*, Vol. 30.

I

**Abendlied.**

Der Tag hat auch sein Ende,
Die Nacht ist wieder hier;
Drum heb ich Herz und Hände,
O Vater, auff zu dir
Und dancke deiner Treu,
Die mich gantz überschüttet,
Und für der Tiranney
Der Höllen mich behütet.

[1] *C'est . . . commencez,* 'there's too much talking; begin!' — [2] *La . . . vuole.* 'necessity commands.' — [3] *Patrone . . . ingiusta,* 'my good sir, this violence is very unjust.' — [4] *Signore . . . gratioso,* 'my gracious sir.' — [5] *Cujonen,* 'scalawags.' — [6] *Basta . . . istesso.* 'enough of that.'

Dein Wort hat auch daneben
Mein kranckes Herz geheilt,
Mir reichlich Trost und Leben
In aller Noth ertheilt.
Für solche Liebesthat
Was soll ich dir erzeigen?
Was Erd und Himmel hat,
Das ist vorhin dein eigen.

Mein Herz sey dir geschencket,
Das richt, o Gott, dir zu,
Dass, was es nur gedencket,
Sey nichts, als einig du.
Entzeuch es dieser Welt,
Dass es aus diesen Tränen
In deiner Freuden Feld
Sich mög ohn Ablass sehnen.

Und da ich heut verübet,
Was gegen dein Geboth
Und deinen Geist betrübet,
Das sey vertilgt und todt
Durch Christi theures Blut,
Das mildiglich geflossen,
Als er es, mir zu guth,
Aus Liebe hat vergossen.

Und weil ich jetzt sol schlafen,
So lass mich sicher seyn
Durch deiner Aufsicht Waffen,
Schleuss deiner Huth mich ein!
Des Teufels Mord und List,
Der bösen Menschen Tücke
Und was sonst schädlich ist,
Treib, Herr, von mir zurücke!

Lass mich kein böses Ende
Betreten allermeist,
Denn ich in deine Hände
Befehle meinen Geist.
Ich bin zu aller Zeit
Dein Eigenthum und Erbe,
Es sey lieb oder leid,
Ich leb, Herr, oder sterbe.

2

**Opitz in Königsberg.**[1]

Ist es unsrer Seiten Werck'
Je einmahl so wol gelungen,
Dass wir dir, o Königsbergk,
Etwas Gutes vorgesungen,
So vernimm auch diess dabey,
Wer desselben Stiffter sey.

Dieser Mann, durch welchen dir
Jetzt die Ehre wiederfähret,
Dass der Deutschen Preiss und Zier
Sämptlich bey dir eingekehret,
Opitz, den die gantze Welt
Für der Deutschen Wunder hält.

Ach, der Aussbund und Begriff
Aller hohen Kunst und Gaben,
Die der Alten Weissheit tieff
Ihrem Ertz hat eingegraben,
Und der lieben Vorfahrt[2] Handt
Uns so treulich zugesandt!

Man erschricket, wenn er nun
Seiner tieff-erforschten Sachen
Abgrund anhebt auffzuthun,
Und sein Geist beginnt zu wachen;

[1] The full title runs: Gesang bey des edlen und hochberühmten Herren Martin Opitzen u.s.w. hocherfreulichen Gegenwart zu Königsberg in Preussen 1638. 29 Heumonat gesungen. — [2] *Vorfahrt* = *Vorfahren*.

Wer alsdan ihn los sieht gehn,
Der sieht Welschlandt und Athen.

Orpheus giebt schon besser Kauff,[1]
Hört er dieses Mannes Seiten,
Unser Maro horchet auff,
Sagt: Was sol mir das bedeuten?
Wird der Weisen Lieder-Ruhm
Nun der Deutschen Eigenthum?

Ja, Herr Opitz, eurer Kunst
Mages Deutschland einig dancken,
Dass der fremden Sprachen Gunst
Mercklich schon beginnt zu wancken,
Und man nunmehr ins gemein
Lieber deutsch begehrt zu sein.

Wer hat eurer süssen Handt
Diesen Nachdruck mitgegeben,
Dass das gantze Norden-Landt,
Wenn ihr schlagt, sich muss erheben,
Und so mancher edler Geist
Euch zu folgen sich befleist?

Last den stoltzen Thracer-Fluss
Nicht so trotzig sich ergiessen,
Und den edlen Mincius
Was bescheidentlicher fliessen:
Eures Bobers kleine Fluth
Nimmt doch allen nun den Muth.

Wol euch, Herr! Was für ein Lohn
Hat sich hie mit eingedinget,
Dass von hie ab euer Ton
Bis in jenes Leben dringet,
Dessen Nachklangk aller Zeit
Und Vergängnüss sich befreyt?

Hie kunt' eure Jugend zwar
Schon den Lorbeer-Krantz erjagen,
Aber dort wird euer Haar
Erst der Ehren Krohne tragen,
Die euch David gern gesteht,
Weil ihr seinen Fusspfad geht.

Doch wird auch des Pregels Randt,
Weil er ist, von euch nicht schweigen;
Was von uns hie wird bekant,
Was wir singen oder geigen,
Unser Nahme, Lust und Ruh'
Stehet euch, Herr Opitz, zu.

3

**Anke van Tharau.**

Anke van Tharau öss, de my geföllt,
Se öss mihn Lewen, mihn Goet on mihn Gölt.

Anke van Tharau heft wedder eer Hart
Op my geröchtet ön Löw' on ön Schmart.

[1] *Giebt . . . . Kauff = wird billiger.*

Anke van Tharau, mihn Rihkdom, mihn Goet,
Du mihne Seele, mihn Fleesch on mihn Bloet.

Quöm' allet Wedder glihk ön ons tho schlahn,
Wy syn gesönnt by een anger tho stahn.

Kranckheit, Verfälgung, Bedröfnös on Pihn
Sal unsrer Löwe Vernöttinge syn.

Recht as een Palmen-Bohm äver söck stöcht,
Je mehr en Hagel on Regen anföcht,

So wardt de Löw' ön ons mächtig on groht,
Dörch Kryhtz, dörch Lyden, dörch allerley Noht.

Wördest du glihk een mahl van my getrennt,
Leewdest dar, wor ön dee Sönne kuhm kennt,

Eck wöll dy fälgen dörch Wöler, durch Mär,
Dörch Yhss, dörch Ihsen, dörch fihndlöcket Hähr.

Anke van Tharau, mihn Licht, mihne Sönn,
Mihn Lewen schluht öck ön dihnet henönn.

Wat öck geböde, wart van dy gedahn,
Wat öck verböde, dat lätstu my stahn.

Wat heft de Löwe däch ver een Bestand,
Wor nicht een Hart öss, een Mund, eene Hand,

Wor öm söck hartaget, kabbelt on schleyht
On glihk den Hungen on Katten begeyht?

Anke van Tharau, dat war wy nich dohn,
Du böst mihn Dyhfken, mihn Schahpken, mihn Hohn.

Wat öck begehre, begehrest du ohck,
Eck laht den Rock dy, du lätst my de Brohk.

Dit öss dat, Anke, du söteste Ruh,
Een Lihf on Seele wart uht öck on du.

Dit mahckt dat Lewen tom hämmlischen Rihk,
Dörch Zancken wart et der Hellen gelihk.

### 4

*The same in Herder's High German translation.*

Annchen von Tharau ist, die mir gefällt;
Sie ist mein Leben, mein Gut und mein Geld

Annchen von Tharau hat wieder ihr Herz
Auf mich gerichtet in Lieb' und in Schmerz.

Annchen von Tharau, mein Reichtum, mein Gut
Du meine Seele, mein Fleisch und mein Blut!

Käm' alles Wetter gleich auf uns zu schlahn,
Wir sind gesinnt bei einander zu stahn.

Krankheit, Verfolgung, Betrübnis und Pein,
Soll unsrer Liebe Verknotigung sein.

Recht als ein Palmenbaum über sich steigt,
Je mehr ihn Hagel und Regen anficht;

So wird die Lieb' in uns mächtig und gross
Durch Kreuz, durch Leiden, durch allerlei Noth

Würdest du gleich einmal von mir getrennt,
Lebtest, da wo man die Sonne kaum kennt;

Ich will dir folgen durch Wälder, durch Meer,
Durch Eis, durch Eisen, durch feindliches Heer.

Annchen von Tharau, mein Licht, meine Sonn',
Mein Leben schliess' ich um deines herum.

Was ich gebiete, wird von dir gethan,
Was ich verbiete, das lässt du mir stahn.

Was hat die Liebe doch für ein Bestand,
Wo nicht ein Herz ist, ein Mund, eine Hand?

Wo man sich peiniget, zanket und schlägt,
Und gleich den Hunden und Katzen beträgt?

Annchen von Tharau, das woll'n wir nicht thun;
Du bist mein Täubchen, mein Schäfchen, mein Huhn.

Was ich begehre, ist lieb dir und gut;
Ich lasse den Rock dir, du lässt mir den Hut.

Dies ist uns, Annchen, die süsseste Ruh',
Ein Leib und Seele wird aus Ich und Du.

Dies macht das Leben zum himmlischen Reich,
Durch Zanken wird es der Hölle gleich.

## LV. PAUL GERHARDT

1607–1676. Gerhardt was a Lutheran pastor who is preëminent as a writer of hymns for worship. His psalmody has less of the militant spirit than Luther's, his voice being the voice of German Protestantism as chastened by the terrible sufferings of the great war. The selections follow Wolff's edition in Kürschner's *Nationalliteratur*, Vol. 31.

### I

**Befiehl dem Herrn deine Wege.**

Befiehl du deine Wege,
Und was dein Herze kränkt,
Der allertreusten Pflege
Des, der den Himmel lenkt:
Der Wolken, Luft und Winden
Giebt Wege, Lauf und Bahn,
Der wird auch Wege finden,
Da dein Fuss gehen kann.

Dem Herren musst du trauen,
Wann dirs soll wohlergehn;
Auf sein Werk musst du schauen,
Wann dein Werk soll bestehn.
Mit Sorgen und mit Grämen
Und mit selbsteigner Pein
Lässt Gott ihm gar nichts nehmen,
Es muss erbeten sein.

Dein ewge Treu und Gnade,
O Vater, weiss und sieht,
Was gut sei oder schade
Dem sterblichen Geblüt:
Und was du denn erlesen,
Das treibst du, starker Held,
Und bringst zum Stand und Wesen,
Was deinem Rat gefällt.

Weg hast du allerwegen,
An Mitteln fehlt dirs nicht;
Dein Thun ist lauter Segen,

Dein Gang ist lauter Licht,
Dein Werk kann niemand hindern,
Dein Arbeit darf nicht ruhn,
Wann du, was deinen Kindern
Erspriesslich ist, willst thun.

Und ob gleich alle Teufel
Hie wollten widerstehn,
So wird doch ohne Zweifel
Gott nicht zurücke gehn:
Was er ihm fürgenommen
Und was er haben will,
Das muss doch endlich kommen
Zu seinem Zweck und Ziel.

Hoff, o du arme Seele,
Hoff und sei unverzagt!
Gott wird dich aus der Höhle,
Da dich der Kummer plagt,
Mit grossen Gnaden rücken:
Erwarte nur der Zeit,
So wirst du schon erblicken
Die Sonn der schönsten Freud.

Auf, auf, gieb deinem Schmerze
Und Sorgen gute Nacht!
Lass fahren, was das Herze
Betrübt und traurig macht!
Bist du doch nicht Regente,
Der alles führen soll;
Gott sitzt im Regimente
Und führet alles wohl.

Ihn, ihn lass thun und walten,
Er ist ein weiser Fürst
Und wird sich so verhalten,
Dass du dich wundern wirst,
Wann er, wie ihm gebühret,
Mit wunderbarem Rat
Das Werk hinausgeführet,
Das dich bekümmert hat.

Er wird zwar eine Weile
Mit seinem Trost verziehn
Und thun an seinem Teile,
Als hätt in seinem Sinn
Er deiner sich begeben;
Und solltst du für und für
In Angst und Nöten schweben,
So frag er nichts nach dir.

Wirds aber sich befinden,
Dass du ihm treu verbleibst,
So wird er dich entbinden,
Da dus am wengsten gläubst:
Er wird dein Herze lösen
Von der so schweren Last,
Die du zu keinem Bösen
Bisher getragen hast.

Wohl dir, du Kind der Treue,
Du hast und trägst davon
Mit Ruhm und Dankgeschreie
Den Sieg und Ehrenkron.
Gott giebt dir selbst die Palmen
In deine rechte Hand,
Und du singst Freudenpsalmen
Dem, der dein Leid gewandt.

Mach End, o Herr, mach Ende
An aller unser Not!
Stärk unser Füss und Hände
Und lass bis in den Tod
Uns allzeit deiner Pflege
Und Treu empfohlen sein,
So gehen unsre Wege
Gewiss zum Himmel ein.

**2**

**Abendlied.**

Nun ruhen alle Wälder,
Vieh, Menschen, Stadt und Felder,
Es schläft die ganze Welt:
Ihr aber, meine Sinnen,
Auf, auf, ihr sollt beginnen,
Was eurem Schöpfer wohlgefällt.

Wo bist du, Sonne, blieben?
Die Nacht hat dich vertrieben,
Die Nacht, des Tages Feind;
Fahr hin, ein ander Sonne,
Mein Jesus, meine Wonne,
Gar hell in meinem Herzen scheint.

Der Tag ist nun vergangen,
Die güldnen Sternen prangen
Am blauen Himmels Saal:
Also werd ich auch stehen,
Wenn mich wird heissen gehen
Mein Gott aus diesem Jammerthal.

Der Leib eilt nun zur Ruhe,
Legt ab das Kleid und Schuhe,
Das Bild der Sterblichkeit,
Die ich zieh aus: dagegen
Wird Christus mir anlegen
Den Rock der Ehr und Herrlichkeit.

Das Häupt, die Füss und Hände
Sind froh, dass nu zum Ende
Die Arbeit kommen sei:
Herz, freu dich, du sollt werden
Vom Elend dieser Erden
Und von der Sünden Arbeit frei.

Nun geht, ihr matten Glieder,
Geht hin und legt euch nieder,
Der Betten ihr begehrt:
Es kommen Stund und Zeiten,
Da man euch wird bereiten
Zur Ruh ein Bettlein in der Erd.

Mein Augen stehn verdrossen,
Im Hui sind sie geschlossen;
Wo bleibt denn Leib und Seel?
Nimm sie zu deinen Gnaden,
Sei gut für allem Schaden,
Du Aug und Wächter Israel.

Breit aus die Flügel beide,
O Jesu, meine Freude,
Und nimm dein Küchlein ein.
Will Satan mich verschlingen,
So lass die Englein singen:
Dies Kind soll unverletzet sein.

Auch euch, ihr meine Lieben,
Soll heinte nicht betrüben
Ein Unfall noch Gefahr.
Gott lass euch selig schlafen,
Stell euch die güldne Waffen
Ums Bett und seiner Engel Schar.

## LVI. FRIEDRICH SPE

1591–1635. Spe was a Jesuit father who won distinction as a poet and also as an opponent of the witch-burning mania. His collection of lyric poems called *Trutz-Nachtigall*, or *Match-Nightingale*, is interesting for its singular blend of erotic imagery with sincere religious feeling. The poems indicate a genuine delight in certain aspects of nature. The selections follow Wolff's edition, in Kürschner's *Nationalliteratur*, Vol. 31.

I

**Ein Liebgesang der Gespons Jesu.**

Die reine Stirn der Morgenröt
War nie so fast gezieret,
Der Frühling, nach dem Winter öd,
War nie so schön muntieret,
Die weiche Brust der Schwanen weiss
War nie so wohl gebleichet,
Die gülden Pfeil der Sonnen heiss
Nie so mit Glanz bereichet:

Als Jesu Wangen, Stirn und Mund
Mit Gnad seind übergossen.
Lieb hat aus seinen Äuglein rund
Fast tausend Pfeil verschossen:
Hat mir mein Herz verwundet sehr,
O weh der süssen Peine!
Für Lieb ich kaum kann rasten mehr,
Ohn Unterlass ich weine.

Wie Perlen klar aus Orient
Mir Zähr von Augen schiessen:
Wie Rosenwässer wohlgebrennt
Mir Thränen überfliessen.
O keusche Lieb, Cupido rein,
Allda dein Hitz erkühle,
Da dunk dein heisse Flüttig ein,
Dass dich so stark nit fühle.
Zu scharf ist mir dein heisser Brand,
Zu schnell seind deine Flügel;
Drumb nur aus Thränen mit Verstand
Dir flechte Zaum und Zügel.
Komm nit zu streng, mich nit verseng,
Nit brenn mich gar zu Kohlen,
Dich weisen lass, halt Ziel und Mass,
Dich brauch der linden Strohlen.

O Arm und Hände Jesu weiss,
Ihr Schwesterlein der Schwanen,
Umbfasset mich nit lind noch leis,
Darf euch der Griff ermahnen.
Stark heftet mich an seine Brust
Und satt mich lasset weinen:
Ich ihn erweich, ist mir bewusst,
Und wär das Herz von Steinen.

O Jesu mein, du schöner Held,
Lang warten macht verdriessen:
Gross Lieb mir nach dem Leben stellt,
Wann soll ich dein geniessen?
O süsse Brust! O Freud und Lust!
Hast endlich mich gezogen:
O miltes Herz! All Pein und Schmerz
Ist nun in Wind geflogen

Allhie nun will ich rasten lind,
Auf Jesu Brust gebunden:
Allhie mich mag Cupido blind
Bis gar zu Tod verwunden.
Am Herzen Jesu sterben hin
Ist nur in Lusten leben,
Ist nur verlieren mit Gewinn,
Ist tot im Leben schweben.

2

**Anders Liebgesang der Gespons Jesu,**

darin eine Nachtigall mit der Echo oder Wiederschall spielet.

Ach, wann doch Jesu, liebster mein,
Wann wirst dich mein erbarmen?
Wann wieder zu mir kehren ein,
Wann fassen mich in Armen?
Was birgest dich,
Was kränkest mich?
Wann werd ich dich umfangen?
Wann reissest ein
All meine Pein?
Wann schlichtest mein Verlangen?

O willkomm, süsse Nachtigall,
Kombst gleich zu rechter Stunde!
Erfrisch den Luft mit bestem Schall,
Erschöpf die Kunst von Grunde;
Ruf meinem Lieb,
Er nit verschieb,
"O Jesu!" ruf mit Kräften,
Ruf tausend mal,
Ruf ohne Zahl,
Wer weiss, es je möcht heften![1]

Ach, ruf und ruf, o Schwester zart,
Mein Jesum zu mir lade,
Mir treulich hilf zu dieser Fahrt,
Dann ich in Zähren bade.
O Schwester mein,
Sing süss und rein,
Ruf meinem Schatz mit Namen;
Dann kurz, dann lang
Zieh deinen Klang,
All Noten greif zusammen!

Wohlan, scheint, mich verstanden hat
Die Meisterin in Wälden;
Ihrs allbereit geht wohl von Statt,
Die Färblein schon sich melden.
In starker Zahl,
Nun manches Mal
Den Ton sie schon erhebet,
Weil auch der Schall
Aus grünem Thal
Ihr deutlich widerstrebet.[2]

Da recht, du fromme Nachtigall,
Du jenem Schall nit weiche!
Da recht, du treuer Wiederschall,
Du stets dich ihr vergleiche!
Zur schönen Wett
Nun beide trett,
Mein Jesum lasst erklingen,
Obschon im Streit

[1] *Heften* = *haften bleiben*, 'stick fast' (in his ear), and so win him over.— [2] *Widerstrebet* = *widerhallt*.

Der schwächsten Seit
Am Leben sollt misslingen.

Die Nachtigall den Schall nit kennt
Und hälts für ihr Gespielin,
Verwundert sich, wies mög behend
So gleichen Ton erzielen;
Bleibt wenig stumm,
Schlägt wiederumb,
Denkt ihr bald obzusiegen;
Doch Widerpart
Machts gleicher Art,
Kein Pünktlein bleibt verschwiegen.

Bald steiget auf die Nachtigall
Je mehr und mehr und mehre;
Gleich folget auch der Wiederschall,
Wanns je noch höher wäre.
Drumb zierlich fecht
Und stärker schlegt
Das Fräulein reich von Stimmen,
Steigt auf und auf
Ganz ohn Verschnauf;
Doch thuts der Schall erklimmen.

Alsdann gehts über Ziel und Schnur,
Das Herz möcht sich zerspalten,
Sie sucht es in B Moll, B Dur,
Auf allerhand Gestalten,
Thut hundertfalt
Den Bass und Alt,
Tenor und Cant durchstreichen;
Doch Stimm doch Kunst
Ist gar umbsonst,
Der Schall thuts auch erreichen.

Da kitzlet sie dann Ehr und Preis
Mit gar zu scharfen Sporen,
Erdenkt noch schön und schöner Weis,
Meint, sei noch nicht verloren.
All Mut und Blut
Und Atem gut
Versammelt sie mit Haufen,
Will noch zum Sieg
In schönem Krieg
Mit letzten Kräften laufen.

Ei, da kracht ihr so mütigs Herz,
Gleich Ton und Seel verschwinden,
Da leschet sich die gülden Kerz,
Entzuckt von starken Winden.
O mütigs Herz,
O schöne Kerz,
O wohl, bist wohl gestorben!
Die Lorbeerkron
Im letzten Ton
Du doch noch hast erworben.

Dann zwar ein Seufzerlein gar zart
Im Tod hast lan erklingen,
Das so subtil dein Widerpart
Mit nichten möcht erschwingen;
Drumb ja nit lieg,
Dein ist der Sieg,
Das Kränzlein dir gebühret,
Welchs dir allein
Von Blümlein fein
Ich schon hab eingeschnüret.

Ade dann, falbe Nachtigall,
Von falbem Tod entfärbet,
Weil du nun liegst in grünem Thal.

Sag, wer dein Stimmlein erbet;
Könnts je nit sein,
Es wurde mein?
O Gott, könnt ichs erwerben!
Wollts brauchen stät
So früh, so spät,
Bis auch im Sang thät sterben.

Nun doch will ich in diesem Wald
Bei deinem Grab verbleiben,
Hoff, mich mit ihren Pfeilen bald
Begierd und Lieb entleiben.
Will rufen stark
Zum Totensarg,
Bis mein Geliebter komme,
Will rufen laut
Meins Herzen Traut,
Bis letzt ich gar erstumme.

## LVII. HOFMANN VON HOFMANNSWALDAU

A Silesian scholar (1617–1679) who, after extensive foreign travel, spent his life at Breslau as an exemplary and highly esteemed official of the town. Incidentally he poetized in the inflated and ornate style which has given the so-called second Silesian school its evil reputation. His work is decidedly vacuous as poetry, but has its interest as indicating the literary drift of the age of puffs, powder, and pedantry. The selections follow Bobertag's edition in Kürschner's *Nationalliteratur*, Vol. 36.

I

### Die Welt.

Was ist die Welt, und ihr berühmtes Gläntzen?
Was ist die Welt und ihre gantze Pracht?
Ein schnöder Schein in kurtzgefasten Grentzen,
Ein schneller Blitz, bey schwarzgewölckter Nacht;
Ein bundtes Feld, da Kummerdisteln grünen;
Ein schön Spital, so voller Kranckheit steckt.
Ein Sclavenhauss, da alle Menschen dienen,
Ein faules Grab, so Alabaster deckt.
Das ist der Grund, darauff wir Menschen bauen,
Und was das Fleisch für einen Abgott hält.
Komm, Seele, komm, und lerne weiter schauen,
Als sich erstreckt der Zirckel dieser Welt.
Streich ab von dir derselben kurtzes Prangen,
Halt ihre Lust für eine schwere Last.
So wirst du leicht in diesen Port gelangen,
Da Ewigkeit und Schönheit sich umbfast.

## 2

### Die Wollust.

Die Wollust bleibet doch der Zucker dieser Zeit,
Was kan uns mehr, denn sie, den Lebenslauf versüssen?
Sie lässet trinckbar Gold in unsre Kehle fliessen,
Und öffnet uns den Schatz beperlter Liebligkeit,
In Tuberosen kan sie Schnee und Eiss verkehren,
Und durch das gantze Jahr die Frühlings-Zeit gewehren.

Es schaut uns die Natur als rechte Kinder an,
Sie schenckt uns ungespart den Reichthum ihrer Brüste,
Sie öffnet einen Saal voll zimmetreicher Lüste,
Wo aus des Menschen Wunsch Erfüllung quellen kan.
Sie legt als Mutter uns die Wollust in die Armen,
Und lässt durch Lieb und Wein den kalten Geist erwarmen.

Nur das Gesetze wil allzu tyrannisch seyn,
Es zeiget iederzeit ein widriges Gesichte,
Es macht des Menschen Lust und Freyheit gantz zunichte,
Und flöst für süssen Most uns Wermuthtropffen ein;
Es untersteht sich uns die Augen zu verbinden,
Und alle Liebligkeit aus unser Hand zu winden.

Die Ros' entblösset nicht vergebens ihre Pracht,
Jessmin will nicht umsonst uns in die Augen lachen,
Sie wollen unser Lust sich dienst- und zinsbar machen,
Der ist sein eigen Feind, der sich zu Plagen tracht;
Wer vor die Schwanenbrust ihm Dornen will erwehlen,
Dem muss es an Verstand und reinen Sinnen fehlen.

Was nutzet endlich uns doch Jugend, Krafft und Muth,
Wenn man den Kern der Welt nicht reichlich will genüssen,
Und dessen Zucker-Strom lässt unbeschifft verschüssen? [1]
Die Wollust bleibet doch der Menschen höchstes Gut,
Wer hier zu Seegel geht, dem wehet das Gelücke
Und ist verschwenderisch mit seinem Liebesblicke.

[1] *Verschüssen = verfliessen.*

Wer Epicuren nicht für seinen Lehrer hält,
Der hat den Welt-Geschmack und allen Witz verloren,
Es hat ihr die Natur als Stiefsohn ihn erkoren,
Er mus ein Unmensch seyn und Scheusal dieser Welt;
Der meisten Lehrer Wahn erregte Zwang und Schmertzen,
Was Epicur gelehrt, das kitzelt noch die Hertzen.

### 3
### Die Tugend.

Die Tugend pflastert uns die rechte Freudenbahn,
Sie kan den Nesselstrauch zu Lilgenblättern machen,
Sie lehrt uns auf dem Eiss und in dem Feuer lachen,
Sie zeiget, wie man auch in Banden herrschen kan;
Sie heisset unsern Geist im Sturme ruhig stehen,
Und wenn die Erde weicht, uns im Gewichte gehen.

Es giebt uns die Natur Gesundheit, Krafft und Mut,
Doch wo die Tugend nicht wil unser Ruder führen,
Da wird man Klippen, Sand und endlich Schiffbruch spüren.
Die Tugend bleibet doch der Menschen höchstes Gutt;
Wer ohne Tugend sich zu leben hat vermessen,
Ist einem Schiffer gleich, so den Compass vergessen.

Gesetze müssen ja der Menschen Richtschnur seyn.
Wer diesen Pharus ihm nicht zeitlich will erwehlen,
Der wird, wie klug er ist, des Hafens leicht verfehlen,
Und läuffet in den Schlund von vielen Jammer ein;
Wem Lust und Üppigkeit ist Führerin gewesen,
Der hat für Leitstern ihm ein Irrlicht auserlesen.

Diss, was man Wollust heisst, verführt und liebt uns nicht,
Die Küsse, so sie giebt, die triffen von Verderben,
Sie läst uns durch den Strang der zärtsten Seide sterben,
Man fühlet, wie Zibeth das matte Herze bricht,
Vergifter Hypocras [1] will uns die Lippen rühren,
Und ein ambrirte [2] Lust zu Schimpf und Grabe führen.

[1] *Hypocras*, a sweet spiced wine. — [2] *Ambrirte*, 'resinated' (perfumed with *ambra*).

Die Tugend drückt uns doch, als Mutter, an die Brust,
Ihr Gold und edler Schmuck hält Farb und auch Gewichte,
Es leitet ihre Hand uns zu dem grossen Lichte,
Wo sich die Ewigkeit vermählet mit der Lust;
Sie reicht uns eine Kost, so nach dem Himmel schmecket,
Und giebt uns einen Rock, den nicht die Welt beflecket.

Die Wollust aber ist, als wie ein Unschlichtlicht,
So helle Flammen giebt, doch mit Gestanck vergehet.
Wer bey dem Epicur und seinem Hauffen stehet,
Der lernt, wie diese Waar als dünnes Glas zerbricht;
Es kan die Drachen-Milch uns nicht Artzney gewehren,
Noch gelbes Schlangengift in Labsal sich verkehren.

## LVIII. DANIEL CASPER VON LOHENSTEIN

The other leading light of the second Silesian school (1635–1683). Like his friend Hofmannswaldau, he was an exemplary Breslau official. He wrote half a dozen impossible tragedies in alexandrine verse and a huge erudite romance *Arminius*. The selection from *Arminius* follows an edition of 1731, which contains 2868 pages in four quarto volumes.

*From 'Arminius,' Book I: The temple of the Ancient Germans and its wonderful inscription.*

Es war ein Thal, welches ungefähr eine Meilweges im Umkreise hatte, rings herum mit steilen Felsen umbgeben, welche allein von einem abschüssenden Wasser zertheilet waren. An dieser Gegend hatte die andächtige Vorwelt dem Anfange aller Dinge, nehmlich dem Schöpfer der Welt, zu Ehren auf ieder Seiten eine dreyfache Reihe überaus hoch und gerade empor wachsender Eich-Bäume gepflantzet, und wie dieses gantze Thal, also auch insonderheit den in der Mitte gelegenen Hügel, und die in selbtem von der Natur gemachte Höle, als auch den daraus entspringenden Brunnen für eines der grössesten Heiligthümer Deutschlands verehret, auch den Glauben, dass in selbtem die Andacht der Opfernden durch einen göttlichen Trieb geflügelt, und das Gebet von den Göttern ehe als anderwerts erhöret würde, von mehr als tausend Jahren her auf ihre Nachkommen fortgepflantzet. Denn die alten andächtigen Deutschen waren bekümmerter Gott recht zu verehren, als durch Erbauung köstlicher Tempel die Gebürge ihres Marmels zu berauben und ihre Ertzt-Adern arm zu machen. Diesemnach sie für eine der grösten Thorheiten hielten, Affen, Katzen und Crocodilen, ja Knobloch und Zwibeln mit Weyrauch zu räuchern; welche bey den Egyptiern mehr die aus Iaspis und Porphyr erbaueten, oder aus einem gantzen Felsen gehauene Wundertempel verstellten, als durch derselben Pracht einiges Ansehen ihrer schnöden Hesslichkeit erlangeten.

Nichts minder verlachten sie die zu Rom angebetete Furcht und das Fieber, als welche Kranckheiten wohl unvergöttert, ja abscheulich bleiben, wenn gleich zu Überfirnsung ihrer Bilder und Heiligthümer alle Meere ihr Schnecken-Blut, und gantz Morgenland seine Perlen und Edelgesteine dahin zinset. Da hingegen eine wahre Gottheit[1] eben so ein aus schlechtem Rasen erhöhetes Altar, und ein mehr einem finstern Grabe als einem Tempel ähnliches, aber von dem Feuer andächtiger Seelen erleuchtetes Heiligthum; wie die Sonne alle düstere Wohnungen mit ihrem eigenen Glantze erleuchtet und herrlich macht, also dass ohne die Gegenwart des grossen Auges der Welt alle gestirnte Himmels-Kreise düstern, in Abwesenheit einer wesentlichen Gottheit all von Rubin und loderndem Weyrauch schimmernde Tempel irrdisch sind. Denn ob wohl Gott in und ausser aller Dinge ist, seine Macht und Herrschafft sonder einige Beunruhigung sich über all Geschöpfe erstrecket, seine Liebe ohne Ermüdung allen durch ihre Erhaltung die Hände unterlegt; ob er gleich ohne Ausdehnung alles auswendig umbschleust, alles inwendig ohne seine Verkleinerung durchdringet; und er also in, über, unter und neben allen Sachen, iedoch an keinen Ort angebunden, noch nach einigem Maasse der Höhe, Tieffe und Breite zu messen, seine Grösse nirgends ein-, sein Wesen nirgends auszuschlüssen ist: So ist doch unwidersprechlich, dass Gott seiner Offenbarung nach, und wegen der von denen Sterblichen erfoderten Andacht, einen Ort für dem andern, nicht etwan wegen seiner absonderlichen Herrligkeit, sondern aus einer unerforschlicher Zuneigung, ihm belieben lasse, ja mehrmahls selbst erkieset habe. Über dem Eingange nun dieser ebenfals für andern erwehlten Höle waren nachfolgende Reimen in einen lebendigen Steinfels gegraben, iedoch gar schwer zu lesen; weil sie nicht allein mit denen vom Tuisco erfundenen Buchstaben geschrieben,

[1] *Gottheit*, subject of *erleuchtet und herrlich macht* understood.

sondern auch vom Regen abgewaschen und vom Mooss verstellet waren:

Ihr Eiteln, weicht von hier! der Anfang aller Dinge,
Der eh als dieser Fels und dieser Brunnquell war,
Hat hier sein Heiligthum, sein Wohnhaus, sein Altar;
Der will, dass man ihm nur zum Opfer Andacht bringe.
Die ist das Eigenthum der Menschen. Weyrauch, Blut,
Gold, Weitzen, Oel, und Vieh ist sein selbsteigen Gut.

Die Opfer, die ihr ihm auf tausend Tischen schlachtet,
Die machen ihn nicht feist, und keine Gabe reich.
Ihr selbst genüsset es, wenn ihr den Schöpfer gleich
Durch eure Erstlingen hier zu beschencken trachtet.
Euch scheint der Fackeln Licht, ihr rücht des Zimmets Brand.
Ja, was ihr gebt, bleibt euch mit Wucher in der Hand.

Gott heischt diss zwar, doch nicht aus lüsterner Begierde.
Denn was ergeitzt das Meer ihm an der armen Flut
Des Thaues? welcher Stern wünscht ihm der Würmer Glut,
Die bey den Nachten scheint, und der Rubinen Zierde?
Ihr weiht Gott nur das Hertz zum Zeichen euer Pflicht;
Euch selbst zu eurem Nutz, ihm zur Vergnügung nicht.

Ja auch die Andacht selbst weiss Gott nichts zuzufrömen;
Denn eignet sie uns zu gleich seine Gnad und Heil,
So hat sein Wohlstand doch nicht an dem unsern Theil,
Wie unsre Freude rinnt aus seinen Wohlthats-Strömen
Hingegen wie kein Dunst versehrt der Sonnen Licht,
So verunehrt auch ihn kein Aberglaube nicht.

Der Lästerer ihr Fluch thut ihm geringern Schaden,
Als wenn ein toller Hund den vollen Mond anbillt.
Es rühmt als Richter ihn, was in der Hölle brüllt;
Wie's Lob der Seligen preist seine Vater-Gnaden.
Den grossen Gott bewehrt die Kohle, die dort glüht,
So wohl als die, die man wie Sterne gläntzen sieht.

So ist's nun Übermaass, unsäglich grosse Gütte,
Dass Gott die Betenden hier würdigt zu erhörn.
Weicht, Eitele! um nicht diss Heil'ge zu versehrn!
Denn dass Gott in diss Thal nur einen Blick ausschütte,
Ist gröss're Gnad, als wenn das Auge dieser Welt
Den schlechtsten Sonnen-Staub mit seinem Glantz erhält.

## LIX. HANS JAKOB CHRISTOFFEL VON GRIMMELSHAUSEN

The most important writer of prose fiction in the 17th century (*ca.* 1625–1676). He spent his early years as a roving soldier. After the war he published anonymously a number of tales, which are known collectively as *Simplicianische Schriften.* The best of them is *Der abentheuerliche Simplicissimus,* which is largely autobiographic. The book parodies the fashionable romances of adventure and takes hints from the picaresque tales which had begun to come in from Spain. It is particularly interesting for its truthful pictures of German life in the time of the great war. The selection follows Braune's *Neudrucke,* Nos. 19–25.

*From 'Simplicissimus,' Book I, Chapter 4: The hero's childhood; brutal soldiers plunder his foster-father's house and outrage the inmates.*

Wiewol ich nicht bin gesinnet gewesen, den friedliebenden Leser, mit diesen Reutern, in meines Knäns [1] Hauss und Hof zuführen, weil es schlim genug darin hergehen wird: So erfodert jedoch die Folge meiner Histori, dass ich der lieben posterität hinterlasse, was vor Grausamkeiten in diesem unserm Teutschen Krieg hin und wieder verübet worden, zumalen mit meinem eigenen Exempel zubezeugen, dass alle solche Übel von der Güte dess Allerhöchsten, zu unserm Nutz, offt notwendig haben verhängt werden müssen: Dan lieber Leser, wer hätte mir gesagt, dass ein Gott im Himmel wäre, wan keine Krieger meines Knäns Hauss zernichtet, und mich durch solche Fahung unter die Leute gezwungen hätten, von denen ich gnugsamen Bericht empfangen? Kurtz zuvor konte ich nichts anders wissen noch mir einbilden, als dass mein Knän, Meuder, ich und das übrige Haussgesind, allein auff Erden sey, weil mir sonst kein Mensch, noch einzige andre menschliche Wohnung bekant war, als diejenige, darin ich täglich auss und einging: Aber bald hernach erfuhr ich die

[1] *Knäns* = *Vaters;* Spessart dialect like *Meuder* = *Mutter* below.

Herkunfft der Menschen in diese Welt, und dass sie wieder darauss müsten; ich war nur mit der Gestalt ein Mensch, und mit dem Namen ein Christen-Kind, im übrigen aber nur eine Bestia! Aber der Allerhöchste sahe meine Unschuld mit barmhertzigen Augen an, und wolte mich beydes zu seiner und meiner Erkantnus bringen: Und wiewol er tausenderley Wege hierzu hatte, wolte er sich doch ohn zweiffel nur dessjenigen bedienen, in welchem mein Knän und Meuder, andern zum Exempel, wegen ihrer liederlichen Aufferziehung gestrafft würden.

Das Erste, das diese Reuter thäten, war, dass sie ihre Pferde einställeten, hernach hatte jeglicher seine sonderbare Arbeit zuverrichten, deren jede lauter Untergang und Verderben anzeigte, dan obzwar etliche anfingen zumetzgen, zusieden und zubraten, dass es sahe, als solte ein lustig Panquet gehalten werden, so waren hingegen andere, die durchstürmten das Hauss unten und oben, ja das heimliche Gemach war nicht sicher, gleichsam ob wäre das gölden Fell von Colchis darin verborgen; Andere machten von Tuch, Kleidungen und allerley Haussrath, grosse Päck zusammen, als ob sie irgends einen Krempelmarkt [1] anrichten wolten, was sie aber nicht mitzunehmen gedachten, ward zerschlagen, etliche durchstachen Heu und Stroh mit ihren Degen, als ob sie nicht Schafe und Schweine genug zustechen gehabt hätten, etliche schütteten die Federn auss den Betten, und fülleten hingegen Speck, andere dürr Fleisch und sonst Geräth hinein, als ob alsdan besser darauff zuschlaffen wäre; Andere schlugen Ofen und Fenster ein, gleichsam als hätten sie einen ewigen Sommer zuverkündigen, Kupffer und Zingeschirr schlugen sie zusammen, und packten die gebogene und verderbte Stücken ein, Bettladen, Tische, Stüle und Bäncke verbranten sie, da doch viel Claffter dürr Holtz im Hof lag, Häfen und Schüsseln muste endlich alles entzwey, entweder weil sie lieber Gebraten assen, oder weil sie bedacht waren, nur eine einzige Mahlzeit allda zuhalten, unsre Magd ward im Stall dermassen tractirt, dass sie nicht mehr darauss gehen konte, welches zwar eine Schande ist zumelden! den Knecht legten sie gebunden auff die Erde, steckten ihm ein Sperrholtz ins Maul, und schütteten ihm einen Melckkübel voll garstig Mistlachen-wasser in Leib, das nanten sie einen Schwedischen Trunck, wodurch sie ihn zwungen

[1] *Krempelmarkt* = *Trödelmarkt*.

eine Parthey anderwerts zuführen, allda sie Menschen und Viehe hinweg namen, und in unsern Hof brachten, unter welchen mein Knän, meine Meuder, und unsre Ursele auch waren.

Da fing man erst an, die Steine[1] von den Pistolen, und hingegen anstat deren der Bauren Daumen auffzuschrauben, und die armen Schelmen so zufoltern, als wan man hätte Hexen brennen wollen, massen[2] sie auch einen von den gefangenen Bauren bereits in Backofen steckten, und mit Feuer hinter ihm her waren, unangesehen er noch nichts bekant hatte, einem andern machten sie ein Sail um den Kopff, und raitelten[3] es mit einem Bengel zusammen, dass ihm das Blut zu Mund, Nas und Ohren herauss sprang. In Summa, es hatte jeder sein eigne invention, die Bauren zupeinigen, und also auch jeder Bauer seine sonderbare Marter: Allein mein Knän war meinem damaligen Bedüncken nach der glückligste, weil er mit lachendem Munde bekante, was andere mit Schmertzen und jämmerlicher Weheklage sagen musten, und solche Ehre wiederfuhr ihm ohn Zweiffel darum, weil er der Haussvater war, dan sie satzten ihn zu einem Feur, banden ihn, dass er weder Hände noch Füsse regen konte, und rieben seine Fusssolen mit angefeuchtem Saltz, welches ihm unsre alte Geiss wieder ablecken, und dadurch also kützeln muste, dass er vor Lachen hätte zerbersten mögen; das kam so artlich, dass ich Gesellschafft halber, oder weil ichs nicht besser verstund, von Hertzen mit lachen muste: In solchem Gelächter bekante er seine Schuldigkeit, und öffnete den verborgenen Schatz, welcher von Gold, Perlen und Cleinodien viel reicher war, als man hinter den Bauren hätte suchen mögen. Von den gefangenen Weibern, Mägden und Töchtern weiss ich sonderlich nichts zusagen, weil mich die Krieger nicht zusehen liessen, wie sie mit ihnen umgingen: Das weiss ich noch wol, dass man theils hin und wieder in den Winckeln erbärmlich schreyen hörte, schätze wol, es sey meiner Meuder und unserm Ursele nit besser gangen, als den andern. Mitten in diesem Elend wante ich Braten, und halff Nachmittag die Pferde träncken, durch welches Mittel ich zu unsrer Magd in Stall kam, welche wunderwercklich zerstrobelt[4] ausssahe, ich kante sie nicht, sie aber sprach zu mir mit kräncklicher Stimme: O Bub lauff weg, sonst werden dich die

[1] *Steine*, i.e. *Feuersteine*, 'gun-flints.' They were held in by a screw.— [2] *Massen* = *wie denn.* — [3] *Raitelten*, 'twisted.' — [4] *Zerstrobelt* = *zerschlagen.*

Reuter mit nemen, guck dass du davon kommst, du siehst wol, wie es so ubel: mehrers konte sie nicht sagen.

## LX. BENJAMIN NEUKIRCH

A trenchant satirist and the father of German literary criticism (1665–1729). He was by birth a Silesian and in his early years an admirer of Hofmannswaldau and Lohenstein. Later he turned against them and against the whole tribe of insincere occasional rimesters, who were bringing the poetic art into contempt. His lyric poems are of small account, but his satires are vigorous and illuminative. The text follows Fulda's edition in Kürschner's *Nationalliteratur*, Vol. 39.

### Auf unverständige Poeten.

Lass doch, Lysander, ab, mit Reimen dich zu plagen
Und einer Bettelkunst halb rasend nachzujagen,
Die zwar die Phantasei durch süsse Träume rührt,
Dich aber auf den Weg der Hungerwiesen führt
Und endlich, wo du dich lässt ihre Grillen treiben,
Mit Meistersängern wird in eine Rolle schreiben.
Die eben ist das Gift, das wie die Missethat
Gleich mit der Muttermilch mir ins Geblüte trat.
Wie glücklich wär' ich doch, wenn mich zu rechter Stunden
Ein kluger Arzt davon durch Kräutersaft entbunden
Und alles, was ich nur von Versen angeblickt,
Durch hebend Antimon hätt' in die Luft geschickt;
So dürft' ich nicht wie jetzt in Kummerwinckeln sitzen,
Und bei geborgter Lust von langen Sorgen schwitzen,
So hätt' ich auch vielleicht den Wuchergriff erlernt,
Wie man durch Ränke sich von der Vernunft entfernt,
Den Trieb der Redlichkeit mit Silberzäumen lenket,
Den Geist der Gottesfurcht in klugen Schlaf versenket,
Ein reiches Lasterweib zu seinem Willen beugt,
Durch höflichen Betrug auf Ehrenbänke steigt
Und endlich, wenn die Kraft der Jugend uns verlassen,
Bei voller Tafel kann von fremdem Gute prassen.
So hab' ich manchen Tag und manche Nacht verreimt
Und oft ein grosses Lied von Zwergen hergeträumt,

Verliebten ihre Lust in Zucker zugemessen,
Betrüger reich gemacht, mich aber gar vergessen;
Und ob mich endlich gleich mit der verjährten Zeit
Ein kurzer Sonnenblick bei Hofe noch erfreut
Und Preussens Salomo,[1] den ich mit Recht gepriesen,
Mir zu der Ehrenburg den Vorhof angewiesen,
Ward doch durch seinen Tod, der alles umgekehrt,
Mein Glück und auch zugleich mein ganzer Ruhm verzehrt
Nun lacht die Wucherschar bei ihren Judengriffen,
Dass ich der Tugend Lob auf Hoffnung hergepfiffen,
Die Zungendrescherei den Musen nachgesetzt,
Und wahre Weisheit mehr als Geld und Gut geschätzt,
Und dass ich, da der Hof zum Laufen mich gezwungen,
Nicht noch zu rechter Zeit in Schulenstaub gesprungen,
Die matte Dürftigkeit in Mäntel eingehüllt,
Mit leerer Wissenschaft die Jugend angefüllt,
Die Kinder gegen Lohn den Toten [2] vorgetrieben
Und wöchentlich ein Lied für Thaler hingeschrieben.

Hiebei verbleibt es nicht. Die schwärmende Vernunft
Der von der Hungersucht bethörten Dichterzunft,
Die sich durch falsche Kunst auf den Parnass geschlichen,
Von der gesetzten Bahn der Alten abgewichen,
Mit frecher Hurtigkeit gefüllte Bogen schmiert
Und alle Messen fast ein totes Werk gebiert,
Wird so verwegen schon, dass sie Gesetze stellet,
Der Griechen Zärtlichkeit das Todesurteil fället,
Des Maro klugen Witz in Kinderklassen weist,
Horazens Dichterbuch verrauchte Grillen heisst,
Und alles, was sich nur nach alter Kraft beweget,
Auf lüsterndem [3] Papier mit Tinte niederschläget.
Da nun das Wespenheer von Tag zu Tage wächst,
Und jeder Knabe schon nach Narrenwasser lechzt,
Was Wunder ist es denn, wenn Ruhm und Ehre stirbet,
Die Kunst zu Grabe geht, die Tugend gar verdirbet? . . .

[1] Friedrich I, who died in 1713. — [2] *Den Toten*, i. e. *den alten* (*Schriftstellern*). — [3] *Lüsterndem*, 'wanton,' 'lubricious.'

So viel als Reimer sind, so viel und mancherlei
Wirkt in der Poesie nun auch die Phantasei.
Ein halb mit Pickelscherz[1] vermengtes Operettchen,
Ein stinkender Roman vom rasenden Chrysettchen,
Ein geiles Myrtenlied und ein nach dem Adon
Des üppigen Marin[2] erbauter Venusthron,
Der der Geliebten Schoss bis auf den Grund entdecket
Und Büsch' und Brunnen draus und Vogelnester hecket,
Ein lügenvolles Lob, das uns ins Angesicht
Den lastervollen Ruf der Toten widerspricht,
Ein rohes Trauerspiel, in dem die Regeln fehlen,
Und so viel Schnitzer fast als Silben sind zu zählen,
Ein Brief,[3] den Adam schon der Eva zugesandt,
Da beide dazumal doch keine Schrift gekannt,
Ein kreissendes Sonett, das mit dem Tode ringet
Und der Gedanken Rad so wie die Reime zwinget,
Und ein nach Pöbelart gepriesner Buhlerblick
Ist oft bei dieser Zeit das grösste Meisterstück.
So lang ich meinen Vers nach gleicher Art gewogen,
Dem Bilde der Natur die Schminke vorgezogen,
Der Reime dürren Leib mit Purpur ausgeschmückt
Und abgeborgte Kraft den Wörtern angeflickt,
So war ich auch ein Mann von hohen Dichtergaben;
Allein sobald ich nur der Spure nachgegraben,
Auf der man zur Vernunft beschämt zurücke kreucht
Und endlich nach und nach nur den Parnass erreicht,
So ist es aus mit mir, so kommt von seinem Suschen
Ein mit Ebräerwitz gespicktes Philomuschen,[4]
Klaubt ihm ein Jugendwort in meinen Schriften aus
Und untergräbt damit mein ganzes Ehrenhaus.

Was soll ich Ärmster thun? Soll ich noch einmal rasen
Und durch mein Haberrohr zum Federsturme blasen?
Nein, nein, Lysander, nein! Ich will zurücke stehn

[1] *Pickelscherz* (*Pickelhäringscherz*), 'clownish jokes.' — [2] The Italian poet Marino, known for his sensuality and affectation, was in high favor with the later Silesians. — [3] *Brief*, in allusion to the sensual *Heldenbriefe* of Hofmannswaldau. — [4] *Philomuschen*, 'poetaster' (lover of the Muses).

Und der erlauchten Schar nur aus den Augen gehn,
Sonst wirft der Schwindelgeist der klugen Weisianer[1]
Mich endlich auf die Bank der reimenden Quintaner
Und jagt mich, ob ich gleich halb notenmässig bin,
Ins re, mi, fa, sol, la der Hübneristen[2] hin,
Die sich doch ohnedem an Odermusen[3] reiben,
Sudetenzungen[3] nur zu Mamelucken schreiben
Und alles, was durch Kunst der Pleisse[4] nicht geschehn,
Für Eigenliebe kaum mit halben Augen sehn.
Zwar weich' ich darum nicht, als ob ich, wenn es brennte,[5]
Nicht auch ein Jammerlied im Tanze drechseln könnte,
Und ob der Trippeltakt der leichten Reimerei
In Dedekindens[6] Schoss allein zu Hause sei.
Mir ist ja wohl bekannt, wie man den Schädel seifen
Und solche Spötter kann mit Lauge wiedertäufen,
Wie mancher ohne Bart in Phöbus' Auen springt,
Und wie ein kollernd Pferd sich auf den Pindus schwingt;
Allein ich hab' einmal die Thorheit aufgegeben.
Es reime, wer da will; ich will in Friede leben.

## LXI. JOHANN CHRISTIAN GÜNTHER

A gifted lyric poet whose life was short and full of trouble (1695–1723). In an age of poetic artificiality and pretense his verse is generally simple, sincere, and passionate. His work is mainly a record of suffering, the note of joy being relatively infrequent. He is a forerunner of those modern poets of whom one may say with Goethe's Tasso: *Mir gab ein Gott zu sagen, wie ich leide.* The text follows Fulda's edition in Kürschner's *Nationalliteratur*, Vol. 38.

### I

**Studentenlied.**

Brüder, lasst uns lustig sein,
Weil der Frühling währet
Und der Jugend Sonnenschein
Unser Laub verkläret;
Grab und Bahre warten nicht;
Wer die Rosen jetzo bricht,
Dem ist der Kranz bescheret.

[1] *Weisianer*, partisans of the dull and trivial schoolmaster-poet, Christian Weise. — [2] *Hübneristen*, mechanical rimesters; Hübner was the author of a dictionary of rimes. — [3] *Odermusen;* 'muses of the Oder' and 'tongues of the Sudeti' are both names for the later Silesian poets. — [4] *Kunst der Pleisse*, Leipzig's art. — [5] *Wenn es brennte = wenn es drauf ankäme.* — [6] *Dedekindens;* C. C. Dedekind was a facile but vacuous rimester.

Unsers Lebens schnelle Flucht
Leidet keinen Zügel,
Und des Schicksals Eifersucht
Macht ihr stetig Flügel;
Zeit und Jahre fliehn davon,
Und vielleichte schnitzt man schon
An unsers Grabes Riegel.

Wo sind diese, sagt es mir,
Die vor wenig Jahren
Eben also, gleich wie wir,
Jung und fröhlich waren?
Ihre Leiber deckt der Sand,
Sie sind in ein ander Land
Aus dieser Welt gefahren.

Wer nach unsern Vätern forscht,
Mag den Kirchhof fragen;
Ihr Gebein, so längst vermorscht,
Wird ihm Antwort sagen.
Kann uns doch der Himmel bald,
Eh die Morgenglocke schallt,
In unsre Gräber tragen.

Unterdessen seid vergnügt,
Lasst den Himmel walten,
Trinkt, bis euch das Bier besiegt,
Nach Manier der Alten.
Fort! Mir wässert schon das Maul,
Und, ihr andern, seid nicht faul,
Die Mode zu erhalten.

Dieses Gläschen bring' ich dir,
Dass die Liebste lebe
Und der Nachwelt bald von dir
Einen Abriss gebe!
Setzt ihr andern gleichfalls an,
Und wenn dieses ist gethan,
So lebt der edle Rebe.

**2**

**An Leonoren.**

Als er sich mit ihr wieder zu versöhnen suchte.

Kluge Schönheit, nimm die Busse
Eines armen Sünders an,
Welcher dir mit einem Kusse
Gestern Abends weh gethan,
Und auf deinen Rosenwangen
Einen schönen Raub begangen.

Ich gesteh' es, mein Verbrechen
Ist der schärfsten Strafe wert,
Und du magst ein Urteil sprechen,
Wie dein Wille nur begehrt;
Dennoch würd' ich zu den Füssen
Deiner Gnade danken müssen.

Aber weil ihr Himmelskinder
Eurem Vater ähnlich seid,
Welcher auch die gröbsten Sünder
Seines Eifers oft befreit,
Ach, so werden meine Zähren
Deinen Zorn in Liebe kehren.

Gönne mir nur dieses Glücke,
Bald mit dir versöhnt zu sein,
Bis nach manchem kalten Blicke
Deiner Augen Sonnenschein
Mir und meiner Hoffnung lache
Und mich endlich kühner mache.

### 3

### Die verworfene Liebe.

Ich habe genug!
Lust, Flammen und Küsse
Sind giftig und süsse
Und machen nicht klug;
Komm, selige Freiheit, und dämpfe den Brand,
Der meinem Gemüte die Weisheit entwandt.

Was hab' ich gethan!
Jetzt seh' ich die Triebe
Der thörichten Liebe
Vernünftiger an;
Ich breche die Fessel, ich löse mein Herz
Und hasse mit Vorsatz den zärtlichen Schmerz.

Was quält mich vor Reu'?
Was stört mir vor Kummer
Den nächtlichen Schlummer?
Die Zeit ist vorbei.
O köstliches Kleinod, o teurer Verlust!
O hätt' ich die Falschheit nur eher gewusst!

Geh, Schönheit, und fleuch!
Die artigsten Blicke
Sind schmerzliche Stricke.
Ich merke den Streich,
Es lodern die Briefe, der Ring bricht entzwei
Und zeigt meiner Schönen: Nun leb' ich recht frei.

Nun leb' ich recht frei
Und schwöre von Herzen,
Dass Küssen und Scherzen
Ein Narrenspiel sei;
Denn wer sich verliebet, der ist wohl nicht klug;
Geh, falsche Sirene, ich habe genug!

### 4

### An Leonoren.

Als er sie einer beständigen Liebe versicherte.

Treuer Sinn,
Wirf den falschen Kummer hin.
Lass den Zweifel der Gedanken
Nicht mit meiner Liebe zanken,
Da ich längst dein Opfer bin.

Glück und Zeit
Hasset die Beständigkeit;
Doch das Feuer, so ich fühle,
Hat die Ewigkeit zum Ziele
Und verblendet selbst den Neid.

Meine Glut
Leidet keinen Wankelmut;
Eher soll die Sonn' erfrieren,
Als die Falschheit mich verführen,
Eher löscht mein eigen Blut.

Grab und Stein
Adeln selbst mein Redlichsein.
Bricht mir gleich der Tod das Herze,
So behält die Liebeskerze
In der Asche doch den Schein.

### 5

### An Leonoren.

Gedenk an mich und meine Liebe,

Du mit Gewalt entrissnes Kind,
Und glaube, dass die reinen Triebe
Dir jetzt und allzeit dienstbar sind,
Und dass ich ewig auf der Erde
Sonst nichts als dich verehren werde.

Gedenk an mich in allem Leiden
Und tröste dich mit meiner Treu!
Die Luft mag jetzt empfindlich schneiden,
Die Wetter gehn doch all vorbei,
Und nach dem ungeheuren Knallen
Wird auch ein fruchtbar Regen fallen.

Gedenk an mich in deinem Glücke,
Und wenn es dir nach Wunsche geht,
So setze nie den Freund zurücke,
Der bloss um dich in Sorgen steht!
Auch mir kann bei dem besten Leben
Nichts mehr als du Entzückung geben.

Gedenk an mich in deinem Sterben;
Der Himmel halte dies noch auf;
Doch sollen wir uns nicht erwerben,
Und zürnt der Sterne böser Lauf,
So soll mir auch das Sterbekissen
Die Hinfahrt durch dein Bild versüssen.

Gedenk an mich und meine Thränen,
Die dir so oft das Herz gerührt
Und die dich durch mein kräftig Sehnen
Zum ersten auf die Bahn geführt,
Wo Kuss und Liebe treuer Herzen
Des Lebens Ungemach verschmerzen.

Gedenk auch endlich an die Stunde,
Die mir das Herz vor Wehmut brach,
Als ich, wie du, mit schwachem Munde
Die letzten Abschiedsworte sprach;
Gedenk an mich und meine Plagen!
Mehr will und kann ich jetzt nicht sagen.

### 6

### An seine Leonore.

Bist du denn noch Leonore,
Der so manch verliebter Schwur
(Sinne nach, bei welchem Thore!)
Unter Kuss und Schmerz entfuhr,
Ach, so nimm die stummen Lieder

Eben noch mit dieser Hand,
Die mir ehmals Herz und Glieder
Mit der stärksten Reizung band.

Durch dein sehnliches Entbehren
Werd' ich vor den Jahren grau,
Und der Zufluss meiner Zähren
Mehrt schon lange Reif und Tau;
Meine Schwachheit, mein Verbleichen
Und die Brust, so stündlich lechzt,
Wird des Kummers Siegeszeichen,
Der aus unsrer Trennung wächst.

Lust und Mut und Geist zum Dichten,
Feuer, Jugend, Ruhm und Fleiss
Suchen mit Gewalt zu flüchten
Und verlieren ihren Preis,
Weil der Zunder deiner Küsse
Meinen Trieb nicht mehr erweckt
Und die Führung harter Schlüsse
Ein betrübtes Ziel gesteckt.

Alle Bilder meiner Sinnen
Sind mir Ekel und Verdruss,
Da sie nichts als Gram gewinnen,
Weil ich dich noch suchen muss.
Nichts ergetzt mich mehr auf Erden
Als das Weinen in der Nacht,
Wenn es unter viel Beschwerden
Dein Gedächtnis munter macht.

Jedes Blatt von deinen Händen
Ist ein Blatt voll Klag' und Weh,
Und ich kann es niemals wenden,
Dass kein Stich ans Herze geh';
Die Versichrung leerer Zeilen
Giebt den Leibern wenig Kraft,
Welche Luft und Ort zerteilen.
O bedrängte Leidenschaft!

### 7

**Die seufzende Geduld.**

Morgen wird es besser werden,
Also seufzt mein schwacher Geist,
Den die Menge der Beschwerden
Über allen Abgrund reisst.

Aber ach, wenn bricht der Morgen
Und das Licht der Hoffnung an,
Da ich die so langen Sorgen
Nach und nach vergessen kann?

Sklaven auf den Ruderbänken
Wechseln doch mit Müh' und Ruh',
Dies mein unaufhörlich Kränken
Lässt mir keinen Schlummer zu.

Niemand klagt mein schweres Leiden,
Dies vergrössert Last und Pein.
Himmel, lass mich doch verscheiden,
Oder gieb mir Sonnenschein!

Will ich mich doch gerne fassen,
Wenn mich nur der Trost erquickt,
Dass dein ewiges Verlassen
Mich nicht in die Grube schickt.

## LXII. BARTHOLD HEINRICH BROCKES

A writer of rather mediocre gifts who is of some historical importance as the pioneer in a new poetry of nature (1680–1747). He was the first to blend reverent emotion with very minute observation and description. His thesis — as oft reiterated in his many-volumed *Earthly Pleasure in God* — is that we *ought* to love nature because it is the wonderful and perfect work of an infinitely wise and good Creator. The selections follow Kürschner's *Nationalliteratur*, Vol. 39.

1

### Anmutige Frühlingsvorwürfe.

Ich höre die Vögel, ich sehe die Wälder,
Ich fühle das Spielen der kühlenden Luft,
Ich rieche der Blüte balsamischen Duft,
Ich schmecke die Früchte. Die fruchtbaren Felder,
Die glänzenden Wiesen, das funkelnde Nass
Der tauichten Tropfen, das wallende Gras
Voll lieblicher Blumen, das sanfte Gezische
Der mancherlei lieblich beblätterten Büsche,
Das murmelnde Rauschen der rieselnden Flut,
Der zitternde Schimmer der silbernen Fläche
Durch grünende Felder sich schlängender Bäche,
Der flammenden Sonne belebende Glut,
Die alles verherrlichet, wärmet und schmücket,
Dies alles ergetzet, erquicket, entzücket
Ein Auge, das Gott in Geschöpfen ersieht,
Ein Ohr, das den Schöpfer verstehet und höret,
Ein Herze, das Gott in den Wundern verehret,
Kein viehisch, nur einzig ein menschlich Gemüt.

2

### Die Nachtigall und derselben Wettstreit gegen einander.

Im Frühling rührte mir das Innerste der Seelen
Der Büsche Königin, die holde Nachtigall,
Die aus so enger Brust und mit so kleiner Kehlen
Die grössten Wälder füllt durch ihren Wunderschall.
Derselben Fertigkeit, die Kunst, der Fleiss, die Stärke,
Verändrung, Stimm' und Ton sind lauter Wunderwerke

Der wirkenden Natur, die solchen starken Klang
In ein paar Federchen, die kaum zu sehen, senket
Und einen das Gehör bezaubernden Gesang
In solche dünne Haut und zarten Schnabel schränket.
Ihr Hälschen ist am Ton so unerschöpflich reich,
Dass sie tief, hoch, gelind und stark auf einmal singet.
Die kleine Gurgel lockt und zischt und pfeift zugleich,
Dass sie wie Quellen rauscht, wie tausend Glocken klinget.
Sie zwitschert, stimmt und schlägt mit solcher Anmut an,
Mit solchem nach der Kunst gekräuselten Geschwirre,
Dass man darob erstaunt und nicht begreifen kann,
Ob sie nicht seufzend lach', ob sie nicht lachend girre.
Ihr Stimmchen ziehet sich in einer hohlen Länge
Von unten in die Höh', fällt, steigt aufs neu empor,
Und schwebt nach Mass und Zeit; bald drängt sich eine Menge
Verschiedner Tön' aus ihr als wie ein Strom hervor.
Sie dreht und dehnt den Ton, zerreisst und fügt ihn wieder,
Singt sanft, singt ungestüm, bald klar, bald grob, bald hell.
Kein Pfeil verfliegt so rasch, kein Blitz verstreicht so schnell,
Die Winde können nicht so streng im Stürmen wehen,
Als ihre schmeichelnde verwunderliche Lieder
Mit wirbelndem Geräusch sich ändern, sich verdrehen.
Ein flötend Glucken quillt aus ihrer hohlen Brust,
Ein murmelnd Pfeifen labt der stillen Hörer Herzen;
Doch dies verdoppelt noch und mehrt die frohe Lust,
Wenn etwan ihrer zwo zugleich zusammen scherzen.
Die singt, wenn jene ruft; wann diese lockt, singt jene
Mit solch anmutigem bezaubernden Getöne,
Dass diese wiederum aus Missgunst, als ergrimmt,
In einen andern Ton die schlanke Zunge stimmt.
Die andre horcht indes und lauscht voll Unvergnügen,
Ja fängt zu ihres Feinds und Gegensängers Hohn,
Um durch noch künstlichern Gesang ihn zu besiegen,
Von neuem wieder an in solchem scharfen Ton,
Mit solchem feurigen, empfindlich hellen Klang,
Mit solch gewaltigem oft wiederholtem Schlagen,
Dass so durchdringenden und heftigen Gesang

Das menschliche Gehör kaum mächtig zu ertragen.
Wer nun so süssen Ton im frohen Frühling hört
Und nicht des Schöpfers Macht voll Brunst und Andacht ehrt,
Der Luft Beschaffenheit, das Wunder unsrer Ohren
Bewundernd nicht bedenkt, ist nur umsonst geboren
Und folglich nicht der Luft, nicht seiner Ohren wert.

### 3
### Frühlingsbetrachtungen.

Mich erquicken,
Mich entzücken
In der holden Frühlingszeit
Alle Dinge, die ich sehe,
Da ja, wo ich geh' und stehe,
Alles voller Lieblichkeit.

Durch der grünen Erde Pracht,
Durch die Blumen, durch die Blüte
Wird durchs Auge mein Gemüte
Recht bezaubernd angelacht.

Die gelinden lauen Lüfte
Voller balsamreicher Düfte
Treibt des holden Zephyrs Spiel
Zum Geruch und zum Gefühl.

Auf den glatten Wellen wallen
Wie auf glänzenden Krystallen
Im beständig regen Licht
Tausend Strahlen, tausend Blitze,
Und ergetzen das Gesicht,
Sonderlich wenn selbe zwischen
Noch nicht dick bewachs'nen Büschen
Und durch junge Weiden glimmen.
Kleine Lichter, welche schwimmen
Auf dem Laub und auf der Flut
Bald in weiss-, bald blauer Glut,
Treffen mit gefärbtem Scherz
Durch die Augen unser Herz.

Seht die leichten Vögel fliegen,
Höret, wie sie sich vergnügen,
Seht, wie die beblümten Hecken
Ihr geflochtnes Nest verstecken!
Schlüpfet dort nach seinem Neste
Ein verliebt und emsigs Paar,
Hüpfet hier durch Laub und Äste
Eine bunt gefärbte Schar.
Seht, wie sie die Köpfchen drehn
Und des Frühlings Pracht besehn,
Hört, wie gurgeln sie so schön!
Höret, wie sie musicieren!

Lass dich doch ihr Beispiel rühren,
Liebster Mensch, lass dem zu Ehren,
Der die Welt so schön geschmückt
Und durch sie dich fast entzückt,
Auch ein frohes Danklied hören!

# LXIII. JOHANN CHRISTOPH GOTTSCHED

A Leipzig scholar (1700–1766) who, as professor in the university, author of text-books, editor of journals, and reformer of the local stage, won a great though transitory prestige. He was a stedfast champion of clarity, regularity, and good taste, laid great stress on probability and reasonableness, and held that a strict observance of the three unities was essential in tragedy. His advocacy of French forms and taste led to a sharp controversy with the Swiss school of Bodmer, who looked rather to English models. Gottsched's *Cato* met with great success on the stage, but now seems cold and mechanical. His critical views can best be studied in the *Critische Dichtkunst,* from which a selection is given according to the second edition, of 1737.

*From the 'Critical Poetics,' Part II, Chapter 10.*

§ 11. Wie eine gute tragische Fabel gemacht werden müsse, das ist schon im vierten Hauptstücke des ersten Theils einiger maassen gewiesen worden. Der Poet wählet sich einen moralischen Lehrsatz, den er seinen Zuschauern auf eine sinnliche Art einprägen will. Dazu ersinnt er sich eine allgemeine Fabel, daraus die Wahrheit eines Satzes erhellet. Hiernächst sucht er in der Historie solche berühmte Leute, denen etwas ähnliches begegnet ist: Und von diesen entlehnet er die Namen, für die Personen seiner Fabel, um derselben also ein Ansehen zu geben. Er erdenket sodann alle Umstände dazu, um die Hauptfabel recht wahrscheinlich zu machen, und das werden die Zwischenfabeln, oder Episodia genannt. Dieses theilt er dann in fünf Stücke ein, die ungefehr gleich gross sind, und ordnet sie so, dass natürlicher Weise das letztere aus dem vorhergehenden fliesset: Bekümmert sich aber weiter nicht, ob alles in der Historie so vorgegangen, oder ob alle Nebenpersonen wirklich so und nicht anders geheissen haben. Zum Exempel kann die oberwähnte Tragödie des Sophokles, oder auch mein Cato dienen. Der Poet wollte dort zeigen, dass Gott auch die Laster, so unwissend begangen werden, nicht ungestraft lasse. Hierzu ersinnt er nun eine allgemeine Fabel, die etwa so lautet:

§ 12. Es war einmal ein Prinz, wird es heissen, der sehr viel gute Eigenschaften an sich hatte, aber dabey verwegen, argwöhnisch und neugierig war. Dieser hatte einmal, vor dem Antritte seiner Regierung, auf freyem Felde einen Mord begangen; ohne zu wissen, dass er seinen eigenen Vater erschlagen hatte. Durch seinen Verstand bringet er sich in einem fremden Lande in solches Ansehen, dass er zum Könige gemacht wird, und die verwittibte Königinn heurathet, ohne zu wissen, dass selbige seine eigene Mutter ist. Aber dieses alles geht ihm nicht für genossen aus. Seine Laster kommen ans Licht, und es treffen ihn alle die Flüche, die er selbst auf den Mörder seines Vorfahren im Regimente ausgestossen hatte. Er wird des Reiches entzetzet, und ins Elend getrieben, nachdem er sich selbst aus Verzweifelung der Augen beraubet hatte. Zu dieser allgemeinen Fabel nun findet Sophokles in den alten thebanischen Geschichten den Oedipus geschickt. Er ist ein solcher Prinz, als die Fabel erfordert: Er hat unwissend einen Vatermord und eine Blutschande begangen. Er ist dadurch auf eine Zeitlang glücklich geworden: Allein die Strafe bleibt nicht aus; sondern er muss endlich alle die Wirkungen seiner unerhörten Laster empfinden.

§ 13. Diese Fabel ist nun geschickt, Schrecken und Mitleiden zu erwecken, und also die Gemüthsbewegungen der Zuschauer auf eine der Tugend gemässe Weise zu erregen. Man sieht auch, dass der Chor in dieser Tragödie dadurch bewogen wird, recht erbauliche Betrachtungen, über die Unbeständigkeit des Glückes der Grossen dieser Welt, und über die Schandbarkeit seiner Laster anzustellen, und zuletzt in dem Beschlusse die Thebaner so anzureden: Ihr Einwohner von Theben, sehet hier den Oedipus, der durch seine Weisheit Räthsel erklären konnte, und an Tapferkeit alles übertraf; ja der seine Hohheit sonst keinem, als seinem Verstande und Heldenmuthe zu danken hatte: Seht, in was für schreckliche Trübsalen er gerathen ist; und wenn ihr dieses unselige Ende desselben erweget, so lernt doch niemanden für glücklich halten, bis ihr ihn seine letzte Stunde glücklich habt erreichen gesehen.

§ 14. Eine solche Fabel nun zu erdichten, sie recht wahrscheinlich einzurichten, und wohl auszuführen, das ist das allerschwerste in einer Tragödie. Es hat viele Poeten gegeben, die in allem andern Zubehör des Trauerspiels, in den Charactern, in dem Ausdrucke, in den Affecten u.s.w. glücklich gewesen: Aber in der Fabel ist es sehr wenigen gelungen. Das macht, dass dieselbe eine dreyfache Einheit haben muss, wenn ich so reden darf: Die Einheit der Handlung, der Zeit, und des Ortes. Von allen dreyen müssen wir insonderheit handeln.

§ 15. Die ganze Fabel hat nur eine Hauptabsicht, nemlich einen moralischen Satz: Also muss sie auch nur eine Haupthandlung haben, um derentwegen alles übrige vorgehet. Die Nebenhandlungen aber, die zur Ausführung der Haupthandlung gehören, können gar wohl andre moralische Wahrheiten in sich schliessen: Wie zum Exempel in Oedipus die Erfüllung der Orakel, daruber Iocasta vorher gespottet hatte, die Lehre giebt: Dass die göttliche Allwissenheit nicht fehlen könne. Alle Stücke sind also tadelhaft und verwerflich, die aus zwoen Handlungen bestehen, davon keine die vornehmste ist. Ich habe dergleichen im Jahr 1717 am Reformationsfeste in einer Schulcomödie vorstellen gesehen, wo der Inhalt der Aeneis Virgilii, und die Reformation Lutheri zugleich vorgestellet wurde. In einem Auftritte war ein Trojaner, in dem andern der Ablasskrämer Tetzel zu sehen. Bald handelte Aeneas von der Stiftung des römischen Reichs, bald kam Lutherus und reinigte die Kirche. Bald war Dido, bald die babylonische Hure zu sehen u.s.w. Und diese beyde so verschiedene Handlungen hiengen nicht anders zusammen, als durch eine lustige Person, die zwischen solchen Vorstellungen auftrat, und z. E. den auf der See bestürmten Aeneas mit dem in Gefahr schwebenden Kirchenschifflein verglich. Das ist nun ein sehr handgreiflicher Fehler, wo zwey so verschiedene Dinge zugleich gespielet werden. Allein die andern, so etwas unmerklicher sind, verdienen deswegen keine Entschuldigung.

§ 16. Die Einheit der Zeit ist das andre, so in der Tragödie unentbehrlich ist. Die Fabel eines Heldengedichtes kann viele Monate dauren, wie oben gewiesen worden; das macht, sie wird nur gelesen: Aber die Fabel eines Schauspieles, die mit lebendigen Personen in etlichen Stunden lebendig vorgestellet wird, kann nur einen Umlauf der Sonnen, wie Aristoteles spricht, das ist einen Tag, dauren. Denn was hat es für eine Wahrscheinlichkeit, wenn man in dem ersten Auftritte den Helden in der Wiege, weiter hin als einen Knaben, hernach als einen Jüngling, Mann, Greis, und zuletzt gar im Sarge vorstellen wollte: Wie Cervantes solche thörichte Schauspiele an seinen spanischen Poeten im Don Quixote ausgelachet hat. Oder wie ist es wahrscheinlich, dass man es auf der Schaubühne etlichemal Abend werden sieht, und doch selbst, ohne zu essen oder zu trinken, oder zu schlafen, immer auf einer Stelle sitzen bleibt? Die besten

Fabeln sind also diejenigen, die nicht mehr Zeit nöthig gehabt hätten, wirklich zu geschehen, als sie zur Vorstellung brauchen; das ist etwa drey oder vier Stunden: Und so sind die Fabeln der meisten griechischen Tragödien beschaffen. Kömmt es hoch, so bedörfen sie sechs, acht, oder zum höchsten zehn Stunden zu ihrem ganzen Verlaufe: Und höher muss es ein Poet nicht treiben; wenn er nicht wieder die Wahrscheinlichkeit handeln will.

§ 17. Es müssen aber diese Stunden bey Tage, und nicht bey Nacht seyn, weil diese zum Schlafen bestimmet ist: Es wäre denn, dass die Handlung entweder in der Nacht vorgegangen wäre, oder erst nach Mittag anfienge, und sich bis in die späte Nacht verzöge; oder umgekehrt frühmorgens angienge, und bis zu Mittage daurete. Der berühmte Cid des Corneille läuft in diesem Stücke wieder die Regeln, denn er dauret eine ganze Nacht durch, nebst dem vorigen und folgenden Tage, und braucht wenigstens volle vier und zwanzig Stunden: Welches schon viel zu viel ist, und unerträglich seyn würde, wenn das Stück nicht sonst viel andre Schönheiten in sich hätte, die den Zuschauern fast nicht Zeit liessen, daran zu gedenken. Das ist nun eben die Kunst, die Fabel so ins kurze zu bringen, dass keine lange Zeit dazu gehöret; und eben deswegen sind auch bey uns Deutschen die Tragödien vom Wallenstein, von der Banise, ingleichen von der böhmischen Libussa ganz falsch und unrichtig: Weil sie zum Theil etliche Monate, zum Theil aber viele Jahre zu ihrer Dauer erfordern. Meine obrige Schultragödie hub sich von dem Urtheile des Paris über die drey Göttinnen an, und daurete bis auf des Aeneas Ankunft in Italien. Das war nun eine Zeit, davon die zwey Heldengedichte, Ilias und Aeneis, nicht den zwanzigsten Theil einnehmen, und ich zweifle, ob man die Ungereimtheit höher hätte treiben können.

§ 18. Zum dritten gehört zur Tragödie die Einigkeit des Ortes. Die Zuschauer bleiben auf einer Stelle sitzen: Folglich müssen auch die spielenden Personen alle auf einem Platze bleiben, den jene übersehen können, ohne ihren Ort zu ändern. So ist im Oedipus, z. E. der Schauplatz auf dem Vorhofe des königlichen thebanischen Schlosses, darinn Oedipus wohnt. Alles, was in der ganzen Tragödie vorgeht, das geschieht vor diesem Pallaste: Nichts was man wirklich sieht, trägt sich in den Zimmern zu, sondern draussen auf dem Schlossplatze, vor den Augen alles Volks. Heute zu Tage, da unsre Fürsten alles in ihren Zimmern verrichten, fällt es also schwerer, solche Fabeln wahrscheinlich zu machen. Daher nehmen denn die Poeten gemeiniglich alte Historien dazu, oder sie stellen uns auch einen grossen Audienzsaal vor, darinn vielerley Personen auftreten können. Ja sie helfen sich auch zuweilen mit dem Vorhange, den sie fallen lassen und aufziehen, wenn sie zwey Zimmer zu der Fabel nöthig haben. Man kann also leicht denken, wie ungereimt es ist, wenn, nach dem Berichte des Cervantes, die spanischen Trauerspiele den Helden in dem ersten Aufzuge in Europa, in dem andern in Africa, in dem dritten in Asien, und endlich gar in America vorstellen: Oder, wenn meine obgedachte Schulcomödie uns bald in Asien die Stadt Troja, bald die ungestüme See, darauf Aeneas schiffet, bald Carthago, bald Italien vorstellete, und uns also durch alle drey Theile der damals bekannten Welt, führete, ohne dass wir uns von der Stelle rühren dorften. Es ist also in einer regelmässigen Tragödie nicht erlaubt, den Schauplatz zu ändern. Wo man ist, da muss man bleiben; und daher auch nicht in dem ersten Aufzuge im Walde, in dem andern in der Stadt, in dem dritten im Kriege und in dem vierten in einem Garten, oder gar auf der See seyn; Das sind lauter Fehler wieder die Wahrscheinlichkeit: Eine Fabel aber, die nicht wahrscheinlich ist, taugt nichts, weil dieses ihre vornehmste Eigenschaft ist.

## LXIV. JOHANN JAKOB BODMER

A Swiss scholar (1698–1783) who is important as the first notable champion of English literature, and also as the pioneer editor of medieval poetry. In 1721 he began, with a group of Zürich friends, the publication of *Discourse der Mahlern*, a literary magazine for which the English *Spectator* served as a model. A defense of Milton, published in 1740, brought on the controversy with Gottsched. In the course of his long life Bodmer wrote vast quantities of didactic verse, also epics and tragedies, which are now forgotten, his theory of poetry having been better than his practice. His fragmentary and uncritical editions of Wolfram's *Parzival*, the *Nibelung Lay*, and the Minnesingers (1753–59) are the earliest attempts to arouse interest in the forgotten poetry of the despised Middle Ages. The selection is from the *Discourse der Mahlern*, following Bächtold and Vetter's reprint in *Bibliothek älterer Schriftwerke der deutschen Schweiz*, Zürich, 1887.

*From 'Discourses of the Painters,' Part I, No. 19: Importance of the Imagination.*

Eine Imagination, die sich wol cultiviert hat, ist eines von den Haupt-Stücken, durch welche sich der gute Poet von dem gemeinen Sänger unterscheidet, massen die reiche und abändernde Dichtung, die ihr Leben und Wesen eintzig von der Imagination hat, die Poesie von der Prosa hauptsächlich unterscheidet. Dass Opitz den Rang vor Menantes[1] pretendieren kan, geben ihm das Recht diese schönen und abwechselnde Bildnissen, die er gemachet hat, und in welchen er die Natur mit denen Farben und in der Gestalt gemahlet hat, die ihr eigen sind. Ich bediene mich mit Fleisse dieser Metaphora, die ich von den Mahlern entlehne, denn die erste und eintzige Regel, welche ein jedweder Schreiber und Redner, es seye in gebundener oder ungebundener Rede, nachzufolgen hat, und welche ihm mit den Mahlern gemein ist, die ist diese, dass er das Natürliche nachspüre und copiere; alle diese andere Regeln, dass er anmuthig, delicat, hoch schreibe, sind in dieser eingeschlossen und fliessen daraus ab. Wenn er von einer jeden Sache dasjenige saget, was ein curieuser Sinn davon wahrnimmt, wenn er nichts davon verfliegen lässt, das sie dienet von andern Sachen zuunterscheiden, und wenn er mit solchen angemessenen Worten davon redet, welche mir eben dieselben Ideen davon erwecken, so sage ich dass er natürlich schreibe; wenn er denn von einer anmuthigen Sache natürlich schreibet, so kan ich sagen, dass sein Stylus anmuthig ist; schreibet er von einer Delicatesse natürlich, so wird der Stylus delicat, und er wird hoch, wenn er von einer Sache natürlich redet, welche die Menschen bewundern und gross nennen. Weil nun Opitz natürlicher, und welches nichts anders saget, annehmlicher, delicater und höcher ist, als Menantes, so heisst er mir auch ein besserer Poet als Menantes. Dass aber Opitz natürlicher dichtet als der andere, ist dieses die Ursache, weil er die Imagination mehr poliert und bereichert hat als dieser; Opitz hat, nemlich, nicht allein mehr Sachen durch die eigene Erfahrung und die Lesung in seine Imagination zusammengetragen, sondern er hat noch an denjenigen Sachen, die ihm aufgestossen, und die Hunolden vielleicht auch in die Sinnen gefallen, mehrere Seiten und Differenzien wahrgenommen, er hat sie von einer Situation angeschauet, von welcher sie ihm besser

[1] *Menantes*, pseudonym of Christian Friedrich Hunold (1680–1721).

in die Imagination gefallen sind, und er hat sich länger darüber aufgehalten, indem er sie mit einer sorgfältigern Curiosität betrachtet und durchgesuchet hat. Also hat er erstlich eine nähere und vollkommnere Kenntniss der Objecten erworben, und hernach hat er eben darum auch gewissere und vollkommnere Beschreibungen machen können, in welchen die wahre Proportion und Eigenschafften der Sachen bemercket, und derselben Seiten ohne Ermangeln abgezehlet worden.

Ihr erkennet aus diesem die Nothwendigkeit, und was es contribuiert natürlich schreiben zu lernen, dass ein Schüler der Natur sich wisse über den aufstossenden Objecten zufixieren, und sie in einer solchen Postur anzuschauen, in welcher ihm kein Theil und keine Seiten derselben kan verborgen bleiben; er muss so nahe zu derselben tretten, und die Augen so wol offen behalten, dass ihm weder die allzuweite Entfernung sie kleiner machet, noch die Nähe mit einem Nebel überziehet. Wenn ich jetz ferner untersuche, warum Opitz die Imagination freyer und ungebundener bewahret, und die Distractionen ausgewichen habe, welche Hunolden die Menge der Objecten und andere Umstände erwecket haben, so finde ich keine andere Ursache, als weil Opitz von diesen belebten Seelen gewesen, welche weit zärtlichern und hitzigern Affecten unterworffen sind, und viel geschwinder Feuer, oder dass ich ohne Metaphora rede, Liebe für ein Objectum fangen, als andere unachtsame und dumme Leute; denn es ist im übrigen gewiss, dass wir uns um eine Sache, für die wir passioniert sind, weit mehr interessieren, und weit mehr Curiositet und Fleiss haben, sie anzuschauen, folglich auch die Imagination damit mehr anfüllen, als wir bey einem Objecte thun, für das wir indifferent sind. Ein Amant wird von der Schönheit seiner Buhlschäfft eine ähnlichere und natürlichere Beschreibung machen, als ein jedweder andrer, dem sie nicht so starck an das Hertze gewachsen ist. Ihr werdet einen Affect allezeit natürlicher ausdrücken, den ihr in dem Hertzen fühlet, als den ihr nur simulieret. Die Leidenschafft wird euch im ersten Fall alle Figuren der Rhetoric auf die Zunge legen, ohne dass ihr sie studieret. Zertheilet und erleset die Harangue einer Frauen, die ihre Magd von Hertzen ausschiltet, ihr werdet es also finden. Wenn auf diese Weise die Imagination von der Passion begleitet wird, alsdann ist sie im Stande sich ohne Distraction über ein Objecte aufzuhalten, und sich die Natur, Gestalt und Grösse desselben bekandt zumachen; und dieses ist die Manier, die sie brauchet, sich auszuschmücken und zu bereichern.

Erst ein solcher Schreiber der, wie unser Opitz, die Imagination mit Bildern der Sachen bereichert und angefüllet hat, kan lebhaft und natürlich dichten. Er kan die Objecte, die er einmal gesehen hat, so offt er will, wieder aus der Imagination holen, sie wird ihn gleichsam auf die Stelle zurück führen, wo er dieselben antreffen kan. Er seye in sein Cabinet eingeschlossen, und werde von keinen andern Gegenständen umgeben, als von einem Hauffen Bücher, so wird sie ihm eine hitzige Schlacht, eine Belägerung, einen Sturm, einen Schiffbruch, etc. in derselben Ordnung wieder vormahlen, in welcher sie ihm vormahls vor dem Gesicht gestanden sind. Dieselbe wird alle die Affecte, die ihn schon besessen haben, in ihm wieder rege machen, und ihn davon erhitzen, nicht anderst als wenn er sie wirklich in der Brust fühlte. Es seye, dass er in dem Schatten einer ausgespannten Eiche sitzet, von allen Neigungen der Liebe, des Mitleidens, der Traurigkeit, des Zorns, frey und unbeweget, so bringet ihm doch die Stärcke seiner Imagination alle die Ideen wieder zurück, die er gehabt hat, als er wircklich verliebt, mitleidend, betrübt, erzörnt gewesen, sie setzet ihn in einen eben so hitzigen Stande, als er damahlen gestanden ware, und ruffet ihm dieselbe Expressionen wieder zurück, welcher er sich zur selben Zeit bedienet. Will er eine Dame glauben machen, dass sie schön seye, und dass er sie liebe; will er einen Todten beweinen, der ihn vielleichte nichts angehet; will er einen erdichteten Zorn ausstossen, so weiss er die Stellungen und die Worte derer Leuten, die in der That mit diesen Passionen angefüllet sind, lebendig nachzumachen.

---

Diese vornehme Poeten, die ich niemals müde werde zuloben, lassen das Hertze reden, man kan sagen, dass Amor ihnen ihre Verse in die Feder geflösset hat, wenn sie von der Liebe, und Mars wenn sie von dem Kriege singen. Sie zwingen uns die Affecte anzunehmen, welche sie wollen, wir lachen, wir werden stoltz, wir förchten uns, wir erschrecken, wir betrüben uns, wir weinen, wenn es ihnen gefällt; aber auch die traurigen Affecte, die sie in uns rege machen, werden von einem gewissen Ergetzen begleitet, das damit vermenget ist.

Ich belache diese fantastische Schüler der Reim-Kunst, welche sich eine Chimerische Maitresse bey einem frostigen Hertzen, und einer noch kälteren Imagination machen, welche von Brand und Feuer mit den kältesten Expressionen reden, in der Metaphora sterben, sich hencken, sich zu tode stürtzen, derer passioniertste Complimente, die sie ihrer Liebsten machen, Spiele der Wörtern, und der truckenen Imagination sind, Phebus, Galimathias, etc.

Es bleibet mir übrig, euch mit wenigen Worten zuerklären, was es eigentlich seye, das die Poeten figürlich ihren Enthusiasmum, ihre Inspiration, oder auch ihre Poetische Raserey nennen. Diese Worte bedeuten nichts anders, als die hefftige Passion, mit welcher ein Poet für die Materie seines Gedichtes eingenommen ist, oder die gute Imagination, durch welche er sich selbst ermuntern, und sich eine Sache wieder vorstellen, oder einen Affect annehmen kan, welchen er will. Wenn er also erhitzet ist, so wachsen ihm, so zusagen, die Worte auf der Zungen, er beschreibet nichts als was er siehet, er redet nichts als was er empfindet, er wird von der Passion fortgetrieben, nicht anderst als ein Rasender, der ausser sich selbst ist, und folgen muss, wohin ihn seine Raserey führet.

## LXV. ALBRECHT HALLER

A Swiss writer (1708–1777) who in his youth won fame as a poet, afterwards much greater fame as a man of science. In 1732, after he had taken his degree in medicine at Leyden, and had visited England and France, he published a small collection of poems entitled *Versuch Schweizerischer Gedichten.* They are characterized by moral fervor, trenchant thought, and sententious pregnancy of expression — a new combination up to that time. Haller is at his best in *The Alps*, which, notwithstanding its abundant description, is not so much a landscape poem as a philosophic eulogy of the simple life. The text below follows *Bibliothek älterer Schriftwerke der deutschen Schweiz*, III, 20.

*From 'The Alps': Stanzas 1–14.*

Versuchts, ihr Sterbliche, macht euren Zustand besser;
Braucht, was die Kunst erfand und die Natur euch gab;
Belebt die Blumen-Flur mit steigendem Gewässer,
Theilt nach Korinths Gesetz gehaune Felsen ab;
Umhängt die Marmor-Wand mit persischen Tapeten,

Speist Tunkins Nest[1] aus Gold, trinkt Perlen aus Smaragd,
Schlaft ein beim Saitenspiel, erwachet bei Trompeten,
Räumt Klippen aus der Bahn, schliesst Länder ein zur Jagd;
Wird schon, was ihr gewünscht, das Schicksal unterschreiben
Ihr werdet arm im Glück, im Reichthum elend bleiben!

Wann Gold und Ehre sich zu Clios Dienst verbinden,
Keimt doch kein Funken Freud in dem verstörten Sinn.
Der Dinge Werth ist das, was wir davon empfinden;
Vor seiner theuren Last flieht er zum Tode hin.
Was hat ein Fürst bevor, das einem Schäfer fehlet?
Der Zepter eckelt ihm, wie dem sein Hirten-Stab.
Weh ihm, wann ihn der Geiz, wann ihn die Ehrsucht quälet,
Die Schaar, die um ihn wacht, hält den Verdruss nicht ab.
Wann aber seinen Sinn gesetzte Stille wieget,
Entschläft der minder sanft, der nicht auf Eidern lieget?

Beglückte güldne Zeit, Geschenk der ersten Güte,
O, dass der Himmel dich so zeitig weggerückt!
Nicht, weil die junge Welt in stätem Frühling blühte,
Und nie ein scharfer Nord die Blumen abgepflückt;
Nicht, weil freiwillig Korn die falben Felder deckte
Und Honig mit der Milch in dicken Strömen lief;
Nicht, weil kein kühner Löw die schwachen Hürden schreckte,
Und ein verirrtes Lamm bei Wolfen sicher schlief;
Nein, weil der Mensch zum Glück den Überfluss nicht zählte,
Ihm Nothdurft Reichthum war und Gold zum Sorgen fehlte!

Ihr Schüler der Natur, ihr kennt noch güldne Zeiten!
Nicht zwar ein Dichterreich voll fabelhafter Pracht;
Wer misst den äussern Glanz scheinbarer[2] Eitelkeiten,
Wann Tugend Müh zur Lust und Armuth glücklich macht?
Das Schicksal hat euch hier kein Tempe zugesprochen,
Die Wolken, die ihr trinkt, sind schwer von Reif und Strahl;
Der lange Winter kürzt des Frühlings späte Wochen,

[1] *Tunkins Nest*, the edible birds'-nests of Tonkin, as a type of imported luxury. — [2] *Scheinbarer* = *glänzender*.

Und ein verewigt Eis umringt das kühle Thal;
Doch eurer Sitten Werth hat alles das verbessert,
Der Elemente Neid hat euer Glück vergrössert.

Wohl dir, vergnügtes Volk! o danke dem Geschicke,
Das dir der Laster Quell, den Überfluss, versagt;
Dem, den sein Stand vergnügt, dient Armuth selbst zum Glücke,
Da Pracht und Üppigkeit der Länder Stütze nagt.
Als Rom die Siege noch bei seinen Schlachten zählte,
War Brei der Helden Speis und Holz der Götter Haus;
Als aber ihm das Maass von seinem Reichthum fehlte,
Trat bald der schwächste Feind den feigen Stolz in Graus.
Du aber hüte dich, was grössers zu begehren;
So lang die Einfalt daurt, wird auch der Wohlstand währen.

Zwar die Natur bedeckt dein hartes Land mit Steinen,
Allein dein Pflug geht durch, und deine Saat errinnt[1];
Sie warf die Alpen auf, dich von der Welt zu zäunen,
Weil sich die Menschen selbst die grössten Plagen sind.
Dein Trank ist reine Flut und Milch die reichsten Speisen,
Doch Lust und Hunger legt auch Eicheln Würze zu;
Der Berge tiefer Schacht giebt dir nur schwirrend[2] Eisen,
Wie sehr wünscht Peru nicht, so arm zu sein als du.
Dann, wo die Freiheit herrscht, wird alle Mühe minder,
Die Felsen selbst beblümt und Boreas gelinder.

Glückseliger Verlust von schadenvollen Gütern!
Der Reichthum hat kein Gut, das eurer Armuth gleicht;
Die Eintracht wohnt bei euch in friedlichen Gemüthern,
Weil kein beglänzter Wahn euch Zweitrachtsäpfel reicht;
Die Freude wird hier nicht mit banger Furcht begleitet,
Weil man das Leben liebt und doch den Tod nicht hasst;
Hier herrschet die Vernunft, von der Natur geleitet,
Die, was ihr nöthig, sucht und mehrers hält für Last.
Was Epictet gethan und Seneca geschrieben,
Sieht man hier ungelehrt und ungezwungen lieben.

[1] *Errinnt* = *geht auf*. — [2] *Schwirrend* = *klirrend*, 'clanking,' or possibly with reference to the 'whizzing' of iron missiles.

Hier herrscht kein Unterschied, den schlauer Stolz erfunden,
Der Tugend unterthan und Laster edel macht;
Kein müssiger Verdruss verlängert hier die Stunden,
Die Arbeit füllt den Tag und Ruh besetzt die Nacht;
Hier lässt kein hoher Geist sich von der Ehrsucht blenden,
Des morgens S nne frisst des heutes Freude nie.
Die Freiheit theilt dem Volk, aus milden Mutter-Händen,
Mit immer gleichem Maass Vergnügen, Ruh und Müh;
Kein unzufriedner Sinn zankt sich mit seinem Glücke,
Man isst, man schläft, man liebt und danket dem Geschicke.

Zwar die Gelehrtheit feilscht hier nicht papierne Schätze,
Man misst die Strassen nicht zu Rom und zu Athen,
Man bindet die Vernunft an keine Schulgesetze,
Und niemand lehrt die Sonn in ihren Kreisen gehn.
O Witz! des Weisen Tand, wann hast du ihn vergnüget?
Er kennt den Bau der Welt und stirbt sich unbekannt;
Die Wollust wird bei ihm vergällt und nicht besieget,
Sein künstlicher Geschmack beeckelt seinen Stand;
Und hier hat die Natur die Lehre, recht zu leben,
Dem Menschen in das Herz und nicht ins Hirn gegeben.

Hier macht kein wechselnd Glück die Zeiten unterschieden,
Die Thränen folgen nicht auf kurze Freudigkeit;
Das Leben rinnt dahin in ungestörtem Frieden,
Heut ist wie gestern war und morgen wird wie heut.
Kein ungewohnter Fall bezeichnet hier die Tage,
Kein Unstern malt sie schwarz, kein schwülstig Glücke roth.
Der Jahre Lust und Müh ruhn stets auf gleicher Waage,
Des Lebens Staffeln sind nichts als Geburt und Tod.
Nur hat die Fröhlichkeit bisweilen wenig Stunden
Dem unverdrossnen Volk nicht ohne Müh entwunden.

Wann durch die schwüle Luft gedämpfte Winde streichen,
Und ein begeistert Blut in jungen Adern glüht,
So sammlet sich ein Dorf im Schatten breiter Eichen,
Wo Kunst und Anmuth sich um Lieb und Lob bemüht.
Hier ringt ein kühnes Paar, vermählt den Ernst dem Spiele.

Umwindet Leib um Leib und schlinget Huft um Huft.
Dort fliegt ein schwerer Stein nach dem gesteckten Ziele,
Von starker Hand beseelt, durch die zertrennte Luft.
Den aber führt die Lust, was edlers zu beginnen,
Zu einer muntern Schaar von jungen Schäferinnen.

Dort eilt ein schnelles Blei in das entfernte Weisse,
Das blitzt und Luft und Ziel im gleichen Jetzt durchbohrt;
Hier rollt ein runder Ball in dem bestimmten Gleisse
Nach dem erwählten Zweck mit langen Sätzen fort.
Dort tanzt ein bunter Ring mit umgeschlungnen Händen
In dem zertretnen Gras bei einer Dorf-Schallmei,
Und lehrt sie nicht die Kunst, sich nach dem Tacte wenden,
So legt die Fröhlichkeit doch ihnen Flügel bei.
Das graue Alter dort sitzt hin in langen Reihen,
Sich an der Kinder Lust noch einmal zu erfreuen.

Denn hier, wo die Natur allein Gesetze giebet,
Umschliesst kein harter Zwang der Liebe holdes Reich.
Was liebenswürdig ist, wird ohne Scheu geliebet,
Verdienst macht alles werth und Liebe macht es gleich.
Die Anmuth wird hier auch in Armen schön gefunden,
Man wiegt die Gunst hier nicht für schwere Kisten hin,
Die Ehrsucht theilet nie, was Werth und Huld verbunden,
Die Staatssucht macht sich nicht zur Unglücks-Kupplerin:
Die Liebe brennt hier frei und scheut kein Donnerwetter,
Man liebet für sich selbst und nicht für seine Väter.

So bald ein junger Hirt die sanfte Glut empfunden,
Die leicht ein schmachtend Aug in muntern Geistern schürt,
So wird des Schäfers Mund von keiner Furcht gebunden,
Ein ungeheuchelt Wort bekennet, was ihn rührt;
Sie hört ihn und, verdient sein Brand ihr Herz zum Lohne,
So sagt sie, was sie fühlt, und thut, wornach sie strebt;
Dann zarte Regung dient den Schönen nicht zum Hohne,
Die aus der Anmuth fliesst und durch die Tugend lebt.
Verzüge falscher Zucht, der wahren Keuschheit Affen,
Der Hochmuth hat euch nur zu unsser Qual geschaffen!

## LXVI. EWALD VON KLEIST

A Prussian soldier-poet (1715–1759) who fell at the battle of Kunersdorf. His temperament and the circumstances of his early life disposed him to melancholy; so that he readily came under the spell of Haller, Thomson, and the other poets who extolled nature and the simple life as a refuge from the badness of civilization. His best known production is the fragment called *Spring* (1749), in which fine passages of personal feeling are interwoven with detailed descriptions that are sometimes a little tedious. The text follows Muncker's edition in Kürschner's *Nationalliteratur*, Vol. 45.

I

### Das Landleben.

O Freund,[1] wie selig ist der Mann zu preisen,
Dem kein Getümmel, dem kein schwirrend Eisen,
Kein Schiff, das Beute, Mast und Bahn verlieret,
Den Schlaf entführet!

Der nicht die Ruhe darf in Berge senken,
Der fern von Purpur, fern von Wechselbänken,
In eignen Schatten, durch den West gekühlet,
Sein Leben fühlet.

Er lacht der Schlösser, von Geschütz bewachet,
Verhöhnt den Kummer, der an Höfen lachet,
Verhöhnt des Geizes in verschlossnen Mauren
Törichtes Trauren.

Sobald Aurora, wenn der Himmel grauet,
Dem Meer entsteigend, lieblich abwärts schauet,
Flieht er sein Lager, ohn' verzärtelt Schmücken,
Mit gleichen Blicken.

Er lobt den Schöpfer, hört ihm Lerchen singen,
Die durch die Lüfte sich dem Aug entschwingen,
Hört ihm vom Zephyr, lispelnd auf den Höhen,
Ein Loblied wehen.

[1] The verses were addressed to Karl Wilhelm Ramler.

Er schaut auf Rosen Tau wie Demant blitzen;
Schaut über Wolken von der Berge Spitzen,
Wie schön die Ebne, die sich blau verlieret,
Flora gezieret.

Bald zeigt sich fliehend auf des Meeres Rücken
Ein Schiff von weitem den nachfliehnden Blicken,
Das sie erst lange gleichsam an sich bindet
Und dann verschwindet.

Bald sieht er abwärts, voller Glanz und Prangen,
Noch einen Himmel in den Fluten hangen,
Noch eine Sonne Amphitritens Grenzen
Grundaus durchglänzen.

Er geht in Wälder, wo an Schilf und Sträuchen
Im krummen Ufer Silberbäche schleichen,
Wo Blüten duften, wo der Nachtigallen
Lustlieder schallen.

Jetzt propft er Bäume, leitet Wassergräben,
Schaut Bienen schwärmen, führt an Wänden Reben;
Jetzt tränkt er Pflanzen, zieht von Rosenstöcken
Schattende Hecken.

Eilt dann zur Hütten, (da kein Laster thronet,
Die Ruh' und Wollust unsichtbar bewohnet,)
Weil seine Doris, die nur Liebreiz schminket,
Ihm freundlich winket.

Kein Knecht der Krankheit mischt für ihn Gerichte;
Unschuld und Freude würzt ihm Milch und Früchte.
Kein bang Gewissen zeigt ihm Schwert und Strafe
Im süssen Schlafe.

Freund, lass uns Golddurst, Stolz und Schlösser hassen,
Und Kleinigkeiten Fürsten überlassen!
Mein Lange[1] ruft uns, komm zum Sitz der Freuden
In seine Weiden!

[1] *Lange;* Samuel Gotthold Lange, a friend of Kleist's.

2

*From 'Spring': Lines 31–97.*

Ihr, deren zweifelhaft Leben gleich trüben Tagen des Winters
Ohn' Licht und Freude verfliesst, die ihr in Höhlen des Elends
Die finstern Stunden verzeufzt, betrachtet die Jugend des Jahres!
Dreht jetzt die Augen umher, lasst tausend farbichte Scenen
Die schwarzen Bilder verfärben! Es mag die niedrige Ruhmsucht,
Die schwache Rachgier, der Geiz und seufzender Blutdurst sich härmen;
Ihr seid zur Freude geschaffen, der Schmerz schimpft Tugend und Unschuld.
Saugt Lust und Anmut in euch! Schaut her, sie gleitet im Luftkreis
Und grünt und rieselt im Thal. Und ihr, ihr Bilder des Frühlings,
Ihr blühenden Schönen, flieht jetzt den atemraubenden Aushauch
Von güldnen Kerkern der Städte! Kommt, kommt in winkende Felder!
Kommt, überlasset dem Zephyr die kleinen Wellen der Locken,
Seht euch in Seen und Bächen, gleich jungen Blumen des Ufers!
Pflückt Morgentulpen voll Tau, und ziert den wallenden Busen!
Hier, wo das hohe Gebirge, bekleidet mit Sträuchen und Tannen,
Zur Hälfte den bläulichen Strom, sich drüber neigend, beschattet,
Will ich ins Grüne mich setzen auf seinen Gipfel und um mich
Thal und Gefilde beschauen. O, welch ein frohes Gewühle
Belebt das streifichte Land! Wie lieblich lächelt die Anmut
Aus Wald und Büschen hervor! Ein Zaun von blühenden Dornen
Umschliesst und rötet ringsum die sich verlierende Weite,
Vom niedrigen Himmel gedrückt. Von bunten Mohnblumen laufen,
Mit grünem Weizen versetzt, sich schmälernde Beete ins Ferne,
Durchkreuzt von blühendem Flachs. Feldrosen-Hecken und Schlehstrauch,
In Blüten gleichsam gehüllt, umkränzen die Spiegel der Teiche
Und sehn sich drinnen. Zur Seite blitzt aus dem grünlichen Meere
Ein Meer voll güldner Strahlen durch Phöbus' glänzenden Anblick.
Es schimmert sein gelbes Gestade von Muscheln und farbichten Steinen,
Und Lieb' und Freude durchtaumelt in kleiner Fische Geschwadern

Und in den Riesen des Wassers die unabsehliche Fläche.
Auf fernen Wiesen am See stehn majestätische Rosse;
Sie werfen den Nacken empor und fliehn und wiehern vor Wollust,
Dass Hain und Felsen erschallt. Gefleckte Kühe durchwaten,
Geführt vom ernsthaften Stier, des Meierhofs büschichte Sümpfe,
Der finstre Linden durchsieht. Ein Gang von Espen und Ulmen
Führt zu ihm, welchen ein Bach durchblinkt, in Binsen sich windend,
Von Reihern und Schwänen bewohnt. Gebirge, die Brüste der Reben,
Stehn fröhlich um ihn herum; sie ragen über den Buchwald,
Des Hügels Krone, davon ein Teil im Sonnenschein lächelt
Und glänzt, der andere trau'rt im Flor vom Schatten der Wolken.
Die Lerche steigt in die Luft, sieht unter sich Klippen und Thäler;
Entzückung tönet aus ihr. Der Klang des wirbelnden Liedes
Ergetzt den ackernden Landmann. Er horcht eine Weile; dann lehnt er
Sich auf den gleitenden Pflug, zieht braune Felsen ins Erdreich.
Der Sämann schreitet gemessen, giesst gleichsam trockenen Regen
Von Samen hinter ihm her. — O, dass der mühsame Landwirt
Für sich den Segen nur streute! Dass ihn die Weinstöcke tränkten
Und in den Wiesen für ihn nur bunte Wogen sich wältzten!
Allein der frässige Krieg, vom zähnebleckenden Hunger
Und wilden Scharen begleitet, verheert oft Arbeit und Hoffnung.
Er stürmet rasend einher, zertritt die nährenden Halmen,
Reisst Stab und Reben zu Boden, entzündet Dörfer und Wälder
Für sich zum flammenden Lustspiel. Wie wenn der Rachen des Ätna
Mit ängstlich-wildem Geschrei, dass Meer und Klippen es hören,
Die Gegend um sich herum, vom untern Donner zerrüttet,
Mit Schrecken und Tod überspeit und einer flammenden Sündflut.

Ihr, denen zwanglose Völker das Steuer der Herrschaft vertrauen,
Führt ihr durch Flammen und Blut sie zur Glückseligkeit Hafen?
Was wünscht ihr, Väter der Menschen, noch mehrere Kinder? Ist's wenig,
Viel Millionen beglücken? Erfordert's wenige Mühe?
O mehrt derjenigen Heil, die eure Fittiche suchen.

Deckt sie gleich brütenden Adlern, verwandelt die Schwerter in Sicheln,
Lasst güldne Wogen im Meer, fürs Land, durch Schiffahrt sich türmen,
Erhebt die Weisheit im Kittel und trocknet die Zähren der Tugend!
Wohin verführt mich der Schmerz? Weicht, weicht, ihr traurigen Bilder!
Komm, Muse, lass uns die Wohnung und häusliche Wirtschaft des Landmanns
Und Viehsucht und Gärte betrachten!

## LXVII. FRIEDRICH VON HAGEDORN

A pleasing and popular, but not profound, North German poet of the Gottschedian era (1708–1754). He lived in Hamburg, where he held a comfortable position in a commercial house. His writings consist of songs, odes, fables, epigrams, poetic tales, etc., which reflect an easy-going temperament and commend the *carpe diem* philosophy of Horace. The text of the selections follows Kürschner's *Nationalliteratur*, Vol. 45.

### I

**An die Dichtkunst.**

Gespielin meiner Nebenstunden,
Bei der ein Teil der Zeit verschwunden,
Die mir, nicht andern, zugehört:
O Dichtkunst, die das Leben lindert!
Wie manchen Gram hast du vermindert,
Wie manche Fröhlichkeit vermehrt!

Die Kraft der Helden Trefflichkeiten
Mit tapfern Worten auszubreiten,
Verdankt Homer und Maro dir.
Die Fähigkeit, von hohen Dingen
Den Ewigkeiten vorzusingen,
Verliehst du ihnen und nicht mir.

Die Lust, vom Wahn mich zu entfernen,
Und deinem Flaccus abzulernen,
Wie man durch echten Witz gefällt;
Die Lust, den Alten nachzustreben,
Ist mir im Zorn von dir gegeben,
Wenn nicht mein Wunsch das Ziel erhält.

Zu eitel ist das Lob der Freunde:
Uns drohen in der Nachwelt Feinde,
Die finden unsre Grösse klein.
Den itzt an Liedern reichen Zeiten

Empfehl' ich diese Kleinigkeiten:
Sie wollen nicht unsterblich sein.

2

**Die verliebte Verzweiflung.**

Gewiss, der ist beklagenswerth,
Den seine Göttin nicht erhört,
Dem alle Seufzer nichts erwerben.
Er muss fast immer schlaflos sein
Und weinen, girren, winseln, schrein,
Sich martern und dann sterben.

"Grausame Laura," rief Pedrill,
"Grausame, die mein Unglück, will,
Für dich muss ich noch heut erblassen."
Stracks rennet er in vollem Lauf
Bis an des Hauses Dach hinauf
Und guckt dort in die Gassen.

Bald, als er Essen sah und roch,
Befragt' er sich: "Wie! leb' ich noch?"
Und zog ein Messer aus der Scheiden.
"O Liebe," sagt er, "deiner Wut
Weih' ich den Mordstahl und mein Blut," —
Und fing an Brot zu schneiden.

Nach glücklich eingenomm'nem Mahl
Erwägt er seine Liebesqual
Und will nunmehr durch Gift erbleichen.
Er öffnet eine Flasche Wein
Und lässt, des Giftes voll zu sein,
Sich noch die zweite reichen.

Hernach verflucht er sein Geschick
Und holet Schemel, Nagel, Strick,
Und schwört, nun soll die That geschehen.
Doch ach! was kann betrübter sein?
Der Strick ist schwach, der Nagel klein,
Der Schemel will nicht stehen.

Er wählt noch eine Todesart
Und denkt: "Wer sich ersticht, der spart
Und darf für Gift und Strick nicht sorgen."
Drauf gähnt er, seufzet, eilt zur Ruh,
Kriecht in sein Bett und deckt sich zu
Und schläft bis an den Morgen.

3

**An die Freude.**

Freude, Göttin edler Herzen,
Höre mich!
Lass die Lieder, die hier schallen,
Dich vergrössern, dir gefallen;
Was hier tönet, tönt durch dich.

Muntre Schwester süsser Liebe!
Himmelskind!
Kraft der Seelen! Halbes Leben!

Ach! was kann das Glück uns geben,
Wenn man dich nicht auch gewinnt?

Stumme Hüter toter Schätze
Sind nur reich.
Dem, der keinen Schatz bewachet,
Sinnreich scherzt und singt und lachet,
Ist kein karger König gleich.

Gieb den Kennern, die dich ehren,
Neuen Mut,
Neuen Scherz den regen Zungen,
Neue Fertigkeit den Jungen,
Und den Alten neues Blut.

Du erheiterst, holde Freude!
Die Vernunft.
Flieh auf ewig die Gesichter
Aller finstern Splitterrichter
Und die ganze Heuchlerzunft.

### 4

### Das Hühnchen und der Diamant.

Ein verhungert Hühnchen fand
Einen feinen Diamant
Und verscharrt ihn in den Sand.

"Möchte doch, mich zu erfreun,"
Sprach es, "dieser schöne Stein
Nur ein Weizenkörnchen sein!"

Unglückselger Überfluss,
Wo der nötigste Genuss
Unsern Schätzen fehlen muss!

### 5

### Johann, der Seifensieder.

Johann, der muntre Seifensieder,
Erlernte viele schöne Lieder,
Und sang, mit unbesorgtem Sinn,
Vom Morgen bis zum Abend hin.
Sein Tagwerk konnt' ihm Nahrung bringen;
Und wann er ass, so musst' er singen,
Und wann er sang, so war's mit Lust,
Aus vollem Hals und freier Brust.
Beim Morgenbrot, beim Abendessen,
Blieb Ton und Triller unvergessen;
Der schallte recht, und seine Kraft
Durchdrang die halbe Nachbarschaft.
Man horcht, man fragt: Wer singt schon wieder?
Wer ist's? Der muntre Seifensieder.
Im Lesen war er anfangs schwach;
Er las nichts als den Almanach,
Doch lernt' er auch nach Jahren beten,
Die Ordnung nicht zu übertreten,
Und schlief, dem Nachbar gleich zu sein,
Oft singend, öftrer lesend, ein.
Er schien fast glücklicher zu preisen

Als die berufnen sieben Weisen,
Als manches Haupt gelehrter Welt,
Das sich schon für den achten hält.

Es wohnte diesem in der Nähe
Ein Sprössling eigennütz' ger Ehe,
Der, stolz und steif und bürgerlich,
Im Schmausen keinem Fürsten wich:
Ein Garkoch richtender Verwandten,
Der Schwäger, Vettern, Nichten, Tanten,
Der stets zu halben Nächten frass,
Und seiner Wechsel oft vergass.

Kaum hatte mit den Morgenstunden
Sein erster Schlaf sich eingefunden,
So liess ihm den Genuss der Ruh
Der nahe Sänger nimmer zu.
"Zum Henker! lärmst du dort schon wieder,
Vermaledeiter Seifensieder?
Ach wäre doch, zu meinem Heil,
Der Schlaf hier, wie die Austern feil!"

Den Sänger, den er früh vernommen,
Lässt er an einem Morgen kommen
Und spricht: "Mein lustiger Johann!
Wie geht es Euch? Wie fangt Ihrs an?
Es rühmt ein jeder Eure Ware:
Sagt, wie viel bringt sie Euch im Jahre?"

"Im Jahre, Herr? Mir fällt nicht bei,
Wie gross im Jahr mein Vorteil sei.
So rechn' ich nicht; ein Tag bescheret,
Was der, so auf ihn kömmt, verzehret,
Dies folgt im Jahr (ich weiss die Zahl)
Dreihundertfünfundsechzigmal."

"Ganz recht; doch könnt Ihr mir's nicht sagen,
Was pflegt ein Tag wohl einzutragen?"

"Mein Herr, Ihr forschet allzusehr:
Der eine wenig, mancher mehr,
So wie's dann fällt! Mich zwingt zur Klage
Nichts als die vielen Feiertage;
Und wer sie alle rot gefärbt,
Der hatte wohl, wie Ihr, geerbt,
Dem war die Arbeit sehr zuwider;
Das war gewiss kein Seifensieder."

Dies schien den Reichen zu erfreun.

"Hans," spricht er, "du sollst glücklich sein.
Jetzt bist du nur ein schlechter Prahler.
Da hast du bare funfzig Thaler;
Nur unterlasse den Gesang!
Das Geld hat einen bessern Klang."

Er dankt und schleicht mit scheuchem Blicke,
Mit mehr als diebscher Furcht zurücke.
Er herzt den Beutel, den er hält,
Und zählt und wägt und schwenkt das Geld,
Das Geld, den Ursprung seiner Freude,
Und seiner Augen neue Weide.

Es wird mit stummer Lust beschaut
Und einem Kasten anvertraut,
Den Band' und starke Schlösser hüten,
Beim Einbruch Dieben Trotz zu bieten,
Den auch der karge Thor bei Nacht
Aus banger Vorsicht selbst bewacht.
Sobald sich nur der Haushund reget,
Sobald der Kater sich beweget,
Durchsucht er alles, bis er glaubt,
Dass ihn kein frecher Dieb beraubt,
Bis, oft gestossen, oft geschmissen,
Sich endlich beide packen müssen:
Sein Mops, der keine Kunst vergass
Und wedelnd bei dem Kessel sass;
Sein Hinz, der Liebling junger Katzen,
So glatt von Fell, so weich von Tatzen,
Er lernt zuletzt, je mehr er spart,
Wie oft sich Sorg' und Reichtum paart,
Und manches Zärtlings dunkle Freuden
Ihn ewig von der Freiheit scheiden,
Die nur in reine Seelen strahlt,
Und deren Glück kein Gold bezahlt.

Dem Nachbar, den er stets gewecket,
Bis der das Geld ihm zugestecket,
Dem stellt er bald, aus Lust zur Ruh,
Den vollen Beutel wieder zu
Und spricht: "Herr, lehrt mich bessre Sachen
Als, statt des Singens, Geld bewachen.
Nehmt immer Euren Beutel hin.
Und lasst mir meinen frohen Sinn.
Fahrt fort, mich heimlich zu beneiden;
Ich tausche nicht mit Euren Freuden.

Der Himmel hat mich recht geliebt
Der mir die Stimme wiedergiebt.

Was ich gewesen, werd' ich wieder:
Johann, der muntre Seifensieder."

## LXVIII. CHRISTIAN FÜRCHTEGOTT GELLERT

An eminent fabulist and moralist of Saxon stock (1715–1769). Like Gottsched, he spent the best years of his life in the service of the University of Leipzig. His *Fables and Tales* (1746–1748) were reprinted in numberless editions, made their publisher rich, and remained for several decades the popular ideal of pleasant and edifying literature. Gellert was also a pioneer (the *Swedisch Countess*, 1747,) in the field of moral family fiction after the manner of Richardson. The selections follow Kürschner's *Nationalliteratur*, Vol. 43.

### I

### Die Nachtigall und die Lerche.

Die Nachtigall sang einst mit vieler Kunst,
Ihr Lied erwarb der ganzen Gegend Gunst;
Die Blätter in den Gipfeln schwiegen
Und fühlten ein geheim Vergnügen.
Der Vögel Chor vergass der Ruh
Und hörte Philomelen zu.
Aurora selbst verzog am Horizonte,
Weil sie die Sängerin nicht g'nug bewundern konnte;
Denn auch die Götter rührt der Schall
Der angenehmen Nachtigall,
Und ihr, der Göttin, ihr zu Ehren,
Liess Philomele sich noch zweimal schöner hören.
Sie schweigt darauf. Die Lerche naht sich ihr
Und spricht: "Du singst viel reizender als wir,
Dir wird mit Recht der Vorzug zugesprochen;
Doch eins gefällt uns nicht an dir,
Du singst das ganze Jahr nicht mehr als wenig Wochen."
Doch Philomele lacht und spricht:
"Dein bittrer Vorwurf kränkt mich nicht
Und wird mir ewig Ehre bringen.
Ich singe kurze Zeit. Warum? Um schön zu singen.
Ich folg' im Singen der Natur;

So lange sie gebeut, so lange sing' ich nur.
Sobald sie nicht gebeut, so hör' ich auf zu singen
Denn die Natur lässt sich nicht zwingen."

---

O Dichter, denkt an Philomelen,
Singt nicht, so lang ihr singen wollt.
Natur und Geist, die euch beseelen,
Sind euch nur wenig Jahre hold.
Soll euer Witz die Welt entzücken,
So singt, so lang ihr feurig seid,
Und öffnet euch mit Meisterstücken
Den Eingang in die Ewigkeit.
Singt geistreich der Natur zu Ehren;
Und scheint euch die nicht mehr geneigt,
So eilt, um rühmlich aufzuhören,
Eh' ihr zu spät mit Schande schweigt.
Wer, sprecht ihr, will den Dichter zwingen?
Er bindet sich an keine Zeit.
So fahrt denn fort, noch alt zu singen,
Und singt euch um die Ewigkeit.

2

**Das Land der Hinkenden.**

Vor Zeiten gab's ein kleines Land,
Worin man keinen Menschen fand,
Der nicht gestottert, wenn er red'te,
Nicht, wenn er ging, gehinket hätte;
Denn beides hielt man für galant.
Ein fremder sah den Übelstand;
Hier, dacht' er, wird man dich im Gehn bewundern müssen
Und ging einher mit steifen Füssen.
Er ging, ein jeder sah ihn an,
Und alle lachten, die ihn sahn,
Und jeder blieb vor Lachen stehen
Und schrie: "Lehrt doch den Fremden gehen!"

Der Fremde hielt's für seine Pflicht,
Den Vorwurf von sich abzulehnen.
"Ihr," rief er, "hinkt; ich aber nicht:
Den Gang müsst ihr euch abgewöhnen!"
Der Lärmen wird noch mehr vermehrt,
Da man den Fremden sprechen hört.
Er stammelt nicht; genug zur Schande!
Man spottet sein im ganzen Lande.

---

Gewohnheit macht den Fehler schön,
Den wir von Jugend auf gesehn.
Vergebens wird's ein Kluger wagen
Und, dass wir töricht sind, uns sagen.
Wir selber halten ihn dafür,
Bloss, weil er klüger ist als wir.

### 3
### Das Gespenst.

Ein Hauswirt, wie man mir erzählt,
Ward lange Zeit durch ein Gespenst gequält.
Er liess, des Geists sich zu erwehren,
Sich heimlich das Verbannen lehren;
Doch kraftlos blieb der Zauberspruch.
Der Geist entsetzte sich vor keinen Charakteren
Und gab, in einem weissen Tuch,
Ihm alle Nächte den Besuch.
Ein Dichter zog in dieses Haus.
Der Wirt, der bei der Nacht nicht gern allein gewesen,
Bat sich des Dichters Zuspruch aus
Und liess sich seine Verse lesen.
Der Dichter las ein frostig Trauerspiel,
Das, wo nicht seinem Wirt, doch ihm sehr wohl gefiel.
Der Geist, den nur der Wirt, doch nicht der Dichter sah,
Erschien und hörte zu; es fing ihn an zu schauern.
Er konnt es länger nicht als einen Auftritt dauern,
Denn, eh' der andre kam, so war er nicht mehr da.
Der Wirt, von Hoffnung eingenommen,

Liess gleich die andre Nacht den Dichter wiederkommen.
Der Dichter las, der Geist erschien,
Doch ohne lange zu verziehn.
"Gut," sprach der Wirt bei sich, "dich will ich bald verjagen,
Kannst du die Verse nicht vertragen."
Die dritte Nacht blieb unser Wirt allein.
Sobald es zwölfe schlug, liess das Gespenst sich blicken;
"Johann!" fing drauf der Wirt gewaltig an zu schrein,
"Der Dichter (lauft geschwind!) soll von der Güte sein
Und mir sein Trauerspiel auf eine Stunde schicken."
Der Geist erschrak und winkte mit der Hand,
Der Diener sollte ja nicht gehen;
Und kurz, der weisse Geist verschwand
Und liess sich niemals wieder sehen.

---

Ein jeder, der dies Wunder liest,
Zieh' sich daraus die gute Lehre,
Dass kein Gedicht so elend ist,
Das nicht zu etwas nützlich wäre.
Und wenn sich ein Gespenst vor schlechten Versen scheut,
So kann uns dies zum grossen Troste dienen,
Gesetzt, dass sie zu unsrer Zeit
Auch legionenweis erschienen:
So wird, um sich von allen zu befrein,
An Versen doch kein Mangel sein.

## 4

### Der unsterbliche Autor.

Ein Autor schrieb sehr viele Bände
Und ward das Wunder seiner Zeit;
Der Journalisten gütge Hände
Verehrten ihm die Ewigkeit.
Er sah, vor seinem sanften Ende,
Fast alle Werke seiner Hände
Das sechste Mal schon aufgelegt
Und sich mit tiefgelehrtem Blicke

In einer spanischen Perücke
Vor jedes Titelblatt geprägt.
Er blieb vor Widersprechern sicher
Und schrieb bis an den Tag, da ihn der Tod entseelt;
Und das Verzeichnis seiner Bücher,
Die kleinen Schriften mitgezählt,
Nahm an dem Lebenslauf allein
Drei Bogen und drei Seiten ein.

Man las nach dieses Mannes Tode
Die Schriften mit Bedachtsamkeit;
Und seht, das Wunder seiner Zeit
Kam in zehn Jahren aus der Mode,
Und seine göttliche Methode
Hiess eine bange Trockenheit.
Der Mann war bloss berühmt gewesen,
Weil Stümper ihn gelobt, eh' Kenner ihn gelesen.

---

Berühmt zu werden ist nicht schwer,
Man darf nur viel für kleine Geister schreiben;
Doch bei der Nachwelt gross zu bleiben,
Dazu gehört noch etwas mehr
Als, seicht an Geist, in strenger Lehrart schreiben.

## LXIX. JOHANN WILHELM LUDWIG GLEIM

A North German poet (1719–1803) who is best known for his *Songs of a Prussian Grenadier*, commemorating the victories of Frederick the Great in the Seven Years' War. His earlier work is mostly in the light anacreontic vein, which was somewhat overworked in the decade preceding the war. The fashion was really set by Gleim, though the spirit of it is found in Hagedorn. The selections follow Kürschner's *Nationalliteratur*, Vol. 45.

### I

### An Leukon.

Rosen pflücke, Rosen blühn,
Morgen ist nicht heut!
Keine Stunde lass entfliehn,
Flüchtig ist die Zeit!

Trinke, küsse! Sieh, es ist
Heut Gelegenheit!
Weisst du, wo du morgen bist?
Flüchtig ist die Zeit.

Aufschub einer guten Tat
Hat schon oft gereut!

Hurtig leben ist mein Rat,
Flüchtig ist die Zeit!

2

### Trinklied.

Brüder, trinkt: es trinkt die Sonne,
Und sie hat schon tausend Ströme
Ohne Bruder ausgetrunken!
Brüder trinkt: es trinkt die Erde;
Seht, sie durstet, seht, wie durstig
Trinkt sie diese Regentropfen!
Seht, dort um den Vater Bacchus
Stehn die Reben frisch am Berge;
Denn es hat das Nass der Wolken
Ihren heissen Durst gelöschet.
Brüder, seht, das Nass der Reben
Wartet in den vollen Gläsern:
Wollt ihr euren Durst nicht löschen?

3

### Vorzüge in der Klugheit.

Herr Euler misst der Welten Grösse;
O welch ein Tor ist das!
Ich bin doch klüger, denn ich messe
Die Eimer Wein auf meinem Fass.

Wolff zählt die Kräfte seiner Seele;
O welch ein Tor ist das!
Ich bin doch klüger, denn ich zähle
Die Tropfen Wein im Deckelglas.

Herr Meier macht nur immer Schlüsse;
Wie töricht ist auch das!
Ich klügerer, ich trink' und küsse,
Ich küss' und trink' ohn' Unterlass.

Herr Haller sucht Gras, Kraut und Bäume
Auf mancher rauhen Bahn;
Ich klügerer, ich suche Reime,
So wie er sonsten auch gethan.

Herr Bodmer führt gelehrte Kriege;
O warum führt er sie?
Denn durch noch tausend seiner Siege
Bezwingt er doch die Dummheit nie.

Es mögen ihn die Enkel preisen
Und sagen: So ein Mann
Ist doch jetzund nicht aufzuweisen;
Was gehen mir die Enkel an?

4

### Bei Eröffnung des Feldzuges 1756.

Krieg ist mein Lied! Weil alle Welt
Krieg will, so sei es Krieg!
Berlin sei Sparta! Preussens Held
Gekrönt mit Ruhm und Sieg!

Gern will ich seine Taten tun,
Die Leier in der Hand,

Wenn meine blut'gen Waffen ruhn
Und hangen an der Wand.

Auch stimm' ich hohen Schlachtgesang
Mit seinen Helden an
Bei Pauken- und Trompetenklang,
Im Lärm von Ross und Mann;

Und streit', ein tapfrer Grenadier,
Von Friedrichs Mut erfüllt.
Was acht' ich es, wenn über mir
Kanonendonner brüllt?

Ein Held fall' ich; noch sterbend droht
Mein Säbel in der Hand.
Unsterblich macht der Helden Tod,
Der Tod fürs Vaterland!

Auch kömmt man aus der Welt davon
Geschwinder wie der Blitz;
Und wer ihn stirbt, bekommt zum Lohn
Im Himmel hohen Sitz!

Wenn aber ich als solch ein Held
Dir, Mars, nicht sterben soll,
Nicht glänzen soll im Sternenzelt:
So leb' ich dem Apoll.

So werd' aus Friedrichs Grenadier,
Dem Schutz, der Ruhm des Staats;
So lern' er deutscher Sprache Zier
Und werde sein Horaz!

Dann singe Gott und Friederich,
Nichts Kleiners, stolzes Lied!
Dem Adler gleich erhebe dich,
Der in die Sonne sieht!

### 5

**Siegeslied nach der Schlacht bei Prag, den 6. Mai, 1757.**

Viktoria! mit uns ist Gott,
Der stolze Feind liegt da!
Er liegt, gerecht ist unser Gott,
Er liegt, Viktoria!

Zwar unser Vater ist nicht mehr,
Jedoch er starb ein Held
Und sieht nun unser Siegesheer
Vom hohen Sternenzelt.

Er ging voran, der edle Greis,
Voll Gott und Vaterland.
Sein alter Kopf war kaum so weiss
Als tapfer seine Hand.

Mit jugendlicher Heldenkraft
Ergriff er eine Fahn',
Hielt sie empor an ihrem Schaft
Dass wir sie alle sahn;

Und sagte: "Kinder, Berg hinan,
Auf Schanzen und Geschütz!"
Wir folgten alle, Mann vor Mann,
Geschwinder wie der Blitz.

Ach! aber unser Vater fiel,
Die Fahne sank auf ihn.
Ha! welch glorreiches Lebensziel,
Glückseliger Schwerin!

Dein Friederich hat dich beweint,
Indem er uns gebot;
Wir aber stürzten in den Feind,
Zu rächen deinen Tod.

Du, Heinrich, warest ein Soldat,
Du fochtest königlich!
Wir sahen alle, Tat vor Tat,
Du junger Löw', auf dich!

Der Pommer und der Märker stritt
Mit rechtem Christenmut.
Rot ward sein Schwert, auf jeden Schritt
Floss dick Pandurenblut.

Aus sieben Schanzen jagten wir
Die Mützen von dem Bär.
Da, Friedrich, ging dein Grenadier
Auf Leichen hoch einher;

Dacht', in dem mörderischen Kampf,
Gott, Vaterland und dich,
Sah, tief in schwarzem Rauch und Dampf,
Dich seinen Friederich;

Und zitterte, ward feuerrot
Im kriegrischen Gesicht
(Er zitterte vor deinem Tod
Vor seinem aber nicht);

Verachtete die Kugelsaat,
Der Stücke Donnerton,
Stritt wütender, tat Heldentat,
Bis deine Feinde flohn.

Nun dankt er Gott für seine Macht,
Und singt: Viktoria!
Und alles Blut aus dieser Schlacht
Fliesst nach Theresia.

Und weigert sie auf diesen Tag,
Den Frieden vorzuziehn,
So stürme, Friedrich, erst ihr Prag,
Und dann führ uns nach Wien!

## LXX. FRIEDRICH GOTTLIEB KLOPSTOCK

1724–1803. By his profound seriousness and the fervor of his utterance, Klopstock turned German poetry into new channels. Impatient of rime, which he regarded as an ignoble modern jingle, and averse to the shallow *Verstandespoesie* of the reigning Saxon school, he conceived of poetry as the intense expression of sublimated feeling. His most famous work is the *Messiah*, a long religious epic in hexameters. In his *Odes*, composed in the rimeless meters of the Greek and Roman lyrists, he made large use of mythologic names and conceptions which he erroneously supposed to be Old German. We hear of ancient bards inhabiting the German forests, singing 'lawless songs' of intense emotion, and deriving their inspiration from ethnic tradition and from the elemental feelings of love and friendship. In his so-called *Bardiete* he used the dramatic form for this same idealization of the ancient Germans. Although now little read, Klopstock exerted a great influence in dignifying the poet's calling and strengthening the national self-respect and self-reliance of literary Germany.

I

*From the 'Messiah': First Song, lines 1–137.*

Sing, unsterbliche Seele, der sündigen Menschen Erlösung,
Die der Messias auf Erden in seiner Menschheit vollendet,
Und durch die er Adams Geschlecht zu der Liebe der Gottheit,
Leidend, getötet, und verherrlichet, wieder erhöht hat.
Also geschah des Ewigen Wille. Vergebens erhub sich
Satan gegen den göttlichen Sohn; umsonst stand Juda
Gegen ihn auf; er tat's und vollbrachte die grosse Versöhnung.
Aber, o Tat, die allein der Allbarmherzige kennet,
Darf aus dunkler Ferne sich auch dir nahn die Dichtkunst?
Weihe sie, Geist Schöpfer, vor dem ich hier still anbete,
Führe sie mir, als deine Nachahmerin, voller Entzückung,
Voll unsterblicher Kraft, in verklärter Schönheit entgegen.
Rüste mit deinem Feuer sie, du, der die Tiefen der Gottheit
Schaut, und den Menschen aus Staube gemacht zum Tempel sich heiligt!
Rein sei das Herz! So darf ich, obwohl mit der bebenden Stimme
Eines Sterblichen, doch den Gottversöhner besingen,
Und die furchtbare Bahn, mit verziehnem Straucheln, durchlaufen.

Menschen, wenn ihr die Hoheit kennt, die ihr damals empfinget,
Da der Schöpfer der Welt Versöhner wurde, so höret
Meinen Gesang, und ihr vor allen, ihr wenigen Edlen,
Teure, herzliche Freunde des liebenswürdigen Mittlers,
Ihr mit dem kommenden Weltgerichte vertrauliche Seelen,
Hört mich, und singt den ewigen Sohn durch ein göttliches Leben.
Nah an der heiligen Stadt, die sich jetzt durch Blindheit entweihte,[1]
Und die Krone der hohen Erwählung unwissend hinwegwarf,
Sonst die Stadt der Herrlichkeit Gottes, der heiligen Väter

[1] Lines 24 ff. Klopstock here follows John xii, making Jesus 'hide himself' from the palm-strewing people before entering the city gate.

Pflegerin, jetzt ein Altar des Bluts vergossen von Mördern;
Hier war's, wo der Messias von einem Volke sich losriss,
Das zwar jetzt ihn verehrte, doch nicht mit jener Empfindung,
Die untadelhaft bleibt vor dem schauenden Auge der Gottheit.
Jesus verbarg sich diesen Entweihten. Zwar lagen hier Palmen
Vom begleitenden Volk; zwar klang dort ihr lautes Hosanna;
Aber umsonst. Sie kannten ihn nicht, den König sie nennten,
Und den Gesegneten Gottes zu sehn, war ihr Auge zu dunkel.
Gott kam selbst von dem Himmel herab. Die gewaltige Stimme
Sieh, ich hab' ihn verklärt, und will ihn von neuem verklären!
War die Verkündigerin der gegenwärtigen Gottheit.
Aber sie waren, Gott zu verstehn, zu niedrige Sünder.
Unterdes nahte sich Jesus dem Vater, der wegen des Volkes,
Dem die Stimme geschah, mit Zorn zu dem Himmel hinaufstieg.
Denn noch einmal wollte der Sohn des Bundes Entschliessung,
Seine Menschen zu retten, dem Vater feierlich kund tun.
Gegen die östliche Seite Jerusalems liegt ein Gebirge,
Welches auf seinem Gipfel schon oft den göttlichen Mittler,
Wie in das Heilige Gottes, verbarg, wenn er einsame Nächte
Unter des Vaters Anschaun ernst in Gebeten durchwachte.
Jesus ging nach diesem Gebirg. Der fromme Johannes,
Er nur folgt' ihm dahin bis an die Gräber der Seher,
Wie sein göttlicher Freund, die Nacht in Gebete zu bleiben.
Und der Mittler erhub sich von dort zu dem Gipfel des Berges.
Da umgab von dem hohen Moria ihn Schimmer der Opfer,
Die den ewigen Vater noch jetzt in Bilde versöhnten.
Ringsum nahmen ihn Palmen in's Kühle. Gelindere Lüfte,
Gleich dem Säuseln [1] der Gegenwart Gottes, umflossen sein Antlitz
Und der Seraph, der Jesus zum Dienst auf der Erde gesandt war,
Gabriel, nennen die Himmlischen ihn, stand feirend am Eingang
Zwoer umdufteter Cedern, und dachte dem Heile der Menschen,
Und dem Triumphe der Ewigkeit nach, als jetzt der Erlöser
Seinem Vater entgegen vor ihm in Stillem vorbeiging.
Gabriel wusste, dass nun die Zeit der Erlösung herankam.
Diese Betrachtung entzückt' ihn, er sprach mit leiserer Stimme:

[1] *Säuseln;* the 'still small voice' of 1 Kings xix, 12.

Willst du die Nacht, o Göttlicher, hier in Gebete durchwachen?
Oder verlangt dein ermüdeter Leib nach seiner Erquickung?
Soll ich zu deinem unsterblichen Haupt ein Lager bereiten?
Siehe, schon streckt der Sprössling der Ceder den grünenden Arm aus,
Und die weiche Staude des Balsams. Am Grabe der Seher
Wächst dort unten ruhiges Moos in der kühlenden Erde.
Soll ich davon, o Göttlicher, dir ein Lager bereiten?
Ach, wie bist du, Erlöser, ermüdet! Wie viel erträgst du
Hier auf der Erd', aus inniger Liebe zu Adams Geschlechte!
Gabriel sagt's. Der Mittler belohnt ihn mit segnenden Blicken,
Steht voll Ernst auf der Höhe des Bergs am näheren Himmel.
Dort war Gott. Dort betet' er. Unter ihm tönte die Erde,
Und ein wandelndes[1] Jauchzen durchdrang die Pforten des Abgrunds,[2]
Als sie von ihm tief unten die mächtige Stimme vernahmen.
Denn sie war es nicht mehr des Fluches Stimme, die Stimme
Angekündet in Sturm, und in donnerndem Wetter gesprochen,
Welche die Erde vernahm. Sie hörte des Segnenden Rede,
Der mit unsterblicher Schöne sie einst zu verneuen beschlossen.
Ringsum lagen die Hügel in lieblicher Abenddämmrung,
Gleich als blühten sie wieder, nach Edens Bilde geschaffen.
Jesus redete. Er, und der Vater durchschauten den Inhalt
Gränzlos: diess nur vermag des Menschen Stimme zu sagen:
Göttlicher Vater, die Tage des Heils, und des ewigen Bundes
Nahen sich mir, die Tage zu grösseren Werken erkoren,
Als die Schöpfung, die du mit deinem Sohne vollbrachtest.
Sie verklären sich mir so schön und herrlich, als damals,
Da wir der Zeiten Reih' durchschauten, die Tage der Zukunft,
Durch mein göttliches Schaun, bezeichnet, und glänzender sahen.
Dir nur ist es bekannt, mit was vor Einmut wir damals,
Du, mein Vater, und ich und der Geist die Erlösung beschlossen.
In der Stille der Ewigkeit, einsam und ohne Geschöpfe,
Waren wir bei einander. Voll unsrer göttlichen Liebe,
Sahen wir auf die Menschen, die noch nicht waren, herunter.

[1] *Wandelndes* = *fortwandelndes*, 'continuing.' — [2] *Abgrunds;* the 'pit' of hell, where the imprisoned fathers are waiting to be released.

Edens selige Kinder, ach unsre Geschöpfe, wie elend
Waren sie, sonst unsterblich, nun Staub und entstellt von der Sünde!
Vater, ich sah ihr Elend, du meine Tränen. Da sprachst du:
Lasset der Gottheit Bild in dem Menschen von neuem uns schaffen!
Also beschl ssen wir unser Geheimnis, das Blut der Versöhnung,
Und die Schöpfung der Menschen verneut zu dem ewigen Bilde!
Hier erkor ich mich selbst, die göttliche Tat zu vollenden.
Ewiger Vater, das weisst du, das wissen die Himmel, wie innig
Mich seit diesem Entschluss nach meiner Erniedrung verlangte!
Erde, wie oft warst du, in deiner niedrigen Ferne,
Mein erwähltes, geliebteres Augenmerk! Und o Kanan,
Heiliges Land, wie oft hing unverwendet mein Auge
An dem Hügel, den ich von des Bundes Blute schon voll sah!
Und wie bebt mir mein Herz von süssen, wallenden Freuden,
Dass ich so lange schon Mensch bin, dass schon so viele Gerechte
Sich mir sammeln, und nun bald alle Geschlechte der Menschen
Mir sich heiligen werden! Hier lieg' ich, göttlicher Vater,
Noch nach deinem Bilde geschmückt mit den Zügen der Menschheit,
Betend vor dir: bald aber, ach bald wird dein tötend Gericht mich
Blutig entstellen, und unter den Staub der Toten begraben.
Schon, o Richter der Welt, schon hör' ich fern dich, und einsam
Kommen und unerbittlich in deinen Himmeln dahergehn.
Schon durchdringt mich ein Schauer dem ganzen Geistergeschlechte
Unempfindbar, und wenn du sie auch mit dem Zorne der Gottheit
Tötetest, unempfindbar! Ich seh' den nächtlichen Garten
Schon vor mir liegen, sinke vor dir in niedrigen Staub hin,
Lieg', und bet', und winde mich, Vater, in Todesschweisse.
Siehe, da bin ich, mein Vater. Ich will des Allmächtigen Zürnen,
Deine Gerichte will ich mit tiefem Gehorsam ertragen.
Du bist ewig! Kein endlicher Geist hat das Zürnen der Gottheit,
Keiner je, den Unendlichen tötend mit ewigem Tode,
Ganz gedacht, und keiner empfunden. Gott nur vermochte
Gott zu versöhnen. Erhebe dich, Richter der Welt! Hier bin ich!
Töte mich, nimm mein ewiges Opfer zu deiner Versöhnung.
Noch bin ich frei, noch kann ich dich bitten; so tut sich der Himmel
Mit Myriaden von Seraphim auf, und führet mich jauchzend,
Vater, zurück in Triumph zu deinem erhabenen Trone!

Aber ich will leiden, was keine Seraphim fassen,
Was kein denkender Cherub in tiefen Betrachtungen einsieht;
Ich will leiden, den furchtbarsten Tod ich Ewiger leiden.
Weiter sagt' er, und sprach: Ich hebe gen Himmel mein Haupt auf,
Meine Hand in die Wolken, und schwöre bei dir und mir selber,
Der ich Gott bin, wie du: Ich will die Menschen erlösen.

### 2

### Wingolf[1]: The eighth song.

Komm, goldne Zeit, die selten zu Sterblichen
Heruntersteiget, lass dich erflehn, und komm
Zu uns, wo dir es schon im Haine
Weht, und herab von dem Quell schon tönet!

Gedankenvoller, tief in Entzückungen
Verloren, schwebt bei dir die Natur. Sie hat's
Getan! hat Seelen, die sich fühlen,
Fliegen den Geniusflug, gebildet.

Natur, dich hört' ich im Unermesslichen
Herwandeln, wie, mit Sphärengesangeston,
Argo, von Dichtern nur vernommen,
Strahlend im Meere der Lüfte wandelt.

Aus allen goldnen Zeiten begleiten dich,
Natur, die Dichter! Dichter des Altertums!
Der späten Nachwelt Dichter! Segnend
Sehn sie ihr heilig Geschlecht hervorgehn.

### 3

### An Fanny.[2]

Wenn einst ich tot bin, wenn mein Gebein zu Staub
Ist eingesunken, wenn du, mein Auge, nun

[1] The entire ode, dating from 1747 and consisting of eight 'songs' in Alcaic meter, was at first entitled *An des Dichters Freunde*. Wingolf, as it was finally called, is the Norse Gimle, the abode of the blest after Ragnarok. The seven preceding songs extol the various friends who, united in a new Bardenhain, are to usher in a new Golden Age. — [2] The ode dates from 1748. Fanny Schmidt was a young woman whose indifference to Klopstock's devotion threw him back on the hope of a union in heaven.

Lang über meines Lebens Schicksal,
Brechend im Tode nun ausgeweint hast,

Und stillanbetend da, wo die Zukunft ist,
Nicht mehr hinaufblickst, wenn mein ersungner Ruhm,
Die Frucht von meiner Jünglingsträne,[1]
Und von der Liebe zu dir, Messias,

Nun auch verweht ist, oder von wenigen
In jene Welt hinüber gerettet ward;
Wenn du alsdann auch, meine Fanny,
Lange schon tot bist, und deines Auges

Stillheitres Lächeln, und sein beseelter Blick
Auch ist verloschen, wenn du, vom Volke nicht
Bemerket, deines ganzen Lebens
Edlere Taten nunmehr getan hast,

Des Nachruhms werter als ein unsterblich Lied,
Ach, wenn du dann auch einen beglückteren[2]
Als mich geliebt hast, lass den Stolz mir,
Einen beglückteren, doch nicht edleren!

Dann wird ein Tag sein, den werd' ich auferstehn!
Dann wird ein Tag sein, den wirst du auferstehn!
Dann trennt kein Schicksal mehr die Seelen,
Die du einander, Natur, bestimmtest.

Dann wägt, die Wagschal' in der gehobnen Hand,
Gott Glück und Tugend gegen einander gleich;
Was in der Dinge Lauf jetzt missklingt,
Tönet in ewigen Harmonien!

Wenn dann du dastehst jugendlich auferweckt,
Dann eil' ich zu dir! säume nicht, bis mich erst
Ein Seraph bei der Rechten fasse,
Und mich, Unsterbliche, zu dir führe.

[1] *Jünglingsträne;* tears of high poetic aspiration. — [2] *Beglückteren*, 'more blest' with this world's goods.

Dann soll dein Bruder, innig von mir umarmt,
Zu dir auch eilen! dann will ich tränenvoll,
Voll froher Tränen jenes Lebens
Neben dir stehn, dich mit Namen nennen,

Und dich umarmen! Dann, o Unsterblichkeit,
Gehörst du ganz uns! Kommt, die das Lied nicht singt,
Kommt unaussprechlich süsse Freuden!
So unaussprechlich, als jetzt mein Schmerz ist.

Rinn, unterdes, o Leben! Sie kommt gewiss,
Die Stunde, die uns nach der Zypresse ruft.
Ihr andern, seid der schwermutsvollen
Liebe geweiht, und umwölkt und dunkel!

## 4

## Hermann und Thusnelda

Ha, dort kömmt er mit Schweiss, mit Römerblute,[1]
Mit dem Staube der Schlacht bedeckt! So schön war
Hermann niemals! So hat's ihm
Nie von dem Auge geflammt!

Komm, ich bebe vor Lust! reich mir den Adler
Und das triefende Schwert! Komm, atm', und ruh' hier
Aus in meiner Umarmung,
Von der zu schrecklichen Schlacht!

Ruh' hier, dass ich den Schweiss der Stirn abtrockne,
Und der Wange das Blut! Wie glüht die Wange!
Hermann! Hermann! So hat dich
Niemals Thusnelda geliebt!

Selbst nicht, da du zuerst im Eichenschatten
Mit dem bräunlichen Arm mich wilder fasstest!
Fliehend blieb ich, und sah dir
Schon die Unsterblichkeit an,

[1] Thusnelda greets her husband on his return from the victory over the Roman legions under Quinctilius Varus in the Teutoburg Wood.

Die nun dein ist! Erzählt's in allen Hainen,
Dass Augustus nun bang mit seinen Göttern
Nektar trinket! Dass Hermann,
Hermann unsterblicher ist!

"Warum lockst du mein Haar? Liegt nicht der stumme
Tote Vater vor uns? O hätt' Augustus
Seine Heere geführt, er
Läge noch blutiger da."

Lass dein sinkendes Haar mich, Hermann, heben,
Dass es über dem Kranz in Locken drohe!
Siegmar ist bei den Göttern!
Folg' du, und wein' ihm nicht nach!

## LXXI. CHRISTOPH MARTIN WIELAND

1733–1813. Wieland's great service is to have set forth the cultural problems and tendencies of the Age of Reason in an attractive literary form. His most important imaginative works are prose tales and narrative poems having a Greek, a medieval, or an Oriental setting, but dealing in reality with living issues of his own day. His *Agathon* (1766–1794) marks the beginning of the German *Bildungsroman*. He had much in common with the Gallic genius and was widely read in French translations — the first German to attain that distinction. During the last quarter of the 18th century he was the most popular and influential of German writers.

### I

*From 'Musarion,' lines 1385–1446; The happy estate of the converted Phanias.*[1]

Der schönste Tag folgt dieser schönen Nacht.
Mit jedem folgenden find't jedes sich beglückter,
Indem es sich im andern glücklich macht.
Durch überstandne Not geschickter
Zum weiseren Gebrauch, zum reizendern Genuss
Des Glücks, das sich mit ihm so unverhofft versöhnte,
Gleich fern von Dürftigkeit und stolzem Überfluss;
Glückselig, weil er's war, nicht weil die Welt es wähnte,
Bringt Phanias in neidenswerter Ruh

[1] Phanias is at first a crabbed misanthrope. The lovely Musarion takes him in hand and teaches him her art of love as a philosophy of the Graces.

Ein unbeneidet Leben zu,
In Freuden, die der unverfälschte Stempel
Der Unschuld und Natur zu echten Freuden prägt.
Der bürgerliche Sturm, der stets Athen bewegt,
Trifft seine Hütte nicht — den Tempel
Der Grazien, seitdem Musarion sie ziert.
Bescheidne Gunst, durch ihren Witz geleitet,
Gibt der Natur, so weit sein Landgut sich verbreitet,
Den stillen Reiz, der ohne Schimmer rührt.
Ein Garten, den mit Zephyrn und mit Floren
Pomona sich zum Aufenthalt erkoren;
Ein Hain, worin sich Amor gern verliert,
Wo ernstes Denken oft mit leichtem Scherz sich gattet;
Ein kleiner Bach, von Ulmen überschattet,
An dem der Mittagsschlaf uns ungesucht beschleicht; —
Im Garten eine Sommerlaube,
Wo, zu der Freundin Kuss, der Saft der Purpurtraube,
Den Thasos schickt, ihm wahrer Nektar deucht;
Ein Nachbar, der Horazens Nachbarn gleicht,
Gesundes Blut, ein unbewölkt Gehirne,
Ein ruhig Herz und eine heitre Stirne —
Wie vieles macht ihn reich! — denkt noch Musarion
Hinzu, und sagt, was kann zum frohen Leben
Der Götter Gunst ihm mehr und Bessers geben?
Die Weisheit nur, den ganzen Wert davon
Zu fühlen, immer ihn zu fühlen,
Und, seines Glückes froh, kein andres zu erzielen;
Auch diese gab sie ihm. Sein Mentor war
Kein Cyniker mit ungekämmtem Haar,
Kein runzlichter Cleanth,[1] der, wenn die Flasche blinkt,
Wie Zeno spricht und wie Silenus trinkt;
Die Liebe war's — wer lehrt so gut wie sie?
Auch lernt' er gern, und schnell, und sonder Müh,
Die reizende Philosophie,
Die, was Natur und Schicksal uns gewährt,
Vergnügt geniesst, und gern den Rest entbehrt;

[1] The Stoic Cleanthes is one of the characters of the poem.

Die Dinge dieser Welt gern von der schönen Seite
Betrachtet; dem Geschick sich unterwürfig macht;
Nicht wissen will, was alles das bedeute,
Was Zeus aus Huld in rätselhafte Nacht
Vor uns verbarg, und auf die guten Leute
Der Unterwelt, so sehr sie Toren sind,
Nie böse wird, nur lächerlich sie find't
Und sich dazu — sie drum nicht minder liebet;
Den irrenden bedaurt, und nur den Gleisner flieht;
Nicht stets von Tugend spricht, noch, von ihr sprechend, glüht,
Doch ohne Sold und aus Geschmack sie übet;
Und, glücklich oder nicht, die Welt
Für kein Elysium, für keine Hölle hält,
Nie so verderbt, als sie der Sittenrichter
Von seinem Tron — im sechsten Stockwerk — sieht,
So lustig nie als jugendliche Dichter
Sie malen, wenn ihr Hirn von Wein und Phyllis glüht.

2

*From 'Agathon,' Book 16, Chapter 3: The Philosophy of the sage Archytas.*[1]

Je mehr ich diesen grossen, alles umfassenden Gedanken [2] durchzudenken strebe, je völliger fühle ich mich überzeugt, dass sich die ganze Kraft meines Geistes in ihm erschöpft, dass er alle seine wesentlichen Triebe befriedigt, dass ich mit aller möglichen Anstrengung nichts Höheres, Besseres, Vollkommeneres denken kann, und — dass eben dies der stärkste Beweis seiner Wahrheit ist. Von dem Augenblick an, da mir dieser göttlichste aller Gedanken, in der ganzen Klarheit, womit er meine Seele durchstrahlt, so gewiss erscheint, als ich mir selbst meiner vernünftigen Natur bewusst bin, fühle ich,

[1] Agathon is a Greek of the 4th century B.C. Brought up amid the religious influences of Delphi, he becomes an idealist and a dreamer of fine dreams. He goes to Athens, takes part in politics, is banished and sold into slavery. At Smyrna he is bought by the sophist Hippias, who tries to convert him to a sensualistic philosophy. He falls in love with the beautiful hetæra Danaë, but on learning the story of her other loves, he leaves Smyrna in disgust and goes to Syracuse, where he has divers adventures at the court of the tyrant Dionysius. At last, finding his way to Tarentum, he makes the acquaintance of the sage Archytas, who expounds to him the true philosophy.

[2] The 'great thought' is that the human mind is connected with the invisible world and with the general system of things.

dass ich mehr als ein sterbliches Erdenwesen, unendlich mehr als der blosse Tiermensch bin, der ich äusserlich scheine; fühle, dass ich durch unauflösliche Bande mit allen Wesen zusammenhange, und dass die Tätigkeit meines Geistes, anstatt in die traumähnliche Dauer eines halb tierischen Lebens eingeschränkt zu sein, für eine ewige Reihe immer höherer Auftritte, immer reinerer Enthüllungen, immer kraftvollerer, weiter gränzender Anwendungen eben dieser Vernunft bestimmt ist, die mich schon in diesem Erdenleben zum edelsten aller sichtbaren Wesen macht.

Von diesem Augenblick an fühle ich, dass der Geist allein mein wahres Ich sein kann, dass nur seine Geschäfte, sein Wohlstand, seine Glückseligkeit, die meinigen sind; dass es Unsinn wäre, wenn er einen Körper, der ihm bloss als Organ zur Entwicklung und Anwendung seiner Kraft und zu Vermittlung seiner Gemeinschaft und Verbindung mit den übrigen Wesen zugegeben ist, als einen wirklichen Teil seiner selbst betrachten, und das Tier, das ihm dienen soll, als seinesgleichen behandeln wollte; aber mehr als Unsinn, Verbrechen gegen das heiligste aller Naturgesetze, wenn er ihm die Herrschaft über sich einräumen, oder sich in ein schnödes Bündnis gegen sich selbst mit ihm einlassen, eine Art von Centaur aus sich machen, und die Dienste, die ihm das Tier zu leisten genötigt ist, durch seiner selbst unwürdige Gegendienste erwiedern wollte.

Von diesem Augenblick an, da mein Rang in der Schöpfung, die Würde eines Bürgers der Stadt Gottes, die mich zum Genossen einer höhern Ordnung der Dinge macht, entschieden ist, gehöre ich nicht mir selbst, nicht einer Familie, nicht einer besondern Bürgergesellschaft, nicht einer einzelnen Gattung, noch dem Erdschollen, den ich mein Vaterland nenne, ausschliesslich an: ich gehöre mit allen meinen Kräften dem grossen Ganzen an, worin mir mein Platz, meine Bestimmung, meine Pflicht, von dem einzigen Oberherrn, den ich über mir erkennen darf, angewiesen ist. Aber eben darum, und nur darum, weil in diesem Erdenleben mein Vaterland der mir unmittelbar angewiesene Posten, meine Hausgenossen, Mitbürger, Mitmenschen, diejenigen sind, auf welche sich meine Tätigkeit sich zunächst beziehen soll, erkenne ich mich verbunden, alles mir Mögliche zu ihrem Besten zu tun und zu leiden, sofern keine höhere Pflicht dadurch verletzt wird. Denn von diesem Augenblick an sind Wahrheit, Gerechtigkeit, Ordnung, Harmonie und Vollkommenheit, ohne eigennützige Rücksicht auf mich selbst, die höchsten Gegenstände meiner Liebe; ist das Bestreben, diese reinsten Ausstrahlungen der Gottheit in mir zu sammeln und ausser mir zu verbreiten, mein letzter Zweck, die Regel aller meiner Handlungen, die Norm aller Gesetze, zu deren Befolgung ich mich verbindlich machen darf. Mein Vaterland hat alles von mir zu fordern, was dieser höchsten Pflicht nicht widerspricht: aber sobald sein vermeintes Interesse eine ungerechte Handlung von mir forderte, so hörten für diesen Moment alle seine Ansprüche an mich auf, und wenn Verlust meiner Güter, Verbannung und der Tod selbst auf meiner Weigerung stände, so wäre Armut, Verbannung und Tod der beste Teil, den ich wählen könnte.

Kurz, Agathon, von dem Augenblick an, da jener grosse Gedanke von meinem Innern Besitz genommen hat und die Seele aller meiner Triebe, Entschliessungen und Handlungen geworden ist, verschwindet auf immer jede Vorstellung, jede Begierde, jede Leidenschaft, die mein Ich von dem Ganzen, dem es angehört, trennen, meinen Vorteil isolieren, meine Pflicht meinem Nutzen oder Vergnügen unterordnen will. Nun ist mir keine Tugend zu schwer, kein Opfer, das ich ihr bringe, zu teuer, kein Leiden um ihrentwillen unerträglich. Ich scheine, wie du sagtest, mehr als ein gewöhnlicher Mensch; und doch besteht mein ganzes Geheimnis bloss darin, dass ich diesen Gedanken meines göttlichen Ursprungs, meiner hohen Bestimmung, und meines unmittelbaren Zusammenhangs mit der unsichtbaren Welt und dem allgemeinen Geist, immer in mir gegenwärtig, hell und lebendig zu erhalten gesucht habe, und dass er durch die Länge der Zeit zu einem immerwährenden leisen Gefühl geworden ist. Fühle ich auch (wie es kaum anders möglich ist) zuweilen das Los der Menschheit, den Druck der irdischen Last, die an den Schwingen unseres Geistes hängt, verdüstert sich mein Sinn, ermattet meine Kraft, — so bedarf es nur einiger Augenblicke, worin ich den schlummernden Gedanken der innigen Gegenwart, womit die alles erfüllende Urkraft auch mein innerstes Wesen umfasst und durchdringt, wieder in mir erwecke, und es wird mir, als ob ein Lebensgeist mich anwehe, der die Flamme des meinigen wieder anfacht, wieder Licht durch meinen Geist, Wärme durch mein Herz verbreitet, und mich wieder stark zu allem macht, was mir zu tun oder zu leiden auferlegt ist.

Und ein System von Ideen, dessen Glaube diese Wirkung tut, sollte noch eines andern Beweises seiner Wahrheit bedürfen als seine blosse Darstellung? Ein Glaube, der die Vernunft so völlig befriedigt, der mir sogar durch sie selbst aufgedrungen wird, und dem ich nicht entsagen kann ohne meiner Vernunft zu entsagen; ein Glaube, der mich auf dem geradesten Wege zur grössten sittlichen Güte und zum reinsten Genuss meines Daseins führt, die in diesem Erdenleben möglich sind; ein Glaube, der, sobald er allgemein würde, die Quellen aller sittlichen Übel verstopfen, und den schönen Dichtertraum vom goldnen Alter in seiner höchsten Vollkommenheit realisieren würde; — ein solcher Glaube beweiset sich selbst, Agathon! und wir können alle seine Gegner getrost auffordern, einen vernunftmässigern und der menschlichen Natur zuträglichern aufzustellen. Wirf einen Blick auf das, was die Menschheit ohne ihn ist, — was sie wäre, wenn sich nicht in den Gesetzgebungen, Religionen, Mysterien und Schulen der Weisen immer einige Strahlen und Funken von ihm unter den Völkern erhalten hätten, — und was sie werden könnte, werden müsste, wenn er jemals herrschend würde, — was sie schon allein durch blosse stufenweise Annäherung gegen dieses vielleicht nie erreichbare Ziel werden wird: und alle Zweifel, alle Einwendungen, die der Unglaube der Sinnlichkeit und die Sophisterei der Dialektik gegen ihn aufbringen können, werden dich so wenig in deiner Überzeugung stören, als ein Sonnenstäubchen eine vom Übergewicht eines Centners niedergedrückte Wagschale steigen machen kann.

Ich kenne nur einen einzigen Einwurf gegen ihn, der beim ersten Anblick einige Scheinbarkeit hat; den nämlich, dass er zu erhaben für den grossen Haufen, zu rein und vollkommen für den Zustand sei, zu welchem das Schicksal die Menschen auf dieser Erde verurteilt habe. Aber, wenn es nur zu wahr ist, dass der grösste Teil unsrer Brüder sich in einem Zustande von Rohheit, Unwissenheit, Mangel an Ausbildung, Unterdrückung und Sklaverei befindet, der sie zu einer Art von Tierheit zu verdammen scheint, worin dringende Sorgen für die blosse Erhaltung des animalischen Lebens den Geist niederdrücken und ihn nicht zum Bewusstsein seiner eignen Würde und

Rechte kommen lassen: wer darf es wagen, die Schuld dieser Herabwürdigung der Menschheit auf das Schicksal zu legen? Liegt sie nicht offenbar an denen, die aus höchst sträflichen Bewegursachen alle nur ersinnlichen Mittel anwenden, sie so lange als möglich in diesem Zustande von Tierheit zu erhalten? — Doch, diese Betrachtung würde uns jetzt zu weit führen! — Genug, wir, mein lieber Agathon, wir kennen unsre Pflicht: nie werden wir, wenn Macht in unsre Hände gegeben wird, unsre Macht anders als zum möglichsten Besten unsrer Brüder gebrauchen; und wenn wir auch sonst nichts vermögen, so werden wir ihnen, so viel an uns ist, zu jenem 'Kenne dich selbst' behilflich zu sein suchen, welches sie unmittelbar zu dem einzigen Mittel führt, wodurch den Übeln der Menschheit gründlich geholfen werden kann. Freilich ist dies nur stufenweise, nur durch allmähliche Verbreitung des Lichtes, worin wir unsre wahre Natur und Bestimmung erkennen, möglich: aber auch bei der langsamsten Zunahme desselben, wofern es nur zunimmt, wird es endlich heller Tag werden; denn so lange die Unmöglichkeit einer stufenweise wachsenden Vervollkommnung aller geistigen Wesen unerweislich bleiben wird, können wir jenen trostlosen Zirkel, worin sich das Menschengeschlecht, nach der Meinung einiger Halbweisen, ewig herumdrehen soll, zuversichtlich für eine Chimäre halten. Bei einer solchen Meinung mag wohl die Trägheit einzelner sinnlicher Menschen ihre Rechnung finden: aber sie ist weder dem Menschen im ganzen zuträglich, noch mit dem Begriffe, den die Vernunft sich von der Natur des Geistes macht, noch mit dem Plane des Weltalls vereinbar, den wir uns, als das Werk der höchsten Weisheit und Güte, schlechterdings in der höchsten Vollkommenheit, die wir mit unsrer Denkkraft erreichen können, vorzustellen schuldig sind; und dies um so mehr, da wir nicht zweifeln dürfen, dass die undurchbrechbaren Schranken unsrer Natur, auch bei der höchsten Anstrengung unsrer Kraft, uns immer unendlich weit unter der wirklichen Vollkommenheit dieses Plans und seiner Ausführung zurückbleiben lassen.

Auch der Einwurf, dass der Glaube einer Verknüpfung unsers Geistes mit der unsichtbaren Welt und dem allgemeinen System der Dinge gar zu leicht die Ursache einer der gefährlichsten Krankheiten des menschlichen Gemütes, der religiösen und dämonistischen

Schwärmerei, werden könne, ist von keiner Erheblichkeit. Denn es hängt ja bloss von uns selbst ab, dem Hange zum Wunderbaren die Vernunft zur Grenze zu setzen, Spielen der Phantasie und Gefühlen des Augenblicks keinen zu hohen Wert beizulegen, und die Bilder, unter welchen die alten Dichter der Morgenländer ihre Ahnungen vom Unsichtbaren und Zukünftigen sich und andern zu versinnlichen gesucht haben, für nichts mehr als das, was sie sind, für Bilder übersinnlicher und also unbildlicher Dinge anzusehen. Verschiedenes in der Orphischen Theologie, und das Meiste, was in den Mysterien geoffenbaret wird, scheint aus dieser Quelle geflossen zu sein. Diese lieblichen Träume der Phantasie sind dem kindischen Alter der Menschheit angemessen, und die Morgenländer scheinen auch hierin, wie in allem Übrigen, immer Kinder bleiben zu wollen. Aber uns, deren Geisteskräfte unter einem gemässigtern Himmel und unter dem Einfluss der bürgerlichen Freiheit entwickelt, und durch keine Hieroglyphen, heilige Bücher und vorgeschriebene Glaubensformeln gefesselt werden, — uns, denen erlaubt ist, auch die ehrwürdigsten Fabeln des Altertums für — Fabeln zu halten, liegt es ob, unsre Begriffe immer mehr zu reinigen, und überhaupt von allem, was ausserhalb des Kreises unsrer Sinne liegt, nicht mehr wissen zu wollen, als was die Vernunft selbst davon zu glauben lehrt, und als für unser moralisches Bedürfnis zureicht.

Die Schwärmerei, die sich im Schatten einer unbeschäftigten Einsamkeit mit sinnlich-geistigen Phänomenen und Gefühlen nährt, lässt sich freilich an einer so frugalen Beköstigung nicht genügen; sie möchte sich über die Grenzen der Natur wegschwingen, sich durch Überspannung ihres innern Sinnes schon in diesem Leben in einen Zustand versetzen können, der uns vielleicht in einem andern bevorsteht; sie nimmt Träume für Erscheinungen, Schattenbilder für Wesen, Wünsche einer glühenden Phantasie für Genuss; gewöhnt ihr Auge an ein magisches Helldunkel, worin ihm das volle Licht der Vernunft nach und nach unerträglich wird, und berauscht sich in süssen Gefühlen und Ahnungen, die ihr den wahren Zweck des Lebens aus den Augen rücken, die Tätigkeit des Geistes einschläfern, und das unbewachte Herz wehrlos jedem unvermuteten Anfall auf seine Unschuld preisgeben. Gegen diese Krankheit der Seele ist Erfüllung unsrer Pflichten im bürgerlichen und häuslichen Leben das sicherste Verwahrungsmittel; denn innerhalb dieser Schranken ist die Laufbahn eingeschlossen, die uns hienieden angewiesen ist, und es ist blosse Selbsttäuschung, wenn jemand sich berufen glaubt, eine Ausnahme von diesem allgemeinen Gesetze zu sein.

## LXXII. GOTTHOLD EPHRAIM LESSING

1729–1781. The earliest writings of Lessing, consisting of songs, anacreontic verses, epigrams, fables, and prose comedies, belong to an era that was passing. His more significant imaginative work begins with *Miss Sara Sampson* (1755), the first German tragedy of middle-class life. His three most famous plays, *Minna von Barnhelm* (1766), *Emilia Galotti* (1772), and *Nathan the Wise* (1779), are well-known classics, and as such are not included in the scheme of this book. In the field of criticism his most important works are the *Letters on Literature* (1759–1765), which set a new standard of critical plain-speaking; the *Laokoon* (1766), which undertook to delimit the provinces of poetry and of plastic art; the *Hamburg Dramaturgy* (1767–1769), which assailed the prestige of the French classical tragedy, and the *Anti-Goeze* (1778), a notable defense of what is now called the higher criticism. He exerted an immense influence in liberating Germany from the trammels of outworn convention.

1

**Grabschrift auf Voltaire.**

Hier liegt — wenn man euch glauben wollte,
Ihr frommen Herrn! — der längst hier liegen sollte.
Der liebe Gott verzeih aus Gnade
Ihm seine Henriade
Und seine Trauerspiele
Und seiner Verschen viele;
Denn, was er sonst ans Licht gebracht,
Das hat er ziemlich gut gemacht.

2

**Der Tod.**

Gestern, Brüder, könnt ihr's glauben?
Gestern bei dem Saft der Trauben
(Bildet euch mein Schrecken ein!)
Kam der Tod zu mir herein.

Drohend schwang er seine Hippe,
Drohend sprach das Furchtgerippe:
Fort, du teurer Bacchusknecht!
Fort, du hast genug gezecht!

Lieber Tod, sprach ich mit Tränen,
Solltest du nach mir dich sehnen?
Sieh, da stehet Wein für dich!
Lieber Tod, verschone mich!

Lächelnd greift er nach dem Glase,
Lächelnd macht er's auf der Base,

Auf der Pest, Gesundheit leer;
Lächelnd setzt er's wieder her.

Fröhlich glaub' ich mich befreiet,
Als er schnell sein Drohn erneuet.
Narre, für dein Gläschen Wein
Denkst du, spricht er, los zu sein?

Tod, bat ich, ich möcht' auf Erden
Gern ein Mediziner werden.
Lass mich! ich verspreche dir
Meine Kranken halb dafür.

Gut, wenn das ist, magst du leben,
Ruft er. Nur sei mir ergeben!
Lebe, bis du satt geküsst
Und des Trinkens müde bist.

O, wie schön klingt dies den Ohren!
Tod, du hast mich neu geboren.
Dieses Glas voll Rebensaft,
Tod, auf gute Brüderschaft!

Ewig muss ich also leben,
Ewig! denn, beim Gott der Reben!
Ewig soll mich Lieb' und Wein,
Ewig Wein und Lieb' erfreun!

### 3

*From 'Miss Sara Sampson': Act II, Scene 7.*

MELLEFONT. MARWOOD.[1]

MARWOOD. Nun sind wir allein. Nun sagen Sie es noch einmal, ob Sie fest entschlossen sind, mich einer jungen Närrin aufzuopfern?

MELLEFONT (*bitter*). Aufzuopfern? Sie machen, dass ich mich hier erinnere, dass den alten Göttern auch sehr unreine Tiere geopfert wurden.

MARWOOD (*spöttisch*). Drücken Sie sich ohne so gelehrte Anspielungen aus.

MELLEFONT. So sage ich Ihnen, dass ich fest entschlossen bin, nie wieder ohne die schrecklichsten Verwünschungen an Sie zu denken. Wer sind Sie? Und wer ist Sara? Sie sind eine wollüstige, eigennützige, schändliche Buhlerin, die sich jetzt kaum mehr muss erinnern können, einmal unschuldig gewesen zu sein. Ich habe mir mit Ihnen nichts vorzuwerfen, als dass ich dasjenige genossen, was

[1] The scene is a low London inn, to which Mellefont, a sentimental profligate, has brought Sara Sampson under promise of marriage. Marwood is Mellefont's former mistress, by whom he has a daughter, Bella.

Sie ohne mich vielleicht die ganze Welt hätten geniessen lassen. Sie haben mich gesucht, nicht ich Sie; und wenn ich nunmehr weiss, wer Marwood ist, so kömmt mir diese Kenntnis teuer genug zu stehen. Sie kostet mir mein Vermögen, meine Ehre, mein Glück —

MARWOOD. Und so wollte ich, dass sie dir auch deine Seligkeit kosten müsste! Ungeheuer! Ist der Teufel ärger als du, der schwache Menschen zu Verbrechen reizet und sie dieser Verbrechen wegen, die sein Werk sind, hernach selbst anklagt? Was geht dich meine Unschuld an, wann und wie ich sie verloren habe? Habe ich dir meine Tugend nicht preisgeben können, so habe ich doch meinen guten Namen für dich in die Schanze geschlagen. Jene ist nichts kostbarer als dieser. Was sage ich? Kostbarer? Sie ist ohne ihn ein albernes Hirngespinnst, das weder ruhig noch glücklich macht. Er allein gibt ihr noch einigen Wert und kann volkommen ohne sie bestehen. Mochte ich doch sein, wer ich wollte, ehe ich dich, Scheusal, kennen lernte; genug, dass ich in den Augen der Welt für ein Frauenzimmer ohne Tadel galt. Durch dich nur hat sie es erfahren, dass ich es nicht sei; durch meine Bereitwilligkeit bloss, dein Herz, wie ich damals glaubte, ohne deine Hand anzunehmen.

MELLEFONT. Eben diese Bereitwilligkeit verdammt dich, Niederträchtige.

MARWOOD. Erinnerst du dich aber, welchen nichtswürdigen Kunstgriffen du sie zu verdanken hattest? Ward ich nicht von dir beredet, dass du dich in keine öffentliche Verbindung einlassen könntest, ohne einer Erbschaft verlustig zu werden, deren Genuss du mit niemand als mit mir teilen wolltest? Ist es nun Zeit, ihrer zu entsagen? Und ihrer für eine andre als für mich zu entsagen?

MELLEFONT. Es ist mir eine wahre Wollust, Ihnen melden zu können, dass diese Schwierigkeit nunmehr bald wird gehoben sein. Begnügen Sie sich also nur, mich um mein väterliches Erbteil gebracht zu haben, und lassen mich ein weit geringeres mit einer würdigern Gattin geniessen.

MARWOOD. Ha! Nun seh' ich's, was dich eigentlich so trotzig macht! Wohl, ich will kein Wort mehr verlieren. Es sei darum! Rechne darauf, dass ich alles anwenden will, dich zu vergessen. Und das erste, was ich in dieser Absicht tun werde, soll dieses sein — Du wirst mich verstehen! Zittre für deine Bella! Ihr Leben soll das Andenken meiner verachteten Liebe auf die Nachwelt nicht bringen; meine Grausamkeit soll es tun. Sieh in mir eine neue Medea!

MELLEFONT (*erschrocken*). Marwood —

MARWOOD. Oder wenn du noch eine grausamere Mutter weisst, so sieh sie gedoppelt in mir! Gift und Dolch sollen mich rächen. Doch nein, Gift und Dolch sind zu barmherzige Werkzeuge! Sie würden dein und mein Kind zu bald töten. Ich will es nicht gestorben sehen; sterben will ich es sehen! Durch langsame Martern will ich in seinem Gesichte jeden ähnlichen Zug, den es von dir hat, sich verstellen, verzerren und verschwinden lassen. Ich will mit begieriger Hand Glied von Glied, Ader von Ader, Nerve von Nerve lösen und das kleinste derselben auch da noch nicht aufhören zu schneiden und zu brennen, wenn es schon nichts mehr sein wird als ein empfindungsloses Aas. Ich — ich werde wenigstens dabei empfinden, wie süss die Rache sei!

MELLEFONT. Sie rasen, Marwood —

MARWOOD. Du erinnerst mich, dass ich nicht gegen den rechten rase. Der Vater muss voran! Er muss schon in jener Welt sein, wenn der Geist seiner Tochter unter tausend Seufzern ihm nachzieht — (*Sie geht mit einem Dolche, den sie aus dem Busen reisst, auf ihn los.*) Drum stirb, Verräter!

MELLEFONT (*der ihr in den Arm fällt und den Dolch entreisst*). Unsinniges Weibsbild! Was hindert mich nun, den Stahl wider dich zu kehren? Doch lebe, und deine Strafe müsse einer ehrlosen Hand aufgehoben sein!

MARWOOD (*mit gerungenen Händen*). Himmel, was hab' ich getan? Mellefont —

MELLEFONT. Deine Reue soll mich nicht hintergehen! Ich weiss es doch wohl, was dich reuet; nicht dass du den Stoss tun wollen, sondern dass du ihn nicht tun können.

MARWOOD. Geben Sie mir ihn wieder, den verirrten Stahl! Geben Sie mir ihn wieder! und Sie sollen es gleich sehen, für wen er geschliffen ward. Für diese Brust allein, die schon längst einem Herzen zu enge ist, das eher dem Leben als Ihrer Liebe entsagen will.

4

*The Seventeenth of the 'Letters on Literature.' Feb. 16, 1759.*

'Niemand,' sagen die Verfasser der Bibliothek,[1] 'wird leugnen, dass die deutsche Schaubühne einen grossen Teil ihrer ersten Verbesserung dem Herrn Professor Gottsched zu danken habe.'

Ich bin dieser Niemand; ich leugne es geradezu. Es wäre zu wünschen, dass sich Herr Gottsched niemals mit dem Theater vermengt hätte. Seine vermeinten Verbesserungen betreffen entweder entbehrliche Kleinigkeiten oder sind wahre Verschlimmerungen.

Als die Neuberin[2] blühte und so mancher den Beruf fühlte, sich um sie und die Bühne verdient zu machen, sahe es freilich mit unserer dramatischen Poesie sehr elend aus. Man kannte keine Regeln, man bekümmerte sich um keine Muster. Unsre Staats- und Heldenaktionen waren voller Unsinn, Bombast, Schmutz und Pöbelwitz. Unsre Lustspiele bestanden in Verkleidungen und Zaubereien, und Prügel waren die witzigsten Einfälle derselben. Dieses Verderbnis einzusehen, brauchte man eben nicht der feinste und grösste Geist zu sein. Auch war Herr Gottsched nicht der erste, der sich Kräfte genug zutraute, ihm abzuhelfen. Und wie ging er damit zu Werke? Er verstand ein wenig Französisch und fing an zu übersetzen; er ermunterte alles, was reimen und 'Oui, monsieur' verstehen konnte, gleichfalls zu übersetzen; er verfertigte, wie ein schweizerischer Kunstrichter[3] sagt, mit Kleister und Schere seinen 'Cato'; er liess den 'Darius' und die 'Austern,' die 'Elisie,' und den 'Bock im Prozesse,' den 'Aurelius' und den 'Witzling,' die 'Banise' und den 'Hypochondristen' ohne Kleister und Schere machen; er legte seinen Fluch auf das Extemporieren; er liess den Harlekin feierlich vom Theater vertreiben, welches selbst die grösste Harlekinade war, die jemals gespielt worden; kurz, er wollte nicht so wohl unser altes Theater verbessern, als der Schöpfer eines ganz neuen sein. Und was für eines neuen? Eines französierenden; ohne zu untersuchen, ob dieses französierende Theater der deutschen Denkungsart angemessen sei oder nicht.

[1] The *Bibliothek der schönen Wissenschaften*, a magazine conducted by Nicolai and Mendelssohn. — [2] Caroline Neuber was a famous actress, who between 1727 and 1748 coöperated with Gottsched for the improvement of the Leipzig stage. — [3] The 'Swiss critic' is Bodmer. 'Darius,' the 'Oysters,' etc., are the titles of plays included in Gottsched's *Deutsche Schaubühne* (1740–1745).

Er hätte aus unsern alten dramatischen Stücken, welche er vertrieb, hinlänglich abmerken können, dass wir mehr in den Geschmack der Engländer als der Franzosen einschlagen; dass wir in unsern Trauerspielen mehr sehen und denken wollen, als uns das furchtsame französische Trauerspiel zu sehen und zu denken gibt; dass das Grosse, das Schreckliche, das Melancholische besser auf uns wirkt als das Artige, das Zärtliche, das Verliebte; dass uns die zu grosse Einfalt mehr ermüde als die zu grosse Verwickelung u.s.w. Er hätte also auf dieser Spur bleiben sollen, und sie würde ihn geraden Weges auf das englische Theater geführet haben. — Sagen Sie ja nicht, dass er auch dieses zu nutzen gesucht, wie sein 'Cato' es beweise. Denn eben dieses, dass er den Addisonschen 'Cato' für das beste englische Trauerspiel hält,[1] zeiget deutlich, dass er hier nur mit den Augen der Franzosen gesehen und damals keinen Shakespeare, keinen Jonson, keinen Beaumont und Fletcher u.s.w. gekannt hat, die er hernach aus Stolz auch nicht hat wollen kennen lernen.

Wenn man die Meisterstücke des Shakespeare, mit einigen bescheidenen Veränderungen, unsern Deutschen übersetzt hätte, ich weiss gewiss, es würde von bessern Folgen gewesen sein, als dass man sie mit dem Corneille und Racine so bekannt gemacht hat. Erstlich würde das Volk an jenem weit mehr Geschmack gefunden haben, als es an diesen nicht finden kann; und zweitens würde jener ganz andre Köpfe unter uns erweckt haben, als man von diesen zu rühmen weiss. Denn ein Genie kann nur von einem Genie entzündet werden, und am leichtesten von so einem, das alles bloss der Natur zu danken zu haben scheinet, und durch die mühsamen Vollkommenheiten der Kunst nicht abschrecket.

Auch nach den Mustern der Alten die Sache zu entscheiden, ist Shakespeare ein weit grösserer tragischer Dichter als Corneille, obgleich dieser die Alten sehr wohl und jener fast gar nicht gekannt hat. Corneille kömmt ihnen in der mechanischen Einrichtung und Shakespeare in dem Wesentlichen näher. Der Engländer erreicht den Zweck der Tragödie fast immer, so sonderbare und ihm eigne Wege er auch wählet, und der Franzose erreicht ihn fast niemals, ob

[1] In his *Discours sur la tragédie* Voltaire speaks of Addison's *Cato* as "la seule bien écrite d'un bout a l'autre chez votre [Lord Bolingbroke's] nation."

er gleich die gebahnten Wege der Alten betritt. Nach dem 'Oedipus' des Sophokles muss in der Welt kein Stück mehr Gewalt über unsere Leidenschaften haben als 'Othello,' als 'König Lear,' als 'Hamlet' u.s.w. Hat Corneille ein einziges Trauerspiel, das Sie nur halb so gerühret hätte als die 'Zaire' des Voltaire? Und die 'Zaire' des Voltaire, wie weit ist sie unter dem 'Mohren von Venedig,' dessen schwache Copie sie ist, und von welchem der ganze Charakter des Orosmans entlehnet worden?

Dass aber unsre alten Stücke wirklich sehr viel Englisches gehabt haben, könnte ich Ihnen mit geringer Mühe weitläufig beweisen. Nur das bekannteste derselben zu nennen, 'Doctor Faust' hat eine Menge Szenen, die nur ein Shakespeare'sches Genie zu denken vermögend gewesen. Und wie verliebt war Deutschland, und ist es zum Teil noch, in seinen Doctor Faust! Einer von meinen Freunden verwahret einen alten Entwurf dieses Trauerspiels, und er hat mir einen Auftritt daraus mitgeteilet, in welchem gewiss viel Grosses liegt. Sind Sie begierig, ihn zu lesen? Hier ist er! — Faust verlangt den schnellsten Geist der Hölle zu seiner Bedienung. Er macht seine Verschwörungen; es erscheinen sieben derselben; und nun fängt sich die dritte Szene des zweiten Aufzugs an:

### Faust und Sieben Geister

Faust. Ihr? Ihr seid die schnellesten Geister der Hölle?

Die Geister Alle. Wir.

Faust. Seid ihr alle sieben gleich schnell?

Die Geister Alle. Nein.

Faust. Und welcher von euch ist der schnelleste?

Die Geister Alle. Der bin ich!

Faust. Ein Wunder, dass unter sieben Teufeln nur sechs Lügner sind. — Ich muss euch näher kennen lernen.

Der erste Geist. Das wirst du! Einst!

Faust. Einst! Wie meinst du das? Predigen die Teufel auch Busse?

Der erste Geist. Ja wohl, den Verstockten. — Aber halte uns nicht auf!

Faust. Wie heissest du? Und wie schnell bist du?

Der erste Geist. Du könntest eher eine Probe als eine Antwort haben.

Faust. Nunwohl! Sieh her: was mache ich?

Der erste Geist. Du fährst mit deinem Finger schnell durch die Flamme des Lichts —

Faust. Und verbrenne mich nicht. So geh auch du und fahre siebenmal eben so schnell durch die Flammen der Hölle und verbrenne dich nicht! — Du verstummst? Du bleibst? — So prahlen auch die Teufel? Ja, ja; keine Sünde ist so klein, dass ihr sie euch nehmen liesset. — Zweiter, wie heissest du?

Der zweite Geist. Chil, das ist in eurer langweiligen Sprache: Pfeil der Pest.

Faust. Und wie schnell bist du?

Der zweite Geist. Denkest du, dass ich meinen Namen vergebens führe? — Wie die Pfeile der Pest.

Faust. Nun, so geh und diene einem Arzte! Für mich bist du viel zu langsam. — Du dritter, wie heissest du?

Der dritte Geist. Ich heisse Dilla; denn mich tragen die Flügel der Winde.

Faust. Und du vierter?

Der vierte Geist. Mein Name ist Jutta; denn ich fahre auf den Strahlen des Lichts.

Faust. O ihr, deren Schnelligkeit in endlichen Zahlen auszudrücken, ihr Elenden —

Der fünfte Geist. Würdige sie deines Unwillens nicht. Sie sind nur Satans Boten in der Körperwelt. Wir sind es in der Welt der Geister; uns wirst du schneller finden.

Faust. Und wie schnell bist du?

Der fünfte Geist. So schnell als die Gedanken des Menschen.

Faust. Das ist etwas! — Aber nicht immer sind die Gedanken des Menschen schnell. Nicht da, wenn Wahrheit und Tugend sie auffordern. Wie träge sind sie alsdenn! — Du kannst schnell sein, wenn du schnell sein willst; aber wer steht mir dafür, dass du es allezeit willst? Nein, dir werde ich so wenig trauen, als ich mir selbst hätte trauen sollen. Ach! — (*Zum sechsten Geiste*) Sage du, wie schnell bist du?

Der sechste Geist. So schnell als die Rache des Rächers.

Faust. Des Rächers? Welches Rächers?

DER SECHSTE GEIST. Des Gewaltigen, des Schrecklichen, der sich allein die Rache vorbehielt, weil ihn die Rache vergnügte.

FAUST. Teufel! du lästerst; denn ich sehe, du zitterst. — Schnell, sagst du, wie die Rache des — bald hätte ich ihn genennt! Nein, er werde nicht unter uns genennt! — Schnell wäre seine Rache? Schnell? — Und ich lebe noch? Und ich sündige noch?

DER SECHSTE GEIST. Dass er dich noch sündigen lässt, ist schon Rache!

FAUST. Und dass ein Teufel mich dieses lehren muss! — Aber doch erst heute! Nein, seine Rache ist nicht schnell, und wenn du nicht schneller bist als seine Rache, so geh nur! — (*Zum siebenten Geiste*) Wie schnell bist du?

DER SIEBENTE GEIST. Unzuvergnügender Sterbliche, wo auch ich dir nicht schnell genug bin —

FAUST. So sage: wie schnell?

DER SIEBENTE GEIST. Nicht mehr und nicht weniger als der Übergang vom Guten zum Bösen.

FAUST. Ha! Du bist mein Teufel! So schnell als der Übergang vom Guten zum Bösen! — Ja, der ist schnell; schneller ist nichts als der! — Weg von hier, ihr Schnecken des Orcus! Weg! — Als der Übergang vom Guten zum Bösen! Ich habe es erfahren, wie schnell er ist! Ich habe es erfahren! u.s.w.

---

Was sagen Sie zu dieser Szene? Sie wünschen ein deutsches Stück, das lauter solche Szenen hätte? Ich auch.

## 5

*From 'Laokoon,' Chapter 16.*

Doch ich will versuchen, die Sache[1] aus ihren ersten Gründen herzuleiten.

Ich schliesse so: Wenn es wahr ist, dass die Malerei zu ihren Nachahmungen ganz andere Mittel oder Zeichen gebraucht als die Poesie, jene nämlich Figuren und Farben in dem Raume, diese aber artikulierte Töne in der Zeit; wenn unstreitig die Zeichen ein be-

[1] *Die Sache* is the fundamental difference between plastic art (*Malerei*) and poetry.

quemes Verhältnis zu dem Bezeichneten haben müssen: so können neben einander geordnete Zeichen auch nur Gegenstände, die neben einander, oder deren Teile neben einander existieren, auf einander folgende Zeichen aber auch nur Gegenstände ausdrücken, die auf einander, oder deren Teile auf einander folgen.

Gegenstände, die neben einander, oder deren Teile neben einander existieren, heissen Körper. Folglich sind Körper mit ihren sichtbaren Eigenschaften die eigentlichen Gegenstände der Malerei.

Gegenstände, die auf einander, oder deren Teile auf einander folgen, heissen überhaupt Handlungen. Folglich sind Handlungen der eigentliche Gegenstand der Poesie.

Doch alle Körper existieren nicht allein in dem Raume, sondern auch in der Zeit. Sie dauern fort und können in jedem Augenblicke ihrer Dauer anders erscheinen und in anderer Verbindung stehen. Jede dieser augenblicklichen Erscheinungen und Verbindungen ist die Wirkung einer vorhergehenden und kann die Ursache einer folgenden und sonach gleichsam das Zentrum einer Handlung sein. Folglich kann die Malerei auch Handlungen nachahmen, aber nur andeutungsweise durch Körper.

Auf der andern Seite können Handlungen nicht für sich selbst bestehen, sondern müssen gewissen Wesen anhängen. Insofern nun diese Wesen Körper sind oder als Körper betrachtet werden, schildert die Poesie auch Körper, aber nur andeutungsweise durch Handlungen.

Die Malerei kann in ihren coexistierenden Compositionen nur einen einzigen Augenblick der Handlung nutzen und muss daher den prägnantesten wählen, aus welchem das Vorhergehende und Folgende am Begreiflichsten wird.

Ebenso kann auch die Poesie in ihren fortschreitenden Nachahmungen nur eine einzige Eigenschaft der Körper nutzen und muss daher diejenige wählen, welche das sinnlichste Bild des Körpers von der Seite erwecket, von welcher sie ihn braucht.

Hieraus fliesst die Regel von der Einheit der malerischen Beiwörter und der Sparsamkeit in den Schilderungen körperlicher Gegenstände.

Ich würde in diese trockene Schlusskette weniger Vertrauen setzen, wenn ich sie nicht durch die Praxis des Homers vollkommen bestätigt fände, oder wenn es nicht vielmehr die Praxis des Homers selbst wäre, die mich darauf gebracht hätte. Nur aus diesen Grundsätzen lässt sich die grosse Manier des Griechen bestimmen und erklären, so wie der entgegengesetzten Manier so vieler neuern Dichter ihr Recht erteilen, die in einem Stücke mit dem Maler wetteifern wollen, in welchem sie notwendig von ihm überwunden werden müssen.

Ich finde, Homer malet nichts als fortschreitende Handlungen, und alle Körper, alle einzelne Dinge, malet er nur durch ihren Anteil an diesen Handlungen, gemeiniglich nur mit Einem Zuge. Was Wunder also, dass der Maler da, wo Homer malet, wenig oder nichts für sich zu tun siehet, und dass seine Ernte nur da ist, wo die Geschichte eine Menge schöner Körper in schönen Stellungen in einem der Kunst vorteilhaften Raume zusammenbringt, der Dichter selbst mag diese Körper, diese Stellungen, diesen Raum, so wenig malen, als er will.

## LXXIII. JOHANN GOTTFRIED HERDER

1744–1803. Herder's was the first strong voice to be raised in protest against the inveterate illusion of his countrymen that excellence in poetry depended on the imitation of good models. He took a deep interest in the poetry of primitive and unlettered men, and deduced from that his criteria of excellence; namely, sincerity, naturalness, strength and fulness of expression. The virtue of the greatest poets, such as Homer, Shakspere and Ossian, lay — so he said — in the fulness and fidelity with which they had felt and expressed the life of their nation and their epoch. Thus he became the founder of historical criticism and the harbinger of the coming romantic movement. It was he, more than any one else, who ushered in the 'storm and stress' era, with its watchwords of nature, power, genius, originality, and its general spirit of protest against all conventional restrictions.

### I

*From 'Fragments on Recent German Literature'* [1]*: Poetry as the mother tongue of mankind.*

Eine Sprache in ihrer Kindheit bricht, wie ein Kind, einsilbichte, rauhe und hohe Töne hervor. Eine Nation in ihrem ersten wilden Ursprunge starret, wie ein Kind, alle Gegenstände an; Schrecken, Furcht, und alsdenn Bewunderung sind die Empfindungen, derer

[1] First Collection (1767); see Suphan's edition of Herder's works, Vol. 1, page 152.

beide allein fähig sind, und die Sprache dieser Empfindungen sind Töne, — und Gebärden. Zu den Tönen sind ihre Werkzeuge noch ungebraucht: folglich sind jene hoch und mächtig an Accenten; Töne und Gebärden sind Zeichen von Leidenschaften und Empfindungen, folglich sind sie heftig und stark: ihre Sprache spricht für Auge und Ohr, für Sinne und Leidenschaften: sie sind grösserer Leidenschaften fähig, weil ihre Lebensart voll Gefahr und Tod und Wildheit ist: sie verstehen also auch die Sprache des Affects mehr als wir, die wir dies Zeitalter nur aus spätern Berichten und Schlüssen kennen; denn so wenig wir aus unsrer ersten Kindheit Nachricht durch Erinnerung haben, so wenig sind Nachrichten aus dieser Zeit der Sprache möglich, da man noch nicht sprach, sondern tönete; da man noch wenig dachte, aber desto mehr fühlte; und also nichts weniger als schrieb.

So wie sich das Kind oder die Nation änderte, so mit ihr die Sprache. Entsetzen, Furcht und Verwunderung verschwand allmählich, da man die Gegenstände mehr kennen lernte; man ward mit ihnen vertraut und gab ihnen Namen, Namen, die von der Natur abgezogen waren, und ihr so viel möglich im Tönen nachahmten. Bei den Gegenständen fürs Auge musste die Gebärdung noch sehr zu Hilfe kommen, um sich verständlich zu machen: und ihr ganzes Wörterbuch war noch sinnlich. Ihre Sprachwerkzeuge wurden biegsamer, und die Accente weniger schreiend. Man sang also, wie viele Völker es noch tun, und wie es die alten Geschichtschreiber durchgehends von ihren Vorfahren behaupten. Man pantomimisierte und nahm Körper und Gebärden zu Hilfe: damals war die Sprache in ihren Verbindungen noch sehr ungeordnet und unregelmässig in ihren Formen.

Das Kind erhob sich zum Jünglinge: die Wildheit senkte sich zur politischen Ruhe; die Lebens- und Denkart legte ihr rauschendes Feuer ab: der Gesang der Sprache floss lieblich von der Zunge herunter, wie dem Nestor des Homers, und säuselte in die Ohren. Man nahm Begriffe, die nicht sinnlich waren, in die Sprache; man nannte sie aber, wie von selbst zu vermuten ist, mit bekannten sinnlichen Namen; daher müssen die ersten Sprachen bildervoll und reich an Metaphern gewesen sein.

Und dieses jugendliche Sprachalter war bloss das poetische: man sang im gemeinen Leben, und der Dichter erhöhete nur seine Accente in einem für das Ohr gewählten Rhythmus: die Sprache war sinnlich und reich an kühnen Bildern: sie war noch ein Ausdruck der Leidenschaft, sie war noch in den Verbindungen ungefesselt: der Periode fiel aus einander, wie er wollte! — Seht! das ist die poetische Sprache, der poetische Periode. Die beste Blüte der Jugend in der Sprache war die Zeit der Dichter: jetzt sangen die ἀοιδοί und ῥαψῳδοί: da es noch keine Schriftsteller gab, so verewigten sie die merkwürdigen Taten durch Lieder: durch Gesänge lehrten sie, und in den Gesängen waren nach der damaligen Zeit der Welt Schlachten und Siege, Fabeln und Sittensprüche, Gesetze und Mythologie enthalten. Dass dies bei den Griechen so gewesen, beweisen die Büchertitel der ältesten verlorenen Schriftsteller, und dass es bei jedem Volk so gewesen, zeugen die ältesten Nachrichten. . . .

So löset sich auch der Zweifel eines sprachgelehrten Mannes hiemit leicht auf: 'Ich weiss nicht, ob es wahr ist, was man in vielen Büchern wiederholet hat, dass bei allen Nationen, die sich durch die schönen Wissenschaften hervorgetan haben, die Poesie eher als die Prose zu einer gewissen Höhe gestiegen sei.' Es ist allerdings wahr, was alle alte Schriftsteller einmütig behaupten, und was in den neuen Büchern wenig angewandt ist, dass die Poesie lange vorher, ehe es Prose gab, zu ihrer grössten Höhe gestiegen sei, dass diese Prose darauf die Dichtkunst verdrungen, und diese nie wieder ihre vorige Höhe erreichen können. Die ersten Schriftsteller jeder Nation sind Dichter: die ersten Dichter unnachahmlich: zur Zeit der schönen Prose wuchs in Gedichten nichts als die Kunst: sie hatte sich schon über die Erde erhoben und suchte ein Höchstes, bis sie ihre Kräfte erschöpfte und im Äther der Spitzfindigkeit blieb. In der spätern Zeit hat man bloss versifizierte Philosophie oder mittelmässige Poesie.

## 2

*From 'Critical Forests'*[1]*: Power, not sequence of tones, the essence of poetry.*

Ich läugne es also, dass Gegenstände, die auf einander oder deren Teile auf einander folgen, deswegen überhaupt Handlungen heissen:

[1] In his *Kritische Wälder* (1769) Herder subjected Lessing's *Laokoon* to a searching criticism. The passages here given — see Suphan's edition, Vol. 3, pages 139 ff. — are addressed to the theory advanced in the last of the foregoing selections from Lessing.

und ebenso läugne ich, dass, weil die Dichtkunst Successionen liefre, sie deswegen Handlungen zum Gegenstande habe. Der Begriff des Successiven ist zu einer Handlung nur die halbe Idee: es muss ein Successives durch Kraft sein: so wird Handlung. Ich denke mir ein in der Zeitfolge wirkendes Wesen, ich denke mir Veränderungen, die durch die Kraft einer Substanz auf einander folgen: so wird Handlung. Und sind Handlungen der Gegenstand der Dichtkunst, so wette ich, wird dieser Gegenstand nie aus dem trocknen Begriff der Succession bestimmt werden können: *Kraft* ist der Mittelpunkt ihrer Sphäre.

Und dies ist die Kraft, die dem Innern der Worte anklebt, die Zauberkraft, die auf meine Seele durch die Phantasie und Erinnerung wirkt: sie ist das Wesen der Poesie. — Der Leser sieht, dass wir sind, wo wir waren, dass nämlich die Poesie durch willkürliche Zeichen wirke; dass in diesem Willkürlichen, in dem Sinne der Worte, ganz und gar die Kraft der Poesie liege; nicht aber in der Folge der Töne und Worte, in den Lauten, so fern sie natürliche Laute sind. . . .

Handlung, Leidenschaft, Empfindung! — auch ich liebe sie in Gedichten über alles: auch ich hasse nichts so sehr als tote stillstehende Schilderungssucht, insonderheit, wenn sie Seiten, Blätter, Gedichte einnimmt; aber nicht mit dem tödlichen Hasse, um jedes einzelne ausführliche Gemälde, wenn es auch coexistent geschildert würde, zu verbannen; nicht mit dem tödlichen Hasse, um jeden Körper nur mit Einem Beiworte an der Handlung Teil nehmen zu lassen, und denn auch nicht aus dem nämlichen Grunde, weil die Poesie in successiven Tönen schildert, oder weil Homer dies und jenes macht und nicht macht — um deswillen nicht.

Wenn ich Eins von Homer lerne, so ist's, dass die Poesie energisch wirke: nie in der Absicht, um bei dem letzten Zuge ein Werk, Bild, Gemälde (obwohl successive) zu liefern, sondern, dass schon während der Energie die ganze Kraft empfunden werden müsse. Ich lerne von Homer, dass die Wirkung der Poesie nie aufs Ohr, durch Töne, nicht aufs Gedächtnis, wie lange ich einen Zug aus der Succession behalte, sondern auf meine Phantasie wirke; von hieraus also, sonst nirgendsher, berechnet werden müsse. So stelle ich sie gegen die Malerei und beklage, dass Hr. L. diesen Mittelpunkt des Wesens der Poesie, 'Wirkung auf unsre Seele, Energie,' nicht zum Augenmerke genommen.

### 3

*From 'Correspondence concerning Ossian and the Songs of Ancient Peoples'*[1]*: The poetic superiority of 'wild' folk.*

Sie wissen aus Reisebeschreibungen, wie stark und fest sich immer die Wilden ausdrücken. Immer die Sache, die sie sagen wollen, sinnlich, klar, lebendig anschauend: den Zweck, zu dem sie reden, unmittelbar und genau fühlend: nicht durch Schattenbegriffe, Halbideen und symbolischen Letternverstand (von dem sie in keinem Worte ihrer Sprache, da sie fast keine Abstracta haben, wissen), — durch alle dies nicht zerstreuet: noch minder durch Künsteleien, sklavische Erwartungen, furchtsamschleichende Politik und verwirrende Prämeditation verdorben — über alle diese Schwächungen des Geistes seligunwissend, erfassen sie den ganzen Gedanken mit dem ganzen Worte, und dies mit jenem. Sie schweigen entweder, oder reden im Moment des Interesse mit einer unvorbedachten Festigkeit, Sicherheit und Schönheit, die alle wohlstudierte Europäer allezeit haben bewundern müssen und — müssen bleiben lassen. Unsre Pedanten, die alles vorher zusammenstoppeln, und auswendig lernen müssen, um alsdenn recht methodisch zu stammeln; unsre Schulmeister, Küster, Halbgelehrte, Apotheker und alle, die den Gelehrten durchs Haus laufen, und nichts erbeuten, als dass sie endlich, wie Shakespear's Launcelots, Polizeidiener, und Totengräber uneigen, unbestimmt und wie in der letzten Todesverwirrung sprechen — diese gelehrte Leute, was wären die gegen die Wilden? Wer noch bei uns Spuren von dieser Festigkeit finden will, der suche sie ja nicht bei solchen; — unverdorbene Kinder, Frauenzimmer, Leute von gutem Naturverstande, mehr durch Tätigkeit als Spekulation gebildet, die sind, wenn das, was ich anführete, Beredsamkeit ist, alsdenn die einzigen und besten Redner unsrer Zeit.

In der alten Zeit aber waren es Dichter, Skalden, Gelehrte, die eben diese Sicherheit und Festigkeit des Ausdrucks am meisten mit

[1] *Auszug aus einem Briefwechsel über Ossian und die Lieder alter Völker* was published in 1773, as part of a collection of papers (by Herder, Goethe and Möser) entitled *Von deutscher Art und Kunst.* See Suphan's Herder, Vol. 5, page 155.

Würde, mit Wohlklang, mit Schönheit zu paaren wussten; und da sie also Seele und Mund in den festen Bund gebracht hatten, sich einander nicht zu verwirren, sondern zu unterstützen, beizuhelfen: so entstanden daher jene für uns halbe Wunderwerke von ἀοιδοῖς, Sängern, Barden, Minstrels, wie die grössten Dichter der ältesten Zeiten waren. Homers Rhapsodien und Ossians Lieder waren gleichsam Impromptus, weil man damals noch von nichts als Impromptus der Rede wusste: dem letztern sind die Minstrels, wiewohl so schwach und entfernt, gefolgt; indessen doch gefolgt, bis endlich die Kunst kam und die Natur auslöschte. In fremden Sprachen quälte man sich von Jugend auf, Quantitäten von Silben kennen zu lernen, die uns nicht mehr Ohr und Natur zu fühlen gibt; nach Regeln zu arbeiten, deren wenigste ein Genie als Naturregeln anerkennt; über Gegenstände zu dichten, über die sich nichts denken, noch weniger sinnen, noch weniger imaginieren lässt; Leidenschaften zu erkünsteln, die wir nicht haben, Seelenkräfte nachzuahmen, die wir nicht besitzen, — und endlich wurde alles Falschheit, Schwäche und Künstelei. Selbst jeder beste Kopf ward verwirret und verlor Festigkeit des Auges und der Hand, Sicherheit des Gedankens und des Ausdrucks, mithin die wahre Lebhaftigheit und Wahrheit und Andringlichkeit — alles ging verloren. Die Dichtkunst, die die stürmendste, sicherste Tochter der menschlichen Seele sein sollte, ward die ungewisseste, lahmste, wankendste; die Gedichte fein oft corrigierte Knaben- und Schulexercitien.

## 4

*From an essay entitled 'Shakespear'*[1]*: Sophocles and Shakspere.*

Shakespear fand vor und um sich nichts weniger als Simplicität von Vaterlandssitten, Taten, Neigungen und Geschichtstraditionen, die das griechische Drama bildete, und da also nach dem ersten metaphysischen Weisheitssatze aus nichts nichts wird, so wäre, Philosophen überlassen, nicht bloss kein griechisches, sondern, wenn's ausserdem Nichts gibt, auch gar kein Drama in der Welt mehr geworden, und hätte werden können. Da aber Genie bekanntermassen mehr ist als Philosophie, und Schöpfer ein ander Ding als

[1] Published in the aforementioned collection *Von deutscher Art und Kunst* (1773). See Suphan's Herder, Vol. 5, page 208.

Zergliederer: so war's ein Sterblicher mit Götterkraft begabt, eben aus dem entgegengesetztesten Stoff, und in der verschiedensten Bearbeitung, dieselbe Wirkung hervorzurufen, Furcht und Mitleid, und beide in einem Grade, wie jener erste Stoff und Bearbeitung es kaum hervorzubringen vermocht! Glücklicher Göttersohn über sein Unternehmen! Eben das neue, erste, ganz Verschiedene, zeigt die Urkraft seines Berufs.

Shakespear fand keinen Chor vor sich, aber wohl Staats- und Marionettenspiele — wohl! Er bildete also aus diesen Staats- und Marionettenspielen, dem so schlechten Leim, das herrliche Geschöpf, das da vor uns steht und lebt. Er fand keinen so einfachen Volks- und Vaterlandscharakter, sondern ein Vielfaches von Ständen, Lebensarten, Gesinnungen, Völkern und Spracharten — der Gram um das Vorige wäre vergebens gewesen; — er dichtete also Stände und Menschen, Völker und Spracharten, König und Narren, Narren und König zu dem herrlichen Ganzen! Er fand keinen so einfachen Geist der Geschichte, der Fabel, der Handlung: er nahm Geschichte, wie er sie fand, und setzte mit Schöpfergeist das verschiedenartigste Zeug zu einem Wunderganzen zusammen, was wir, wenn nicht Handlung im griechischen Verstande, so Aktion im Sinne der mittlern, oder in der Sprache der neuern Zeiten Begebenheit (*événement*), grosses Ereignis, nennen wollen — o Aristoteles, wenn du erschienest, wie würdest du den neuen Sophokles homerisieren! würdest so eine eigne Theorie über ihn dichten, die jetzt seine Landsleute, Home und Hurd, Pope und Johnson, noch nicht gedichtet haben! Würdest dich freuen, von jedem deiner Stücke, Handlung, Charakter, Meinungen, Ausdruck, Bühne, wie aus zwei Punkten des Dreiecks Linien zu ziehen, die sich oben in Einem Punkte des Zwecks, der Vollkommenheit begegnen! Würdest zu Sophokles sagen: male das heilige Blatt dieses Altars! und du, o nordischer Barde, alle Seiten und Wände dieses Tempels in dein unsterbliches Fresco!

Man lasse mich als Ausleger und Rhapsodisten fortfahren, denn ich bin näher Shakespear als dem Griechen. Wenn bei diesem das Eine einer Handlung herrscht, so arbeitet jener auf das Ganze eines Ereignisses, einer Begebenheit. Wenn bei jenem Ein Ton der Charaktere herrschet, so bei diesem alle Charaktere, Stände und Lebensarten, so viel nur fähig und nötig sind, den Hauptklang seines

Concerts zu bilden. Wenn in jenem Eine singende feine Sprache, wie in einem höheren Äther tönet, so spricht dieser die Sprache aller Alter, Menschen und Menschenarten, ist Dolmetscher der Natur in all ihren Zungen — und auf so verschiedenen Wegen beide Vertraute Einer Gottheit. Und wenn jener Griechen vorstellt und lehrt und rührt und bildet, so lehrt, rührt und bildet Shakespear nordische Menschen! Mir ist, wenn ich ihn lese, Theater, Acteur, Coulisse verschwunden! Lauter einzelne im Sturm der Zeiten wehende Blätter aus dem Buch der Begebenheiten, der Vorsehung, der Welt! einzelne Gepräge der Völker, Stände, Seelen! die alle die verschiedenartigsten und abgetrenntest handelnden Maschinen — was wir in der Hand des Weltschöpfers sind — unwissende, blinde Werkzeuge zum ganzen Eines theatralischen Bildes, Einer Grösse habenden Begebenheit, die nur der Dichter überschauet. Wer kann sich einen grössern Dichter der nordischen Menschheit, und in dem Zeitalter, denken!

### 5

*From 'Auch eine Philosophie': The Middle Ages and the Age of Reason.*[1]

Die dunkeln Seiten dieses Zeitraums [des Mittelalters] stehen in allen Büchern: jeder klassische Schöndenker, der die Polizierung unsres Jahrhunderts fürs *non plus ultra* der Menschheit hält, hat Gelegenheit ganze Jahrhunderte auf Barbarei, elendes Staatsrecht, Aberglauben und Dummheit, Mangel der Sitten und Abgeschmacktheit — in Schulen, in Landsitzen, in Tempeln, in Klöstern, in Rathäusern, in Handwerkszünften, in Hütten und Häusern zu schmälen und über das Licht unsres Jahrhunderts, das ist, über seinen Leichtsinn und Ausgelassenheit, über seine Wärme in Ideen und Kälte in Handlungen, über seine scheinbare Stärke und Freiheit, und über seine wirkliche Todesschwäche und Ermattung unter Unglauben, Despotismus und Üppigkeit zu lobjauchzen. Davon sind alle Bücher unsrer Voltäre und Hume, Robertsons und Iselins voll, und es wird ein so schön Gemälde, wie sie die Aufklärung und Verbesserung der Welt aus den trüben Zeiten des Deismus und Despotismus der Seelen, d. i. zu Philosophie und Ruhe herleiten — dass dabei jedem Liebhaber seiner Zeit das Herz lacht. . . .

[1] The booklet *Auch eine Philosophie der Geschichte zur Bildung der Menschheit* was published in 1774. See Suphan's Herder, Vol. 5, page 475.

Dass es jemanden in der Welt unbegreiflich wäre, wie Licht die Menschen nicht nährt! Ruhe und Üppigkeit und sogenannte Gedankenfreiheit nie allgemeine Glückseligkeit und Bestimmung sein kann! Aber Empfindung, Bewegung, Handlung — wenn auch in der Folge ohne Zweck (was hat auf der Bühne der Menschheit ewigen Zweck?), wenn auch mit Stössen und Revolutionen, wenn auch mit Empfindungen, die hie und da schwärmerisch, gewaltsam, gar abscheulich werden — als Werkzeug in den Händen des Zeitlaufs, welche Macht! welche Wirkung! Herz und nicht Kopf genährt! mit Neigungen und Trieben alles gebunden, nicht mit kränkelnden Gedanken! Andacht und Ritterehre, Liebeskühnheit und Bürgerstärke — Staatsverfassung und Gesetzgebung, Religion. — Ich will nichts weniger als die ewigen Völkerzüge und Verwüstungen, Vasallenkriege und Befehdungen, Mönchsheere, Wallfahrten, Kreuzzüge verteidigen; nur erklären möchte ich sie: wie in allem doch Geist hauchet! Gährung menschlicher Kräfte! Grosse Kur der ganzen Gattung durch gewaltsame Bewegung, und wenn ich so kühn reden darf, das Schicksal zog, (allerdings mit grossem Getöse, und ohne dass die Gewichte da ruhig hangen konnten,) die grosse abgelaufene Uhr auf! Da rasselten also die Räder!

## LXXIV. JOHANN WOLFGANG GOETHE

1749–1832. The long-gathering promise of a German literary renascence was splendidly fulfilled in the genius of Goethe. In all the *genres* he wrought with high and peculiar distinction; and so intensely and fully did he live the life of his epoch that he has come to be regarded as *the* representative of the modern spirit. A great critic has called him 'the clearest, largest, and most helpful thinker of modern times.' The scope of this book is such that only the youthful Goethe is represented in the selections.

### I

### Mailied.

Wie herrlich leuchtet
Mir die Natur!
Wie glänzt die Sonne!
Wie lacht die Flur!

Es dringen Blüten
Aus jedem Zweig
Und tausend Stimmen
Aus dem Gesträuch,

Und Freud' und Wonne
Aus jeder Brust.
O Erd', o Sonne!
O Glück, o Lust!

O Lieb', o Liebe,
So golden schön,

Wie Morgenwolken
Auf jenen Höhn!

Du segnest herrlich
Das frische Feld,
Im Blütendampfe
Die volle Welt.

O Mädchen, Mädchen,
Wie lieb' ich dich!
Wie blickt dein Auge!
Wie liebst du mich!

So liebt die Lerche
Gesang und Luft,
Und Morgenblumen
Den Himmelsduft,

Wie ich dich liebe
Mit warmem Blut,
Die du mir Jugend
Und Freud' und Mut

Zu neuen Liedern
Und Tänzen gibst.
Sei ewig glücklich,
Wie du mich liebst!

2

### Willkommen und Abschied.

Es schlug mein Herz, geschwind zu Pferde!
Es war getan fast eh gedacht;
Der Abend wiegte schon die Erde,
Und an den Bergen hing die Nacht.
Schon stand im Nebelkleid die Eiche,
Ein aufgetürmter Riese, da,
Wo Finsternis aus dem Gesträuche
Mit hundert schwarzen Augen sah.

Der Mond von einem Wolkenhügel
Sah kläglich aus dem Duft hervor,
Die Winde schwangen leise Flügel,
Umsausten schauerlich mein Ohr.
Die Nacht schuf tausend Ungeheuer;
Doch frisch und fröhlich war mein Mut:
In meinen Adern welches Feuer!
In meinem Herzen welche Glut!

Dich sah ich, und die milde Freude
Floss von dem süssen Blick auf mich;
Ganz war mein Herz an deiner Seite,
Und jeder Atemzug für dich.
Ein rosenfarbnes Frühlingswetter
Umgab das liebliche Gesicht,
Und Zärtlichkeit für mich — ihr Götter!
Ich hofft' es, ich verdient' es nicht!

Doch ach, schon mit der Morgensonne
Verengt der Abschied mir das Herz:
In deinen Küssen welche Wonne!

In deinem Auge welcher Schmerz!
Ich ging, du standst und sahst zur Erden,
Und sahst mir nach mit nassem Blick:
Und doch, welch Glück geliebt zu werden!
Und lieben, Götter, welch ein Glück!

### 3

### Neue Liebe neues Leben.

Herz, mein Herz, was soll das geben?
Was bedränget dich so sehr?
Welch ein fremdes neues Leben!
Ich erkenne dich nicht mehr.
Weg ist alles, was du liebtest,
Weg warum du dich betrübtest,
Weg dein Fleiss und deine Ruh —
Ach, wie kamst du nur dazu!

Fesselt dich die Jugendblüte,
Diese liebliche Gestalt,
Dieser Blick voll Treu' und Güte
Mit unendlicher Gewalt?
Will ich rasch mich ihr entziehen,
Mich ermannen, ihr entfliehen,
Führet mich im Augenblick,
Ach, mein Weg zu ihr zurück.

Und an diesem Zauberfädchen,
Das sich nicht zerreissen lässt,
Hält das liebe lose Mädchen
Mich so wider Willen fest;
Muss in ihrem Zauberkreise
Leben nun auf ihre Weise.
Die Verändrung ach wie gross!
Liebe! Liebe! lass mich los!

### 4

### Rastlose Liebe.

Dem Schnee, dem Regen,
Dem Wind entgegen,
Im Dampf der Klüfte,
Durch Nebeldüfte,
Immer zu! Immer zu!
Ohne Rast und Ruh!

Lieber durch Leiden
Möcht' ich mich schlagen,
Als so viel Freuden
Des Lebens ertragen.
Alle das Neigen
Von Herzen zu Herzen,
Ach, wie so eigen
Schaffet das Schmerzen!

Wie soll ich fliehen?
Wälderwärts ziehen?
Alles vergebens!
Krone des Lebens!
Glück ohne Ruh,
Liebe, bist du!

### 5

### Meeres Stille.

Tiefe Stille herrscht im Wasser,
Ohne Regung ruht das Meer,
Und bekümmert sieht der Schiffer
Glatte Fläche rings umher.
Keine Luft von keiner Seite!
Todesstille fürchterlich!
In der ungeheuern Weite
Reget keine Welle sich.

### 6

**Glückliche Fahrt.**

Die Nebel zerreissen,
Der Himmel ist helle,
Und Äolus löset
Das ängstliche Band.
Es säuseln die Winde,
Es rührt sich der Schiffer.
Geschwinde! Geschwinde!
Es teilt sich die Welle,
Es naht sich die Ferne;
Schon seh' ich das Land!

### 7

**Wandrers Nachtlieder.**

Der du von dem Himmel bist,
Alles Leid und Schmerzen stillest,
Den, der doppelt elend ist,
Doppelt mit Erquickung füllest,
Ach ich bin des Treibens müde!
Was soll all der Schmerz und Lust?
Süsser Friede,
Komm, ach komm in meine Brust!

———

Über allen Gipfeln
Ist Ruh,
In allen Wipfeln
Spürest du
Kaum einen Hauch:
Die Vögelein schweigen im Walde.
Warte nur, balde
Ruhest du auch.

### 8

**Der König in Thule.**

Es war ein König in Thule
Gar treu bis an das Grab,
Dem sterbend seine Buhle
Einen goldnen Becher gab.

Es ging ihm nichts darüber,
Er leert' ihn jeden Schmaus;
Die Augen gingen ihm über,
So oft er trank daraus.

Und als er kam zu sterben,
Zählt' er seine Städt' im Reich,
Gönnt' alles seinem Erben,
Den Becher nicht zugleich.

Er sass beim Königsmahle,
Die Ritter um ihn her,
Auf hohem Vätersaale,
Dort auf dem Schloss am Meer.

Dort stand der alte Zecher,
Trank letzte Lebensglut,
Und warf den heilgen Becher
Hinunter in die Flut.

Er sah ihn stürzen, trinken,
Und sinken tief ins Meer.
Die Augen täten ihm sinken;
Trank nie einen Tropfen mehr.

### 9

*From 'Prometheus,' Act 3: The Titan's defiance.*

Bedecke deinen Himmel, Zeus,
Mit Wolkendunst,
Und übe, dem Knaben gleich,
Der Disteln köpft,
An Eichen dich und Bergeshöhn;

Musst mir meine Erde
Doch lassen stehn,
Und meine Hütte, die du nicht gebaut,
Und meinen Herd,
Um dessen Glut
Du mich beneidest.

Ich kenne nichts Ärmeres
Unter der Sonn', als euch, Götter!
Ihr nähret kümmerlich
Von Opfersteuern
Und Gebetshauch
Eure Majestät,
Und darbtet, wären
Nicht Kinder und Bettler
Hoffnungsvolle Toren.

Da ich ein Kind war,
Nicht wusste wo aus noch ein,
Kehrt' ich mein verirrtes Auge
Zur Sonne, als wenn drüber wär'
Ein Ohr, zu hören meine Klage,
Ein Herz, wie meins,
Sich des Bedrängten zu erbarmen.

Wer half mir
Wider der Titanen Übermut?
Wer rettete vom Tode mich,
Von Sclaverei?
Hast du nich alles selbst vollendet,
Heilig glühend Herz?
Und glühtest jung und gut,
Betrogen, Rettungsdank
Dem Schlafenden da droben?

Ich dich ehren? Wofür?
Hast du die Schmerzen gelindert
Je des Beladenen?
Hast du die Tränen gestillet
Je des Geängsteten?
Hat nicht mich zum Manne geschmiedet
Die allmächtige Zeit
Und das ewige Schicksal,
Meine Herren und deine?

Wähntest du etwa,
Ich sollte das Leben hassen,
In Wüsten fliehen,
Weil nicht alle
Blütenträume reiften?

Hier sitz' ich, forme Menschen,
Nach meinem Bilde,
Ein Geschlecht, das mir gleich sei,
Zu leiden, zu weinen,
Zu geniessen und zu freuen sich,
Und dein nicht zu achten,
Wie ich!

## 10

*From the 'Sufferings of Young Werther': Werther's communion with the All.*

Am 10. Mai.

Eine wunderbare Heiterkeit hat meine ganze Seele eingenommen, gleich den süssen Frühlingsmorgen, die ich mit ganzem Herzen geniesse. Ich bin allein und freue mich meines Lebens in dieser Gegend, die für solche Seelen geschaffen ist wie die meine. Ich bin so glücklich, mein Bester, so ganz in dem Gefühle von ruhigem Dasein versunken, dass meine Kunst darunter leidet. Ich könnte jetzt nicht zeichnen, nicht einen Strich, und bin nie ein grösserer Maler gewesen als in diesen Augenblicken. Wenn das liebe Tal um mich dampft, und die hohe Sonne an der Oberfläche der undurchdringlichen Finsternis meines Waldes ruht, und nur einzelne Strahlen sich in das innere Heiligtum stehlen, ich dann im hohen Grase am fallenden Bache liege, und näher an der Erde tausend mannichfaltige Gräschen mir merkwürdig werden; wenn ich das Wimmeln der kleinen Welt zwischen Halmen, die unzähligen unergründlichen Gestalten der Würmchen, der Mückchen näher an meinem Herzen fühle, und fühle die Gegenwart des Allmächtigen, der uns nach seinem Bilde schuf, das Wehen des Allliebenden, der uns in ewiger Wonne schwebend trägt und erhält; mein Freund! wenn's dann um meine Augen dämmert, und die Welt um mich her und der Himmel ganz in meiner Seele ruhen wie die Gestalt einer Geliebten; dann sehne ich mich oft und denke: ach könntest du das wieder ausdrücken, könntest du dem Papiere das einhauchen, was so voll, so warm in dir lebt, dass es würde der Spiegel deiner Seele, wie deine Seele ist der Spiegel des unendlichen Gottes! — Mein Freund — Aber ich gehe darüber zu Grunde, ich erliege unter der Gewalt der Herrlichkeit dieser Erscheinungen.

---

*Homer as an anodyne for a sick heart.*

Am 13. Mai.

Du fragst, ob du mir meine Bücher schicken sollst? — Lieber, ich bitte dich um Gottes willen, lass mir sie vom Halse! Ich will nicht mehr geleitet, ermuntert, angefeuert sein, braust doch dieses Herz genug aus sich selbst; ich brauche Wiegengesang, und den habe ich in seiner Fülle gefunden in meinem Homer. Wie oft lull' ich mein empörtes Blut zur Ruhe, denn so ungleich, so unstät, hast du nichts gesehen als dieses Herz. Lieber! brauch' ich dir das zu sagen, der du so oft die Last getragen hast, mich vom Kummer zur Ausschweifung und von süsser Melancholie zur verderblichen Leidenschaft übergehen zu sehen? Auch halte ich mein Herzchen wie ein krankes Kind; jeder Wille wird ihm gestattet. Sage das nicht weiter, es gibt Leute, die mir es verübeln würden.

*Werther excited by the reading of Ossian.*

Am 12. October.

Ossian hat in meinem Herzen den Homer verdrängt. Welch eine Welt, in die der Herrliche mich führt! Zu wandern über die Heide, umsaust vom Sturmwinde, der in dampfenden Nebeln die Geister der Väter im dämmernden Lichte des Mondes hinführt. Zu hören vom Gebirge her im Gebrülle des Waldstroms halb verwehtes Ächzen der Geister aus ihren Höhlen, und die Wehklagen des zu Tode sich jammernden Mädchens, um die vier moosbedeckten grasbewachsenen Steine des Edelgefallnen, ihres Geliebten. Wenn ich ihn dann finde, den wandelnden grauen Barden, der auf der weiten Heide die Fussstapfen seiner Väter sucht, und ach! ihre Grabsteine findet, und dann jammernd nach dem lieben Sterne des Abends hinblickt, der sich ins rollende Meer verbirgt, und die Zeiten der Vergangenheit in des Helden Seele lebendig werden, da noch der freundliche Strahl den Gefahren der Tapferen leuchtete, und der Mond ihr bekränztes siegrückkehrendes Schiff beschien. Wenn ich den tiefen Kummer auf seiner Stirn lese, den letzten verlassenen Herrlichen in aller Ermattung dem Grabe zu wanken sehe, wie er immer neue schmerzlich glühende Freuden in der kraftlosen Gegenwart der Schatten seiner Abgeschiedenen einsaugt, und nach der kalten Erde, dem hohen wehenden Grase niedersieht und ausruft: Der Wanderer wird kommen, kommen, der mich kannte in meiner Schönheit, und fragen: Wo ist der Sänger, Fingals trefflicher Sohn? Sein Fusstritt geht über mein Grab hin, und er fragt vergebens nach mir auf der Erde. — O Freund! Ich möchte gleich einem edlen Waffenträger das Schwert ziehen, meinen Fürsten von der zückenden Qual des langsam absterbenden Lebens befreien und dem befreiten Halbgott meine Seele nachsenden.

---

*Werther in the depths of despair.*

Am 3. November.

Weiss Gott! ich lege mich so oft zu Bette mit dem Wunsche, ja manchmal mit der Hoffnung, nicht wieder zu erwachen; und morgens schlage ich die Augen auf, sehe die Sonne wieder und bin elend. O dass ich launisch sein könnte, könnte die Schuld aufs Wetter, auf einen Dritten, auf eine fehlgeschlagene Unternehmung schieben, so würde die unerträgliche Last des Unwillens doch nur halb auf mir ruhen. Wehe mir! ich fühle zu wahr, dass an mir allein alle Schuld liegt — nicht Schuld! Genug, dass in mir die Quelle alles Elendes verborgen ist, wie ehemals die Quelle aller Seligkeiten. Bin ich nicht noch eben derselbe, der ehemals in aller Fülle der Empfindung herumschwebte, dem auf jedem Tritte ein Paradies folgte, der ein Herz hatte, eine ganze Welt liebevoll zu umfassen? Und dies Herz ist jetzt tot, aus ihm fliessen keine Entzückungen mehr, meine Augen sind trocken, und meine Sinne, die nicht mehr von erquickenden Tränen gelabt werden, ziehen ängstlich meine Stirn zusammen. Ich leide viel, denn ich habe verloren was meines Lebens einzige Wonne war, die heilige Kraft, mit der ich Welten um mich schuf; sie ist dahin! — Wenn ich zu meinem Fenster hinaus an den fernen Hügel sehe, wie die Morgensonne über ihn her den Nebel durchbricht und den stillen Wiesengrund bescheint, und der sanfte Fluss zwischen seinen entblätterten Weiden zu mir herschlängelt, — o! wenn da diese herrliche Natur so starr vor mir steht wie ein lackiertes Bildchen, und alle die Wonne keinen Tropfen Seligkeit aus meinem Herzen herauf in das Gehirn pumpen kann, und der ganze Kerl vor Gottes Angesicht steht wie ein versiegter Brunnen, wie ein verlechter Eimer. Ich habe mich oft auf den Boden geworfen und Gott um Tränen gebeten, wie ein Ackersmann um Regen, wenn der Himmel ehern über ihm ist, und um ihn die Erde verdürstet.

## II

### *From 'Letters from Switzerland.'*[1]

Frei wären die Schweizer? frei diese wohlhabenden Bürger in den verschlossenen Städten? frei diese armen Teufel an ihren Klippen und Felsen? Was man dem Menschen nicht alles weiss machen kann! Besonders wenn man so ein altes Märchen in Spiritus aufbewahrt. Sie machten sich einmal von einem Tyrannen los und konnten sich in einem Augenblick frei denken; nun erschuf ihnen die liebe Sonne aus dem Aas des Unterdrückers einen Schwarm von

[1] The *Briefe aus der Schweiz*, in two parts, were first published in 1808 as an 'appendix' to *Werther*. They were said to be 'from Werther's papers.' In substance and sentiment, if not in form, they reproduce real letters written by Goethe in his youth.

kleinen Tyrannen durch eine sonderbare Wiedergeburt. Nun erzählen sie das alte Märchen immer fort, man hört bis zum Überdruss: sie hätten sich einmal frei gemacht und wären frei geblieben. Und nun sitzen sie hinter ihren Mauern, eingefangen von ihren Gewohnheiten und Gesetzen, ihren Fraubasereien und Philistereien, und da draussen auf den Felsen ist's auch wohl der Mühe wert von Freiheit zu reden, wenn man das halbe Jahr vom Schnee wie ein Murmeltier gefangen gehalten wird.

---

Pfui! wie sieht so ein Menschenwerk und so ein schlechtes notgedrungenes Menschenwerk, so ein schwarzes Städtchen, so ein Schindel- und Steinhaufen, mitten in der grossen herrlichen Natur aus! Grosse Kiesel- und andere Steine auf den Dächern, dass ja der Sturm ihnen die traurige Decke nicht vom Kopfe wegführe, und den Schmutz, den Mist! und staunende Wahnsinnige! — Wo man den Menschen nur wieder begegnet, möchte man von ihnen gleich davon fliehen.

---

Dass in den Menschen so viele geistige Anlagen sind, die sie im Leben nicht entwickeln können, die auf eine bessere Zukunft, auf ein harmonisches Dasein deuten, darin sind wir einig, mein Freund, und meine andere Grille kann ich auch nicht aufgeben, ob du mich gleich schon oft für einen Schwärmer erklärt hast. Wir fühlen auch die Ahnung körperlicher Anlagen, auf deren Entwickelung wir in diesem Leben Verzicht tun müssen: so ist es ganz gewiss mit dem Fliegen. So wie mich sonst die Wolken schon reizten, mit ihnen fort in fremde Länder zu ziehen, wenn sie hoch über meinem Haupte wegzogen, so steh' ich jetzt oft in Gefahr, dass sie mich von einer Felsenspitze mitnehmen, wenn sie an mir vorbeiziehen. Welche Begierde fühl' ich, mich in den unendlichen Luftraum zu stürzen, über den schauerlichen Abgründen zu schweben und mich auf einen unzugänglichen Felsen niederzulassen. Mit welchem Verlangen hol' ich tiefer und tiefer Atem, wenn der Adler in dunkler blauer Tiefe, unter mir, über Felsen und Wäldern schwebt, und in Gesellschaft eines Weibchens um den Gipfel, dem er seinen Horst und seine Jungen anvertraut hat, grosse Kreise in sanfter Eintracht zieht. Soll ich denn nur immer die Höhe erkriechen, am höchsten Felsen wie am niedrigsten Boden kleben, und wenn ich mühselig mein Ziel erreicht habe, mich ängstlich anklammern, vor der Rückkehr schaudern und vor dem Falle zittern?

12

*From 'Faust': 'Feeling is everything.'*

MARGARETE

Versprich mir, Heinrich!

FAUST

Was ich kann!

MARGARETE

Nun sag', wie hast du's mit der Religion?
Du bist ein herzlich guter Mann,
Allein ich glaub', du hältst nicht viel davon.

FAUST

Lass das, mein Kind! Du fühlst, ich bin dir gut;
Für meine Lieben liess' ich Leib und Blut,
Will niemand sein Gefühl und seine Kirche rauben.

MARGARETE

Das ist nicht recht, man muss dran glauben!

FAUST

Muss man?

MARGARETE

Ach! wenn ich etwas auf dich könnte!
Du ehrst auch nicht die heilgen Sacramente.

FAUST

Ich ehre sie.

MARGARETE

Doch ohne Verlangen.
Zur Messe, zur Beichte bist du lange nicht gegangen.
Glaubst du an Gott?

FAUST

Mein Liebchen, wer darf sagen:
Ich glaub' an Gott?
Magst Priester oder Weise fragen,
Und ihre Antwort scheint nur Spott
Über den Frager zu sein.

MARGARETE

So glaubst du nicht?

FAUST

Mishör' mich nicht, du holdes Angesicht!
Wer darf ihn nennen?
Und wer bekennen:
Ich glaub' ihn?
Wer empfinden
Und sich unterwinden
Zu sagen: ich glaub' ihn nicht?
Der Allumfasser,
Der Allerhalter,
Fasst und erhält er nicht
Dich, mich, sich selbst?
Wölbt sich der Himmel nicht da droben?
Liegt die Erde nicht hierunten fest?
Und steigen freundlich blickend
Ewige Sterne nicht herauf?
Schau' ich nicht Aug' in Auge dir,
Und drängt nicht alles
Nach Haupt und Herzen dir,
Und webt in ewigem Geheimnis
Unsichtbar sichtbar neben dir?

Erfüll' davon dein Herz, so gross es ist,
Und wenn du ganz in dem Gefühle selig bist,
Nenn's Glück! Herz! Liebe! Gott!
Ich habe keinen Namen
Dafür! Gefühl ist alles;
Name ist Schall und Rauch,
Umnebelnd Himmelsglut.

MARGARETE

Das ist alles recht schön und gut;
Ungefähr sagt das der Pfarrer auch,
Nur mit ein bischen andern Worten.

FAUST

Es sagen's aller Orten
Alle Herzen unter dem himmlischen Tage,
Jedes in seiner Sprache;
Warum nicht ich in der meinen?

MARGARETE

Wenn man's so hört, möcht's leidlich scheinen,
Steht aber doch immer schief darum;
Denn du hast kein Christentum.

## LXXV. MINOR DRAMATISTS OF THE STORM AND STRESS ERA

The name 'Storm and Stress,' derived from a play of Klinger (see below), has long been in use to denote the insurgent spirit of the youthful Goethe (beginning with *Götz von Berlichingen* in 1773), and of certain other writers who followed in his wake. Aside from Schiller, whose early plays are the strongest expression of the revolutionary tendencies, the other more important names are Klinger, Wagner, Lenz, Leisewitz, and Maler Müller. Their favorite form was the prose tragedy of middle-class life. They wrote of crime and remorse; of fratricide, seduction, rape and child-murder; of class conflict, and of fierce passion at war with the social order. While their plays were meant to exemplify a fearless 'naturalism,' the language is often unnaturally extravagant and the plots wildly improbable. For the texts see Kürschner's *Nationalliteratur*, Vols. 79–81.

## I

### *From Klinger's 'Storm and Stress,' Act I, Scene I.*[1]

Zimmer im Gasthofe.

WILD, LA FEU, BLASIUS (*treten auf in Reisekleidern*).

WILD. Heida! nun einmal in Tumult und Lärmen, dass die Sinnen herumfahren wie Dachfahnen beim Sturm! Das wilde Geräusch hat mir schon so viel Wohlsein entgegengebrüllt, dass mir's wirklich ein wenig anfängt besser zu werden. Soviel hundert Meilen gereiset, um dich in vergessenden Lärmen zu bringen — tolles Herz! du sollst mir's danken! Ha! tobe und spanne dich dann aus, labe dich im Wirrwar! — Wie ist's euch?

BLASIUS. Geh zum Teufel! Kommt meine Donna nach?

LA FEU. Mach dir Illusion, Narr! Sollt' mir nicht fehlen, sie von meinem Nagel in mich zu schlürfen, wie einen Tropfen Wasser. Es lebe die Illusion! — Ei, ei! Zauber meiner Phantasie, wandle in den Rosengärten von Phyllis' Hand geführt —

WILD. Stärk' dich Apoll, närrischer Junge!

LA FEU. Es soll mir nicht fehlen, das schwarze verrauchte Haus gegenüber, mitsamt dem alten Turm, in ein Feenschloss zu verwandeln. Zauber, Zauberphantasie! — (*lauschend*) Welch lieblich geistige Symphonieen treffen mein Ohr? — Beim Amor! ich will mich wie ein alt Weib verlieben, in einem alten baufälligen Haus wohnen, meinen zarten Leib in stinkenden Mistlaken baden, bloss um meine Phantasie zu scheren. Ist keine alte Hexe da, mit der ich scharmieren könnte? Ihre Runzeln sollen mir zu Wellenlinien der Schönheit werden; ihre herausstehende schwarze Zähne zu marmornen Säulen an Dianens Tempel; ihre herabhangende lederne Zitzen Helenens Busen übertreffen. Einen so aufzutrocknen, wie mich! — He, meine phantastische Göttin! — Wild, ich kann dir sagen, ich hab' mich brav gehalten die Tour her. Hab' Dinge gesehen, gefühlt, die kein Hund geschmeckt, keine Nase gerochen, kein Aug gesehen, kein Geist erschwungen —

[1] Friedrich Maximilian Klinger (1752–1831) was a fellow-townsman and friend of Goethe. His *Sturm und Drang*, which was at first named *Wirrwarr*, came out in 1776. The scene is 'America.' The speakers are Wild, a lusty and masterful man of action; Blasius, a *blasé* worldling; and La Feu, a sentimental dreamer. They propose to try their fortunes in the French-Indian War

WILD. Besonders wenn ich dir die Augen zuband. Ha! Ha!

LA FEU. Zum Orcus! du Ungestüm! — Aber sag' mir nun auch einmal, wo sind wir in der wirklichen Welt jetzt? In London doch?

WILD. Freilich. Merktest du denn nicht, dass wir uns einschifften? Du warst ja seekrank.

LA FEU. Weiss von allem nichts, bin an allem unschuldig. — Lebt denn mein Vater noch? Schick doch einmal zu ihm, Wild, und lass ihm sagen, sein Sohn lebe noch. Käme soeben von den Pyrenäischen Gebirgen aus Friesland. Weiter nichts.

WILD. Aus Friesland?

LA FEU. In welchem Viertel der Stadt sind wir dann?

WILD. In einem Feenschloss, La Feu! Siehst du nicht den goldnen Himmel? die Amors und Amouretten? die Damen und Zwergchen?

LA FEU. Bind' mir die Augen zu! (*Wild bindet ihm zu.*) Wild! Esel! Ochse! nicht zu hart! (*Wild bindet ihn los.*) He! Blasius, lieber, bissiger, kranker Blasius, wo sind wir?

BLASIUS. Was weiss ich?

WILD. Um euch einmal aus dem Traum zu helfen, so wisst, dass ich euch aus Russland nach Spanien führte, weil ich glaubte, der König fange mit dem Mogol Krieg an. Wie aber die spanische Nation träge ist, so war's auch hier. Ich packte euch also wieder auf, und nun seid ihr mitten im Krieg in Amerika. Ha! lass mich's nur recht fühlen, auf amerikanischem Boden zu stehen, wo alles neu, alles bedeutend ist. Ich trat ans Land — O dass ich keine Freude rein fühlen kann!

LA FEU. Krieg und Mord! o meine Gebeine! o meine Schutzgeister! — So gib mir doch ein Feenmärchen! o weh mir!

BLASIUS. Dass dich der Donner erschlüg', toller Wild! was hast du wieder gemacht? Ist Donna Isabella noch? He! willst du reden? meine Donna!

WILD. Ha! Ha! Ha! du wirst ja einmal ordentlich aufgebracht.

BLASIUS. Aufgebracht? Einmal aufgebracht? Du sollst mir's mit deinem Leben bezahlen, Wild! Was? bin ich wenigstens ein freier Mensch. Geht Freundschaft so weit, dass du in deinen Rasereien einen durch die Welt schleppst wie Kuppelhunde? Uns in die Kutsche zu binden, die Pistole vor die Stirn zu halten, immer fort, klitsch! klatsch! In der Kutsche essen, trinken, uns für Rasende auszugeben. In Krieg und Getümmel von meiner Passion weg, das einzige, was mir übrig blieb —

Wild. Du liebst ja nichts, Blasius.

Blasius. Nein, ich liebe nichts. Ich hab's so weit gebracht, nichts zu lieben, und im Augenblick alles zu lieben, und im Augenblick alles zu vergessen. Ich betrüge alle Weiber, dafür betrügen und betrogen mich alle Weiber. Sie haben mich geschunden und zusammengedrückt, dass Gott erbarm'! Ich hab' alle Figuren angenommen. Dort war ich Stutzer, dort Wildfang, dort tölpisch, dort empfindsam, dort Engelländer, und meine grösste Conquete machte ich, da ich nichts war. Das war bei Donna Isabella. Um wieder zurückzukommen — deine Pistolen sind geladen —

Wild. Du bist ein Narr, Blasius, und verstehst keinen Spass.

Blasius. Schöner Spass dies! Greif zu! ich bin dein Feind den Augenblick.

Wild. Mit dir mich schiessen? Sieh, Blasius! Ich wünschte jetzt in der Welt nichts als mich herumzuschlagen, um meinem Herzen einen Lieblingsschmaus zu geben. Aber mit dir? Ha! Ha! (*Hält ihm die Pistole vor.*) Sieh ins Mundloch und sag, ob dir's nicht grösser vorkommt als ein Tor in London? Sei gescheit, Freund! Ich brauch' und lieb' euch noch, und ihr mich vielleicht auch. Der Teufel konnte keine grössre Narren und Unglücksvögel zusammen führen als uns. Deswegen müssen wir zusammen bleiben, und auch des Spasses halben. Unser Unglück kommt aus unserer eignen Stimmung des Herzens, die Welt hat dabei getan, aber weniger als wir.

Blasius. Toller Kerl! Ich bin ja ewig am Bratspiess.

La Feu. Mich haben sie lebendig geschunden und mit Pfeffer eingepökelt. — Die Hunde!

Wild. Wir sind nun mitten im Krieg hier, die einzige Glückseligkeit, die ich kenne, im Krieg zu sein. Geniesst der Scenen, tut was ihr wollt.

La Feu. Ich bin nicht für'n Krieg.

Blasius. Ich bin für nichts.

Wild. Gott mach euch noch matter! — Es ist mir wieder so taub vorm Sinn. So gar dumpf. Ich will mich über eine Trommel spannen lassen, um eine neue Ausdehnung zu kriegen. Mir ist so weh wieder. O könnte ich in dem Raum dieser Pistole existieren, bis mich eine Hand in die Luft knallte! O Unbestimmtheit! wie weit, wie schief führst du die Menschen!

## 2

*From Leisewitz' 'Julius of Tarentum,' Act 3, Scene 3.*[1]

GUIDO, JULIUS

GUIDO. Julius, kannst du die Tränen eines Vaters ertragen? Ich kann's nicht.

JULIUS. Ach, Bruder, wie könnt' ich?

GUIDO. Meine ganze Seele ist aus ihrer Fassung, ich möchte mir das Gewühl einer Schlacht wünschen, um wieder zu mir selbst zu kommen. — Und das kann eine Träne? Ach, was ist der Mut für ein wunderbares Ding! Fast möchte ich sagen, keine Stärke der Seele, bloss Bekanntschaft mit einem Gegenstande — und wenn das ist, ich bitte dich, was hat der Held, den eine Träne ausser sich bringt, an innerer Würde vor dem Weibe voraus, das vor einer Spinne auffährt?

JULIUS. Bruder, wie sehr gefällt mir dieser dein Ton!

GUIDO. Mir nicht, wie kann mir meine Schwäche gefallen! Ich fühle, dass ich nicht Guido bin. Wahrhaftig, ich zittre — o wenn das ist, so werd' ich bald auf die rechte Spur kommen! — ich hab' ein Fieber!

JULIUS. Seltsam — dass sich ein Mensch schämt, dass sein Temperament stärker ist als seine Grundsätze.

GUIDO. Lass uns nicht weiter davon reden! — meine jetzige Laune könnte darüber verfliegen, und ich will sie nutzen! Man muss gewisse Entschlüsse in diesem Augenblick ausführen, aus Furcht, sie möchten uns in den künftigen gereuen. Du weisst es, Bruder, ich liebe Blancan, und habe meine Ehre zum Pfande gege-

[1] Published in 1776 — the same year with Klinger's *Die Zwillinge*, which also deals with fratricide. Julius, the crown prince, is a studious and romantic dreamer; Guido, a young hotspur. Their father has just been imploring them to end their futile quarrel over the girl Blanca, who has been sent to a nunnery. — *Julius of Tarentum* is by far the most important work of its author, Johann Anton Leisewitz (1752–1806).

ben, dass ich sie besitzen wollte. — Aber diese Tränen machen mich wankend.

Julius. Du setzest mich in Erstaunen.

Guido. Ich glaube meiner Ehre genug getan zu haben, wenn sie niemand anders besitzt, wenn sie bleibt, was sie ist — denn wer kann auf den Himmel eifersüchtig sein? Aber du siehst, wenn ich meine Ansprüche aufgebe, so musst du auch die deinigen, mit all den Entwürfen, sie jemals in Freiheit zu setzen, aufgeben. — Lass uns das tun, und wieder Brüder und Söhne sein! — Wie wird sich unser Vater freuen, wenn er uns beide zu gleicher Zeit am Ziel sieht, wenn wir beide aus dem Kampfe mit einander als Sieger zurückkommen, und keiner überwunden. — Und noch heute muss das geschehen, heut' an seinem Geburtstage.

Julius. Ach, Guido!

Guido. Eine entscheidende Antwort!

Julius. Ich kann nicht.

Guido. Du willst nicht? so kann ich auch nicht. Aber von nun an bin ich unschuldig an diesen väterlichen Tränen, ich schwör' es, ich bin unschuldig. Auch ich bekäme meinen Anteil davon, sagt' er. — Siehe, ich wälze ihn hiemit auf dich. Dein ist die ganze Erbschaft von Tränen und Flüchen!

Julius. Du bist ungerecht, — glaubst du denn, dass sich eine Leidenschaft so leicht ablegen lasse, wie eine Grille, und dass man die Liebe an- und ausziehen könne, wie einen Harnisch? — Ob ich will — ob ich will — wer liebt, will lieben und weiter nichts. — Liebe ist die grosse Feder in dieser Maschine; und hast du je eine so widersinnig künstliche Maschine gesehen, die selbst ein Rad treibt, um sich zu zerstören, und doch noch eine Maschine bleibt?

Guido. Ungemein fein, ungemein gründlich — aber unser armer Vater wird sterben!

Julius. Wenn das geschieht, so bist du sein Mörder! — Deine Eifersucht wird ihn töten, und hast du nicht eben gesagt, du könntest deine Ansprüche aufgeben, wenn du wolltest — heisst das nicht gestehen, dass du sie nicht liebst, und doch bleibst du halsstarrig? Dein Aufgeben wär' nicht Tugend gewesen, aber dein Beharren ist Laster!

Guido. Bravo! Bravo! Das war unerwartet.

Julius. Und was meinst du denn?

Guido. Ich will mich erst ausfreuen, dass die Weisheit eben so eine schlanke geschmeidige Nymphe ist, als die Gerechtigkeit, eben so gut ihre Fälle für einen guten Freund hat. Ich könnte meine Ansprüche aufgeben, wenn ich wollte? — Wenn die Ehre will! — Das ist die Feder in meiner Maschine — du kannst nichts tun, ohne die Liebe zu fragen, ich nichts, ohne die Ehre: — wir beide können also für uns selbst nichts, das, denk' ich, ist doch wohl ein Fall.

Julius. Hat man je etwas so Unbilliges gehört, die erste Triebfeder der menschlichen Natur mit der Grille einiger Toren zu vergleichen?

Guido. Einiger Toren! — Du rasest! — Ich verachte dich, wie tief stehst du unter mir! Ich halte meine Rührung durch Tränen für Schwachheit, — aber zu diesem Grade meiner Schwachheit ist deine Tugend noch nicht einmal gestiegen.

Julius. Es ist immer dein Fehler gewesen, über Empfindungen zu urteilen, die du nicht kennst.

Guido. Und dabei immer ums dritte Wort von Tugend zu schwatzen! — Ich glaube, wenn du nun am Ziel deiner Wünsche bist und deinen Vater auf der Bahre siehst, so wirst du anstatt nach getaner Arbeit zu rasten, noch die Leichenträger unterrichten, was Tugend sei, oder was sie nicht sei!

Julius. Wie hab' ich mich geirrt! Bist du nicht schon wieder in deinem gewöhnlichen Tone?

Guido. Siehe, du hoffest auf seinen Tod, kannst du das leugnen? Glaubst du, dass ich es nicht sehe, dass du alsdenn das Mädchen aus dem Kloster entführen willst? — Es ist wahr, alsdann bist du Fürst von Tarent, und ich bin nichts — als ein Mann. — Aber dein zartes Gehirnchen könnte zerreissen, wenn du das alles lebhaft dächtest, was ein Mann kann. — Gott sei Dank, es gibt Schwerter, und ich hab' einen Arm, der noch allenfalls ein Mädchen aus den weichen Armen eines Zärtlings reissen kann! Ruhig sollst du sie nicht besitzen, ich will einen Bund mit dem Geiste unsers Vaters machen, der an deinem Bette winseln wird.

Julius. Ich mag so wenig als unser Vater von dir im Affekt hören, was du tun willst. (*Ab.*)

3

*From Maler Müller's 'Golo and Genevieve,' Act 3, Scene 4.*[1]

GOLO (*hervor*). Wie unruhig die Nacht! Hat mich der schönste Stern hervorgezischt? Oder war sie es selbst, die jetzt ebenso liebeunruhig im Grünen irret wie ein angeschossen Reh, meiner heissen Sehnsucht zu begegnen? Wie entglommen mein Herz! O Mathilde, du sagtest mir nicht alles; ich bin wohl glücklicher als ich es selbst gewusst.

Ach, süsses Glück der Liebe,
Wer dich nicht kost,
Des Lebens Freude kennt er nicht,
Des Lebens besten Schatz.

Still! Was hör' ich droben am Fenster? Sie selbst, o Himmel! (*Zieht sich in die Grotte.*)

GENOVEVA (*oben auf dem Altan*). Die du alles bedeckst, Nacht, bedecke auch meinen Gram, süsse, liebe, heitere Nacht! Ich bin schon wieder froh. Was trauere ich denn auch? Was hat mein Herz verbrochen? (*Singt.*)

Viel lieber wollt' nicht leben
Als mich dem Gram ergeben;
Der Gram das Leben frisst.

Was nur der Waldbruder meinte? Sollte es möglich sein, grosser Gott, möglich? Golo ein Verräter an mir, an Siegfried, der ihn so brüderlich liebt? Und warum sollt' er's sein? Worin? (*Singt.*)

Aufs sichere Nest kein Vogel geht,
Auch Sturm es manchmal rüttelt;
Kein Baum im freien Walde weht,
Den Winters Gewalt nicht schüttelt.
Was auf der Erde lebt und steht,
Wechselt immer Schmerz und Wonne;

[1] Friedrich Müller (1749–1825), commonly distinguished as Maler Müller, wrote his *Golo und Genoveva* between 1775 and 1781. Siegfried, Count Palatine, has gone to aid Charles Martel against the Moors, leaving his virtuous and saintly wife, Genevieve, in the care of his trusted vassal Golo. Inflamed by lust and perverted by evil counsels, Golo proves faithless to his trust. The scene is in Genevieve's castle-garden, where Golo has hidden in a grotto.

Der Winter wohl nach Sommer geht,
Nach Regen lacht die Sonne.

Also packt euch, ihr Grillen, wohin ihr wollt; ich mag nicht länger mit euch zu schaffen haben. Wie angenehm der falbe Mondglanz zwischen den Bäumen dort unten! Ich will auch hinunter, mich noch ein Weilchen erlaben, jetzt, da ich allein bin. Das will ich. (*Ab.*)

GOLO. Kommt sie herunter? Sie fliegt herunter meinen Armen zu. O Stunde, Stunde, bist du da? Ich hör', ich hör' sie schon; da ist sie, da bin ich, wie über Wolken zu dir auf, himmlisches, seliges Wesen!

GENOVEVA. Wer hält mich? Wer ist da? Himmel! Bin ich nicht allein?

GOLO. Ach, kannst du noch fragen? Ich bin's, Genoveva, ich, der schon so lange anbetet, nach dir lechzt wie der Hirsch nach frischem Trank, nach dir! Genoveva, Genoveva, du, selig machst du mich jetzt, selig! (*Er kniet vor ihr und hält sie.*)

GENOVEVA. Edler Ritter, lasst ab, ich bitt' Euch; haltet ein, Ihr irrt.

GOLO. O Leben! Nimm mir das Leben! Teure, ich liebe Euch, liebe Euch.

GENOVEVA. Ihr liebt mich, Ritter? Wie? Ihr? Was sagt Ihr?

GOLO

Ach hier, wo sich mein Herz verlor,
In süssen Jugendtagen,
Ihr Stauden, hänget noch betrübt
Von meinen schweren Klagen!
O schau' hinauf ins Sternenchor,
Sie werden's all dir sagen,
Wie treu und rein der Ritter liebt,
Der dir so ist ergeben.
So rein ihr Schein,
Steht hoffnungsfroh nach dir allein
Mein Streben und mein Leben.

Erlös' mich, schönstes Herz, eine arme Seele aus Flammen zu dir! Erbarme dich!

Genoveva (*zitternd*). Was wollt Ihr? Golo, Golo, was sprecht Ihr? Gedenkt doch — O nein, nein, es darf ja nicht — Schweigt doch, der Himmel hört uns beide. Schaut um Euch, junger Ritter; in der Welt werdet Ihr noch eine schöne Gemahlin finden, die Euch trösten darf; sprecht nicht so zu mir; ich vermag's ja nicht.

Golo. O bei den Lichtern, die dort oben brennen, keine unter dem Himmel und auf Erden als du allein! Eh soll sich dies Herz so in Glut verzehren! Du allein, süsses, seliges Wesen, dein Abdruck, rein bis in den Tod.

Genoveva. O lasst mich, lasst mich, lasst mich doch, Ritter! Kann Euch nicht länger anhören. O Himmel!

Golo. Flieh nicht, Genovevchen, reissest mir die Seele mit weg. Ermorde mich, Grausame; gib mir den Tod; sage, du wollest mich nicht trösten; dein Zorn macht mich zur Leiche.

Genoveva. Golo! Ritter, bedenkt doch ums Himmels willen!

Golo. Es ist vorbei, ich kann nicht. (*Küsst ihre Hand.*)

Genoveva. Halt!

Golo. Engel, süsser Engel!

Genoveva. Falscher, was treibt Ihr? Unsinniger!

Golo. Umsonst! Umsonst! (*Umfasst sie und trägt sie der Höhle zu.*)

Genoveva. Ungeheuer! Nicht edler Ritter! — Ihr droben, erbarmt euch mein! Hilfe! Hilfe!

(*Dragones der Grotte zu.*)

Dragones. Was gibt's hier? Steht! Wer ist's? — Eure Stimme, Gräfin? Ehrenräuber! Wer du auch bist, halt! Halt!

Golo (*lässt Genoveven los, schlägt den Mantel vor.*) Hölle! O alles! Da, nimm's, ungebetener Hund!

Dragones. Weh mir! Bin verwundet! Hilfe! O Hilfe!

Golo. Was soll ich nun? Genoveva! Was fang' ich nun an? Verflucht! Dort kommen mehr Leute. Ich muss flüchten, bin verraten, verloren. Weh! Weh!

# LXXVI. THE GÖTTINGEN POETIC ALLIANCE

In the year 1772 a number of Göttingen youths formed a society for the cultivation of a vigorous *Deutschtum* in what they supposed to be the spirit of the forefathers. Klopstock was their hero, Wieland their aversion. They wrote songs, ballads, odes, idyls, elegies, etc., treating of freedom, virtue, love of country, the brave days of old; of nature and the seasons; of common folk and their employments. Their work accords with the general spirit of the 'Storm and Stress,' and here and there presages the romantic movement. Of the selections, Nos. 1, 4, 9 are by Count Friedrich Leopold Stolberg (1750–1819); Nos. 2, 5 by Johann Heinrich Voss (1751–1826); Nos. 3, 6, 10 by Ludwig Hölty (1748–1776); Nos. 7, 8 by Johann Martin Miller (1750–1814). See Kürschner's *Nationalliteratur*, Vols. 49–50.

## I

### Die Freiheit.

Freiheit! Der Höfling kennt den Gedanken nicht,
Sklave! Die Kette rasselt ihm Silberton!
Gebeugt das Knie, gebeugt die Seele,
Reicht er dem Joche den feigen Nacken.

Mir ein erhabner, schauergebärender
Wonne-Gedanke! Fre heit, ich fühle dich!
Das ganze Herz, von dir erfüllet,
Strömet in voller Empfindung über!

Nektar der Seele! Helden entflammtest du,
Welchen die Nachwelt jedes Erstaunen weiht,
Du stärktest sie! In Sklavenhänden
Rostet der Stahl, wird entnervt der Bogen.

Wer für die Freiheit, wer für das Vaterland
Mutig den Arm hebt, leuchtet im Blute wie
Der Blitz des Nachtsturms; der Gefahren
Trübt ihm nicht eine die heitre Stirne.

Namen, mir festlich wie ein Triumphgesang:
Brutus! Tell! Hermann! Cato! Timoleon!
Im Herzen des, dem freie Seele
Gott gab, mit Flammenschrift eingegraben.

### 2

### An Goethe.[1]

Der du edel entbranntst, wo hochgelahrte
Diener Justinians Banditen zogen,
Die in Roms Labyrinthen
Würgen das Recht der Vernunft;

Freier Goethe, du darfst die goldne Fessel,
Aus des Griechen Gesang geschmiedet, höhnen!
Shakespeare durft' es und Klopstock,
Söhne gleich ihm der Natur!

Mag doch Heinrichs Homer,[2] im trägen Mohnkranz,
Mag der grosse Corneill', am Aristarchen-
Trone knieend, das Klatschen
Staunender Leutlein erflehn!

Deutsch und eisern wie Götz, sprich Hohn den Schurken —
Mit der Fessel im Arm! Des Sumpfes Schreier
Schmäht der Leu zu zerstampfen,
Wandelt durch Wälder und herrscht!

### 3

### An Teuthard.[3]

Trotz jedem Ausland stürmet Begeisterung
In deutschen Seelen. Barden, ihr zeuget es,
Die ihr von Sarons Palmen und von
Heimischen Eichen euch Kränze wandet!

Mit schnellern Flügen als der Hesperier
Und Brite flogt ihr, Barden des Vaterlands,
Zu Bragas Gipfel! Noch war Dämmrung;
Dämmrung zerflog, und die Mittagssonne

[1] The ode, written in 1773, alludes to Goethe's newly published *Götz,* in which there are some drastic comments on German legal procedure under the Code Justinian. — [2] Allusion to Voltaire's *Henriade.* — [3] Teuthard — poetic name for a rugged Old German — is Fritz Hahn, a member of the Alliance.

Stand hoch am Himmel. — Muse Teutoniens,
Du bietest deiner Schwester, der Britin, Trotz
Und überfleugst sie bald! Du lächelst,
Muse, der gaukelnden Afterschwester,

Die in den goldnen Sälen Lutetiens
Ihr Liedchen klimpert. Schande dem Sohne Teuts,
Der's durstig trinket, weil es Wollust
Durch die entloderten Adern strömet!

Kein deutscher Jüngling wähle das Mädchen sich,
Das deutsche Lieder hasset und Buhlersang
Des Galliers in ihre Laute
Tändelnde Silberaccorde tönet!

Schwing deine Geissel, Sänger der Tugend, schwing
Die Feuergeissel, welche dir Braga gab,
Die Natternbrut, die unsre deutsche
Redlichkeit, Keuschheit und Treue tötet,

Zurückzustäupen! Ich will, o Freund, indes,
Wenn deine Geissel brauset, des tollen Schwarms
Am Busen eines deutschen Mädchens
Unter den Blumen des Frühlings lachen.

### 4

**Lied eines deutschen Knaben.**

Mein Arm wird stark, und gross mein Mut,
Gib, Vater mir ein Schwert!
Verachte nicht mein junges Blut,
Ich bin der Väter wert!

Ich finde fürder keine Ruh
Im weichen Vaterland!
Ich stürb, o Vater, stolz wie du,
Den Tod fürs Vaterland!

Schon früh in meiner Jugend war
Mein täglich Spiel der Krieg;
Im Bette träumt' ich nur Gefahr
Und Wunden nur und Sieg.

Mein Feldgeschrei erweckte mich
Aus mancher Türkenschlacht;
Noch jüngst ein Faustschlag, welchen ich
Dem Bassa zugedacht.

Da neulich unsrer Krieger Schar
Auf dieser Strasse zog,
Und, wie ein Vogel der Husar
Das Haus vorüberflog:

Da gaffte starr und freute sich
Der Knaben froher Schwarm;
Ich aber, Vater, härmte mich
Und prüfte meinen Arm.

Mein Arm wird stark, und gross mein Mut,
Gib, Vater, mir ein Schwert!
Verachte nicht mein junges Blut,
Ich bin der Väter wert!

### 5

### Trinklied für Freie.

Mit Eichenlaub den Hut bekränzt!
Wohlauf! und trinkt den Wein,
Der duftend uns entgegenglänzt!
Ihn sandte Vater Rhein.

Ist einem noch die Knechtschaft wert,
Und zittert ihm die Hand,
Zu heben Kolbe, Lanz' und Schwert,
Wenn's gilt fürs Vaterland:

Weg mit dem Schurken, weg von hier!
Er kriech' um Schranzenbrot,
Und sauf' um Fürsten sich zum Tier,
Und bub'[1] und lästre Gott!
Und putze seinem Herrn die Schuh,
Und führe seinem Herrn
Sein Weib und seine Tochter zu
Und trage Band und Stern!

Für uns, für uns ist diese Nacht,
Für uns der edle Trank!
Man keltert' ihn, als Frankreichs Macht
In Höchstädts[2] Tälern sank.

Drum, Brüder, auf! den Hut bekränzt!
Und trinkt, und trinkt den Wein,
Der duftend uns entgegenglänzt!
Uns sandt' ihn Vater Rhein.

Uns rötet hohe Freiheitsglut,
Uns zittert nicht die Hand,
Wir scheuten nicht des Vaters Blut,
Geböt's das Vaterland.

Uns, uns gehöret Hermann an,
Und Tell, der Schweizerheld,
Und jeder freie deutsche Mann;
Wer hat den Sand gezählt?

### 6

### Vaterlandslied.

Gesegnet mir, mein Vaterland,
Wo ich so viele Tugend fand,
Gesegnet mir, mein Vaterland!

[1] *Buben*, 'indulge in shameless vice.' — [2] At Höchstädt in Bavaria the French were defeated in 1704 by the English and Germans.

Die Männer haben Heldenmut,
Verströmen Patriotenblut,
Sind edel auch dabei und gut.

Die Weiber sind den Engeln gleich,
Es ist, fürwahr, ein Himmelreich,
Ihr Preislichen, zu schauen euch.

Sie lieben Zucht und Biedersinn.
O selig Land, worin ich bin!
O möcht' ich lange leben drin!

### 7

**Lob der Alten.**

Es leben die Alten,
Die Mädchen und Wein
Für Mittel gehalten
Sich weislich zu freun!
Sie übten die Pflichten
Des Biedermanns aus
Und lachten in Züchten
Beim nächtlichen Schmaus.

Da lud man die Jugend
Zum Mahle mit ein,
Und predigte Tugend
Durch Taten allein;
Man rühmte die Grossen,
Die, tapfer und gut,
Kein andres vergossen
Als feindliches Blut.

Dem Lande zu Ehren
Nahm jeder sein Glas;
Vergnügen half's leeren,
Doch hielten sie Mass,
Und lachten sich nüchtern
Und sangen in Ruh
Von fröhlichen Dichtern
Ein Liedchen dazu.

Um Mitternacht schieden
Sie küssend vom Schmaus,
Und kehrten in Frieden
Zum Weibchen nach Haus.
Es leben die Alten!
Wir folgen dem Brauch,
Auf den sie gehalten,
Und freuen uns auch.

### 8

**Deutsches Trinklied.**

Auf, ihr meine deutschen Brüder,
Feiern wollen wir die Nacht!
Schallen sollen frohe Lieder,
Bis der Morgenstern erwacht!
Lasst die Stunden uns beflügeln!
Hier ist echter, deutscher Wein,
Ausgepresst auf deutschen Hügeln
Und gereift am alten Rhein!

Wer im fremden Tranke prasset,
Meide dieses freie Land!
Wer des Rheines Gabe hasset,
Trink' als Knecht am Marnestrand!
Singt in lauten Wechselchören!
Ebert, Hagedorn und Gleim
Sollen uns Gesänge lehren;
Denn wir lieben deutschen Reim.

Trotz geboten allen denen,
Die, mit Galliens Gezier,
Unsre Nervensprache höhnen!
Ihrer spotten wollen wir!

Ihrer spotten! Aber, Brüder,
Stark und deutsch, wie unser Wein,
Sollen immer unsre Lieder
Bei Gelag und Mahlen sein.

Unser Kaiser Joseph lebe!
Biedermann und deutsch ist er.
Hermanns hoher Schatten schwebe
Waltend um den Enkel her,
Dass er, mutig in Gefahren,
Sich dem Vaterlande weih',
Und in Kindeskinder-Jahren
Muster aller Kaiser sei!

Jeder Fürst im Lande lebe,
Der es treu und redlich meint!
Jedem wackern Deutschen gebe
Gott den wärmsten Herzensfreund,
Und ein Weib in seine Hütte,
Das ihm sei ein Himmelreich,
Und ihm Kinder geb', an Sitte
Seinen braven Vätern gleich!

Leben sollen alle Schönen,
Die, von fremder Torheit rein,
Nur des Vaterlandes Söhnen
Ihren keuschen Busen weihn!
Deutsche Redlichkeit und Treue
Macht uns ihrer Liebe wert:
Drum wohlauf! der Tugend weihe
Jeder sich, der sie begehrt!

### 9

**An die Natur.**

Süsse, heilige Natur,
Lass mich gehn auf deiner Spur!
Leite mich an deiner Hand,
Wie ein Kind am Gängelband!

Wenn ich dann ermüdet bin,
Rück ich dir am Busen hin,
Atme süsse Himmelslust,
Hangend an der Mutter Brust.

Ach, mir ist so wohl bei dir!
Will dich lieben für und für.
Lass mich gehn auf deiner Spur,
Süsse, heilige Natur!

### 10

**Frühlingslied.**

Die Luft ist blau, das Tal ist grün,
Die kleinen Maienglocken blühn
Und Schlüsselblumen drunter;
Der Wiesengrund
Ist schon so bunt
Und malt sich täglich bunter.

Drum komme, wem der Mai gefällt,
Und freue sich der schönen Welt
Und Gottes Vatergüte,
Die diese Pracht
Hervorgebracht,
Den Baum und seine Blüte.

## LXXVII. GOTTFRIED AUGUST BÜRGER

1747–1794. The stormy decade 1770–1780, which quickened other germs of what was afterwards to be known as romanticism, brought with it a notable renascence of the ballad. By general consent the first place in the balladry of the time belongs to Bürger's *Lenore* (1774). The uncanny supernaturalism and onomatopœic word-jingles, which had lent a mysterious fascination to many an old ballad, but had virtually disappeared from the lyric poetry of the reason-worshiping century, were here revived with telling effect.

### Lenore.

Lenore fuhr ums Morgenrot
Empor aus schweren Träumen:
"Bist untreu, Wilhelm, oder tot?
Wie lange willst du säumen?"
Er war mit König Friedrichs Macht
Gezogen in die Prager Schlacht,
Und hatte nicht geschrieben,
Ob er gesund geblieben.

Der König und die Kaiserin,
Des langen Haders müde,
Erweichten ihren harten Sinn
Und machten endlich Friede;
Und jedes Heer, mit Sing und Sang,
Mit Paukenschlag und Kling und Klang,
Geschmückt mit grünen Reisern,
Zog heim zu seinen Häusern.

Und überall all überall,
Auf Wegen und auf Stegen,
Zog alt und jung dem Jubelschall
Der Kommenden entgegen.
Gottlob! rief Kind und Gattin laut,
Willkommen! manche frohe Braut.
Ach! aber für Lenoren
War Gruss und Kuss verloren.

Sie frug den Zug wohl auf und ab,
Und frug nach allen Namen;
Doch keiner war, der Kundschaft gab,
Von allen, so da kamen.
Als nun das Heer vorüber war,
Zerraufte sie ihr Rabenhaar
Und warf sich hin zur Erde,
Mit wütiger Gebärde.

Die Mutter lief wohl hin zu ihr: —
"Ach, dass sich Gott erbarme!
Du trautes Kind, was ist mit dir?" —
Und schloss sie in die Arme. —
"O Mutter, Mutter, hin ist hin!
Nun fahre Welt und alles hin!
Bei Gott ist kein Erbarmen.
O weh, o weh mir Armen!" —

"Hilf Gott, hilf! Sieh uns gnädig an!
Kind, bet' ein Vaterunser!
Was Gott tut, das ist wohlgetan.
Gott, Gott erbarmt sich unser!" —
"O Mutter, Mutter, eitler Wahn!
Gott hat an mir nicht wohlgetan!
Was half, was half mein Beten?
Nun ist's nicht mehr von Nöten." —

"Hilf Gott, hilf! wer den Vater kennt,
Der weiss, er hilft den Kindern.
Das hochgelobte Sacrament

Wird deinen Jammer lindern."—
"O Mutter, Mutter, was mich brennt,
Das lindert mir kein Sacrament!
Kein Sacrament mag Leben
Den Toten wiedergeben."—

"Hör, Kind, wie wenn der falsche Mann,
Im fernen Ungerlande,
Sich seines Glaubens abgetan,
Zum neuen Ehebande?
Lass fahren, Kind, sein Herz dahin!
Er hat es nimmermehr Gewinn!
Wann Seel' und Leib sich trennen,
Wird ihn sein Meineid brennen."—

"O Mutter, Mutter, hin ist hin!
Verloren ist verloren!
Der Tod, der Tod ist mein Gewinn!
O wär' ich nie geboren!
Lisch aus, mein Licht, auf ewig aus!
Stirb hin, stirb hin, in Nacht und Graus!
Bei Gott ist kein Erbarmen.
O weh, o weh mir Armen!"—

"Hilf Gott, hilf! Geh nicht ins Gericht
Mit deinem armen Kinde!
Sie weiss nicht, was die Zunge spricht.
Behalt ihr nicht die Sünde!
Ach, Kind, vergiss dein irdisch Leid,
Und denk' an Gott und Seligkeit!
So wird doch deiner Seelen
Der Bräutigam nicht fehlen."—

"O Mutter, was ist Seligkeit?
O Mutter! Was ist Hölle?
Bei ihm, bei ihm ist Seligkeit,
Und ohne Wilhelm Hölle!—
Lisch aus, mein Licht, auf ewig aus!
Stirb hin, stirb hin, in Nacht und Graus!
Ohn ihn mag ich auf Erden,
Mag dort nicht selig werden."—

So wütete Verzweifelung
Ihr in Gehirn und Adern.
Sie fuhr mit Gottes Vorsehung
Vermessen fort zu hadern;
Zerschlug den Busen und zerrang
Die Hand, bis Sonnenuntergang,
Bis auf am Himmelsbogen
Die goldnen Sterne zogen.

Und aussen, horch! ging's trap trap trap,
Als wie von Rosses Hufen;
Und klirrend stieg ein Reiter ab,
An des Geländers Stufen.
Und horch! und horch! den Pfortenring
Ganz lose, leise, klinglingling!
Dann kamen durch die Pforte
Vernehmlich diese Worte:

"Holla! Holla! Tu auf, mein Kind!
Schläfst, Liebchen, oder wachst du?

Wie bist noch gegen mich gesinnt?
Und weinest oder lachst du?" —
"Ach, Wilhelm, du? — So spät bei Nacht? —
Geweinet hab ich und gewacht;
Ach, grosses Leid erlitten!
Wo kommst du hergeritten?" —

"Wir satteln nur um Mitternacht.
Weit ritt ich her von Böhmen.
Ich habe spät mich aufgemacht,
Und will dich mit mir nehmen." —
"Ach, Wilhelm, erst herein geschwind!
Den Hagedorn durchsaust der Wind,
Herein, in meinen Armen,
Herzliebster, zu erwarmen!" —

"Lass sausen durch den Hagedorn,
Lass sausen, Kind, lass sausen!
Der Rappe scharrt, es klirrt der Sporn,
Ich darf allhier nicht hausen.
Komm, schürze, spring und schwinge dich
Auf meinen Rappen hinter mich!
Muss heut noch hundert Meilen
Mit dir ins Brautbett eilen." —

"Ach, wolltest hundert Meilen noch
Mich heut ins Brautbett tragen?
Und horch! es brummt die Glocke noch,
Die elf schon angeschlagen." —
"Sieh hin, sieh her! der Mond scheint hell.
Wir und die Toten reiten schnell.
Ich bringe dich, zur Wette,
Noch heut ins Hochzeitbette." —

"Sag' an, wo ist dein Kämmerlein?
Wo? Wie dein Hochzeitbettchen?" —
"Weit, weit von hier! — Still, kühl und klein! —
Sechs Bretter und zwei Brettchen!" —
"Hat's Raum für mich?" — "Für dich und mich!
Komm, schürze, spring und schwinge dich!
Die Hochzeitgäste hoffen;
Die Kammer steht uns offen." —

Schön Liebchen schürzte, sprang und schwang
Sich auf das Ross behende;
Wohl um den trauten Reiter schlang
Sie ihre Lilienhände.
Und hurre hurre, hop hop hop,
Ging's fort im sausenden Galopp,
Dass Ross und Reiter schnoben,
Und Kies und Funken stoben.

Zur rechten und zur linken Hand
Vorbei vor ihren Blicken,
Wie flogen Anger, Heid' und Land!
Wie donnerten die Brücken!
"Graut Liebchen auch? — Der Mond scheint hell!
Hurra! die Toten reiten schnell!

Graut Liebchen auch vor Toten?" —
"Ach, nein! — Doch lass die Toten!"

Was klang dort für Gesang und Klang?
Was flatterten die Raben?
Horch Glockenklang! horch Totensang:
"Lasst uns den Leib begraben!"
Und näher zog ein Leichenzug,
Der Sarg und Totenbahre trug.
Das Lied war zu vergleichen
Dem Unkenruf in Teichen.

"Nach Mitternacht begrabt den Leib,
Mit Klang und Sang und Klage!
Jetzt führ' ich heim mein junges Weib.
Mit, mit zum Brautgelage!
Komm, Küster, hier! Komm mit dem Chor,
Und gurgle mir das Brautlied vor!
Komm, Pfaff, und sprich den Segen,
Eh wir zu Bett uns legen!" —

Still Klang und Sang. — Die Bahre schwand. —
Gehorsam seinem Rufen,
Kam's hurre hurre! nachgerannt,
Hart hinters Rappen Hufen.
Und immer weiter, hop hop hop!
Ging's fort im sausenden Galopp,
Dass Ross und Reiter schnoben,
Und Kies und Funken stoben.

Wie flogen rechts, wie flogen links
Gebirge, Bäum' und Hecken!
Wie flogen links, und rechts, und links
Die Dörfer, Städt' und Flecken!
"Graut Liebchen auch? — Der Mond scheint hell!
Hurra! die Toten reiten schnell!
Graut Liebchen auch vor Toten?" —
"Ach! Lass sie ruhn, die Toten!" —

Sieh da! sieh da! Am Hochgericht
Tanzt' um des Rades Spindel
Halb sichtbarlich, bei Mondenlicht,
Ein lustiges Gesindel. —
"Sasa! Gesindel, hier! Komm hier!
Gesindel, komm und folge mir!
Tanz uns den Hochzeitreigen,
Wann wir zu Bette steigen!" —

Und das Gesindel husch husch husch!
Kam hinten nachgeprasselt,
Wie Wirbelwind am Haselbusch
Durch dürre Blätter rasselt.
Und weiter, weiter, hop hop hop!
Ging's fort im sausenden Galopp,
Dass Ross und Reiter schnoben,
Und Kies und Funken stoben.

Wie flog, was rund der Mond beschien,
Wie flog es in die Ferne!
Wie flogen oben über hin
Der Himmel und die Sterne! —
"Graut Liebchen auch? — Der Mond scheint hell!
Hurra! die Toten reiten schnell!
Graut Liebchen auch vor Toten?" —
"O weh, lass ruhn die Toten!"—

"Rapp'! Rapp'! Mich dünkt, der Hahn schon ruft. —
Bald wird der Sand verrinnen —
Rapp'! Rapp'! Ich wittre Morgenluft —
Rapp'! Tummle dich von hinnen! —
Vollbracht, vollbracht ist unser Lauf!
Das Hochzeitbette tut sich auf!
Die Toten reiten schnelle!
Wir sind, wir sind zur Stelle!"—

Rasch auf ein eisern Gittertor
Ging's mit verhängtem Zügel.
Mit schlanker Gert' ein Schlag davor
Zersprengte Schloss und Riegel.
Die Flügel flogen klirrend auf,
Und über Gräber ging der Lauf.
Es blinkten Leichensteine
Rund um im Mondenscheine.

Ha sieh! Ha sieh! im Augenblick
Huhu! ein grässlich Wunder!
Des Reiters Koller, Stück für Stück,
Fiel ab wie mürber Zunder.
Zum Schädel, ohne Schopf und Zopf,
Zum nackten Schädel ward sein Kopf;
Sein Körper zum Gerippe,
Mit Stundenglas und Hippe.

Hoch bäumte sich, wild schnob der Rapp',
Und sprühte Feuerfunken;
Und hui! war 's unter ihr hinab
Verschwunden und versunken.
Geheul! Geheul aus hoher Luft,
Gewinsel kam aus tiefer Gruft.
Lenorens Herz, mit Beben,
Rang zwischen Tod und Leben.

Nun tanzten wohl bei Mondenglanz,
Rund um herum im Kreise,
Die Geister einen Kettentanz,
Und heulten diese Weise:
"Geduld! Geduld! Wenn's Herz auch bricht!
Mit Gott im Himmel hadre nicht!
Des Leibes bist du ledig;
Gott sei der Seele gnädig!"

## LXXVIII. FRIEDRICH SCHILLER

1759–1805. The more important work of Schiller falls without the limit set for this book. His contribution to the literature of revolution begins with the *Robbers* (1781), a fierce castigation of the social order, and ends with *Cabal and Love* (1784), which is the only family tragedy of that time that has survived on the stage. The dramatic genius which was to give Schiller the supreme place in the history of the German theater appears full-fledged in his early plays, not, however, his self-control, his wisdom, or his knowledge of human nature.

1

### Lied Amaliens.

Schön wie Engel, voll Walhallas Wonne,
Schön vor allen Jünglingen war er,
Himmlisch mild sein Blick, wie Maiensonne
Rückgestrahlt vom blauen Spiegelmeer.

Seine Küsse — paradiesisch Fühlen!
Wie zwo Flammen sich ergreifen, wie
Harfentöne in einander spielen
Zu der himmelvollen Harmonie, —

Stürzten, flogen, schmolzen Geist und Geist zusammen,
Lippen, Wangen brannten, zitterten, —
Seele rann in Seele — Erd' und Himmel schwammen
Wie zerronnen um die Liebenden!

Er ist hin — vergebens, ach, vergebens
Stöhnet ihm der bange Seufzer nach!
Er ist hin, und alle Lust des Lebens
Wimmert hin in ein verlorenes Ach!

2

### Die Entzückung an Laura.

Laura, über diese Welt zu flüchten
Wähn' ich — mich in Himmelmaienglanz zu lichten,
Wenn dein Blick in meine Blicke flimmt;
Ätherlüfte träum' ich einzusaugen,
Wenn mein Bild in deiner sanften Augen
Himmelblauem Spiegel schwimmt.

Leierklang aus Paradieses Fernen,
Harfenschwung aus angenehmern Sternen,
Ras' ich in mein trunknes Ohr zu ziehn;
Meine Muse fühlt die Schäferstunde,
Wenn von deinem wollustheissen Munde
Silbertöne ungern fliehn.

Amoretten seh' ich Flügel schwingen,
Hinter dir die trunknen Fichten springen,
Wie von Orpheus' Saitenruf belebt;
Rascher rollen um mich her die Pole,
Wenn im Wirbeltanze deine Sohle
Flüchtig, wie die Welle, schwebt.

Deine Blicke, wenn sie Liebe lächeln,
Könnten Leben durch den Marmor fächeln,
Felsenadern Pulse leihn;
Träume werden um mich her zu Wesen,
Kann ich nur in deinen Augen lesen:
Laura, Laura mein!

### 3

*From the 'Robbers,' Act 3, Scene 2.*

Gegend an der Donau.

Die Räuber,[1] gelagert auf einer Anhöhe unter Bäumen, die Pferde weiden am Hügel hinunter.

Moor. Hier muss ich liegen bleiben (*wirft sich auf die Erde*). Meine Glieder wie abgeschlagen. Meine Zunge trocken, wie eine Scherbe. (*Schweizer verliert sich unbemerkt.*) Ich wollt' euch bitten, mir eine Handvoll Wassers aus diesem Strome zu holen; aber ihr seid alle matt bis in den Tod.

Schwarz. Auch ist der Wein all in unsern Schläuchen.

Moor. Seht doch, wie schön das Getreide steht! — Die Bäume brechen fast unter ihrem Segen — der Weinstock voll Hoffnung.

[1] Count Karl Moor, having been cast off by his father, through the machinations of his villainous younger brother Franz, has declared war on society and become captain of a band of robbers. But he is no selfish criminal, and his better nature often asserts itself, as in this scene.

Grimm. Es gibt ein fruchtbares Jahr.

Moor. Meinst du? — Und so würde doch Ein Schweiss in der Welt bezahlt. Einer? — Aber es kann ja über Nacht ein Hagel fallen und alles zu Grund schlagen.

Schwarz. Das ist leicht möglich. Es kann alles zu Grund gehen, wenig Stunden vorm Schneiden.

Moor. Das sag' ich ja. Es wird alles zu Grund gehen. Warum soll dem Menschen das gelingen, was er von der Ameise hat, wenn ihm das fehlschlägt, was ihn den Göttern gleich macht? — Oder ist hier die Mark seiner Bestimmung?

Schwarz. Ich kenne sie nicht.

Moor. Du hast gut gesagt und noch besser getan, wenn du sie nie zu kennen verlangtest! — Bruder — ich habe die Menschen gesehen, ihre Bienensorgen und ihre Riesenprojekte — ihre Götterpläne und ihre Mäusegeschäfte, das wundersame Wettrennen nach Glückseligkeit; — dieser dem Schwung seines Rosses anvertraut — ein anderer der Nase eines Esels — ein dritter seinen eignen Beinen; dieses bunte Lotto des Lebens, worein so mancher seine Unschuld und — seinen Himmel setzt, einen Treffer zu haschen, und — Nullen sind der Auszug — am Ende war kein Treffer darin. Es ist ein Schauspiel, Bruder, das Tränen in die Augen lockt, wenn es dein Zwerchfell zu Gelächter kitzelt.

Schwarz. Wie herrlich die Sonne dort untergeht!

Moor (*in den Blick verschwemmt*). So stirbt ein Held! — Anbetungswürdig!

Grimm. Du scheinst tief gerührt.

Moor. Da ich noch ein Bube war — war's mein Lieblingsgedanke, wie sie zu leben, zu sterben wie sie — (*Mit verbissenem Schmerz*) Es war ein Bubengedanke!

Grimm. Das will ich hoffen.

Moor (*drückt den Hut übers Gesicht*). Es war eine Zeit — Lasst mich allein, Kameraden!

Schwarz. Moor! Moor! Was zum Henker! Wie er seine Farbe verändert!

Grimm. Alle Teufel! Was hat er? Wird ihm übel?

Moor. Es war eine Zeit, wo ich nicht schlafen konnte, wenn ich mein Nachtgebet vergessen hatte —

GRIMM. Bist du wahnsinnig? Willst du dich von deinen Bubenjahren hofmeistern lassen?

MOOR (*legt sein Haupt auf Grimms Brust*). Bruder! Bruder!

GRIMM. Wie? Sei doch kein Kind! Ich bitte dich —

MOOR. Wär' ich's, — wär' ich's wieder!

GRIMM. Pfui! Pfui!

SCHWARZ. Heitre dich auf! Sieh diese malerische Landschaft — den lieblichen Abend.

MOOR. Ja, Freunde, diese Welt ist so schön.

SCHWARZ. Nun, das war wohl gesprochen.

MOOR. Diese Erde so herrlich.

GRIMM. Recht — recht — so hör' ich's gerne.

MOOR (*zurückgesunken*). Und ich so hässlich auf dieser schönen Welt — und ich ein Ungeheuer auf dieser herrlichen Erde.

GRIMM. O weh! o weh!

MOOR. Meine Unschuld! Meine Unschuld! — Seht, es ist alles hinausgegangen, sich im friedlichen Strahl des Frühlings zu sonnen — warum ich allein die Hölle saugen aus den Freuden des Himmels? — Dass alles so glücklich ist, durch den Geist des Friedens alles so verschwistert! — Die ganze Welt Eine Familie, und Ein Vater dort oben — Mein Vater nicht — Ich allein der Verstossene, ich allein ausgemustert aus den Reihen der Reinen — mir nicht der süsse Name Kind — nimmer mir der Geliebten schmachtender Blick — nimmer, nimmer des Busenfreunds Umarmung! (*Wild zurückfahrend*) Umlagert von Mördern — von Nattern umzischt — angeschmiedet an das Laster mit eisernen Banden — hinausschwindelnd ins Grab des Verderbens auf des Lasters schwankendem Rohr — mitten in den Blumen der glücklichen Welt ein heulender Abbadona!

SCHWARZ (*zu den übrigen*). Unbegreiflich! Ich habe ihn nie so gesehen.

GRIMM (*zu den andern*). Nur Geduld! Der Paroxysmus ist schon im Fallen.

MOOR. Es war eine Zeit, wo sie mir so gern flossen — o ihr Tage des Friedens! Du Schloss meines Vaters — ihr grünen schwärmerischen Täler! O all ihr Elysiumszenen meiner Kindheit! — Werdet ihr nimmer zurückkehren — nimmer mit köstlichem Säuseln meinen brennenden Busen kühlen? — Dahin! dahin! unwiederbringlich!

4

*From 'Cabal and Love,' Act 1, Scene 4.*

FERDINAND VON WALTER. LOUISE.[1]

(*Er fliegt auf sie zu — sie sinkt entfärbt und matt auf einen Sessel — er bleibt vor ihr stehen — sie sehen sich eine Zeitlang stillschweigend an. Pause.*)

FERDINAND. Du bist blass, Louise?

LOUISE (*steht auf und fällt ihm um den Hals*). Es ist nichts! nichts! Du bist ja da! Es ist vorüber!

FERDINAND (*ihre Hand nehmend und zum Munde führend*). Und liebt mich meine Louise noch? Ich fliege nur her, will sehen, ob du heiter bist, und gehn und es auch sein. — Du bist's nicht.

LOUISE. Doch, doch, mein Geliebter.

FERDINAND. Rede mir Wahrheit! Du bist's nicht. Ich schaue durch deine Seele wie durch das klare Wasser dieses Brillanten. (*Er zeigt auf seinen Ring.*) Hier wirft sich kein Bläschen auf, das ich nicht merkte — kein Gedanke tritt in dies Angesicht, der mir entwischte. Was hast du? Geschwind! Weiss ich nur diesen Spiegel helle, so läuft keine Wolke über die Welt. Was bekümmert dich?

LOUISE (*sieht ihn eine Weile stumm und bedeutend an, dann mit Wehmut*). Ferdinand! Ferdinand! Dass du noch wüsstest, wie schön in dieser Sprache das bürgerliche Mädchen sich ausnimmt —

FERDINAND. Was ist das? (*Befremdet*) Mädchen! Höre! Wie kommst du auf das? — Du bist meine Louise! Wer sagt dir, dass du noch etwas sein solltest? Siehst du, Falsche, auf welchem Kaltsinn ich dir begegnen muss. Wärest du ganz nur Liebe für mich, wann hättest du Zeit gehabt, eine Vergleichung zu machen? Wenn ich bei dir bin, zerschmilzt meine Vernunft in einen Blick — in einen Traum von dir, wenn ich weg bin, und du hast noch eine Klugheit

[1] Louise is the daughter of a middle-class musician. She has not yet heard of any plot (the 'cabal' comes later) to separate her from her noble lover, whose intentions are honorable; but her father's uneasiness and her own instinctive class-feeling fill her with dismay.

neben deiner Liebe? — Schäme dich! Jeder Augenblick, den du an diesen Kummer verlorst, war deinem Jüngling gestohlen.

Louise (*fasst seine Hand, indem sie den Kopf schüttelt*). Du willst mich einschläfern, Ferdinand — willst meine Augen von diesem Abgrund hinweglocken, in den ich ganz gewiss stürzen muss. Ich seh' in die Zukunft — die Stimme des Ruhms — deine Entwürfe — dein Vater — mein Nichts. (*Erschrickt und lässt plötzlich seine Hand fahren.*) Ferdinand! Ein Dolch über dir und mir! — Man trennt uns!

Ferdinand. Trennt uns! (*Er springt auf.*) Woher bringst du diese Ahnung, Louise? Trennt uns? — Wer kann den Bund zwoer Herzen lösen oder die Töne eines Akkords auseinander reissen? — Ich bin ein Edelmann — Lass doch sehen, ob mein Adelsbrief älter ist als der Riss zum unendlichen Weltall? oder mein Wappen giltiger als die Handschrift des Himmels in Louisens Augen: dieses Weib ist für diesen Mann? — Ich bin des Präsidenten Sohn. Eben darum. Wer als die Liebe kann mir die Flüche versüssen, die mir der Landeswucher meines Vaters vermachen wird?

Louise. O wie sehr fürcht' ich ihn — diesen Vater!

Ferdinand. Ich fürchte nichts — nichts — als die Grenzen deiner Liebe! Lass auch Hindernisse wie Gebirge zwischen uns treten, ich will sie für Treppen nehmen und drüber hin in Louisens Arme fliegen. Die Stürme des widrigen Schicksals sollen meine Empfindung emporblasen, Gefahren werden meine Louise nur reizender machen. — Also nichts mehr von Furcht, meine Liebe! Ich selbst — ich will über dir wachen, wie der Zauberdrach über unterirdischem Golde. — Mir vertraue dich! Du brauchst keinen Engel mehr — Ich will mich zwischen dich und das Schicksal werfen — empfangen für dich jede Wunde — auffassen für dich jeden Tropfen aus dem Becher der Freude — dir ihn bringen in der Schale der Liebe. (*Sie zärtlich umfassend*) An diesem Arm soll meine Louise durchs Leben hüpfen; schöner als er dich von sich liess soll der Himmel dich wieder haben und mit Verwunderung eingestehen, dass nur die Liebe die letzte Hand an die Seelen legte. —

Louise (*drückt ihn von sich in grosser Bewegung*). Nichts mehr! Ich bitte dich, schweig! — Wüsstest du — lass mich — Du weisst nicht, dass deine Hoffnungen mein Herz wie Furien anfallen. (*Will fort.*)

Ferdinand (*hält sie auf*). Louise? Wie? Was? Welche Anwandlung?

Louise. Ich hatte diese Träume vergessen und war glücklich — jetzt! Jetzt! Von heut an! — der Friede meines Lebens ist aus — Wilde Wünsche — ich weiss es — werden in meinem Busen rasen. — Geh — Gott vergebe dir's! — Du hast den Feuerbrand in mein junges friedsames Herz geworfen, und er wird nimmer, nimmer gelöscht werden. (*Sie stürzt hinaus. Er folgt ihr sprachlos nach.*)

## 5

*From a Discourse on the Theater, read before the German Society of Mannheim in 1784.*

Noch ein Verdienst hat die Bühne — ein Verdienst, das ich jetzt um so lieber in Anschlag bringe, weil ich vermute, dass ihr Rechtshandel mit ihren Verfolgern ohnehin schon gewonnen sein wird. Was bisher zu beweisen unternommen worden, dass sie auf Sitten und Aufklärung wesentlich wirke, war zweifelhaft — dass sie unter allen Erfindungen des Luxus und allen Anstalten zur gesellschaftlichen Ergötzlichkeit den Vorzug verdiene, haben selbst ihre Feinde gestanden. Aber was sie hier leistet, ist wichtiger als man gewöhnt ist zu glauben.

Die menschliche Natur erträgt es nicht, ununterbrochen und ewig auf der Folter der Geschäfte zu liegen, die Reize der Sinne sterben mit ihrer Befriedigung. Der Mensch, überladen von tierischem Genuss, der langen Anstrengung müde, vom ewigen Triebe nach Tätigkeit gequält, dürstet nach bessern auserlesenern Vergnügungen, oder stürzt zügellos in wilde Zerstreuungen, die seinen Hinfall beschleunigen und die Ruhe der Gesellschaft zerstören. Bacchantische Freuden, verderbliches Spiel, tausend Rasereien, die der Müssiggang ausheckt, sind unvermeidlich, wenn der Gesetzgeber diesen Hang des Volkes nicht zu lenken weiss. Der Mann von Geschäften ist in Gefahr, ein Leben, das er dem Staat so grossmütig hinopferte, mit dem unseligen Spleen abzubüssen — der Gelehrte zum dumpfen Pedanten herabzusinken — der Pöbel zum Tier. Die Schaubühne ist die Stiftung, wo sich Vergnügen mit Unterricht, Ruhe mit Anstrengung, Kurzweil mit Bildung gattet, wo keine Kraft der Seele zum Nachteil der andern gespannt, kein Vergnügen auf Unkosten des Ganzen genossen wird. Wenn Gram an dem Herzen nagt, wenn trübe Laune unsre einsamen Stunden vergiftet, wenn uns Welt und Geschäfte anekeln, wenn tausend Lasten unsre Seele drücken, und unsre Reizbarkeit unter Arbeiten des Berufs zu ersticken droht, so empfängt uns die Bühne — in dieser künstlichen Welt träumen wir die wirkliche hinweg, wir werden uns selbst wiedergegeben, unsre Empfindung erwacht, heilsame Leidenschaften erschüttern unsre schlummernde Natur und treiben das Blut in frischeren Wallungen. Der Unglückliche weint hier mit fremdem Kummer seinen eignen aus — der Glückliche wird nüchtern und der Sichere besorgt. Der empfindsame Weichling härtet sich zum Manne, der rohe Unmensch fängt hier zum ersten Mal zu empfinden an. Und dann endlich — welch ein Triumph für dich, Natur! — so oft zu Boden getretene, so oft wieder auferstehende Natur! — wenn Menschen aus allen Kreisen und Zonen und Ständen, abgeworfen jede Fessel der Künstelei und der Mode, herausgerissen aus jedem Drange des Schicksals, durch Eine allwebende Sympathie verbrüdert, in Ein Geschlecht wieder aufgelöst, ihrer selbst und der Welt vergessen und ihrem himmlischen Ursprung sich nähern! Jeder einzelne geniesst die Entzückungen aller, die verstärkt und verschönert aus hundert Augen auf ihn zurückfallen, und seine Brust gibt jetzt nur Einer Empfindung Raum — es ist diese: ein Mensch zu sein.

END OF PART SECOND